제인 에어 1

JANE EYRE

Charlotte Brontë

제인 에어 1

샬럿 브론테 | 이덕형 옮김

문예출판사

차 례

W. M. 새커리 님께 바칩니다.

작가 서문

《제인 에어》의 초판본에서는 별 필요성을 느끼지 못해 머리말을 달지 않았다. 그러나 이 재판본에서는 감사의 표시와 여러 가지 할 말이 있어 몇 마디 적을 필요를 느꼈다.

마땅히 감사를 받아야 할 분들은 세 부류이다.

우선 별로 치장도 하지 않은 이 평범한 이야기에 너그럽게 귀를 기울여주신 독자분들에게 감사한다.

무명의 문학 지망생에게 정직한 찬반 투표를 통해 넓은 지면을 할애해주신 언론계에 감사한다.

또한 기지와 정력과 실무 감각과 솔직한 관대함을 발휘하며, 알려지지도 않고 추천도 받지 않은 저자에게 도움을 주신 출판인들에게 감사한다.

언론과 독자들은 나에게는 막연한 인격화된 대상일 뿐이다. 따라서 그들에게는 모호한 말로만 감사할 수밖에 없다. 그러나 내 책을 낸 출판인들은 명확한 실체가 있는 대상들이다. 또한 나에게 격려를 보내주신 관대한 비평가들도 마찬가지다. 오직 넓은 아량과 고매한 정신의 소유자들만이 치열하게 노력하는 낯선 신인 작가를 격려할 줄 알기 때문이다. 그런 분들, 다시 말해 책을 내주신 출판인들과 최고의 평론가들에게 진심으로 말씀드리다 선생님들, 심심한 감사를 표합니다.

나를 도와주고 인정해준 분들에게 마땅히 해야 할 감사의 인사를 전했으니, 이제 나는 다른 부류의 사람들에게 시선을 돌린다. 내가 아는 한 이들의 수는 적지만 그렇다고 무시해서도 안 되는 사람들이다. 바로 《제인 에어》와 같은 작품들의 성향에 대해 회의를 품는 소심하고 흠잡기 좋아하는 소수의 사람들을 말하는 것이다. 이들의 눈에는 좀 유별난 것은 모두가 잘못된 것으로 보인다. 사실 죄의 원천인 완고하기 이를 데 없는 그런 신앙 행위에 항의할 때마다 그 항의 속에서 경건한 신앙심에 대한 모독을 그들의 귀는 탐지해낸다. 그들이 말하는 경건한 신앙심은 지상에서 하느님의 대리역이라고 생각하는 사람들이다. 나는 그러한 회의주의자들에게 어떤 명확한 구분법을 제시하고 싶다. 어떤 단순한 진리를 그들에게 상기시키고 싶다.

인습은 도덕이 아니다. 독선은 종교가 아니다. 인습과 독선을 공격하는 일은 도덕과 종교를 공격하는 것이 아니다. 바리새인들의 얼굴에서 가면을 벗겨내는 일은 가시면류관에다 불경스러운 손을 올려놓는 일이 아니다.

이런 두 가지 일과 행위들은 정반대가 되는 것이다. 양자는 마치 선과 악처럼 뚜렷이 구분된다. 그런데도 사람들은 너무 자주 양자를 혼동한다. 양자는 혼동되어서는 안 된다. 외형이 진리로 오인되어서는 안 된다. 다만 소수의 인간들을 격상시키고 뽐내게 하는 교리, 인간이 만든 편협한 교리가 세상을 구원하는 그리스도의 신조를 대체해서는 안 된다. 반복해서 말하지만 양자 사이에는 차이가 있는 것이다. 그래서 양자를 분리하는 경계선을 굵고 명확하게 긋는 일은 악한 행위가 아니라 선한 행위이다.

세상 사람들은 이 두 가지 개념이 분리되는 것을 보고 싶어 하지 않을지도 모른다. 양자를 뒤섞는 일이 습관화되었기 때문이다. 그네들은 외적 허식을 순수한 가치로 여기는 것이 편하다고 생각하며, 하얗게 닦아낸 벽들은 깨끗한 신전을 보증하는 것으로 생각하는 것이 편하다고 생각하는 사람들이다. 정밀한 조사를 통해 감히 폭로하는 사람, 금박을 벗기고 그 밑에 있는 저급한 금속을 밝혀내는 사람, 지하 무덤을 뚫고 들어가 납골당의 유골을 들춰내는 사람[*]은 증오할지도 모른다. 그러나 사람들이 이런 사람을 아무리 증오한다 해도 그들은 그 사람에게서 은혜를 입는 것이다.

아합 왕은 자기에게 좋은 예언은 하지 않고 불길한 예언만 한다고 해서 미가야를 좋아하지 않았다. 아마 그 왕은 알랑거리던 그나아나의 아들을 더 좋아했을 것이다. 그러나 만일 아합 왕이 아첨에 귀를 막고 충실한 조언에 귀를 열었더라면 참혹한 죽음은 면할 수 있었을 것이다.

우리 시대에도 예민한 귀의 소유자들을 즐겁게 하지 않는 발언을 하는 분이 한 분 계신다. 내 생각에 그분은 우리 사회의 권력자들 앞에 당당히 나선다. 마치 그분은 왕관을 쓴 유다의 왕들이나 이스라엘의 왕들 앞에 당당히 나섰던 이물라의 아들 미가야와 많이 닮은 분이다. 그분은 미가야 못지않은 깊이를 지니고, 예언자답게

---

[*] 마태복음 23장 27절. "겉은 그럴싸해 보이지만 그 속에는 죽은 사람의 뼈와 썩은 것이 가득한 회칠한 무덤 같다"라는 예수의 바리새인들에 대한 비난.

힘차게 진리를 설파하시다. 그분의 태도 역시 미가야 못지않게 겁이 없고 대담하시다. 그런데 이 《허영의 시장》을 쓰신 풍자가께서 높은 위치에 올라 찬양을 받고 계신가? 나는 모르겠다. 그러나 나는 그분이 그리스식 화공무기와도 같은 냉소를 퍼부은 대상자들이나 번갯불 같은 비난의 횃불을 던진 대상자들 중 단 몇 명이라도 그분의 경고를 제때 받아들였더라면 그들 자신이나 후손들이 치명적인 길르앗 라못 원정 같은 과오는 범하지 않고 피할 수 있었을 것이라고 생각한다.

내가 왜 그분을 언급했을까? 독자 여러분, 우리가 여태껏 알아왔던 것보다 훨씬 더 심오하고 독특한 지성인을 그분에게서 발견했기 때문이다. 그분은 우리 시대 최초의 사회개혁가이시며 왜곡된 체제도 가동되는 현 상황을 올바르게 고쳐줄, 일하는 대중의 인도자라고 생각하기 때문이다. 또한 그분의 글을 논평한 평론가들 중 누구도 그분에게 어울리는 비교와 그분의 재능을 올바르게 특징짓는 용어를 아직 발견하지 못했다고 생각하기 때문이다. 그들은 그분이 필딩*과 닮은 정도는 독수리와 대머리수리가 닮은 정도와 같다고 한다. 필딩은 고개를 박고 썩은 고기를 먹을 수 있지만 새커리 선생님은 결코 그러시지 않는다. 그분의 위트는 뛰어나고 유머는 매력적이지만 그 두 가지와 그분의 깊은 천재성과의 관계는, 여름 구름 언저리 밑에서 튕겨 나오는 부드러운 막전(幕電)과 그 구름의 자궁 속에 도사린 치명적인 전기 스파이크와의 관계와 같다. 끝으

---

* 18세기 영국의 소설가이자 극작가. 대표작으로 《조지프 앤드루스》, 《톰 존즈》 등이 있다.

로 내가 새커리 선생님을 언급한 이유는, 그분이 전혀 낯선 사람의 선물을 받아주실 것을 가정하고 하는 말인데, 바로 그분에게 내가 이《제인 에어》의 재판본을 바쳤기 때문이다.

커러 벨[*]

1847년 12월 21일

---

[*]　샬럿 브론테의 필명.

3판에 붙여

《제인 에어》 3판 출간이 내게 제공한 이 기회를 이용하여 나는 다시 독자들에게 한 말씀 올리고 싶다. 내가 소설가라는 직함을 주장할 수 있는 것은 오로지 이 한 작품에 근거한 것이라고 해명하고 싶다. 그러므로 만약 다른 소설들의 저자가 나라는 이야기가 돈다면 그 명예는 자격도 없는 어떤 사람에게 주어진 것이 된다. 그러니까 그런 명예를 받을 자격이 있는 당사자들에게 돌아간 것이 아닌 셈이다.

이러한 나의 해명은 이미 저질러졌을지도 모르는 오류들을 시정하고 앞으로 발생할지 모르는 또 다른 오류들을 시정하는 데 도움이 될 것이다.

커러 벨
1848년 4월 13일

제1장

그날은 산책할 가능성이 전혀 없었다. 이제껏 우리는 사실 아침 나절 한 시간 동안 잎이 없는 관목 숲 사이를 쏘다녔었다. 그러나 점심 식사가 끝난 이후 (리드 부인은 같이 식사할 사람이 없을 때는 점심을 일찍 드셨는데) 추운 겨울바람이 시커먼 구름과 몸까지 적시는 비를 몰고 왔기 때문에 이제 더 이상 밖에 나가 운동하는 것은 불가능했다.

그래서 나는 기뻤다. 나는 오랜 시간 산책하는 것이 정말 싫었다. 특히 서늘한 오후에는 그게 싫었다. 으스스한 땅거미가 지는 시간에 손발이 꽁꽁 얼어붙은 채 집으로 돌아오는 일은 끔찍했다. 게다가 보모 베시에게 꾸중을 들어 슬픈 데다가 일라이자, 존, 조지아나 리드에 비해 내 체력이 떨어진다는 생각으로 기가 죽는 것은 더 끔찍했다.

지금 말한 일라이자, 존, 조지아나는 그때 거실에서 자기들 엄마 주위에 옹기종기 모여 있었다. 그 엄마는 난롯가에 놓인 소파에 비스듬히 누워 있었고 그때 잠시나마 다투거나 울지 않아서 그런지 아이들은 더없이 행복해 보였다. 하지만 그녀는 나를 그들 사이에 끼지 못하게 했다. "안됐지만 난 너를 멀찌감치 있게 해야겠다. 네가 진심으로 더 정답고, 어린애답고, 더 매력적이고 명랑한 태도를 갖기 위해 노력한다는 말을 베시한테서 들을 때까지 말이다. 아니, 내가 몸소 관찰하여 그걸 알 때까지 그런다는 말이다. 더 밝고 솔직하고 이를테면 자연스런 그런 아이가 되라는 말이다. 정말이지 그때까지는 만족할 줄 알고 행복해하는 어린애들에게만 돌아가는 특권들을 네게서 뺏을 수밖에 없다." 하고 그녀는 말을 곁들였다.

"제가 무슨 짓을 했다고 베시가 고자질이라도 했나요?" 내가 물었다.

"제인, 난 트집이나 잡고 따지는 아이는 딱 질색이다. 게다가 윗사람에게 따지고 드는 아이는 정말 가까이하기 싫다. 어디 아무 데나 앉아라. 유쾌하게 말할 수 있을 때까지 입 다물고 있어라."

작은 아침 식사용 식당이 거실에 붙어 있었다. 나는 살짝 그 방으로 들어갔다. 그 방에는 책장이 있었다. 나는 그림으로 가득 찬 책을 골라야지 하고 신경을 쓰며 곧 책 한 권을 골라 들었다. 나는 창 밑 걸상으로 올라갔다. 그 위로 발을 모두 끌어올려 마치 터키 사람처럼 양반다리를 하고 앉았다. 붉은색 모린 커튼을 바싹 잡아당겨 몸을 가렸더니 나는 마치 이중으로 은폐된 신전 속에 모셔진 것 같았다.

주름이 많이 잡힌 주홍색 커튼이 오른쪽 시야를 막았고 왼쪽은 맑은 창유리가 나를 11월의 스산한 날씨로부터 보호해주면서도 완전히 차단하지는 않았다. 책갈피를 넘기며 나는 이따금씩 그 겨울 오후의 풍경을 찬찬히 바라보았다. 먼 곳에 안개와 구름이 창백한 여백을 만들어내는 오후였다. 가까이에는 빗물에 젖은 잔디밭과 폭풍에 시달린 관목 숲이 펼쳐져 있었다. 길게 이어지는 구슬픈 강풍

앞에서 줄기차게 내리는 비는 사납게 그곳을 쓸어가고 있었다.

나는 내 책으로 다시 돌아왔다. 비윅의 《영국 조류사》라는 책이었다. 대체로 나는 그 책의 글자로 된 부분은 별로 좋아하지 않았다. 그러나 그 책에는 내가 아직 어린애지만 그냥 공백처럼 넘겨버릴 수 없는 머리말을 담은 페이지가 있었다. 바닷새들의 서식지를 다룬 페이지였다. 바닷새들만이 사는 "외로운 암초와 갑(岬)"이라든지 남쪽 끝에 있는 린드니스나 네이즈로 시작하여 북쪽에 위치한 노스케이프에 이르기까지 섬들이 점점이 박힌 노르웨이 해안을 다룬 페이지들이었다.

> 북해가 거대한 소용돌이를 일으키며
> 최북단 튤리 지역 울적한 벌거숭이 섬들 주변에서
> 끓어오르는 곳, 또 폭풍우 몰아치는 헤브리디스 제도 사이에서
> 대서양의 거대한 파도가 쏟아져 들어오는 곳.[*]

또한 라플란드, 시베리아, 스피츠베르겐, 노바 젬불라, 아이슬란드, 그린란드의 황량한 해변들을 암시하는 내용에도 주목하지 않을 수 없었다. 그리고 "광활하게 펼쳐진 북극대(帶), 살벌한 공간으로만 이루어진 쓸쓸한 지역들, 수세기에 걸친 겨울들이 축적해놓은 단단한 얼음 빙판들이 고원들 위에 고원들을 더 높이 겹쳐 쌓아올린 모습으로 눈부시게 빛나며 북극을 에워싸고 극한의 추위가 발하는 막강한 혹독함을 집결시키는 곳들"을 주목하지 않을 수 없었다.

---

[*] 제임스 톰슨(1700~1748)의 〈가을〉에 나오는 시행이다. 비윅의 책에 인용된 것.

죽음처럼 하얀 이들 영역에 대해 나는 내 나름의 개념을 형성했다. 어린애들의 머릿속을 희미하게 떠다니지만 이상하게 깊은 인상을 남기는 온갖 미숙한 개념들처럼 그저 뿌연 것이었다. 책 앞쪽에 붙은 서론 부분은 이어져 나오는 삽화들과 연관이 있었다. 그리하여 큰 파도와 물보라 치는 바다에 홀로 솟아 있는 암초와 적막한 해변에 좌초되어 있는 부서진 배와 방금 침몰하고 있는 난파선을 구름 띠 사이로 엿보고 있는 차갑고 유령 같은 달에게 의미를 부여하고 있었다.

글이 새겨진 묘석이 있는 외롭기 그지없는 교회 묘지와 그 문과 두 그루의 나무와 부서진 담장으로 띠를 두른 그 낮은 지평선과, 밤 시간임을 알리며 새로 떠오른 초승달 등을 나타내는 삽화들에 어떤 정서가 깃들어 있는지 알 수가 없었다.

나른하게 누워 있는 바다 위에 꼼짝도 하지 않고 떠 있는 두 척의 배를 나는 바다의 유령이라고 믿었다.

도둑이 등에 짊어진 봇짐에다 뒤에서 못질해 박는 악마를 그린 그림은 얼른 넘겨버렸다. 정말 소름이 끼치는 그림이었다.

멀리 교수대 주위를 에워싼 군중을 바위 위에 떨어져 앉아 내려다보는, 머리에 뿔이 난 검은 형체를 그린 그림도 그냥 넘겨버렸다.

그림마다 각각의 이야기를 담고 있었다. 그 이야기는 나의 미숙한 이해력과 불완전한 감각으로는 신비한 것이었다. 그러나 그 이야기는 겨울밤 베시가 우연히 기분이 좋을 때, 또는 아이들 방 난롯가에 다리미판을 들고 와서 주변에다 우리를 앉혀놓고 이따금 들려주던 이야기들만큼이나 몹시 재미났다. 베시는 리드 숙모의 레이스 주름장식을 매만지거나 자기의 취침용 모자 가장자리를 주름 잡으며, 이야기를 듣고 싶어 허기진 우리의 귀를 옛날 동화나 민담에서 따온 사랑과 모험이 담긴 토막 이야기로 충족시켜주었다. 이건 나중에 안 것이지만 그 이야기들 중에는 《파멜라》나 《모어랜드 백작 헨리》라는 책에서 따온 내용도 들어 있었다.

비윅의 책을 무릎 위에 놓고 있으면 그 순간 나는 행복했다. 그건 적어도 내 방식의 행복이었다. 방해받는 것 말고는 무서운 것이 없었다. 그런데 방해가 너무 일찍 닥쳐왔다. 식당 문이 열리는 것이었다.

"우우! 청승맞은 아줌마!" 존 리드가 소리치는 것이었다. 그는 잠시 아무 말도 없었다. 얼핏 보기에 그 방은 비어 있었을 것이다.

"그 애가 도대체 어디 간 거야?" 그가 말을 이었다. "리지! 조지!" 누이들에게 소리쳤다. "제인이 여기 없어. 엄마한테 그 애가 빗속으로 뛰쳐나갔다고 말해…… 고약한 년 같으니!"

'커튼을 쳐놓길 잘했군.' 하고 나는 생각했다. 그리고 내가 숨은 곳을 존이 찾지 못하기를 간절히 바랐다. 사실 존 리드는 혼자 힘으로는 그곳을 찾지 못했을 것이다. 존은 시력도 머리도 민첩하지 못했기 때문이다. 그러나 그 순간 일라이자가 문 안으로 머리를 들이밀며 말했다.

"잭, 분명히 그 애는 창밑 자리에 있을 거야."

그래서 나는 당장 밖으로 나왔다. 방금 잭이라고 불린 존에 의해 질질 끌려 나온다는 생각을 하니 몸서리가 쳐졌기 때문이다.

"무슨 일인데?" 나는 기가 죽어 어색하게 물었다.

"'무슨 일이세요, 리드 도련님?'이라고 말해." 그의 대답이었다. "난 네가 이리 오기를 바란다." 그는 안락의자에 앉으면서 자기 앞에 와서 서라고 손짓으로 알렸다.

존 리드는 열네 살 먹은 학생이었다. 내가 열 살이니까 나보다 네 살 위였다. 그는 나이에 비해 체구가 크고 건장했으며 거무죽죽하고 건강해 보이지 않는 피부를 가지고 있었다. 넓적한 얼굴에 이목구비는 둔탁했고 팔다리는 굵은 데다 손발도 큼직했다. 식사 습관이 게걸스러웠다. 그래서 담즙 분비가 왕성해서 눈은 흐리고 침침했으며 볼살은 축 늘어져 있었다. 그는 지금 학교에 있어야 했다. 그러나 그의 어머니는 "허약한 건강 때문에" 한두 달 동안 집으로 데려왔던 것이다. 그의 선생 마일즈 씨는 집에서 보내준 케이크와 사탕을 좀 줄여 먹으면 존의 건강이 나아질 거라고 장담했다. 그러나 어머니의 마음은 그렇게 무정한 의견을 멀리하고, 아들의 누르께한 안색이 지나친 공부와 어쩌면 집을 그리는 향수병 때문에 비롯된 것이라는 보다 세련된 생각으로 기울어져 있었다.

존은 자기 어머니나 누나들에 대해 그리 큰 애정이 없었다. 그리고 나에 대해서는 반감을 가지고 있었다. 그는 나를 괴롭히며 벌을 가했다. 일주일에 두세 차례나 하루에 한두 번 정도가 아니라 시도 때도 없이 괴롭혔다. 내 몸에 담긴 모든 신경이 그를 두려워했고 그가 다가오면 내 뼈에 붙은 모든 살점이 오그라들었다. 그가 조성하는 공포 때문에 정신이 혼란해지는 때가 있었다. 그의 위협과 지분거림에 대항하여 호소할 데가 전혀 없었기 때문이다. 하인들은 그에게 맞서 내 편을 들어 어린 도련님의 감정을 상하게 하기를 원하지 않았다. 그의 어머니 리드 부인은 이 일에 대해서는 눈을 감고 귀를 막고 있었다. 존이 나를 때리는 것을 전혀 보지 못했고 욕을 하는 소리를 전혀 들어보지 못했다는 식이었다. 바로 자기 앞에서

18

이 두 가지 일이 벌어져도 마찬가지였다. 하긴 그는 자기 어머니가 안 보는 데서 나를 괴롭히는 일이 더 빈번했다.

존에게 순종하는 것이 버릇이 되다시피 한 나는 그의 의자로 다가갔다. 존은 3분가량 혀뿌리에 손상이 가지 않을 정도로 최대한 그 혀를 내게 향해 내밀었다. 나는 그가 곧 나를 때릴 거라는 것을 알았다. 그의 주먹질을 두려워하면서도 나는 곧 주먹을 행사하려는 그의 구역질나고 추한 모습을 음미하며 바라보았다. 내 얼굴에서 그가 내 의도를 알아버린 게 아닌가 하는 의아심이 생긴다. 왜냐하면 말도 없이 그는 갑자기 나를 힘껏 때렸기 때문이다. 나는 비틀거리다가 간신히 몸의 균형을 회복하고 그의 의자에서 한두 발짝 물러섰다.

"그건 아까 엄마한테 버릇없이 말대꾸한 몫이다." 그가 말했다. "그리고 커튼 뒤에 몰래 숨은 몫이고 또 방금 전 나를 2분 동안 쳐다볼 때 눈에 담긴 표정 몫이기도 하다. 개 같은 년!"

존 리드의 욕설에 길이 든 터라 나는 그것에 응수할 생각은 전혀 없었다. 내가 걱정하는 것은 그 욕설에 이어 올 주먹질을 어떻게 견뎌내느냐 하는 것이었다.

"커튼 뒤에서 무슨 짓을 하고 있었어?" 그가 물었다.

"책 읽고 있었어."

"책을 보여봐."

나는 창가로 가서 책을 가져왔다.

"너한테는 우리 책을 꺼낼 일이 없을 텐데. 너는 우리 집에 얹혀 사는 군식구라고 엄마가 말했어. 넌 돈도 없어. 너의 아버지는 한 푼도 남기지 않았어. 너 같은 건 우리 같은 양반집 자녀들과 같이 살며, 우리 엄마 돈으로 우리와 같은 음식을 먹고 우리와 같은 옷을 입어야 되는 게 아니라 빌어먹고 살아야 해. 자, 이제 내 책장의 책들을 뒤지는 법을 가르쳐주지. 그 책들은 다 내 것이야. 이 집의 모든 것이 다 내 거야. 아니면 몇 년 후엔 그렇게 될 거야. 저기 거울하고 창문에서 떨어진 문가에 가서 서."

나는 처음에 그의 의도가 무언지 모르고 그저 시키는 대로 했다. 그러나 그가 책을 집어 올려 어깨와 수평으로 책의 위치를 잡더니 던지려는 자세를 취하는 순간 나는 놀라서 비명을 지르며 옆으로 비켰다. 하지만 때는 이미 늦은 후였다. 책은 날아와 내게 명중했다. 나는 쓰러졌고 머리가 문에 부딪쳐 찢어졌다. 찢긴 부위에서 피가 흘러나왔고 통증은 심했다. 나의 공포감은 정점을 지났고 다른 감정이 뒤이어 왔다.

"이 사악하고 잔인한 놈아!" 내가 말했다. "살인자 같은 놈⋯⋯ 노예 감독 같은 놈아! 로마의 황제 같은 놈!"

나는 골드스미스의 《로마사》를 읽었기 때문에 네로나 칼리굴라와 같은 로마의 폭군들에 대해 내 나름의 생각이 있었다. 또한 나는 그들과 비슷한 폭군들을 속으로 생각해냈지만 그들의 이름을 큰 소리로 외쳐댈 생각은 전혀 없었다.

"뭐라고! 뭐라고!" 그가 외쳤다. "나보고 한 말이냐? 일라이자, 조지아나, 이년 하는 소리 들었지? 엄마한테 안 이를 줄 아니? 그런데 먼저⋯⋯."

존은 나에게 곧장 달려들었다. 그가 내 머리채와 어깨를 움켜잡는 것이 느껴졌다. 그는 필사적인 나와 난투극을 벌였다. 정말 나는 그에게서 폭군을 보았다. 살인자를 보았다. 내 머리에서 피가 한두 방울 목 위로 떨어지는 것이 느껴졌고 무언가가 찌르는 통증도 느껴졌다. 그때의 그 통증이 공포감을 압도해버리는 것이었다. 그래서 나는 미친 듯이 응수했다. 내 손이 무슨 짓을 했는지 나는 잘 모른다. 하지만 존은 "개 같은 년! 개 같은 년!" 하고 나를 부르며 큰소리로 외쳐댔다. 구원의 손길이 가까이 있었다. 일라이자와 조지아나가 2층에 가 있던 리드 부인을 부르러 달려갔다. 마침내 리드 부인이 베시와 하녀 애벗을 뒤에 달고 현장에 나타났다. 존과 내가 떨어져 섰다. 이런 말이 들렸다.

"세상에! 세상에! 존 도련님에게 달려들다니 표독하기도 하지!"

"세상에 저렇게 사납게 날뛰는 모습을 누가 본 적이 있을까!"

그러자 리드 부인이 가세했다.

"당장 저 애를 붉은 방으로 끌고 가서 가둬라." 당장 네 개의 손이 나를 붙잡았다. 나는 2층으로 끌려갔다.

제2장

　나는 줄곧 반항했다. 내게는 처음 있는 일이었다. 그렇지 않아도 나를 좋지 않게 생각하던 베시와 하녀 애벗이 나를 더 좋지 않게 생각하게 만든 상황이었다. 사실 나는 약간 제정신이 아니었다. 프랑스 사람들이 하는 말로 표현하자면, 나는 정신이 나가 있었다. 내가 일으킨 그 순간적인 반항으로 말미암아 지금까지와는 다른 어떤 생소한 벌을 받게 되리라는 것을 나는 알고 있었다. 그래서 반란을 일으킨 노예들처럼 자포자기 상태에서 무슨 짓이든 하겠다고 결심했다.

　"애벗, 양팔을 꽉 잡아. 미친 고양이 같으니까."

　"창피해라! 창피하지도 않아요?" 리드 부인의 하녀 애벗이 말했다. "에어 양, 아가씨 은인의 아드님이신 도련님을 때리다니 그런 충격적인 행동이 어디 있어요! 아가씨의 어린 주인님을 말예요!"

　"주인이라니! 존이 어떻게 내 주인이지? 내가 하녀야?"

　"하녀는 아니지요. 하녀보다도 못하지요. 먹고살기 위해 아무 일도 안 하니까요. 저기 앉아서 아가씨가 얼마나 악독하게 굴었는지 반성하세요."

　이때쯤에는 그 두 사람은 나를 리드 부인이 지시한 방 안으로 들여 넣고 등 없는 의자에다 강제로 눌러 앉혔다. 나는 용수철처럼 튀어 일어나고 싶은 충동을 느꼈지만 두 여자의 양손이 나를 즉시 저지했다.

"얌전히 앉아 있지 않으면 꽁꽁 묶어버리겠어요." 베시가 말했다. "애벗, 양말대님 좀 빌려줘요. 아가씨가 내 대님은 금방 끊어버릴 테니까."

애벗이 건장한 다리에서 필요한 끈을 풀어내기 위해 돌아섰다. 결박을 위한 이러한 준비와 그것이 암시하는 추가적인 굴욕이 나의 흥분 상태를 좀 누그러뜨렸다.

"그 끈 풀지 마." 내가 소리쳤다. "꼼짝 안 할 테니."

내 말을 보증하기 위해 나는 내 두 손을 써서 몸을 의자에 밀착시켰다.

"꼼짝 않겠다고 한 말 명심하세요." 베시가 말했다. 내 흥분이 정말 진정된 것을 확신하자 베시는 나를 잡았던 팔의 힘을 풀었다. 그런 다음 베시와 애벗은 팔짱을 끼고 서서 어둡고 의심에 찬 눈으로 내 얼굴을 내려다보았다. 내가 온전한 정신 상태로 돌아온 것이 믿기지 않는 모양이었다.

"전엔 이런 적이 없었잖아요." 마침내 베시가 마님의 시녀에게 몸을 돌리며 말했다.

"하지만 저 아가씨에겐 항상 그럴 소지는 있었어요." 애벗의 대답이었다. "저 애에 대해 제가 마님께 종종 제 의견을 말씀드렸어요. 그때마다 마님도 제 말에 동의하시더군요. 엉큼한 아이예요. 저 나이에 저렇게 엉큼한 아이는 본 적이 없어요."

베시는 아무 대답이 없었다. 그러나 곧 나를 향해 말했다. "아가씨, 이건 알아야 해요. 아가씨는 리드 부인의 은혜를 입고 있는 거예요. 마님께서 아가씨를 먹여 살리고 있는 거예요. 만일 마님이 아가씨를 쫓아내면 아가씨는 구빈원으로 갈 수밖에 없어요."

나는 이 말에 대꾸할 말이 없었다. 새로운 말도 아니었다. 내 생애에서 가장 먼저 기억나는 말도 바로 그런 사실을 암시하는 말이었다. 얹혀사는 내 신세를 비난하는 이런 말은 이미 내 귀에는 희미한 노랫소리가 되어 있었다. 고통스럽기 그지없고 내 몸을 박살낼 것 같으면서도 그 내용은 절반밖에 이해할 수 없는 노랫소리였다. 애벗이 다시 가세했다.

"그리고 마님께서 리드 집안의 아가씨들이나 도련님과 함께 살게 해주셨다고 해서 아가씨가 그들과 동등한 입장이라고 생각해선 안 돼요. 그들은 큰 재산을 갖게 될 분들이에요. 아가씨는 아무 재산도 갖지 못할 거고요. 그러니까 겸손한 태도로 그분들의 마음에 들게끔 노력하는 게 아가씨의 본분이에요."

"우리가 이런 말을 하는 건 다 아가씨를 위해서예요." 베시가 말했다. 그녀의 목소리는 부드러웠다. "쓸모 있고 상냥한 아가씨가 되기 위해 노력하세요. 그러면 아마 여기가 늘 아가씨의 집같이 느껴질 거예요. 그러나 만약 성질을 부리고 무례하게 굴면 틀림없이 마님께서 아가씨를 내쫓을 거예요."

"게다가" 하고 애벗이 다시 말했다. "하느님께서도 벌을 내리실 거예요. 한창 성질을 부릴 때 벼락을 쳐서 죽음을 내리실 거예요. 그렇게 되면 아가씨는 어디로 가야 하죠? 베시, 자, 이제 아가씨를 놔두고 나갑시다. 공연히 힘을 들여 아가씨의 마음을 돌려놓고 싶지도 않아요. 에어 아가씨, 혼자 남으면 기도를 올리세요. 회개하지 않으면 사탄이 굴뚝을 타고 내려와 아가씨를 잡아갈 거니까요."

그들은 나가더니 문을 닫고 잠가버렸다.

붉은 방은 좀처럼 침실로 사용된 적이 없는 여분의 방이었다. 아니, '좀처럼'이 아니라 '결코'라고 말하는 편이 옳을 것이다. 게이츠헤드 홀이라는 이름으로 불리는 이 저택에 우연히 손님이 몰려들어 이 저택에 있는 모든 방을 이용할 수밖에 없는 경우를 제외하고는 이 방이 침실로 사용된 적은 한 번도 없었다. 그러나 이 방은 저택에서 제일 크고 위풍당당한 방 중 하나였다. 진홍색 다마스크 천으로 된 커튼이 드리워지고 육중한 마호가니 재질로 된 기둥을 받침대로 한 침대가 방 한가운데 마치 신전처럼 서 있었다. 늘 차일이 내려져 있는 두 개의 대형 창문은 꽃줄 장식과 비슷한 직물로 만들어진 주름 커튼들로 가려져 있었다. 카펫은 붉은색이었고, 침대 발치에 놓여 있는 탁자는 진홍색 천으로 덮여 있었다. 사면의 벽은 분홍색이 살짝 감도는 엷은 갈색이었다. 옷장과 화장대와 의자들은 어두운 광택을 내는 마호가니로 짠 것이었다. 이렇게 사방을 에워싼 깊고 어두운 색조를 배경으로 높다랗게 겹겹이 쌓인 침대의 매트리스들과 베개들이 눈처럼 하얀 마르세유산 침대 커버와 함께 펼쳐진 채 우뚝 솟아 하얀 빛을 발하고 있었다. 침대 머리맡에는 거대한 안락의자가 놓여 있었는데 앞에는 발판이 하나 놓여 있었다. 그것 역시 색깔은 하얗고 쿠션을 넣어 만든 것이어서 다른 가구 못지않게 눈길을 끌었다. 나는 그 안락의자를 보고 희미한 빛을 발하는 옥좌처럼 보이는구나 하는 생각을 했다.

그 방에는 냉기가 돌았다. 불을 때는 일이 거의 없었기 때문이다. 아이들 방과 부엌에서 멀리 떨어져 있어서 조용했고 거의 출입이 없는 것으로 알려져 분위기가 엄수했다. 하녀만이 거울들과 가구에 조용히 내려앉은 일주일치 먼지를 털어내기 위해 토요일마다 이 방에 들어왔다. 어쩌다가 리드 부인이 각종 서류와 그녀의 보석함, 죽은 남편의 축소판 초상화 등이 보관된 옷장의 비밀 서랍 안 내용물을 점검하기 위해 이 방을 찾았다. 그런데 '죽은 남편'이라는 말 속에 이 방의 비밀이 숨어 있었다. 위풍당당한 모습에도 아랑곳없이 이 방을 이처럼 고적하게 방치하는 마력이 숨어 있었다.

리드 씨는 9년 전에 세상을 떠났다. 그가 마지막 숨을 거둔 곳이 바로 이 방이었다. 여기에서 그는 당당히 누워 있었다. 그의 관은 장의사의 일꾼들에 의해 들려 나갔다. 끔찍하게 숭엄한 장례식이 여기서 치러졌다는 생각이 사람들의 빈번한 출입을 가로막았던 것이다.

베시와 성질이 고약한 하녀 애벗이 나를 꼼짝 못하게 앉혀놓고 간 걸상은 벽난로 앞 대리석 구조물 가까이에 있는 낮고 긴 걸상이었다. 침대는 내 앞에 솟아 있었다. 내 오른편에는 칙칙한 색깔의 높은 옷장이 있었는데, 거기에 비친 축소되고 일그러진 사물의 영상이 널빤지의 광택을 시시각각으로 변하게 하고 있었다. 왼편에는 커튼에 가려진 창문들이 있었다. 옷장과 창문들 사이에 있는 거대한 거울은 침대와 방이 지닌 공허한 위엄을 재생시키고 있었다. 나는 베시와 애벗이 방문을 잠갔는지 확실히 알 수 없었다. 겨우 몸을 움직일 수 있게 되자 나는 일어나서 그것을 확인하러 갔다. 원 세상에! 잠겨 있었다. 어떤 감옥도 그보다 더 단단히 잠가놓진 않았을 것이다. 자리로 돌아오면서 거울 앞을 지나야 했다. 이건 무의식적이었지만 무엇에 홀린 나의 시선은 거울이 드러내는 그 깊은 곳을 탐험해 들어갔다. 그 환영과 같은 거울 속 움푹 팬 세계에서는 현실 세계에서보다 모든 것이 더 차갑고 더 어두워 보였다. 그런데 그 안에서 마치 어둠 속에다 흰 점을 찍듯 하얀 얼굴과 팔을 가진 이상한 어린 계집아이, 주변 모든 것이 꼼짝 않고 조용히 있는데 공포에 사로잡힌 듯한 번쩍이는 눈망울을 움직이고 있는 그 작은 계집아이가 나를 응시하고 있었다. 그 계집아이의 모습은 진짜 유령 같은 효과를 자아내고 있었다. 나는 거울 속 그 아이의 모습이 바로 베시가 밤에 해준 이야기에 등장하는 반 요정, 반 도깨비인 꼬마 유령 같다고 생각했다. 고적하고 양치류가 무성한 황무지 골짜기에서 튀어나오고, 밤늦게 귀가하는 여행자들 눈앞에 나타난다는 그 유령 같았다. 나는 내 의자로 돌아갔다.

그 순간 나는 미신과 한 방에 있는 격이었다. 그러나 미신이 나에게 완승을 거둘 시간은 아니었다. 내 피는 아직 뜨거웠다. 반란을 일으킨 노예의 기분은 아직 지독히 힘차게 나를 다잡고 있었다. 나는 우울한 현재에 기죽기에 앞서 과거가 되살아오는 회상의 급류를 막아야 했다.

존 리드의 온갖 포악한 짓거리, 누이들의 온갖 오만한 무관심, 그 어머니의 나에 대한 온갖 혐오, 하인들의 온갖 편파적인 행위, 이런 모든 것들이 마치 혼탁한 우물 속에 깊이 가라앉았다가 떠오르는 검은 침전물처럼 혼란한 내 머리에 떠올랐다. 왜 나는 늘 고통을 겪고, 늘 위협을 당하고, 늘 욕을 먹고, 끊임없이 비난을 받았던가? 왜 나는 남을 기쁘게 할 수 없었지? 왜 나는 남의 호감을 사려고 노력해도 소용이 없었을까? 고집 세고 이기적인 일라이자는 늘 대우를 받았다. 성질이 고약하고 표독하고 심술궂고 흠잡기 좋아하고, 안하무인 격인 조지아나는 무슨 일을 해두 모든 사람들이 용서했다. 그녀의 예쁜 얼굴과 분홍색 뺨과 고수머리 금발은 바라보는 모든 사람에게 기쁨을 주고 그녀가 저지르는 모든 잘못에 면죄부를 구해주는 것 같았다. 존은 어떤가? 아무도 그에게 벌을 주기는커녕 하는 짓을 막지도 않았다. 그가 비둘기 모가지를 비틀고, 어린 새끼 공작들을 죽이고, 양 떼를 향해 개를 풀고, 온실 포도넝쿨에서 포도 송이를 다 따고, 화초를 키우는 온실에 있는 가장 귀한 화초에서 꽃 봉오리를 뜯어내도 아무 일 없었다. 존은 자기 어머니를 때로 '할멈'이라고 불렀고, 때로는 자기 것과 비슷한 어머니의 검은 피부에 대해 욕설을 퍼부었다. 그는 어머니가 바라는 일을 퉁명스럽게 무시했고, 어쩌다가가 아니라 꽤 빈번히 어머니의 비단 의상을 찢거나 훼손했다. 그러나 그는 여전히 그 어머니의 "사랑하는 내 아들"이었다. 나는 감히 단 한 번도 잘못을 저지른 적이 없었다. 나는 내가 해야 할 모든 일을 달성하려고 노력했다. 그런데도 나는 아침부터 정오까지, 정오부터 밤까지 늘 버르장머리 없고, 성가시고, 샐쭉하고, 엉큼한 아이로 불렸다.

존한테 맞아 넘어지는 통에 내 머리는 아직 아팠고 피가 났다. 그렇게 함부로 나를 때렸는데도 존을 나무라는 사람은 아무도 없었다. 더 이상의 이성을 잃은 폭력을 피하기 위해 그에게 대항했을 뿐인데 나는 모든 이의 비난을 뒤집어쓴 것이었다.

"억울해! 억울해!" 나를 괴롭히는 자극에 의해 일시적이나마 조숙한 힘을 얻게 된 나의 이성이 말했다. 또한 같은 자극에 의해 생성된 나의 결연한 결심이 부당한 탄압에서 성공적으로 도피하려면 무언가 색다른 수단을 강구하라고 부추겼다. 예컨대 이 집에서 도망을 치든지 아니면 그게 실천할 수 없는 것이면 단식을 하든지 해서 아예 죽어버리든지 하는 수단들 말이다.

끔찍한 그날 오후, 내 영혼은 얼마나 놀랐던가! 내 머리는 온통 얼마나 혼란스러웠던가! 내 심장은 얼마나 큰 폭동에 휘말렸던가! 극심한 어둠 속에서, 앞이 보이지 않는 무지한 상태에서 나는 정신적 전투를 벌였던 것이다. 나는 내면에서 들려오는 끊임없는 질문, "도대체 내가 왜 이렇게 고통을 겪는 것일까?"라는 질문에 대답할 수가 없었다. 정확히 몇 년이라고는 말하지 않겠지만 세월의 거리를 두고 지금 생각하니 나는 그 대답을 명확히 알겠다.

나는 게이츠헤드 홀에서 불협화음과 같은 존재이었다. 나는 그곳 누구와도 달랐다. 리드 부인과 그 자녀들, 또는 부인이 좋아하는 하인들과 조화를 이룰 수 있는 구석이 나에게는 없었다. 그들이 나를 사랑하지 않는다면 사실 나도 그들을 사랑하지 않았다. 그들 중 누구와도 공감할 줄 모르는 계집애를 그들도 애정을 가지고 대할 의무는 없었다. 기질, 능력, 성향에 있어 나는 그들과 반대되는 이질적 존재였고, 그들의 이익에 도움이 되거나 그들의 기쁨을 늘려줄 능력이 전혀 없는 쓸머리 없는 존재였고, 나를 대하는 그들의 행동에 대해서 분노의 씨앗, 그들의 판단에 대해서는 경멸의 씨앗만을 품은 유해한 존재였다. 만일 그때 내가 좀 더 명랑하고 밝고 꼼꼼하고 예쁘고, 잘 뛰어노는 아이였다면, 내가 더부살이를 하고 친구 하나 없다 하더라도, 리드 부인은 조금 더 기쁜 마음으로 내 존재를 참아주지 않았을까 하는 생각이 든다. 또한 그녀의 자녀들도 나를 좀 더 진심 어린 우애로 대해주었을 것이다. 하녀들도 나를 아이들 방의 허수아비로 만들겠다는 생각을 참았을 것이다.

햇볕이 붉은 밤을 떠나기 시작했다. 4시가 지나고 구름 낀 오후는 음울한 황혼으로 기울어가고 있었다. 아직도 빗방울이 계단 쪽 창문을 계속 두드리는 소리가 들리고 바람은 복도 뒤편 숲 속에서 울어대고 있었다. 내 몸은 조금씩 돌처럼 차갑게 식어갔다. 그러더니 용기도 사그라들었다. 나의 습관적으로 느끼는 굴욕감, 자신감의 상실, 버림받은 침울함이 사그라지는 분노의 깜부기불 위로 촉촉이 떨어졌다. 모두가 나더러 나쁜 아이라고 말하는데, 어쩌면 그런지도 모른다. 굶어 죽고 말겠다는 생각 외에 또 무슨 생각을 했었지? 그런 생각은 분명히 죄악이었다. 그런데 내가 죽을 자격은 있는 것일까? 또한 게이츠헤드 교회의 성단 아래 지하 납골당이 나를 받아주기나 할까? 바로 그 지하 납골당에 리드 씨가 묻혀 있다는 말을 나는 들은 적이 있었다. 이런 생각에 이끌려 나는 그를 회상하게 되었고, 점점 더 큰 공포감을 느끼며 그에 대한 회상에 골몰하게 되었다. 나는 그를 기억할 수 없었다. 그러나 나는 그가 내 외삼촌, 즉 엄마의 오빠이며, 따라서 부모 없는 고아가 된 나를 자기 집으로 데려왔다는 것을 알고 있었다. 또한 마지막 임종의 순간 그 외삼촌이 부인에게 나를 친자식처럼 맡아 키워주겠다는 약속을 요구했다는 사실도 알고 있었다. 리드 부인 본인은 아마 그 약속을 잘 지켜왔다고 생각할 것이다. 그리고 아마 그녀의 천성이 허락하는 한도 내에서 그 약속을 지켰을지도 모른다. 그러나 혈통상 자기와 전혀 관계가 없고 남편이 죽은 후에는 어떤 인척 관계의 연결 고리도 없어진 나 같은 침입자를 그녀가 어찌 진심으로 좋아할 수 있었겠는가? 전혀 사랑하지도 않는 낯선 아이의 부모 역할을 맡으라는 억지 서약에 묶여 있는 자신의 모습을 지켜보는 일은 분명 짜증나는 일이었을 것이다. 성미에 맞지 않는 타인이 영원히 자기 가족들 속에 끼어드는 모습을 보는 것도 짜증나는 일이었을 것이다.

어떤 이상한 생각이 떠올랐다. 리드 외삼촌이 살아 계셨다면 그가 나를 친절하게 대해주었으리라는 점을 나는 의심하지 않았고 의심한 적도 없었다. 그런데 하얀 침대와 어두운 그늘로 덮인 벽들을 바라보고 있었더니, 또한 이따금 희미한 빛을 발하는 거울로 호기심 어린 시선을 슬쩍 던져보았더니, 불현듯 죽은 사람들에 대해 들었던 이야기가 떠오르기 시작했다. 죽은 사람들은 자기들의 마지막 소망이 이루어지지 않으면 무덤 속에서 괴로워하다가 약속을 저버린 사람을 벌주고, 핍박받는 사람의 복수를 대신해주기 위해 다시 이승을 방문한다는 이야기였다. 그래서 리드 외삼촌의 영혼이 여동생의 아이가 받는 부당한 대우 때문에 괴로워하다가 자기의 안식처 — 지하 납골당이건 아니면 망자들이 산다는 미지의 세계이건 — 를 떠나 지금 이 방 안 내 앞에 와 있을지도 모른다는 생각이 들었다. 나는 눈물을 닦고 훌쩍거리던 울음소리도 죽였다. 격렬한 슬픔을 나타내는 표시가 어떤 초자연적인 영혼의 목소리를 깨워 나를 위로하게 만들지도 모르고, 또한 암흑의 세계에서 후광을 지닌 어떤 얼굴을 불러내어, 그 얼굴이 기이한 연민의 표정으로 나를 굽어보게 만들까 봐 두려웠기 때문이었다. 내가 품고 있는 이런 생각은 가설의 단계에서는 위안이 되는 것이지만 만일 그것이 실현된다면 끔찍할 것이라는 생각이 들었다. 나는 있는 힘을 다하여 그런 생각을 억누르려고 노력했다 — 나는 마음을 굳게 먹으려고 노력했다. 고개를 내둘러 눈을 가리고 있던 머리칼을 치우고 나는 고개를 들어 대담하게 어두운 방 안을 둘러보았다. 바로 그 순간 빛 한 점이 벽 위에서 반짝였다. 저 빛은 차일의 틈새를 통해 들어온 달빛일까? 하고 나는 자문했다. 그건 아니었다. 달빛은 고요히 정지하는 것인데, 이 빛은 움직이고 있었다. 내가 응시하고 있는 동안 그 빛은 천장으로 미끄러져 올라가 내 머리 위에서 흔들리고 있었다. 지금에 와서는 쉽게 짐작할 수 있는데, 이 빛줄기는 십중팔구 잔디밭 건너편에서 누군가가 든 랜턴에서 나온 불빛임이 분명하다. 그러나 그 당시의 내 마음은 공포를 받아들일 준비가 되어 있었고 내 신경도 흥분하여 흔들리고 있었기 때문에 그 빠르게 움직이는 빛줄기가 저승에서 이리 오고 있는 유령의 전령이라고 생각했다. 내 심장은 요란하게 고동쳤고 머리는 뜨거워졌다. 어떤 소리가 귀에 들렸다. 나는 그것이 날개들이 돌진해오는 소리라고 생각했다. 무언가가 내 곁에 가까이 온 것 같았다. 가슴이 답답해지고 숨이 막혔다. 더 이상 참을 수 없었다―나는 나도 모르게 미친 듯이 소리를 질렀다. 나는 문으로 달려가 필사적인 힘을 다해 잠긴 문을 흔들었다. 방 바깥의 복도를 따라 발소리가 달려왔다. 열쇠가 돌아가더니 베시와 애벗이 들어왔다.

"제인 아가씨, 어디 아파요?" 베시가 말했다.

"세상에! 그런 끔찍한 소리를 지르다니! 그 소리가 내 몸을 뚫고 지나가는 줄 알았다고요!" 애벗이 외쳤다.

"나를 데리고 나가! 아이들 방으로 가게 해줘!" 내가 소리쳤다.

"왜요? 어디 다쳤어요? 무얼 봤나요?" 베시가 다시 물었다.

"오! 빛을 봤어. 유령이 찾아올 거라고 생각했어." 그때 나는 베시의 손을 잡았다. 그녀는 내 손을 뿌리치지 않았다.

"일부러 비명을 지른 거예요." 애벗이 넌더리를 내며 선언했다.

"비명도 지독하기도 해라! 몹시 몸이 아팠다면 그나마 변명으로 통하겠지만 아가씨는 그저 우리가 이곳에 와주기를 바란 것뿐이에요. 그 짓궂은 잔꾀는 내가 알아요."

"이게 다 무슨 소리냐?" 어떤 근엄한 목소리가 물었다. 리드 부인이 모자를 펄럭이고 잠옷을 요란하게 부스럭대면서 복도를 따라왔다. "애벗, 베시, 내가 직접 올 때까지 제인 에어를 붉은 방에 내버려두라고 지시했을 텐데."

"제인 아가씨가 너무 요란하게 비명을 질러서 그랬습니다, 마님." 베시가 변명했다.

"그 손 놔."가 유일한 응답이었다. "제인, 베시의 손을 놔. 그런 식으로 여길 빠져나가지 못한다는 걸 명심해라. 그런 술책은 딱 질색이야. 특히 어린애가 그러는 건 싫다. 그런 술책으론 통하지 않는다는 걸 보여주는 것이 내 의무야. 그러니까 이제부터 여기에 한 시간 더 있어라. 그것도 네가 완전히 굴복하고 조용히 있겠다는 조건 하에서다. 그래야만 너를 여기서 풀어줄 거다."

"제발, 외숙모. 제발 절 불쌍히 여겨주세요! 절 용서해주세요! 견딜 수가 없어요……. 다른 방법으로 벌을 받게 해주세요! 저는 죽을 거예요, 만일……."

"닥쳐! 이렇게 사납게 구는 건 제일 싫다." 그러니까 분명히 리드 부인은 그렇게 느낀 것이었다. 그분이 보기엔 내가 조숙한 여배우 같았던 것이다. 그분은 나를 독살스러운 격정과 야비한 정신과 위험한 이중인격의 혼합체로 여기고 있었다.

베시와 애벗이 물러가자 리드 부인은 무섭도록 괴로워하며 크게 흐느껴 우는 내 모습을 더는 봐주지 못하겠다는 듯이 아무 말도 없이 갑자기 나를 방 안으로 밀어 넣고 문을 잠갔다. 그녀가 바닥을 쓸며 멀어져가는 소리가 들렸다. 리드 부인이 사라지고 바로 나는 어떤 발작을 일으킨 모양이다. 의식을 잃어 그 이후의 장면은 생각나지 않는다.

제3장

다음으로 기억나는 것은 무서운 악몽을 꾼 것 같은 기분으로 깨어난 것과 내 앞에 끔찍하고 붉은 섬광 같은 빛의 덩어리를 본 것이었다. 여러 개의 굵고 검은 막대기들이 그 빛을 가로지르고 있었다. 또한 나는 세차게 불어대는 바람 소리와 세차게 흐르는 물소리에 눌린 것같이 공허하게 울리는 사람 목소리들도 들었다. 정신적 흥분, 불확실성, 그리고 모든 것을 압도하는 공포감이 내 신체 기능을 혼란시키고 있었다. 잠시 후 나는 누군가가 내 몸을 만지고 있다는 것을 깨달았다. 그 사람은 나를 일으켜 앉은 자세가 되도록 나를 받쳐주었다. 그것은 여태껏 누가 나를 일으키고 지탱해준 것보다 훨씬 더 부드러운 손길이었다. 나는 베개 아니면 어떤 팔에 내 머리를 기대며 편안함을 느꼈다.

5분 정도 시간이 흐른 뒤 구름처럼 끼여 있던 몽롱함이 가셨다. 나는 내 침대에 누워 있다는 것을 확실히 깨달았다. 그리고 그 붉은 빛의 덩어리는 아이들 방에 피워둔 난롯불이라는 것을 깨달았다. 시간은 밤이었다. 탁자 위에는 양초 한 자루가 켜져 있었다. 베시가 손에 대야를 들고 침대 발치에 서 있었고 신사 한 분이 내 머리맡 의자에 앉아 나를 내려다보고 있었다.

낯선 사람, 게이츠헤드 홀에 살지도 않고 리드 부인과 전혀 인척 관계가 아닌 사람이 방 안에 있다는 것을 알고 나자 나는 말로 다할 수 없는 안도감을 느꼈다. 바로 그 사람으로 인해 내가 보호를 받을 수 있고 안전할 수 있다는 위로감과 확신을 느꼈다. 베시에게서 눈을 돌리고—그녀가 거기 있는 것이, 예컨대 하녀 애벗이 있는 것보다는 내게는 덜 비위 상하는 일이었지만—나는 그 낯선 신사의 얼굴을 뜯어보았다. 나는 그를 알고 있었다. 바로 로이드 씨였다. 하인들이 아플 때 리드 부인이 이따금 부르는 약제사 로이드 씨였다. 부인 자신이나 자기 자식들이 아프면 정식 의사를 불렀다.

"내가 누군지 알겠니?" 그가 물었다.

나는 그의 이름을 말하고 동시에 그에게 내 손을 내밀었다. 그가 내 손을 잡더니 미소 지으며 말했다. "차츰 조금씩 나아질 거다." 그러고는 나를 눕히고 나서 그는 베시에게 밤새 내 잠이 방해받지 않도록 조심하라고 일렀다. 몇 가지 더 지시하고 다음 날 다시 오겠다고 말하더니 그는 떠났다. 나는 슬펐다. 그가 내 베개 가까이에 있는 의자에 앉아 있는 동안 나는 보호받고 있으며 우군이 있다는 사실을 꽤나 절실하게 느꼈던 것이다. 그가 방을 나가 문이 닫히자 방 전체가 어두워지고 내 가슴이 다시 철렁 내려앉았다. 말로 표현할 수 없는 슬픔이 내 가슴을 짓눌렀다.

"졸리지 않아요, 아가씨?" 베시가 꽤 부드럽게 물었다.

나는 대답할 용기가 나지 않았다. 이어서 나올 베시의 말이 거친 어조를 띨까 봐 겁이 났기 때문이었다. 그래서 "노력해볼게." 하고 대답했다.

"뭘 좀 마실래요? 아니면 뭘 좀 먹을 수 있겠어요?"

"아냐. 고마워, 베시."

"그러면 나도 자야 될 것 같군요. 열두 시가 지났으니까요. 하지만 밤에 필요한 게 있으면 나를 부르세요."

이렇게 예의 바를 수가! 그래서 나는 용기를 내어 물었다.

"베시, 내가 어떻게 된 거지? 몸에 병이 났나?"

"붉은 방에서 울다가 병이 난 것 같아요. 하지만 틀림없이 곧 나아질 거예요."

베시는 가까이에 있는 하녀 방으로 갔다. 그녀가 말하는 소리가 들렸다.

"새라, 나하고 아이들 방에 가서 같이 자자. 오늘 밤은 세상없어도 저 애랑 단둘이만 있지 못하겠어. 죽을지도 몰라. 그런 발작을 일으키다니 참으로 이상한 일이야. 저 애는 뭔가 본 게 아닌가 싶어. 마님이 너무 심하셨어."

새라가 베시와 함께 아이들 방으로 돌아왔다. 그들 둘은 잠자리에 들었다. 두 사람은 잠들기 전 반 시간 동안 속삭였다. 나는 그들의 대화를 토막토막 들을 수 있었다. 그래서 유감스럽게도 토의되는 주제를 명확히 유추할 수 있었다.

"온통 새하얀 옷을 입은 무언가가 옆을 지나치며 사라졌대." — "그 뒤에 커다란 검은 개가 있었대." — "방문을 두드리는 소리가 세 번이나 크게 들렸대." — "그분의 무덤 바로 너머 교회 공동묘지 안에 불빛이 보였대." 이런 이야기 토막이 들렸다.

마침내 두 사람은 잠이 들었다. 난롯불과 촛불도 꺼졌다. 그날 삼경이 지난 긴 밤을 무서움에 떨면서 뜬눈으로 지새웠다. 귀와 눈과 마음이 다 같이 공포로 긴장되어 있었다. 그것은 어린아이들만

이 느낄 수 있는 공포감이었다.

붉은 방에서 겪은 이 사건으로 인해 심각한 병이나 오래 낫지 않는 고질병이 내게 찾아온 건 아니었다. 그저 신경에 충격을 받았을 뿐이었다. 그 충격의 여진이 지금까지도 느껴진다. 그렇습니다, 리드 부인, 당신 덕분에 정신적 고통이라는 어떤 끔찍한 통증을 지금까지도 느끼고 있습니다. 그러나 나는 당신을 용서해야 합니다. 당신은 자신이 무슨 짓을 하는지도 모르고 있었으니까요. 당신은 내 마음을 갈기갈기 찢고 있으면서도 내 나쁜 성질을 뿌리 뽑고 있을 뿐이라고 생각하셨습니다.

다음 날 정오 무렵 나는 자리에서 일어나 옷을 입고 아이들 방 난롯가에 숄을 두르고 앉았다. 신체는 쇠약하고 고장 난 것처럼 느껴졌다. 그러나 가장 아픈 곳은 말로 표현할 수 없이 비참한 내 마음이었다. 그 비참한 마음 때문에 내 눈에서는 소리 없이 눈물이 흘러나왔다. 뺨에서 그 소금기가 있는 짭짤한 눈물방울을 닦아내자마자 다른 눈물방울이 뒤따랐다. 그날 마침 리드 집안의 아이들이 집에 없었기 때문에 그나마 다행으로 여겨야 한다고 나는 생각했다. 그들은 모두 엄마와 함께 마차를 타고 외출했던 것이다. 애벗도 다른 방에서 바느질을 하고 있었다. 또한 베시는 장난감들을 치우고 서랍을 정리하며 여기저기 오가다가 수시로 내게 와서 몸에 배지 않은 친절한 태도로 말을 걸었다. 사실 이런 상황은 늘 꾸중만 듣고 고맙다는 말도 못 들으며 잔심부름만 하는 생활에 익숙한 내게는 평화로운 천국이 되었을 상황이었다. 그러나 이미 갈기갈기 찢긴 내 신경은 어떤 평온함으로도 달랠 수 없었고 그 어떤 즐거움으로도 신경을 유쾌하게 자극할 수 없었다.

베시는 부엌으로 내려갔다가 밝게 채색된 사기 접시에 과일 파이를 담아서 가지고 올라왔다. 메꽃과 장미꽃 봉오리들로 엮은 화환 속에 둥지를 튼 극락조 그림 때문에 내가 마음속으로 열렬하게 탄복했던 바로 그 접시였다. 그 접시를 좀 더 자세히 보고 싶어서 몇 번이나 직접 손에 들고 볼 수 있게 해달라고 애원했지만 이제까지는 번번이 그런 특권을 누릴 자격이 나에게는 없다고 여겨졌었다. 그 귀중한 접시가 지금 내 무릎 위에 놓였고, 그 위에 담긴 작고 둥그런 맛있는 과자를 먹으라고 베시가 진심으로 권하고 있었다. 부질없는 호의가 아닌가! 오랫동안 갈망하고 자주 얻기를 바랐던 다른 호의들이 그랬듯 베시의 호의는 때늦게 찾아온 것이었다. 나는 그 파이를 먹을 수 없었다. 꽃들의 색조, 꽃 같은 극락조의 깃털은 이상하게도 색이 바래 보였다. 나는 접시와 파이를 옆으로 치웠다. 베시가 책을 읽겠느냐고 물었다. '책'이라는 단어가 순간적으로 나를 자극했다. 나는 서재에서 《걸리버 여행기》를 가져다달라고 부탁했다. 반복해서 정독하며 즐거워하던 책이었다. 나는 그것을 실화라고 생각했다. 그래서 다른 동화에서 발견한 것보다 훨씬 깊이 있고 흥미로운 광맥을 이 책에서 발견했다. 나는 동화에 나오는 요정들을 직접 찾겠다고 디기탈리스 잎과 꽃들 사이와 버섯 밑과 오래된 담에 생긴 움푹한 구멍을 덮고 있는 덩굴광대수염 밑자락 등을 헛되이 뒤지고 다녔었다. 마침내 나는 요정들은 이미 영국을 떠나, 더 야생적이고 울창한 숲이 있고 인구는 희박한 어떤 다른 야만국가로 떠나버렸다는 슬픈 진실을 인정하기로 마음먹었었다. 반면에 나는 《걸리버 여행기》에 나오는 소인국 릴리푸트와 거인국 브로브딩낙은 지상에 실제로 존재하는 지역들이라고 믿었기 때문에, 언제고 내가 장거리 여행을 하게 되면 내 눈으로 직접 그 나라들을 구경할 수 있다는 것을 의심하지 않았다. 소인국에서는 그곳의 작은 들판, 집들, 나무들, 몹시 작은 난쟁이들, 자그마한 소와 양과 새들을 보고, 거인국에서는 그곳의 숲처럼 자란 옥수수밭들, 거대한 맹견들, 괴물 같은 고양이들, 탑처럼 큰 남녀들을 보게 될 것을 의심치 않았다. 그러나 그 아끼던 책이 지금 내 손에 들려 있고 책장을 넘기고 있으면서 그 안의 놀라운 삽화들 속에서 여태껏 영락없이 발견하던 매력을 찾고 있는데도, 이상하게도 모든 것이 무시무시하고 쓸쓸해 보였다. 거인국 사람들은 삐쩍 마른 도깨비들 같았고 소인국 사람들은 사악하고 무서운 요정들 같았다. 걸리버는 너무나 무섭고 위험한 지역들을 여행하는 매우 외로운 방랑자였다. 나는 더는 책을 볼 용기가 나지 않아 덮어버렸다. 그러고는 그것을 탁자위 맛도 보지 않은 파이 옆에 놓았다.

먼지를 털고 방 정리를 모두 마친 베시가 손을 씻고 나서 화사한 실크 천 조각들과 공단 천 조각들로 가득 찬 작은 서랍을 열었다. 그리고 조지아나의 인형에 씌울 새 보닛을 만들기 시작했다. 그러는 동안 그녀는 노래하고 있었다. 베시가 부른 노래는,

> 멀고 먼 옛날에, 아주 옛날에
> 우리가 방랑하던 시절.

하고 시작되는 것이었다. 전에도 나는 베시가 부르는 이 노래를 종종 들은 적이 있었다. 항상 활기찬 기쁜 마음으로 들었다. 베시는 아름다운 목소리의 소유자였기 때문이었다. 적어도 나는 그렇게 생

각했다. 그러나 지금은 비록 그녀의 목소리가 여전히 아름다웠지만 멜로디에는 형언할 수 없는 슬픔이 느껴지는 것이었다. 바느질에 몰두한 그녀는 가끔 후렴을 아주 저음으로 길게 늘어지게 불렀다. '멀고 먼 옛날에'라는 부분은 장송곡의 가장 슬픈 운율처럼 흘러나 왔다. 그녀는 다른 민요로 옮겨갔는데, 이번에는 정말 구슬픈 노래 였다.

발은 아프고 팔다리는 지쳤는데
길은 멀고 산은 험하네.
가엾은 고아 가는 길 위로
머지않아 달도 없이 쓸쓸히 땅거미 지네.

황야 펼쳐지고 잿빛 바위 쌓인 곳
이 멀고 쓸쓸한 길 왜 날 보냈나?

사람들 무정하고 정 많은 천사들만
가엾은 고아의 발걸음 지켜보네.

그러나 멀리 밤바람 부드럽게 불고
구름 없이 맑은 별들 온화하게 비추네.
자비로운 하느님은 보호와 위안과
희망을 가엾은 고아에게 보여주시네.

망가진 다리를 건너다 넘어지거나

도깨비불에 속아 늪지대를 헤매도
아버지 하느님은 약속과 은총으로
가엾은 고아를 가슴으로 당기시네.

보금자리 일가친척 하나 없지만
힘나도록 도움되는 생각 한 가지
하늘이 내 집이요 안식도 반드시 오는 것
하느님은 가엾은 고아의 친구.

"이봐요, 제인 아가씨, 울지 마세요." 노래를 마치며 베시가 말했다. 차라리 불더러 "타지 마!"라고 말하는 게 더 나았을 것이다. 그러나 내가 빠져든 그 병적인 정신의 고통을 그녀가 어찌 헤아릴 수 있겠는가? 오전에 로이드 씨가 다시 왔다.

"어라, 벌써 일어났네!" 아이들 방으로 들어서며 그가 말했다. "보모, 아가씨 상태가 어떤가요?"

베시는 내 상태가 좋아지고 있다고 대답했다.

"그러면 좀 더 명랑한 표정을 하고 있어야 할 텐데. 자, 제인양, 이리 와볼까? 이름이 제인이지, 맞지?"

"네, 선생님, 제인 에어예요."

"그런데 제인 에어 양, 울고 있었던 모양인데 무슨 일로 그랬는지 말해줄래? 어디 아프기라도 한 거냐?"

"아녜요, 선생님."

"아, 아마 마님과 함께 마차 타고 외출하지 못한 것 때문에 울고 있는 걸 거예요." 베시가 끼어들었다.

"분명 그건 아닐 거요! 그런 일로 토라질 나이는 지난 것 같은데."

나도 그렇게 생각했다. 베시의 잘못된 판단에 자존심이 상해서 나는 재빨리 대답했다. "저는 이제껏 그런 일로 울어본 적이 한 번도 없어요. 저는 마차 타고 외출하는 걸 싫어해요. 제가 운 건 제가 비참해서예요."

"오, 저런! 에어 아가씨!" 베시가 말했다.

착한 약제사는 좀 당황하는 기색이었다. 나는 그의 앞에 서 있었다. 그는 눈을 내게 고정시키고 눈동자 하나 움직이지 않았다. 그의 눈은 작고 회색이 감돌았다. 반짝이는 눈은 아니었지만 지금에 와서는 아마도 그 눈이 매우 예민했다고 생각해야 될 것 같다. 그는 무뚝뚝하지만 매우 착해 보이는 얼굴을 가지고 있었다. 한참 동안 나를 자세히 살피더니 입을 열었다.

"어제는 어떤 일로 몸이 아팠지?"

"넘어졌답니다." 베시가 다시 한마디 거들었다.

"넘어지다니! 그것 역시 갓난아기답군! 아니, 그 나이에 걸음도 잘 못 걷는단 말야? 여덟 살이나 아홉 살은 되었을 텐데."

"얻어맞고 넘어진 거예요." 다시 자존심이 상해 어찌나 분했던지 내 입에서 퉁명스러운 설명이 튀어나왔다. "하지만 그래서 아팠던 건 아녜요." 내가 첨가했다. 그러는 동안 로이드 씨는 코담배를 잠깐 코에 대고 흡입했다.

그가 조끼 주머니에 담뱃갑을 다시 넣고 있을 때 하인들의 식사 시간을 알리는 벨 소리가 요란하게 울렸다. 약제사는 그새 무슨 소리인지 알고 있었다. "보모, 당신을 부르는군요." 그가 말했다. "내려가도 되겠어요. 돌아올 때까지 난 제인 양에게 훈계나 하고 있겠습니다."

베시는 그냥 남아 있고 싶었을 것이다. 그러나 내려가야 했다. 게이츠헤드 홀에서 시간 엄수는 엄격히 지켜야 할 사항이었기 때문이다.

"넘어져서 아픈 게 아니란 말이지? 그럼, 왜 그리된 거냐?" 베시가 가버리자 로이드 씨가 추궁했다.

"유령이 있는 방에 갇혀 있었어요. 어두워진 후까지요."

로이드 씨가 미소를 지으며 동시에 얼굴을 찌푸리는 것이 보였다. "유령이라니! 우와, 넌 역시 갓난애로구나! 유령을 무서워한다 그거지?"

"리드 외삼촌 유령이 무서워요. 그분이 그 방에서 돌아가시고 그 방에 안치되었었거든요. 베시건 누구건 될 수 있으면 밤에는 그 방에 들어가려 하지 않아요. 그런데 촛불도 없이 혼자 있게 그 방에 감금했으니 얼마나 잔인해요. 너무 잔인해서 전 결코 이 일을 잊지 못할 거예요."

"말도 안 돼! 그것 때문에 네가 비참하단 말이냐? 대낮인 지금도 무서우냐?"

"아뇨. 하지만 곧 밤이 다시 찾아올 거예요. 게다가…… 전 불행해요……. 몇 가지 다른 일들 때문에 불행해요."

"다른 일이라니? 몇 가지만 이야기해줄 수 있겠니?"

이런 질문에 충분한 답을 할 수 있었다면 얼마나 좋았을까! 어떤 답이건 답을 머리에서 짜내는 것이 얼마나 어려운 일이었던가! 어린아이들도 느낄 줄 안다. 그러나 어린아이들은 자신의 느낌을 분석할 능력이 없다. 따라서 머릿속에서 부분적인 분석이 이루어진다 하더라도 그 분석 과정에서 얻은 결과를 말로 표현하는 방법을 모르는 법이다. 그러나 그것을 그에게 말함으로써 내 슬픔을 덜 수 있는 최초이자 유일한 이 기회를 놓칠까 봐 두려워, 혼란스러운 마음을 잠시 진정시키고 나서 나는 빈약하지만 될 수 있는 데까지 진실한 대답을 엮어내려고 노력했다.

"한 가지 예로 제게는 아빠나 엄마나 오빠나 언니가 없어요."

"친절한 외숙모와 외사촌 형제들이 있지 않니?"

나는 다시 말을 쉬었다. 그러고 나서 서툴게 선언해버렸다.

"그러나 존 리드가 저를 때려눕혔어요. 그런데 외숙모는 저를 붉은 방에 감금했던 거예요."

로이드 씨가 두 번째로 코담배를 꺼냈다.

"게이츠헤드 홀이 정말 아름다운 집이라고 생각되지 않니?" 그가 물었다. "이런 멋진 장소에서 사는 게 고맙다는 생각은 안 드니?"

"선생님, 이건 제 집이 아니에요. 또한 저는 이 집에 살 자격이 하인보다도 없다고 애벗이 말했어요."

"푸후! 이런 멋진 곳을 떠나기를 바란다면 그건 바보 같은 생각이야."

"어디든 갈 곳만 있으면 기꺼이 떠나겠어요. 하지만 전 어른이 되기까지는 게이츠헤드 홀을 떠날 수 없어요."

"떠날 수 있을지도 모르지……. 누가 아니? 리드 부인 말고 다른 친척은 없니?"

"없는 것 같아요, 선생님."

"아버지 쪽 친척도 없단 말이냐?"

"모르겠어요. 외숙모에게 물어본 적이 있는데 에어라는 이름의 가난하고 비천한 친척들이 있을지도 모른다고 하셨어요. 그러나 그들에 대해서는 전혀 아는 게 없다고 하셨어요."

"그런 친척이 있다면 그들에게 가고 싶으냐?"

나는 곰곰이 생각했다. 가난이란 어른들에게는 지겨운 것으로 보인다. 아이들에게는 더욱 그러하다. 아이들은 근면하게 일하는, 존경할 만한 가난은 잘 모른다. 아이들에게 가난은 다만 누더기 옷, 부족한 음식, 불도 없는 난로 쇠살대, 거친 행동거지, 품위를 떨어뜨리는 악덕 같은 것과 관련된 단어를 연상시킨다. 내게 가난은 낙오라는 말과 동의어였다.

"아뇨. 가난한 사람들 속에 끼여 살고 싶진 않아요." 나의 대답이었다.

"그들이 네게 친절하게 대해도 그러냐?"

나는 고개를 저었다. 가난한 사람들이 어떻게 친절하게 행동할 여유를 가질 수 있는지 알 수가 없었다. 또한 가난뱅이들처럼 말하게 되고, 그들의 행동 양식을 받아들이고, 무식하게 되고, 가끔 게이츠헤드 마을 오두막집 문간에서 아이들을 돌보거나 빨래하는 모습을 본 적이 있는 가난한 부인네들처럼 된다는 것, 그건 싫었다. 나는 내 신분을 희생하고 그 대가로 자유를 살 만큼 영웅적인 사람은 아니었다.

"그런데 네 친척들이 그렇게 가난한 사람들이냐? 노동하는 사람들이냐?"

"모르겠어요. 제게 만약 친척이 있다면 틀림없이 그들은 거지

부류일 거라고 리드 외숙모가 말씀하셨어요. 저는 구걸하며 살고 싶진 않아요."

"학교에 다니고 싶진 않니?"

나는 다시 곰곰이 생각했다. 나는 학교가 뭔지 잘 몰랐다. 어린 숙녀들이 깃을 세운 옷을 입은 채 앉아 있고, 척추 교정판을 착용하고, 지독히 얌전하고, 규율을 정확히 지키기로 되어 있는 곳으로 베시가 이따금 말하곤 했었다. 존 리드는 학교를 싫어하고 자기 선생님에 대해 욕을 했었다. 그러나 존 리드의 취향이 내 척도는 아니었다. 이건 베시가 게이츠헤드 홀에 오기 전에 일했던 집의 아가씨들에게서 주워들은 것인데, 학교 규율에 대한 베시의 설명은 다소 무서운 것이었지만, 그 집 아가씨들이 얻은 교양의 세부 품목들은 무서운 것만큼이나 매력적인 것이라고 나는 생각했다. 베시는 그 집 딸들이 경치와 꽃을 그린 아름다운 풍경화와 정물화를 자랑했고, 그들이 바느질로 짜는 지갑들, 그들이 부르는 노래와 그들이 연주할 수 있는 작품들, 그리고 그들이 번역할 수 있는 프랑스 책들에 대해 자랑을 늘어지게 했다. 그 이야기를 들었을 때 내 속에서는 한번 경쟁하고 싶단 생각이 꿈틀거렸다. 그런 것 말고도 학교는 완전한 변화를 가져올 것 같았다. 학교는 먼 곳으로의 여행, 게이츠헤드와의 완전한 결별, 새로운 삶으로의 진입을 의미했다.

"정말 학교에 가고 싶어요." 이것이 곰곰이 생각한 끝에 얻어낸 청각적 결론이었다.

"그래, 그래, 어떻게 될지 누가 알겠니?" 자리에서 일어나며 로이드 씨가 말했다. "이 아이에겐 분위기와 환경의 변화가 있어야겠군." 그는 혼잣말로 덧붙였다. "신경이 곤두서 있어."

그때 베시가 돌아왔다. 그와 동시에 마당이 자갈길 위로 미치기 굴러 올라오는 소리가 들렸다.

"보모, 당신 마님이신가?" 로이드 씨가 물었다. "가기 전에 드릴 말씀이 있는데."

베시는 조찬실로 가자고 권하며 그리로 안내했다. 나중에 일어난 일로 미루어볼 때, 그가 리드 부인과의 대화에서 나를 학교에 보내라고 권유했다는 것을 짐작할 수 있었다. 그런데 그 권유는 분명 선뜻 받아들여졌던 모양이다. 어느 날 밤이었다. 베시와 함께 아이들 방에서 바느질을 하고 있을 때였는데, 내가 잠자리에 들어 잠이 들었다고 생각한 애벗이 내 문제를 거론하며 이렇게 말했던 것이다. "마님이 털어놓고 말씀하셨는데, 늘 모든 사람을 감시하고 몰래 음모나 꾸미는 것 같은 표정을 짓고 있는 그 성가시고 성질이 고약한 아이를 제거하게 돼서 아주 다행이라고 하셨어요." 애벗은 나를 어린 가이 포크스* 같은 인물로 여기고 있다는 생각이 들었다.

그날 밤 나는 애벗이 베시에게 한 이야기를 통해 난생처음으로 내 부모에 대한 사실들을 알게 되었다. 아버지는 가난한 목사였다는 것, 어머니 쪽으로 보아서는 아버지와의 결혼은 격이 떨어지는 일이라고 친인척들이 반대했지만 그 반대를 무릅쓰고 두 분은 결혼했다는 것, 외할아버지는 불효막심한 딸에게 너무 화가 나서 돈 한 푼 안 주고 의절해버렸다는 것, 두 분이 결혼한 후 아버지가 담당 교구가 위치한 큰 공업 도시 빈민가에 가셨다가 당시에 유행하던

---

* 가이 포크스(1570~1606). 1605년 의회 폭파 미수범. '화약 음모 사건' 주동자 중 하나.

발진티푸스에 걸리고 어머니에게 그 병이 전염되어 결국 두 사람이 다 한 달 간격도 두지 않고 돌아가셨다는 것을 알게 되었다.

이런 이야기를 듣고 베시는 한숨을 내쉬며 말했다. "애벗, 불쌍한 에어 아가씨도 동정을 받아야 해요."

"그래요." 애벗이 대답했다. "착하고 예쁜 아이라면 사람들은 외로운 그 처지를 동정할 거예요. 하지만 저렇게 밉게 구는 아이를 진정으로 좋아할 사람은 없는 법이에요."

"분명히 많진 않을 겁니다." 베시도 동의했다. "여하튼 조지아나 아가씨같이 미인이었다면 같은 처지에 있더라도 더 많은 동정을 샀을 겁니다."

"맞아요. 난 조지아나 아가씨한테 홀딱 반했다고요!" 애벗이 열을 내며 말했다. "참 귀여워요! 그 긴 곱슬머리하고 파란 눈에다 피부색은 꼭 색칠한 것 같다니까……. 그건 그렇고, 오늘 저녁 메뉴는 치즈 토스트였으면 좋겠네요."

"나도 그래요. 구운 양파를 곁들여서 말예요. 자, 내려갑시다." 그들은 방을 나갔다.

제4장

로이드 씨와의 대화와 앞서 말한 베시와 애벗 사이의 대화를 통해 나는 얼른 건강을 회복하고 싶다는 소망의 근거로서 이바지할 충분한 희망을 얻었다. 어떤 변화가 가까이 온 것같이 느껴졌다. 나는 말없이 그 변화를 갈망하며 기다렸다. 그러나 그 변화는 지연되었다. 여러 날이 가고 여러 주일이 지났다. 나는 정상적인 건강 상태를 되찾았다. 그러나 내가 마음에 품고 있는 변화라는 주제에 대해서는 아무 새로운 이야기가 없었다. 리드 부인은 때로 엄격한 눈으로 나를 훑어볼 뿐 좀처럼 말을 걸지 않았다. 내가 병이 난 다음부터 그녀는 나와 자기 자식들 사이에 전보다 더 뚜렷한 경계선을 그었다. 그녀는 작은 골방을 지정해 그곳에서 나 혼자 자게 했고 밥도 혼자 먹도록 결정하고 나의 사촌들이 거실에서 지내는 동안 나는 모든 시간을 아이들 방에서만 보내게 했다. 그러나 나를 학교에 보내겠다는 암시는 한 번도 내비치지 않았다. 그러나 그녀가 나와 한 지붕 밑에서 사는 일을 그리 오래 참고 견디지 못할 거라는 걸 나는 본능적으로 확신하고 있었다. 내 쪽을 볼 때마다 그녀의 눈초리에는 전보다 더 억누르지 못하는 그 뿌리 깊은 혐오감이 서려 있었기 때문이다.

명령에 따라 분명히 행동하는 일라이자와 조지아나는 될 수 있으면 내게 말을 걸지 않았다. 존은 나를 볼 때마다 볼 속에서 혀를 밀어 경멸을 표시했다. 한 번은 그가 나를 때리려고 했다. 그러나 지난번에 내가 벌인 분풀이를 자극했던 것과 똑같은, 그 깊은 분노와 필사적인 반항심이 다시 발동한 나는 즉시 그에게 덤벼들었다. 그러자 존은 나를 때리는 일은 그만두는 게 낫겠다고 생각하고 달아났다. 달아나면서 그는 욕설을 퍼붓고, 일전에 자기 코를 내가 부러뜨렸다고 떠들었다. 사실 그때 나는 내 주먹이 행사할 수 있는 한 세게 그의 얼굴에서 튀어나온 부위를 가격했었다. 그때 그 가격 때문이었는지 아니면 내 표정 때문이었는지 그의 기가 꺾인 것을 목격한 나는 유리한 고지를 이용하여 그를 추격하고 싶었다. 그러나 그는 이미 자기 엄마와 함께 있었다. 나는 그가 우는 목소리로 "저 더러운 제인 년"이 자기에게 미친 고양이처럼 달려들었다는 이야기를 시작하는 것을 들었다. 그러나 그의 고자질은 좀 매몰차게 저지당했다.

"존, 제인 얘기는 하지 마. 그 애 가까이 가지 말라고 했잖아. 마음을 쓸 가치도 없는 애야. 난 너나 누이들이 그 애와 어울리는 건 원치 않아."

계단 난간에 기대고 서 있던 나는 갑자기 소리를 질렀다. 내가 무슨 말을 하는지 전혀 따져보지 않고 외친 것이다.

"나랑 어울릴 가치가 없는 건 걔네들이에요."

리드 부인은 건장한 편에 드는 부인이었다. 그러나 이 야릇하고 건방진 선언을 듣자마자 그녀는 날렵하게 계단을 뛰어올라와 회오리바람처럼 나를 아이들 방으로 밀어 넣는 것이었다. 그러고는 나를 침대 머리 부근에다 팽개치더니 목소리에 힘을 주며 어디 일어나보라고 위협하고, 그날이 끝날 때까지 한마디라도 더 지껄여보라고 협박했다.

"만약에 리드 외삼촌이 살아계셨다면 외숙모에게 뭐라고 하셨을까요?" 이건 내 의지와는 상관없이 불쑥 나온 질문이었다. '의지와는 상관없이'라고 말한 것은, 내 의지가 그런 발언을 해도 된다고 동의하지도 않았는데 내 혀가 불쑥 그 발언을 발음해냈기 때문이다. 내가 조종할 수 없는 무엇이 내 몸 밖으로 말을 뱉어낸 것이었다.

"뭐라고?" 리드 부인은 숨을 죽이며 말했다. 평상시에 차갑고 냉정해 보이던 그녀의 회색 눈이 공포 같은 표정으로 안정을 잃고 있었다. 내 팔에서 손을 거두고 내가 어린애인지 악마인지 도무지 모르겠다는 듯이 나를 뚫어지게 응시했다. 나는 이제 본론으로 들어갔다.

"리드 외삼촌은 하늘에 계시니까 외숙모가 하는 일이나 생각을 모두 지켜보실 수 있으세요. 우리 아빠와 엄마도 마찬가지고요. 외숙모가 나를 하루 종일 어떻게 감금했는지, 내가 죽기를 얼마나 바라고 계셨는지 그분들은 다 안다고요."

리드 부인은 곧 용기를 되찾았다. 그녀는 나를 세차게 흔들었고 두 뺨을 때렸다. 그러더니 한마디 말도 없이 나에게서 떠났다. 이렇게 그녀가 빠진 자리를 베시가 한 시간에 걸친 훈계로 메웠다. 베시는 내가 양가집에서 자란 아이들 중에서 가장 악하고 불량한 아이라는 것을 명료하게 입증했다. 나는 베시의 말을 거의 믿었다. 내 가슴속에 정말이지 나쁜 감정만 물보라처럼 일고 있다고 내 자신도 느꼈기 때문이다.

11월, 12월 그리고 1월의 반이 지나갔다. 게이츠헤드에서는 크리스마스와 새해가 늘 있었던 즐거운 축제 행사로 경축되었다. 선물이 교환되고 점심 파티와 저녁 파티가 열렸다. 물론 이 모든 즐거움에서 나는 배제되었다. 내 몫으로 주어진 즐거움이란 그저 일라이자와 조지아나가 매일 옷을 차려입는 모습을 목격하는 일, 그 두 자매가 얇은 모슬린 드레스를 입고 주홍색 허리띠를 매고 우아하게 머리를 땋은 채 거실로 내려가는 모습을 지켜보는 일뿐이었다. 그런 뒤에는 아래층에서 연주되는 피아노와 하프 소리, 집사와 정복 차림의 하인이 이리저리 왔다 갔다 하는 소리, 음식물이 건네질 때마다 잔과 도자기 그릇들이 내는 낭랑한 소리, 거실문이 여닫힐 때마다 왁자지껄 들려오는 대화 토막들 소리 등을 경청하는 일뿐이었다. 이런 일이 따분해지면 나는 계단 머리에서 물러나 쓸쓸한 정적에 싸여 있는 아이들 방으로 돌아오곤 했다. 그 방에 있으면 좀 슬프긴 했지만 비참하지는 않았다. 진실을 말하자면, 사실 나는 사람들과 어울리고 싶은 생각이 추호도 없었다. 그들 틈에 끼면 누구도 나를 거들떠보지도 않았다. 베시만 내게 친절하고 동무해준다면, 그래서 그 긴 밤 시간들을 신사 숙녀 손님들이 가득 찬 방에서 리드 부인의 강건한 눈총을 받는 대신 그녀와 함께 조용히 보낼 수만 있었다면, 나는 분명히 그것만으로도 큰 기쁨으로 여겼을 것이다. 그러나 베시는 아가씨들의 옷을 다 입히기가 무섭게 대개 촛불을 들고 시끌벅적한 부엌 이곳저곳이나 가정부의 방으로 가버렸다. 그러면 나는 난롯불이 사그라질 때까지 인형을 무릎에 올려놓고 그냥 앉아 있었다. 그러면서 나보다 더 못된 어떤 것이 이 어두컴컴한 방 안에 출몰해 있지나 않은지 확인하기 위해 이따금 주변을 둘러보았다. 타다 남은 난롯불이 칙칙한 붉은 색으로 짜부라지면 나는 항금히 옷을 벗고 내 작은 침대 속으로 들어가서 침대보 매듭과 장식 끈을 잔뜩 잡아당겨 침대 속을 추위와 어둠으로부터 나를 보호하는 은신처로 삼곤 했다. 나는 늘 침대 속으로 인형을 데리고 들어갔다. 인간은 본래 누군가를 사랑해야만 하는 존재다. 그런 사랑을 베풀 만한 더 가치 있는 대상이 없던 나로서는 작은 허수아비처럼 색이 발하고 남루해진 조각 인형을 그저 사랑하고 아끼는 데서 즐거움을 찾으려고 애쓸 뿐이었다. 이제 와서 내가 얼마나 바보스러울 정도로 진지하게 그 인형에 빠졌었는지 회상하면 기분이 얼떨떨해진다. 그때 나는 인형이 살아 있고 사물을 감지할 수 있는 것으로 상상했다. 나는 내 잠옷으로 인형을 포근히 안지 않으면 잠도 잘 수 없었다. 인형이 내 잠옷 안에 편안하고 따뜻하게 누워 있으면 나는 비교적 행복했다. 인형도 나처럼 행복하리라고 믿었기 때문이다.

손님들이 떠나는 것을 기다리고 베시가 계단을 올라오는 소리를 듣기 위해 귀를 기울이던 시간은 길게 느껴졌다. 베시는 때로 골무나 가위를 찾으러, 혹은 건포도 빵과 치즈 케이크 같은 저녁 식사거리를 갖다주는 김에 올라오곤 했다. 그럴 때면 내가 저녁 식사를 하는 동안 베시는 침대에 앉아 있었다. 내가 식사를 끝내면 그녀는 침대보를 내 몸에 둘러주면서 두 차례 키스를 해주고 "잘 자요, 제인 아가씨."라고 말했다. 그렇게 착하게 행동할 때는 베시가 세상에서 가장 훌륭하게 예쁘고 친절한 사람 같았다. 그래서 나는 그녀가 늘 그렇게 상냥하고 다정하게 대해주길 바랐고, 전에 자주 그랬던 것처럼 나를 혼내고 부당하게 괴롭히지 않기를 간절히 기원했다. 지금 생각하니 베시 리는 천성적으로 재능을 타고난 여자인 게 분명했다. 자기가 하는 일에는 영리했고 이야기 솜씨도 뛰어났다. 적어도 내가 아이들 방에서 그녀에게서 들은 이야기에서 받은 감동으로 판단할 때 그러했다. 그녀의 얼굴과 몸매에 대한 나의 기억이 정확한 것이라면 그녀는 예쁘기도 했다. 내 기억으로는 그녀는 날씬한 젊은 여자였고 검은 색 머리와 검은 색깔의 눈, 퍽 예쁜 얼굴, 게다가 건강하고 깨끗한 안색을 지니고 있었다. 그러나 그녀는 변덕스럽고 조급한 기질을 지니고 있었고 원칙이나 정의에 대한 개념에는 무관심했다. 어쨌든 그런 여자지만 나는 게이츠헤드 홀의 어느 누구보다 그녀를 좋아했다.

1월 15일 아침 9시경이었다. 베시는 아침을 먹으러 아래층으로 내려가고 없었다. 외사촌들은 아직 자기들 엄마에게 불려 가지 않은 상태였다. 일라이자는 자기가 키우는 닭들에게 모이를 주러 나가기 위해 보닛을 쓰고 따뜻한 정원용 외투를 입고 있었다. 닭을 키우는 일은 그녀가 좋아하는 소일거리였다. 닭들이 낳은 알을 가정부에게 팔아 거기서 받은 돈을 저축하는 일은 더욱 좋아했다. 일라이자는 장사에 재능이 있었고 남다른 저축 성향이 있었다. 그런 그녀의 성향은 계란이나 닭을 파는 일에서만 발휘되는 것이 아니라 꽃 뿌리라든가 식물의 씨나 꽃꽂이용 가지 등을 정원사와 거래할 때 그 빈틈없는 흥정 솜씨에서도 발휘되었다. 정원사는 리드 부인에게서 아가씨가 정원 화단에서 가꾸어 팔고 싶어 하는 것은 뭐든 사주라는 지시를 받은 바 있었다. 아마 일라이자는 이윤만 많이 남길 수 있다면 자기 머리카락도 기꺼이 잘라서 팔았을 것이다. 그렇게 모은 돈을 어쨌느냐 하면, 처음에 그녀는 헝겊 조각이나 머리 마는 데 쓰는 낡은 종이에 싸서 후미진 구석에 몰래 감춰두었다. 그러나 이렇게 숨겨놓은 돈 일부가 청소 담당 하녀에게 들통이 나자 언젠가는 자신의 소중한 보물을 잃어버리게 될지도 모른다는 걱정이 들어, 그녀는 5할 내지 6할이라는 높은 이자를 받기로 하고 엄마에게 돈을 맡기는 데 동의했다. 그녀는 그 이자를 3개월마다 꼬박꼬박 받았고 작은 수첩에다 신경을 곤두세우며 정확하게 장부 정리를 했다.

조지아나는 등 없는 높은 의자에 앉아 거울을 보면서 다락방 서랍 안에서 찾아낸 조화와 색 바랜 깃털을 곱슬머리 사이에 끼워 같이 땋아 내려가고 있었다. 나는 베시에게서 자기가 다시 돌아오기 전까지 침대를 정돈해놓으라는 엄한 지시를 받았기 때문에 내 침대를 정돈하고 있었다. (이제 베시는 방 청소나 의자의 먼지 터는 일 따위는 종종 내게 시켰고 마치 보조 하녀처럼 나를 부려먹었다.) 침대보를 깔고 잠옷을 개고 난 후 나는 창턱 밑 긴 의자로 가서 거기 널려 있던 그림책과 인형 집에 딸린 가구들을 정돈했다. 느닷없이 조지아나가 자기 장난감은 그냥 놔두라고 명령하는 것이었다.(작은 장난감 의자와 거울, 예쁜 접시와 컵들은 그녀의 장난감이었다.) 그래서 나는 하던 일을 멈췄다. 그러자 할 일이 없어진 나는 창유리에 잔뜩 끼여 있는 꽃 모양의 성에다 입김을 불기 시작했다. 그렇게 해서 성에가 제거된 유리를 통해서 마당을 내다볼 수 있었다. 마당 위의 모든 것은 된서리의 영향을 받아 꿈쩍하지도 못하고 돌처럼 굳어 있었다.

이 창문에서 문지기의 오두막과 마찻길을 볼 수 있었다. 바깥을 내다볼 공간이 생길 만큼 창유리를 덮은 은백색 성에 꽃을 입김으로 충분히 녹이고 났을 때였다. 대문이 활짝 열리고 마차 한 대가 거기를 통과해 들어오는 것이 보였다. 나는 마차가 마당 통로를 올라오는 것을 무심히 지켜보았다. 마차가 게이츠헤드로 오는 일은 자주 있는 일이었지만 내가 관심을 가질 만한 손님들을 태우고 온 적은 없었다. 마차는 집 앞에 섰다. 초인종이 크게 울리더니 처음 보는 사람이 안으로 들어왔다. 이런 모든 일이 나에게는 아무 의미도 없었다. 그런데 바로 그때 배고픈 작은 개똥지빠귀 한 마리가 내 멍한 시선을 활기차게 끄는 것이었다. 그 새는 날아와 창틀 가까이에 있는 벽에 찰싹 붙어 서 있는, 잎이 다 떨어진 벚나무 가지 위에 앉아 지저귀고 있었다. 내가 아침으로 먹다 남긴 빵과 우유가 있었다. 나는 조금 남은 롤빵을 부스러뜨린 다음 그 부스러기를 꺼내어 창턱에 올려놓으려고 창틀을 잡아당기고 있었다. 바로 그때 베시가 계단을 뛰어올라와 아이들 방으로 들어왔다.

"제인 아가씨, 앞치마를 벗어요. 거기서 무얼 하고 있는 거죠? 오늘 아침에 세수는 했나요?" 나는 대답에 앞서 창틀을 한 번 더 힘껏 잡아당겼다. 새가 자기 먹이를 확실히 먹을 수 있게 만들고 싶었기 때문이다. 창틀은 열렸다. 나는 빵 부스러기를 흩어지게 뿌렸다. 일부는 돌로 된 창턱 위에 흩어지고 일부는 벚나무 가지 위에 뿌려졌다. 그러고 나서 나는 창문을 닫고 대답했다.

"아니, 베시. 이제 겨우 먼지 터는 일만 끝냈어."

"말썽만 부리고 덤벙대기는, 원! 대체 지금 뭐 하는 거예요? 무슨 못된 장난을 쳤길래 얼굴이 그리 빨갛게 되었지요? 창문은 왜 열었지요?"

나는 대답하는 수고를 하지 않아도 되었다. 베시는 무언가 너무 서두르는 통에 설명을 들을 겨를이 없어 보였다. 그녀는 세면대로 나를 끌고 가서 인정사정없이. 하지만 다행히 간단하게 비누와 물과 거친 수건으로 내 얼굴과 손을 문질렀다. 그러고는 억센 머리빗으로 내 머리를 빗기고 내 앞치마를 벗겼다. 그런 다음 나를 서둘러 계단 머리로 데려간 후 조찬실에서 나를 부르니 곧바로 아래층으로 내려가라고 일렀다.

나는 누가 나를 보자고 하는지 묻고 싶었다. 리드 부인이 거기 있느냐고 물어보고 싶었다. 그러나 베시는 벌써 그곳에 없었다. 그녀는 아이들 방 문을 내 면전에서 닫아버렸다. 나는 천천히 내려갔다. 거의 석 달 동안 나는 단 한 번도 리드 부인에게 불려 간 적이 없었다. 그렇게 오랫동안 아이들 방에서 지내도록 제한받고 있었기 때문에 조찬실, 정찬실, 거실은 내게는 두려운 지역으로 변해 있었다. 그런 곳에 불쑥 들어가자니 겁이 났다.

나는 텅 빈 복도에 서 있었다. 바로 앞에 조찬실 문이 있었다. 나는 겁이 나서 몸을 떨며 서 있었다. 내가 받은 부당한 벌로 인해 생겨난 공포심이 그 당시의 나를 얼마나 비참한 꼬마 겁쟁이로 만들어버렸던가! 아이들 방으로 되돌아가는 것도 무서웠다. 거실 쪽으로 걸음을 내딛기가 무서웠다. 나는 흥분되었으면서도 망설이며 10분 동안을 거기 서 있었다. 조찬실 종이 우렁차게 울리는 바람에 나는 결심했다. 나는 들어가야 했다.

'도대체 누가 나를 보자고 하는 것일까?' 빡빡한 손잡이를 양손으로 돌리면서 나는 속으로 물었다. 문의 손잡이는 1, 2초 동안 내 노력을 배격했다. '방 안에 들어가면 리드 부인 외에 누구를 보게 될까?' 손잡이가 돌아가더니 문이 열렸다. 방을 가로질러 가서 나는 무릎을 굽혀 인사하고 올려다보았다. 검은 기둥이었다! 첫눈에 적어도 내게는 그렇게 보였다. 양탄자 위에 곧바르고 폭이 좁고 검정 담비 가죽으로 된 옷을 입은 형체가 수직으로 서 있었다. 신전의 돌기둥 맨 위에 기둥머리 역할을 하도록 얹어놓은, 험상궂은 얼굴로 조각된 가면 같았다.

리드 부인은 난롯가에 놓인 늘 앉던 자기 자리에 앉아 있었다. 그녀가 나에게 가까이 오라고 신호했다. 내가 그렇게 하자 그녀는 돌처럼 서 있던 그 낯선 손님에게 소개했다. "얘가 바로 제가 선생님께 말씀드렸던 계집애입니다."

그 기둥은 사람이었다. 그 낯선 손님은 내가 서 있는 쪽으로 천천히 머리를 돌렸다. 텁수룩한 눈썹 아래에서 탐구욕으로 빛나는 것 같은 회색 눈으로 나를 자세히 살피더니 그는 근엄하고 굵은 베이스 목소리로 말했다. "애가 작군요. 몇 살입니까?"

"열 살이에요."

"그렇게 많이 먹었습니까?" 그가 의심하는 어조로 대답했다. 그는 몇 분 더 나를 꼼꼼히 살펴보았다. 이윽고 그가 나에게 말했다.

"애야, 이름이 뭐냐?"

"제인 에어입니다, 선생님."

이 말을 하면서 나는 그를 올려다보았다. 내게는 그가 키 큰 신사로 보였다. 그때 나는 아주 작았다. 그는 이목구비가 큼직큼직했다. 그것들 말고도 그의 몸 윤곽도 마찬가지로 엄하면서 깔끔한 인상이었다.

"에헴. 제인 에어, 넌 착한 아이냐?"

이 질문에 그렇다고 대답할 수 없었다. 나를 둘러싼 이곳 작은 세계는 모두 반대 의견을 가지고 있었기 때문이다. 나는 아무 말도 안 했다. 리드 부인이 머리를 요란하게 저으며 곧바로 이렇게 덧붙였다. "그 점에 대한 이야기는 안 하는 쪽이 좋을 겁니다, 브로클허스트 씨."

"그런 말씀을 들으니 정말 유감입니다! 애하고 단둘이 이야기 좀 해봐야겠습니다." 그는 똑바로 서 있다가 몸을 숙이며 리드 부인의 의자 건너편 안락의자에 가서 앉았다. "이리 와라." 그가 말했다.

나는 양탄자를 건너갔다. 그는 나를 자기 앞에 똑바로 꼿꼿이 서 있게 했다. 그의 얼굴과 내 얼굴이 거의 수평을 이루게 되었을 때였다. 얼굴이 어쩌면 그렇게 클 수 있을까! 코가 어쩌면 저리도 클까! 입은 또 왜 그리 큰 것일까! 그리고 그 큰 이빨은 왜 그리 튀어나왔는지!

"버릇없는 아이를 볼 때만큼 내 마음을 슬프게 하는 것은 없다." 그가 말을 시작했다. "특히 버릇없는 여자아이가 그렇지. 악한 것들이 죽은 뒤에 어디로 가는지 넌 알고 있니?"

"지옥으로 가요." 이건 준비되고 정통된 나의 대답이었다.

"그러면 지옥은 어떤 곳이냐? 내게 말해줄 수 있겠니?"

"불이 가득 찬 구덩이입니다."

"그런데 넌 그 구덩이에 빠져 영원히 불에 타고 싶으냐?"

"아뇨, 선생님."

"그런 일을 피하기 위해서는 너는 어떻게 해야 하지?"

나는 잠시 생각했다. 내게서 나온 답은 반박의 여지가 있는 것이었다. "건강을 유지해서 죽지 않아야 해요."

"어떻게 하면 좋은 건강을 유지할 수 있지? 너보다 어린 애들도 매일 죽는데. 나는 하루 이틀 전에도 다섯 살배기 어린애를 땅에 묻었다. 아주 착한 애였다. 지금 그 애 영혼은 천국에 있단다. 네가 그곳으로 불려 간다면 너에 대해서는 같은 말을 할 수 없다는 것을 두려워해야 해."

그의 의심을 풀어줄 처지가 아니었기 때문에 나는 단지 양탄자를 딛고 있는 그의 큰 발 위에 시선을 던지며 한숨을 내쉬었다. 그자리에서 멀찌감치 달아나고 싶었다.

"그 한숨이 네 가슴에서 우러나온 것이기를 바란다. 그리고 네게 은혜를 베풀어주신 착한 은인에게 불편을 드렸던 일을 반성하기를 바란다."

'은인이라니! 은인이라니!' 나는 속으로 말했다. '모두들 리드 부인을 내 은인이라고 부르는군. 그렇다면 은인이라는 것은 기분 나쁜 것이로군.'

"아침과 밤에 기도를 하느냐?" 나의 심문관은 말을 계속했다.

"네, 선생님."

"성경을 읽느냐?"

"가끔이요."

"즐거운 마음으로? 성경을 좋아하느냐?"

"요한계시록, 다니엘서, 창세기, 사무엘서는 좋아해요. 출애굽기는 조금 좋아하고, 열왕기와 역대기, 욥기, 요나서는 몇몇 부분만 좋아해요."

"그러면 시편은? 시편도 좋아하면 좋겠구나."

"좋아하지 않아요, 선생님."

"좋아하지 않는다고? 오, 놀랍구나! 너보다도 어린 남자애가 있는데 그 애는 시편 여섯 편을 외운단다. 그 애에게 '생강 빵 한 개

를 먹을래, 아니면 시편 한 편을 배울래?' 하고 물으면 그 애는 '저
는요, 시편 한 편을 배우겠어요! 천사들이 시편을 노래하니까요.' 라
고 대답한단다. '저는 이 지상에서 작은 천사가 되고 싶어요.' 하고
말하거든. 그러면 그 애는 어린애의 경건한 신앙심에 대한 보상으
로 빵 두 개를 얻는단다."

"시편은 재미없어요." 내가 말했다.

"그게 다 네 마음이 악하다는 증거다. 그런 마음을 바꾸기 위해
서는 하느님께 기도해야 되는 거다. 새롭고 깨끗한 마음을 주시고
돌처럼 굳은 네 마음을 가져가시고 인정스러운 마음을 주십사 하고
기도해야 한다."

나는 내 마음을 변화시키는 작업을 수행하려면 어떤 방법으로
하는 것인지에 관해 질문을 하나 던지고 싶었다. 그러나 바로 그때
리드 부인이 끼어들어 나더러 자리에 앉으라고 명령했다. 그런 다
음 자신이 대화를 주도하는 일에 착수했다.

"브로클허스트 씨, 3주 전 보내드린 편지에서 이 애는 제가 바라
는 성격과 기질을 전혀 가지고 있지 않다고 말씀드렸을 겁니다. 로
우드 학교가 이 아이를 받아들여서 교장 선생님과 다른 선생님들께
서 이 아이를 엄격히 감시하고 무엇보다 최악의 결점인 남을 속이
려는 성향을 제지해주신다면 기쁘겠습니다. 제인, 네가 듣는 데서
이런 말을 하는 것은 네가 브로클허스트 씨를 속이려고 할까 봐 그
러는 거다."

내가 리드 부인을 두려워하고 좋아하지 않는 것은 당연한 일이
었다. 나에게 잔인한 상처를 주는 것은 그녀의 성품이었기 때문이
다. 그녀가 있는 곳에서는 나는 결코 행복하지 않았다. 아무리 주의

깊게 복종하고 그녀의 비위를 맞추려고 아무리 힘들여 노력해도 내 노력은 여전히 거절당하고 보답으로 돌아오는 것은 방금 말한 그런 판결문뿐이었다. 낯선 사람 앞에서 튀어나온 그 비난은 내 가슴을 에는 듯했다. 내가 들어가도록 그녀가 결정한 내 인생의 새로운 기간에서도 이미 희망이 제거되고 있음을 나는 어렴풋이 감지했다. 그때 감정을 표현하라 해도 표현할 수 없었을 테지만, 내가 앞으로 걸어갈 행로 위로 혐오와 불친절이 파종되고 있다고 느꼈다. 브로클허스트 씨의 눈에 내 모습이 교활하고 해로운 아이로 변형되어 인식되고 있음을 나는 알아차렸다. 이러한 훼손을 복구하기 위해서 내가 무엇을 할 수 있었겠는가?

'정말, 방법이 없군.' 나는 나오려는 흐느낌을 참으려고 애쓰며 생각했다. 다만 내 고통의 무력한 증거물인 약간의 눈물을 황급히 닦았다.

"속이려 드는 것은 정말이지 어린아이의 슬픈 결점입니다." 브로클허스트 씨가 말했다. "그것은 거짓과 닮은 것입니다. 그리고 모든 거짓말쟁이들은 유황 불길이 타오르는 그 지옥의 호수에서 저희들의 운명을 맞이하게 될 것입니다. 그렇지만 리드 부인, 저 애는 우리가 감시할 것입니다. 템플 선생과 다른 선생들에게 제가 말해 놓겠습니다."

"저 애의 장래에 적합한 방식으로 저 애가 교육되기를 바랍니다." 내 은인이 계속해서 말했다. "쓸모 있는 사람이 되고 겸손을 유지하도록 말입니다. 방학에 대해서 말입니다만, 괜찮으시다면, 앞으로 방학 기간을 늘 로우드 학교에서 보내게 하십시오."

"부인, 그 결정은 정말 적절합니다." 브로클허스트 씨가 대답했다. "겸손은 기독교인의 덕목이지요. 특히 로우드 학교 학생들에게 적합한 덕목입니다. 그래서 저는 그 덕목을 학생들에게 함양시키는 데 각별한 주의를 기울이라고 지시하고 있습니다. 저는 학생들이 지닌 자만심이라는 세속적 감정을 없애는 최선의 방법을 연구했습니다. 그런데 얼마 전에 저는 제가 그것에 성공했다는 기쁜 증거를 얻기에 이르렀습니다. 제 둘째 딸 어거스타가 엄마와 함께 학교를 방문했습니다. 그런데 돌아가는 길에 그 애가 외치더군요. '세상에, 아빠, 로우드 학교 여학생들은 정말 모두 어쩌면 저렇게 조용하고 수수할까! 모두 머리는 귀 뒤쪽으로 빗어 넘겼고 앞치마는 길고 프록코트 바깥쪽엔 네덜란드식 작은 주머니가 붙어 있네요. 가난한 집 애들과 거의 같아요! 그 애들이 저와 엄마 옷을 쳐다봤어요. 실크 가운은 전에 한 번도 본 적이 없는 것 같았어요.'"

"그게 바로 제가 전적으로 찬성하는 상황입니다." 리드 부인이 대답했다. "영국 전역을 샅샅이 뒤졌지만 제인 에어 같은 아이에게 로우드 학교보다 더 잘 맞는 학교는 없었습니다. 경애하는 브로클러스트 씨, 일관성 말입니다. 저는 모든 일에서 일관성을 주장합니다."

"부인, 일관성은 기독교인의 의무 중 으뜸입니다. 로우드 학교 설립과 관련된 모든 규정에서 일관성이 지켜졌습니다. 소박한 식사, 간소한 의복, 수수한 잠자리, 고난을 이겨내는 활동적인 습관, 바로 이런 것들이 기숙사에서 기숙생들이 현재 지키는 규정입니다."

"정말 옳으신 말씀입니다, 선생님. 그렇다면 이제 이 애가 로우드 학교에 학생으로 받아들여져서 자신의 처지와 앞날에 알맞은 교육을 받게 될 것이라고 믿어도 되겠군요."

"부인, 믿어도 됩니다. 엄선된 식물들이 자라는 못자리에 이 아이는 자리를 차지하게 될 것입니다. 그곳에 선발되어 들어가는 헤아릴 수 없이 귀중한 특권을 부여받게 된 것에 대해 자신도 고마워할 것이라 믿습니다."

"브로클허스트 씨, 그러면 될수록 빠른 시일 내에 아이를 보내겠습니다. 확실히 말씀드리지만 저는 지금까지 제가 받았던 귀찮은 책임에서 벗어나고 싶어 죽을 지경입니다."

"왜 안 그렇겠습니까. 의심할 여지가 없는 일이지요, 부인. 자, 그럼, 안녕히 계십시오. 저는 한두 주쯤 있다가 브로클허스트 관으로 돌아갈 것입니다. 제 절친한 친구인 부주교가 그 이전에는 저를 붙들고 놓아주려고 하지 않아서요. 템플 선생에겐 새 여학생이 갈 거라고 통지하겠습니다. 아이를 입학시키는 일에는 아무 문제도 없을 것입니다. 안녕히 계십시오."

"안녕히 가십시오, 브로클허스트 씨. 브로클허스트 부인과 브로클허스트 양, 어거스타와 시어도어, 그리고 브로턴 브로클허스트 도련님께 안부 전해주세요."

"그러겠습니다, 부인. 애야, 여기 '어린이 지침서'라는 표제가 붙은 책이 있다. 이걸 기도하는 마음으로 읽어라. 특히 '거짓과 기만에 빠졌던 못된 아이 마사 G가 끔찍하게도 갑자기 죽은 이야기에 대한 설명'이란 부분을 잘 읽어보아라."

이렇게 말하고 브로클허스트 씨는 겉장을 씌운 얇은 책자 하나를 내 손에 쥐여주고 자기 마차를 부른 뒤 떠났다.

리드 부인과 나만 남게 되었다. 아무 말 없이 몇 분이 흘렀다. 그녀는 바느질을 하고 있었고 나는 그녀를 주의 깊게 바라보고 있었다. 그 당시 리드 부인은 서른여섯이나 서른일곱가량의 나이였을 것이다. 그녀는 건장한 체격과 네모난 어깨와 튼튼한 팔다리를 가진 부인이었다. 키는 컸다. 건장하지만 비만은 아니었다. 얼굴은 좀 큰 편이었고, 아래턱은 잘 발달되어 매우 단단해 보였다. 이마는 좁고 턱은 크고 앞으로 돌출해 있었다. 입과 코는 정상이라고 하기에 충분했고 엷은 색깔의 눈썹 밑엔 동정심이라곤 전혀 없는 눈이 반짝이고 있었다. 그녀의 피부는 거무스레하고 탁했고 머리칼은 엷은 황갈색이었다. 그녀의 체질은 종처럼 건강했다……. 질병이 근처에도 못 왔다. 그는 빈틈없고 영리한 관리자였다. 그래서 그녀는 집에서 일하는 하인들이나 소작인들을 완전히 손아귀에 넣고 있었다. 오직 자식들만이 가끔 엄마의 권위에 도전하고 조롱하고 비웃을 때가 있었다. 그녀는 옷을 잘 차려입었고 그 멋진 의상을 돋보이게 만드는 풍채와 몸가짐을 가지고 있었다.

부인의 안락의자에서 몇 야드 떨어진 낮은 걸상에 앉아 있던 나는 그녀의 모습을 자세히 살펴며 그녀의 이목구비를 찬찬히 뜯어보았다. 내 손에는 거짓말쟁이의 돌연사에 대한 이야기를 담은 작은 책자가 들려 있었다. 적절한 경고나 되듯 책자 속의 이야기에 주의를 쏟으라고 지시받았던 책이다. 방금 전에 일어났던 일, 리드 부인이 브로클허스트 씨에게 나에 대해 했던 말, 두 사람이 주고받은 대화의 전체적 의미가 아직도 생생하고 아프게 느껴졌고 내 마음을 찔러대고 있었다. 그들이 나눈 모든 단어들 하나하나가 현장에서 분명히 들었을 때와 똑같이 날카롭게 느껴졌다. 그러자 내 마음속에서 격정적인 분노가 끓어올랐다.

리드 부인은 하던 일을 멈추고 눈을 들어 올렸다. 그녀의 눈이 내 눈 위에 고정되었다. 동시에 그녀의 손가락이 민첩한 동작을 멈췄다.

"이 방에서 나가 아이들 방으로 돌아가라." 부인이 명령했다. 내 표정 아니면 무언가가 몹시 비위에 거슬렸던 게 분명했다. 자제하고 있었지만 말투에 지독한 짜증이 배어 있었다. 나는 자리에서 일어나 문으로 갔다. 그러나 다시 돌아왔다. 나는 방을 가로질러 창가로 가서 그녀에게 가까이 다가갔다.

나는 말을 하지 않고는 견딜 수가 없었다. 그동안 얼마나 잔인하게 짓밟혀왔던가. 그러니 보복해야 한다. 하지만 어떻게? 적에게 보복을 할 수 있는 무슨 힘이 내게 있단 말인가? 나는 내 모든 힘을 끌어모아 짧막한 문장 안에 넣어 그녀에게 쏘았다.

"난 남을 속이지 않아요. 만일 내가 그런 애라면 외숙모를 사랑한다고 말할 거예요. 그러나 분명히 말하지만 난 외숙모를 사랑하지 않아요. 존을 빼놓고는 난 외숙모가 이 세상에서 제일 싫어요. 그리고 거짓말쟁이에 관한 이 책 말인데, 이 책은 외숙모 딸 조지아나에게나 주세요. 거짓말 하는 애는 내가 아니라 그 애니까요!"

리드 부인의 손은 아직도 동작을 멈춘 채 일감 위에 놓여 있었다. 얼음 같은 그녀의 눈은 계속 차갑게 내 눈 위에 머무르고 있었다.

"더 할 말 있느냐?" 어린아이에게 보통 사용하는 말투가 아니라 어른 적수에게나 사용할 수 있는 말투로 그녀가 물었다.

그녀의 그 눈과 그 목소리가 내가 품고 있는 모든 반감을 자극했다. 머리에서 발끝까지 부들부들 떨면서, 억제할 수 없는 흥분으로 전율을 느끼며 나는 말을 계속했다.

"외숙모가 내 친핏줄이 아니어서 정말 기뻐요. 이제 내가 살아 있는 한 다시는 외숙모라고 부르지 않을 거예요. 어른이 되어서도 다시는 만나러 오지 않을 거예요. 만일 누가 내게 외숙모를 어느 정도 좋아했었느냐고 물으면, 또 나를 어떻게 대해주었느냐고 물으면, 생각만 해도 속이 메스꺼워진다고 말할 거예요. 또한 외숙모가 나를 비참할 정도로 잔인하게 대했다고 말할 거예요."

"어찌 감히 그렇게 주장하지, 제인?"

"어찌 감히라고 하셨나요, 리드 부인? 어찌 감히 제인이라고 하셨나요? 그건 진실이기 때문이죠. 외숙모는 내가 아무 감정도 없는 아이라고 생각하고 계셔요. 사랑이나 친절 같은 것이 단 한 점 없이도 살 수 있는 아이라고 생각하고 계셔요. 하지만 난 그렇게는 못 살아요. 외숙모는 동정심이 전혀 없으세요. 어떻게 나를 밀쳤는지……, 얼마나 난폭하고 세차게 나를 붉은 방에 처박고 그곳에 감금해버렸는지 죽는 날까지 기억할 거예요. 너무 고통스럽고 숨이 막혀 '불쌍히 여겨주세요! 자비를 베풀어주세요! 외숙모!' 하고 비명을 질렀지만 소용없었어요. 나에게 내린 벌은 사실은 외숙모의 못된 아들놈이 나를 때렸기 때문에 내가 받은 거였어요. 그는 아무것도 아닌 걸 가지고 나를 때려눕혔던 거예요. 내게 물어보는 사람에게는 그가 누구든지 이 이야기를 정확히 해줄 거예요. 사람들은 외숙모를 착한 여자라고 생각하지만 사실은 못됐고 무정한 사람이죠. 외숙모야말로 남을 속이는 사람이에요!"

이 대답을 다 마치기도 전에 내 영혼은 이제까지 내가 느꼈던 중에서 가장 이상한 해방감과 승리감과 더불어 부풀어오르고 환희를 느끼기 시작했다. 눈에 보이지 않는 결박의 끈이 터져 풀어진 것 같았고 뜻하지 않은 자유 속으로 발버둥치며 들어간 것 같았다. 이런 감정은 원인이 없는 것이 아니었다. 리드 부인은 공포감에 사로잡

힌 것 같았다. 그녀의 무릎에서 바느질감이 미끄러져 떨어졌다. 그녀는 양손을 들어 올리고 이리저리 몸을 흔들고, 심지어 울음을 터뜨릴 것처럼 얼굴을 일그러뜨리고 있었다.

"제인, 네가 잘못 알고 있어. 너 왜 그러니? 왜 그렇게 몸을 벌벌 떨고 있지? 물 좀 마시겠니?"

"아니요. 리드 외숙모."

"제인, 다른 뭐 원하는 거라도 있니? 확실히 말하지만 난 네 친구가 되고 싶구나."

"그럴 리 없겠지요. 외숙모는 브로클허스트 씨에게 내가 아주 못된 성격과 남을 속이는 기질을 가진 애라고 말했어요. 그러니까 나도 로우드 학교의 모든 사람에게 외숙모의 참모습과 외숙모가 그동안 해온 일을 다 말할 거예요."

"제인, 너는 세상일을 이해하지 못하고 있는 거야. 애들은 결점이 있으면 반드시 고쳐야 하는 거야."

"남을 속이는 성향은 제게 없는 결점이에요!" 나는 앙칼진 목소리로 사납게 외쳤다.

"제인, 하지만 넌 성질이 너무 격해. 그 점은 너도 인정해야 한다. 자, 이제 아이들 방으로 돌아가라. 착하지, 어서……. 거기서 좀 누워 있어라."

"전 외숙모의 착한 애가 아니에요. 가서 누울 수도 없어요. 저를 한시바삐 학교로 보내주세요, 리드 부인. 전 여기서 살기 싫으니까요."

"나도 정말로 저 애를 학교로 당장 보내고 싶군." 리드 부인은 독백하듯 혼자 중얼거렸다. 그러더니 바느질감을 모아서 느닷없이 방을 떠났다.

나는 그곳에 혼자 남게 되었다……. 야전에서의 승자였다. 이제까지 싸웠던 것 중 가장 치열한 전투였다. 또한 이것은 내가 달성한 최초의 승리였다. 나는 브로클허스트 씨가 서 있던 양탄자 위에 잠시 서서 승자의 고독을 즐겼다. 우선 나는 혼자 미소를 짓고 의기양양해했다. 그러나 이 격렬한 쾌감은 빨라졌다가 내 심장의 고동만큼이나 빨리 가라앉았다. 아이들이란 내가 했던 것처럼 어른과 다투거나, 또 내가 했던 것처럼 격렬한 감정을 억제 못하고 마음껏 터뜨리고 나면 반드시 나중에 가서 고통스러운 후회와 서늘한 반작용을 체험하는 법이다. 불이 붙어 활발하게 빛을 내며 모든 것을 삼키는 히스 들판 마루, 바로 이것은 리드 부인을 비난하고 협박할 때의 내 심정을 적절한 상징으로 표현하는 실체일 것이다. 그러나 불꽃이 다 사그라지고 거무스레하게 식어버린 것 같은 그 히스 들판 마루의 황량한 모습, 그것은 뒤에 이어진 내 심정을 아까 못지않게 적절히 상징적으로 표현한 것이다. 반 시간도 안 되는 침묵과 반성 끝에 나는 내 행동이 얼마나 미친 짓이었으며, 누군가를 미워하며 동시에 미움을 받는 내 처지가 얼마나 쓸쓸한가를 깨달았다.

나는 난생처음으로 복수의 맛을 어느 정도 맛본 것이었다. 향기가 좋은 포도주가 그렇듯 그것은 처음 삼킬 때 훈훈하고 풍미가 넘치는 것 같았다. 그러나 금속성이면서 부식하는 듯한 그 뒷맛은 독극물을 삼킨 것 같은 느낌을 안겨주었다. 나는 자발적으로 리드 부인에게 당장 뛰어가서 용서를 구하고 싶었다. 그러나 나는 일부는 경험, 일부는 본능을 통해, 그렇게 했다가는 그녀가 나를 두 배나 더 냉소하며 혐오할 것이고 그렇게 되면 내 본성의 난폭한 충동을 다시 자극하게 될 것을 알고 있었다.

　나는 격렬하게 말을 뱉어내는 기능보다 좀 더 나은 어떤 기능을 사용하고 싶었다. 또한 침울한 분노보다 덜 사나운 어떤 감정을 얻어내기 위한 자양분을 찾고 싶었다. 나는 책 한 권을 집어 들었다…… 아라비아의 이야기들이 들어 있는 책이었다. 나는 앉아서 그 책을 읽으려고 노력했다. 그러나 이야기 주제를 알 수 없었다. 내 머리를 어지럽히는 잡념들이 전에는 보통 재미있다고 생각하던 페이지와 나 사이에서 계속 떠다니고 있었다. 나는 조찬실의 유리문을 열었다. 관목 숲은 아주 조용했다. 햇살이나 미풍에도 녹지 않은 검은 서리가 땅 위를 두루 덮고 있었다. 나는 머리와 팔을 옷자락으로 감싸고 밖으로 나가 꽤 호젓한 조림지 숲으로 얼마간 걸어 들어갔다. 그러나 정적에 싸여 있는 나무들, 엉겨 붙은 가을의 유물인 전나무 솔방울들, 세찬 바람에 무더기로 쓸려와 이제 함께 굳어진 황갈색 낙엽들, 그 어느 것에서도 즐거움을 찾을 수 없었다. 나는 어떤 문에 기대어 텅 빈 목초지를 바라보았다. 그러나 거기에는 풀을 뜯는 양이라곤 한 마리도 없었고 서리에 시들고 빛이 바랜 짤막한 풀만이 있었다. 정말 몹시 우중충한 날이었다. "막 눈이 내릴 것 같은" 잔뜩 찌푸린 하늘이 모든 것을 덮고 있었다. 마침내 간간이 눈발이 날리기 시작했다. 눈은 녹지 않고 발로 다져진 통로와 회백색 목초지 위에 내려앉았다. 어지간히 불쌍한 아이, 바로 나는 거기 서서 몇 번이고 되풀이하며 속으로 속삭이고 있었다. '이제 어떻게 하지? 어떻게 해야지?'

　이때 갑자기 또렷한 목소리가 부르는 것을 들었다. "제인 아가씨! 어디 있어요? 와서 점심 먹어요!"

베시였다. 나는 금세 알았다. 그러나 나는 꼼짝도 하지 않았다. 통로를 따라 그녀의 가벼운 발걸음이 다가왔다.

"이 말썽꾸러기 아가씨!" 그녀가 말했다. "불렀는데 왜 안 와요?"

내가 여태껏 열심히 반추하던 상념에 비하면 베시가 옆에 왔다는 사실은 내 마음을 명랑하게 해주는 것 같았다. 하긴 베시는 여느 때처럼 좀 화가 난 표정이었다. 사실, 리드 부인과 싸워서 승리를 거둔 후라 나는 이 아이들 방 담당인 하인이 일시적으로 화를 내어도 마음을 쓰고 싶지 않았다. 나는 그녀의 젊은 경쾌한 마음을 햇빛 삼아 잔뜩 쬐고 싶었다. 나는 두 팔로 그녀를 감아 안으며 말했다. "베시, 제발 나를 야단치지 마."

그 행동은 과거에 내가 습관적으로 빠져들던 행동보다 솔직하고 거침이 없었다. 어쩐 일인지 베시도 그런 행동이 마음에 드는 모양이었다.

"제인 아가씨, 아가씨는 이상한 어린이군요." 나를 내려다보며 그녀가 말했다. "혼자 쏘다니며 늘 고독한 어린이니까요. 그런데 학교로 간다는 것 같던데?"

나는 고개를 끄덕였다.

"이 불쌍한 베시를 떠나게 되어 서운하지 않나요?"

"베시가 언제 나를 좋아하기나 했나? 늘 야단만 치고서."

"아가씨가 너무 이상하고 겁을 먹고 수줍어하는 어린이였으니까요. 아가씨는 좀 더 대담해야 해요."

"뭐라고! 매를 더 맞으라고?"

"말도 안 돼요! 하지만 아가씨가 좀 구박을 받은 건 확실해요.

지난주 저를 보러 왔던 우리 엄마가 말했어요. 자기에게 자식이 있으면 절대로 아가씨 같은 처지에 놔두지 않겠다고 말하시더군요. 자, 이제 들어가요. 아가씨에게 희소식이 있어요."

"베시, 내게 희소식이 있을 것 같지 않은데."

"저런! 그게 무슨 소리예요? 저를 쳐다보는 눈이 슬프기도 해라! 그건 그렇고, 마님과 아가씨들과 존 도련님이 오늘 오후 차 마시러 외출하신대요. 그러면 아가씨는 저와 차를 마실 거고요. 요리사에게 아가씨를 위해 작은 케이크를 구워달라고 부탁도 할게요. 그러면 아가씨 서랍을 정리할 때 저를 좀 도와줘요. 곧 아가씨 트렁크에 짐을 챙겨 넣어야 해요. 마님께선 하루 이틀 후에 아가씨를 게이츠헤드에서 떠나보낼 계획이세요. 갈 때 가져가고 싶은 장난감이 있으면 골라놓으세요."

"베시, 떠날 때까지 더는 나를 야단치지 않겠다고 약속해야 해."

"그래요. 그러겠어요. 하지만 아가씨는 착한 어린이라는 것을 명심하세요. 그리고 나를 무서워하지 말아요. 우연히 제가 화난 말투로 말하더라도 움찔하지 마세요. 그게 저를 화나게 하거든요."

"앞으로 베시를 무서워하는 일은 절대 없을 거야, 베시. 베시에게 익숙해졌으니까. 무서워해야 할 사람들은 곧 새로 만나게 되겠지."

"그 사람들을 무서워하면 그들도 아가씨를 싫어할 거예요."

"베시가 그랬던 것처럼?"

"아가씨, 저는 아가씨를 싫어하지 않아요. 저는 다른 아가씨들보다 아가씨를 더 좋아한다고 믿고 있어요."

"베시는 그런 내색을 안 하잖아."

"참으로 총명한 꼬마 아가씨! 아가씨 말투가 완전히 새로워졌네요. 어쩐 일로 아가씨가 그렇게 대담하고 강건해졌나요?"

"글쎄. 곧 베시를 떠나게 될 거니까 그런 거겠지. 게다가……." 나는 리드 부인과 나 사이에 있었던 일을 대략 말할 참이었다. 그러나 다시 한번 생각하고는 그 점에 대해서는 입을 다물고 있는 편이 낫겠다고 생각했다.

"그런데 아가씨는 저와 헤어지게 된 것이 기뻐요?"

"전혀! 베시. 정말이야. 난 지금 조금 슬퍼."

"지금이라고요! 조금이라고요! 어린 숙녀가 어찌 그렇게 냉정히 말할 수 있을까! 지금 아가씨에게 키스를 해달라고 해도 해주지 않겠지요. 아마 별로 하고 싶지 않아 하고 말할지도 모르겠어요."

"키스해줄게. 기꺼이 말야. 머리를 아래로 굽혀봐." 베시가 몸을 굽혔다. 우리는 서로 안았다. 나는 그녀 뒤를 따라 큰 위로를 받은 기분으로 집으로 들어갔다. 그날 오후는 평화롭게 화합의 분위기 속에서 지나갔다. 저녁이 되자 베시는 내게 아주 재미난 이야기들을 해주었고 감미롭기 그지없는 노래들을 몇 곡 불러주었다. 인생은 심지어 나 같은 것에게도 비춰줄 햇살이 있었다.

제5장

1월 19일 아침. 시계가 5시를 치자마자 베시가 촛불을 들고 내 방으로 들어와서 이미 자리에서 일어나 옷을 거의 입은 나를 발견했다. 나는 그녀가 들어오기 반 시간 전에 일어나 침대 곁 좁은 창문을 통해 흘러들어 오는, 지고 있는 반달이 던져주는 빛의 도움을 받아 세수를 하고 옷도 입고 있었다. 나는 아침 6시에 문지기의 문 앞을 지나가는 공용 마차를 타고 게이츠헤드를 떠날 예정이었다. 그 시간에 이미 일어난 사람은 오직 베시뿐이었다. 그녀는 아이들 방에 난롯불을 지피고 그곳에서 내가 먹을 아침 식사거리를 준비하기 시작했다. 먼 여행을 한다는 생각으로 흥분되면 음식을 먹을 수 있는 아이는 거의 없을 것이다. 나도 먹을 수 없었다. 베시는 나를 위해 준비한 끓인 우유 몇 스푼과 빵을 먹으라고 성화였지만 허사였다. 그러자 그녀는 비스킷 몇 개를 종이에 싸서 내 가방에 넣어주었다. 그리고 나서 그녀는 내가 옷깃이 달린 펠리스 망토를 입고 보닛을 쓰는 것을 도와주었다. 숄을 두르고 난 뒤 그녀는 나와 함께 아이들 방을 떠났다. 리드 부인의 침실을 지나칠 때 베시가 "들어가서 마님께 작별 인사를 할래요?" 라고 물었다.

"아냐, 베시. 어젯밤 베시가 저녁을 먹으러 내려갔을 때 리드 부인이 내 침대로 왔었어. 오늘 아침 자기나 사촌들의 잠을 방해할 필요가 없다고 말했어. 그리고 자기가 늘 나의 가장 좋은 친구였다는 것을 기억하고, 따라서 자기에 대해 이야기할 때는 자기에게 고맙게 생각하라고 말했어."

"그래서 뭐라고 말했나요, 아가씨?"

"아무 말도 안 했어. 침대보로 얼굴을 덮고 부인에게서 몸을 돌려 벽만 바라보고 있었어."

"제인 아가씨, 그건 잘못한 일이네요."

"베시, 아주 잘한 일이야. 베시의 마님은 내 친구가 아니라 원수였어."

"세상에! 제인 아가씨! 그렇게 말하지 마세요!"

"게이츠헤드 홀아, 잘 있거라!" 복도를 지나 현관문을 통해 밖으로 나가면서 나는 소리쳤다.

달이 졌기 때문에 주변이 몹시 캄캄했다. 베시가 손등을 들고 있었다. 그 불빛이 최근에 눈이 녹아 흠뻑 젖어 있는 계단과 자갈길을 비춰주고 있었다. 겨울 아침은 으스스하고 선뜻선뜻했다. 마당의 자갈길을 서둘러 내려가는 동안 내 이가 딱딱 하는 소리를 내며 맞부딪쳤다. 문지기의 집에서 불빛이 보였다. 그곳에 도착했을 때 문지기의 아내가 막 불을 지피고 있었다. 전날 밤 미리 가져다놓은 내 여행 가방이 끈으로 묶인 채 문 앞에 놓여 있었다. 6시까지는 불과 몇 분밖에 남지 않은 시각이었다. 6시가 울리자 곧바로 멀리서 마차 바퀴가 굴러오는 소리가 들려와 마차가 다가오고 있다는 것을 알려주었다. 나는 문가로 가서 마차 불빛이 어둠을 뚫고 급히 다가오는 것을 지켜보았다.

"아가씨 혼자 가나요?" 뮤지기 아내가 물었다.

"네."

"얼마나 멀리 가죠?"

"50마일이오."

"멀기도 해라! 마님께선 그렇게 먼 곳에 아가씨를 혼자 보내놓고 걱정이 안 되시나 모르겠네요."

마침내 마차가 다가왔다. 이제 마차가 문에 섰다. 네 필의 말이 끌고 그 꼭대기에는 승객이 실려 있었다. 길 안내원과 마부가 서두르라고 큰 소리로 재촉했다. 내 여행 가방이 올려졌다. 내가 키스를 하느라 매달려 있던 베시의 목에서 그들은 나를 떼놓았다.

"부디 아가씨를 잘 보살펴주세요." 안내인이 나를 마차 안으로 들어 올릴 때 베시가 큰 소리로 외쳤다.

"알았어요, 알았어!" 안내인이 대답했다. 마차 문이 쾅 하고 닫히자 "출발!" 하고 어떤 목소리가 외쳤다. 그러자 우리는 움직이기 시작했다. 그리하여 나는 베시와 게이츠헤드에서 격리되었다. 이렇게 미지의 영역, 그때 내 생각으로는 멀고 신비한 영역으로 나는 회오리바람처럼 날아가버렸다.

그 여행에 대해서는 기억나는 게 별로 없다. 그저 그날이 나에게는 불가사의할 정도로 길게 느껴졌다는 것과 우리 일행이 몇백 마일도 더 되는 길을 달렸다는 것만을 기억할 뿐이다. 우리는 몇 개의 작은 도시를 지나갔다. 마차는 꽤 큰 어떤 도시에서 멈췄다. 좀 쉬게 하기 위해 말들을 데려가자 승객들은 점심을 먹으려고 마차에서 내렸다. 나는 어떤 여인숙으로 안내되었다. 안내원은 내가 뭘 좀 먹었으면 했다. 그러나 나는 식욕이 없었다. 그러자 양쪽 끝에 벽난로

가 있고 천장에는 샹들리에 등이 매달려 있으며 벽 위 높은 곳 조그마한 화랑형 선반에는 악기들이 가득 진열되어 있는 어떤 큰 방에 나를 혼자 남겨두고 나갔다. 나는 이 방에서 오랫동안 이리저리 걸어 다녔다. 매우 이상한 느낌이 들었고 혹시 방 안으로 누군가가 들어와서 나를 유괴해가지나 않을까 몹시 두려웠다. 유괴범들의 못된 행위는 베시가 난롯가에서 들려준 이야기 속에 등장했기 때문에 나는 그들이 존재한다고 믿고 있었다. 마침내 안내원이 돌아왔다. 나는 다시 한번 마차에 들어 올려졌다. 나의 보호자는 자리에 앉자 속이 빈 경적을 불었다. 그러자 마차는 다시 L자로 시작하는 어떤 도시의 '돌길' 위를 덜컹거리며 내달리기 시작했다.

습하고 안개를 머금은 오후로 접어들었다. 황혼으로 접어들 무렵 게이츠헤드에서 정말 멀리 왔다는 생각이 들기 시작했다. 이제 작은 도시들을 통과하는 일은 없었다. 바뀌는 것은 시골 풍경뿐이었다. 거대한 잿빛 산들이 지평선 둘레에 솟아 있었다. 황혼이 짙어질 무렵 우리는 숲으로 인해 컴컴해진 계곡을 내려갔다. 캄캄한 밤이 앞에 펼쳐진 풍경을 덮어버린 지 한참 후, 나는 사나운 바람이 나무들 사이를 돌진하는 소리를 들었다.

나는 그 바람 소리를 자장가 삼아 잠들었다. 잠든 지 얼마 되지 않아 나는 마차가 갑자기 정지하는 바람에 잠에서 깨어났다. 마차 문이 열리고 하녀처럼 보이는 사람이 문 앞에 서 있었다. 나는 여러 개의 램프에서 나오는 불빛의 도움으로 그녀의 얼굴과 옷을 보았다.

"여기 제인 에어라는 이름의 여자아이 있어요?" 그녀가 물었다. 나는 "나예요." 하고 대답했다. 그러고는 나는 들려 내려졌다. 내 여행 가방도 내려졌다. 그러자 마차는 즉각 떠나갔다.

너무 오래 앓았던 탓에 온몸은 뻣뻣하고 마차의 소음과 흔들림 때문에 아직 정신이 몽롱했다. 나는 정신을 차리고 주변을 둘러보았다. 비와 바람과 어둠이 대기를 빼곡 채우고 있었다. 그럼에도 내 앞에 담장이 있고 거기에 열린 문이 있는 것을 나는 어렴풋이 식별했다. 나는 나의 새 안내인과 함께 그 문을 통해 안으로 들어갔다. 그녀는 들어오고 나서 문을 잠갔다. 건물이 멀리 펼쳐져 있어 한 동인지 여러 동인지는 잘 몰라도 여하간 건물이 보였다. 창문이 많이 나 있었는데 그중 몇 개에는 불이 켜져 있었다. 우리는 흙탕물을 튀기면서 넓은 자갈길을 따라 올라갔다. 문 하나가 열리고 우리는 안으로 들어갔다. 그 하녀는 복도를 지나 난롯불이 있는 방으로 나를 안내한 뒤 그곳에 나만 남기고 나갔다.

나는 곱은 손을 난롯불에 쬐며 홀로 서서 방을 둘러보았다. 촛불은 없었지만 벽난로의 희미한 불빛이 간간이 벽지를 바른 벽과 카펫과 커튼과 반짝이는 마호가니 가구들을 비춰주고 있었다. 그 방은 응접실이었다. 게이츠헤드의 응접실만큼 넓고 화려하진 않았지만 그런대로 안락해 보였다. 벽 위에 걸린 그림의 주제를 알아내려고 머리를 짜내고 있을 때, 방문이 열리더니 등불을 든 한 사람이 들어왔다. 그 바로 뒤에 또 다른 사람이 따라 들어왔다.

먼저 들어온 사람은 검은 머리와 검은 눈, 창백한 넓은 이마를 가진 키가 큰 숙녀였다. 그녀는 숄로 몸의 일부를 가리고 있었으며 얼굴 표정은 근엄했고 자세는 꼿꼿했다.

"혼자 보내기엔 너무 어린 아이네요." 촛불을 탁자에 올려놓으며 그녀가 말했다. 1, 2분가량 나를 주의 깊게 살펴보고 나서 그녀는 말을 이었다.

"곧 자게 하는 게 좋겠어요. 애가 피곤해 보이네요. 너 피곤하니?" 그녀가 내 어깨에 손을 얹으며 물었다.

"조금요, 선생님."

"분명히 배도 고프겠지. 밀러 선생님, 잠자리에 들게 하기 전에 이 아이에게 뭘 좀 먹이세요. 꼬마 아가씨, 부모님 곁을 떠나 학교에 온 게 이번이 처음인가?"

나는 그녀에게 내 부모님은 계시지 않다고 설명했다. 그녀는 두 분이 돌아가신 지 얼마나 되었느냐고 물었다. 그리고 내 나이와 이름을 묻고 글을 읽고 쓸 줄 아는지, 바느질을 좀 할 줄 아는지를 물었다. 그리고 나서 그녀는 집게손가락으로 내 볼을 부드럽게 만지면서 "앞으로 착한 학생이 되길 바란다."라고 말한 뒤 밀러 선생님과 나를 거기서 나가게 했다.

우리를 내보낸 그 숙녀는 스물아홉은 되어 보였다. 나와 함께 방을 나온 숙녀는 그보다 몇 살 어려 보였다. 앞의 숙녀의 목소리와 표정과 태도는 내게 강한 인상을 주었다. 밀러 선생님은 그녀보다 평범했다. 비록 근심걱정에 시달린 얼굴이었지만, 그녀는 불그레한 안색을 하고 있었고 늘 할 일이 많은 사람처럼 걸음걸이와 동작이 민첩했다. 그렇다는 것은 나중에 알았지만 사실 그녀는 보조교사였고 또 그렇게 보였다. 나는 그녀에게 인도되어 거대하고 복잡한 건물의 많은 방과 복도를 지나쳐 갔다. 급기야 우리는 건물 내부에서 우리가 횡단해온 구역에 감도는 정적, 그 완벽하고 좀 음침한 정적을 벗어나 수많은 목소리들이 내는 웅얼대는 소리와 마주쳤다. 우리는 곧 넓고 긴 교실 안으로 들어갔다. 교실 양쪽 끝에 전나무 널빤지로 만든 커다란 탁자가 각각 두 개씩 놓여 있었고 그 탁자 위에

각각 양초 두 자루가 타오르고 있었다. 그리고 교실 전체에 길게 놓인 벤치들에는 아홉 살이나 열 살부터 스무 살에 이르는 다양한 연령의 여학생들이 앉아 있었다. 골풀 심지 양초의 희미한 불빛에 비친 그들의 숫자는 내게는 셀 수 없이 많았다. 그러나 실은 80명을 넘지 않았다. 그들은 모두 하나같이 이상하게 생긴 저급한 소재의 프록코트를 입고 있었고 긴 네덜란드산 리넨 앞치마를 두르고 있었다. 마침 그들의 수업 시간이었다. 모두 다음 날 공부 과제를 열심히 외우고 있었다. 내가 들었던 웅얼거리던 소리는 바로 그들이 입 속에서 속삭이듯 반복하는 소리가 합쳐진 결과였다.

밀러 선생님은 나에게 문 가까이에 있는 벤치에 앉으라고 손짓했다. 그런 다음 그녀는 긴 교실 맨 앞쪽으로 걸어가 큰 소리로 말했다.

"반장들, 교과서를 모두 모아 치워!" 그러자 키 큰 네 명의 여학생들이 각기 다른 책상에서 일어나 교실을 돌며 책을 걷어 한쪽으로 치웠다. 밀러 선생님이 다시 명령했다.

"반장들, 가서 저녁 식사 쟁반을 가져와!"

키 큰 여학생들이 나갔다가 곧 쟁반 하나씩 들고 들어왔다. 뭔지 모르는 음식물이 쟁반 위에 가지런히 놓여 있었고, 쟁반 한가운데에는 물주전자와 머그잔이 놓여 있었다. 음식물이 돌아가며 각자에게 전해졌다. 원하는 사람은 물을 한 모금 따라 마셨다. 머그잔은 모두가 같이 쓰는 공용이었다. 차례가 돌아오자 나는 목이 말랐기 때문에 물을 마셨다. 그러나 음식물에는 손을 대지 않았다. 흥분과 피로 때문에 음식은 먹을 수 없었다. 그러나 나눠준 음식물이 조각낸 얇은 귀리 케이크라는 것을 나는 그때서야 알았다.

식사가 끝나자 밀러 선생님이 기도문을 낭송했고 각 반의 학생들은 둘씩 짝을 지어 줄 서서 위층으로 올라갔다. 이때 이미 나는 너무 피곤한 데다 기운이 없어서 침실이 어떻게 생겼는지 눈여겨볼 겨를도 없었다. 다만 침실도 교실처럼 매우 긴 방이라는 것만 알았다. 그날 밤 나는 밀러 선생님과 침대를 함께 쓰도록 되어 있었다. 선생님이 옷 벗을 때 도와주었다. 선생님이 나를 침대에 눕혔을 때 나는 길게 줄지어 놓여 있는 침대들을 바라보았다. 두 명의 임자들로 각 침대는 재빨리 채워졌다. 10분이 지나자 유일하게 켜져 있던 등이 소등되었다. 나는 정적과 완벽한 어둠 속에서 잠들어버렸다.

그날 밤은 빨리 지나갔다. 나는 너무 피곤해서 꿈조차 꾸지 않았다. 무서운 강풍이 맹렬히 몰아치는 소리와 폭포처럼 퍼붓는 빗소리에 단 한 번 눈을 떠서 내 옆에 밀러 선생님이 자고 있다는 것을 알았을 뿐이었다. 다시 눈을 떴을 때 요란한 종소리가 울리고 있었다. 여학생들은 일어나 옷을 입고 있었다. 아직 동이 트려면 먼 시간이었다. 수지 심지 양초 한두 개가 방에 켜져 있었다. 나도 마지못해 일어났다. 날씨는 혹독하게 추웠다. 몸이 막 떨려와서 될수록 잔뜩 껴입었다. 빈 대야가 나왔을 때 세수를 했다. 방 한복판에 마련된 세면대 위에 놓인 대야들은 여섯 명당 하나꼴이어서 쉽게 자리가 나지 않았다. 다시 종이 울렸다. 모든 학생들은 두 명씩 짝을 지어 줄을 만들어 그 순서대로 아래층으로 내려가 춥고 어두침침한 교실로 들어갔다. 그러자 밀러 선생님이 기도문을 낭송했다. 그리고 나서 선생님은 소리쳤다.

"반 편성!"

큰 소란이 몇 분 동안 뒤따랐다. 그 소란이 이는 동안 밀러 선생님은 되풀이해서 "조용히!" "순서대로!" 하고 소리쳤다, 소란이 가라앉자 나는 전체 학생들이 네 개의 테이블 앞에 놓인 네 개의 의자들 앞에 반원을 그리며 질서정연하게 도열한 것을 보았다. 모두 손에 책을 들고 있었다. 그런데 성경책처럼 생긴 큼직한 책 한 권이 비어 있는 의자 앞쪽 책상 위에 놓여 있었다. 몇 초 동안의 정적이 이어졌다. 이 정적은 낮고 막연한 음률이 있는 콧노래 같은 소리로 채워졌다. 밀러 선생님은 이 반 저 반 돌아다니며 이 막연한 콧노래를 잠재웠다.

멀리서 종소리가 딸랑딸랑 울렸다. 즉시 세 명의 숙녀가 교실로 들어와 각각 자기 담당 책상으로 걸어가서 자리에 앉았다. 밀러 선생님은 네 번째 자리에 앉았다. 문에서 가장 가깝고 가장 어린 학생들이 모여 앉은 반이었다. 나는 이 하급반에 배치되어 제일 끝자리를 배정받았다.

이제 수업이 시작되었다. 특별 기도문 복창이 있었고 성경 구절 몇 개가 낭송되었다. 뒤이어 성경의 여러 장을 느리게 낭독하는 시간에 이르렀다. 그것은 한 시간 지속되었다. 이러한 단련이 끝났을 무렵에는 날이 훤히 밝아 있었다. 지칠 줄 모르는 종소리가 이제 네 번째 울렸다. 각 반 학생들은 정렬을 하고 아침 식사를 하러 다른 방으로 정연하게 걸어갔다. 뭔가 먹을 수 있겠구나 하는 생각을 하며 나는 얼마나 기뻤는지 모른다! 전날 먹은 것이 워낙 없어서 텅 빈 배로 인해 영양실조에 걸려 거의 몸져누울 정도였다.

학교 식당은 천장이 낮은 넓고 우중충한 방이었다. 두 개의 긴 식탁 위에서는 뜨거운 무언가가 담긴 양푼들에서 김이 피어오르고 있었다. 그러나 실망스럽게도 역겨운 냄새를 풍기고 있었다. 그래도 그것을 먹을 수밖에 없는 학생들의 콧구멍에 그 냄새가 닿자 모두 하나같이 불만을 드러내는 것이 보였다. 줄 앞쪽 상급반 여학생들 사이에서 숙덕거리는 소리가 들렸다.

"지겨워! 죽이 또 탔나 봐!"

"조용히 해!" 어떤 목소리가 소리쳤다. 밀러 선생님의 목소리가 아니라 상급반 담당 선생님들 중 한 분의 목소리였다. 작고 가무잡잡한 용모에 단정하게 옷을 차려입고 있었지만 어딘지 침울한 모습을 띤 선생님이었다. 그 선생님이 한쪽 식탁 제일 윗자리에 앉아 있었고, 더 통통하게 생긴 다른 선생님이 반대쪽 식탁을 통솔하고 있었다. 전날 밤 내가 처음 만났던 선생님이 있나 하고 찾아봤지만 허사였다. 그분은 보이지 않았다. 밀러 선생님은 내가 앉아 있는 식탁 끝머리에 앉아 있었고 이상하게 생긴 외국인 선생님, 나중에 알았는데, 나이 많은 프랑스인 선생님이 밀러 선생 맞은편 식탁 끝머리에 앉아 있었다. 긴 식사 기도가 끝나고 찬송가 제창이 있었다. 이어서 하녀가 선생님들에게 차를 가져오자 식사가 시작되었다.

배가 어찌나 고픈지 현기증이 날 것 같아서 나눠준 음식을 허겁지겁 한두 숟가락 퍼먹었다. 맛이고 뭐고 생각조차 하지 않았다. 그러나 애시당초 속쓰림을 가져왔던 허기가 가라앉자 나는 그제야 앞에 놓인 것이 구토를 일으키는 찌꺼기 죽이라는 것을 깨달았다. 타버린 죽은 썩은 감자처럼 맛과 냄새가 고약해서 배고픔이라는 귀신도 그 앞에서는 넌더리를 치기 마련이다. 숟가락들이 천천히 움직였다. 여학생들이 죽 맛을 보고 억지로라도 삼키려고 노력하는 모습이 보였다. 그러나 대부분의 경우 그런 노력은 곧 허사로 돌아갔다. 아침 식사가 끝났다. 그러나 아침 식사를 한 사람은 아무도 없었다. 먹지도 않은 아침 식사에 대한 감사 기도가 다시 낭송되고 두 번째 찬송가를 제창한 뒤 모두 식당을 나가 교실로 향했다. 나는 마지막으로 식당을 나간 학생 중 하나였다. 그런데 식탁들 옆을 지날 때 선생님 한 분이 죽 양푼을 들고 죽 맛을 다시 보는 모습이 보였다. 그녀는 다른 선생들을 바라보았다. 그들 모두의 얼굴은 불만을 나타내고 있었다. 그러자 건장한 체격의 한 분이 속삭였다.

"음식이라고 원, 지긋지긋하군! 아이, 창피해!"

15분이 지나자 수업이 다시 시작되었다. 그 15분 동안 교실은 찬란한 소란에 휩싸였다. 그 시간만은 큰 소리로 자유롭게 이야기하는 것이 허용되는 것 같았다. 학생들은 그들의 특권을 활용했다. 화제는 온통 아침 식사에 관한 것뿐이었다. 모두가 하나같이 그 음식에 대해 격렬하게 욕을 하는 것이었다. 불쌍한 것들! 그것이 학생들이 얻을 수 있는 유일한 위안이었다. 그때 교실 안에는 밀러 선생님밖에 없었다. 큰 학생들 한 무리가 선생님 곁에 와 서서 심각하고 침울한 몸짓으로 말하고 있었다. 몇몇 학생의 입에서 브로클허스트 씨라는 이름이 나오는 것이 내게 들려왔다. 그 말에 밀러 선생님은 동의하지 않는다는 식으로 고개를 저었다. 그러나 선생님도 다 같이 느끼는 분노를 참으려고 별로 노력하지 않았다. 분명히 밀러 선생님도 학생들의 분노에 공감하고 있었다.

교실의 시계가 9시를 쳤다. 밀러 선생님은 둘러싸고 있는 학생들을 떠나서 교실 한가운데에 서더니 소리쳤다.

"조용히 해! 모두 자리에 앉아!"

기강이 대단했다. 5분이 지나자 소란스럽던 학생들은 질서 속으로 녹아들었고 소란과 맞먹는 정적이 바벨탑을 닮은 혀의 난무를 잠재웠다. 그때 웬바 학생 담임들이 시간 맞춰 들어와 자신들의 자리에 앉았다. 그러나 모두는 여전히 누군가를 기다리는 것 같았다. 교실 양편에 놓인 벤치에 정렬하고 앉은 팔십 명의 여학생들은 꼼짝도 안 하고 똑바른 자세로 앉아 있었다. 그들은 기이한 집단처럼 보였다. 다 같이 곱슬머리는 하나도 보이지 않고 맨머리 다발을 얼굴로 흘러내리게 빗었고 좁은 깃을 목까지 높이 끌어 올려 그 목을 감싸게 하는 갈색 드레스를 입고 있었다. 그 드레스 앞면에는 네덜란드산 리넨으로 만든 작은 주머니, 즉 고원지대 사람들의 지갑처럼 생긴 주머니가 달려 있었는데, 바느질 가방 역할을 하기로 되어 있었다. 또한 모두가 털 스타킹을 신고 있었고 놋쇠 버클로 채우는 신발, 촌에서 만든 신발을 신고 있었다. 사실 이런 복장을 하고 있는 학생들 중 이십 명 이상이 이미 몸이 다 자란 성숙한 젊은 아가씨들이었다. 그런 복장은 그들에게 어울리지 않았다. 그래서 제일 예쁜 여학생조차 우스운 모습으로 보였다.

나는 여전히 학생들을 바라보고 있었다. 또한 이따금 선생님들도 살폈다. 내 마음에 쏙 드는 선생님은 하나도 없었다. 건장한 선생님은 좀 상스러워 보였고, 가무잡잡한 선생님은 지독히 사나웠고, 외국인 선생님은 엄하고 괴상했고, 밀러 선생님은 가엾게도 보라색 피부에다 풍화되고 과로한 모습이었다. 내 눈이 이 얼굴에서 저 얼굴로 방황하고 있을 때 교실의 모든 성원들이 마치 용수철에 의해 작동되듯 동시에 일어났다.

무슨 일이지? 나는 어떤 명령도 들은 바 없었다. 그저 어리둥절했다. 내가 정신을 차리기도 전에 반의 학생들이 다시 자리에 앉았다. 그러나 모두의 눈이 이제 하나의 지점으로 향하고 있었기 때문에 내 눈도 같은 방향으로 따라갔다. 그러자 전날 밤 나를 맞이했던 선생님과 마주쳤다. 그 선생님은 긴 교실 아래쪽 난롯가에 서 있었다. 교실 양쪽에는 각각의 난로가 하나씩 있었다. 그녀는 말없이 근엄하게 두 줄로 정렬해 앉아 있는 학생들을 둘러보았다. 밀러 선생님이 그녀에게 다가가 그녀에게 뭔가를 묻는 것 같았다. 대답을 듣고 자기 자리로 돌아온 밀러 선생님은 큰 소리로 지시했다.

"1반 반장, 가서 지구의를 가져와라!"

그 지시가 이행되는 동안 밀러 선생님과 이야기를 나눈 그 숙녀가 천천히 교실 앞쪽으로 움직여 갔다. 나는 존경하는 기관이 내 속에서 상당히 발달한 사람인 것 같다. 왜냐하면 아직도 내 눈길을 그녀의 발길에 던지면서 품었던 탄복이 깃든 경외심을 마음에 지니고 있어서 하는 말이다. 대낮에 보니 그 선생님은 키가 크고 살결이 희고 균형 잡힌 몸매를 하고 있었다. 눈동자에 인자한 빛이 도는 갈색 눈과 긴 눈썹 둘레를 돌아가며 섬세하게 그려 넣은 검은 선은 넓은 이마의 하얀 빛깔을 덮어주고 있었다. 양쪽 관자놀이 위의 매우 짙은 갈색의 머리칼이 당시의 유행을 따라 동그랗게 말려 모여 있었다. 당시는 매끄러운 머리띠나 웨이브 머리는 유행하지 않았을 때였다. 그녀의 의상 역시 당시의 유행을 따라서 자주색 천으로 만든 것이었고 스페인풍의 검정색 벨벳으로 가장자리를 장식함으로써 그 색깔이 돋보이게 하고 있었다. 당시에는 지금과는 달리 시계가 흔하지 않았는데, 그녀의 허리띠에선 금시계가 반짝이고 있었다. 그녀의 초상을 완성하려면 독자 여러분은 창백하지만 깨끗한 그녀의 안색, 그리고 당당한 풍채와 태도 같은 세련된 특징을 첨가하기 바란다. 그러면 여러분께서는 말로 표현해낼 수 있는 한 최대한 명확하게 템플 선생님의 외모를 알게 되는 셈이다. 나중에 교회에 들고 가라고 내게 맡긴 기도서에 적힌 것을 보고 알았지만, 그녀의 이름은 마리아 템플이었다.

로우드 학교의 교장(이 숙녀가 바로 교장이었다.)인 그녀는 두 개의 지구의가 놓인 탁자 앞에 앉은 다음 1반 학생들을 불러 모아 지리 수업을 시작했다. 하급반 학생들도 각기 자기 반 선생님에게 불려 가서 역사, 문법, 기타 과목들에 대한 반복 학습을 한 시간 동안 받았다. 작문과 산수 시간이 뒤따랐고 몇몇 나이 많은 학생들에게는 템플 선생님이 음악 수업을 실시했다. 각각의 수업 시간은 시계 소리로 측정되었다. 마침내 시계가 12시를 쳤다. 교장 선생님이 일어났다.

"학생 여러분에게 할 이야기가 있습니다."

수업이 끝난 후라서 이미 왁자지껄 떠드는 소리가 여기저기서 쏟아져 나오고 있었다. 그러나 교장 선생님 말씀에 그 소리들은 곧 가라앉았다. 그녀가 계속해서 말했다.

"오늘 아침 여러분이 받은 조찬은 도저히 먹을 수 없는 것이었습니다. 여러분은 틀림없이 배가 고플 것입니다. 내가 여러분에게 점심으로 빵과 치즈를 내오라고 지시했습니다."

선생님들은 좀 놀라서 교장 선생님을 바라보았다.

"내가 책임지고 그렇게 하도록 했습니다." 그녀가 선생님들에게 설명하는 어조로 덧붙였다. 그러고는 즉시 교실을 떠났다.

곧 가져온 빵과 치즈는 분배되었다. 학생들은 모두 몹시 기뻐하며 원기를 되찾았다. 이어서 "모두 정원으로!"라는 지시가 내려졌다. 학생들은 각자 물들인 옥양목 끈이 달려 있는 조잡한 밀짚 보닛을 쓰고 회색 프리즈 천 외투를 걸쳐 입었다. 나도 그들처럼 복장을 갖추고 그 학생 물결을 따라 바깥 공기 속으로 들어갔다.

교정은 바깥 전망이 전혀 보이지 않을 정도로 높은 담으로 둘러싸인 넓은 구내였다. 구내 한쪽에는 지붕이 달린 베란다가 쭉 이어져 있었고, 몇십 개의 작은 화단으로 나뉜 교정 가운데 공간의 가장자리를 따라 넓은 보도가 나 있었다. 이 화단은 학생들이 하나씩 맡아서 가꾸도록 할당된 것들이었다. 화단 하나하나의 주인이 따로 있는 셈이었다. 꽃이 활짝 필 때면 이곳은 분명히 아주 예쁠 것 같았다. 그러나 지금은 1월의 끝자락이었고 정원의 모든 것들은 겨울이어서 말라비틀어지고 갈색으로 썩어들어간 모습이었다. 나는 서서 주변을 돌아보며 몸을 떨었다. 야외 활동을 하기에는 혹독하게 추운 날씨였다. 제대로 비다운 비가 내리는 건 아니지만 가랑비 같은 누런 안개로 주위가 어둑어둑했다. 발밑의 모든 것들은 어제 억수같이 쏟아진 빗물로 아직 흠뻑 젖어 있었다. 몸이 남보다 튼튼한 여학생들은 이리저리 뛰어다니며 활발하게 노는 데 열중했다. 그러나 창백하고 몸이 여윈 학생들은 은신처와 온기를 찾아 베란다에 모여 있었다. 자욱한 안개가 뼛속으로 파고들고 있을 때 이들 약골들 중에서 누군가가 밭은기침을 하는 것을 나는 자주 들었다.

아직 나는 누구에게도 말을 붙이지 않았고, 또한 아무도 나를 거들떠보지 않았다. 나는 아주 오랫동안 혼자 서 있었다. 하지만 그런 고독에는 이미 길이 들어 있기 때문에 그렇다고 해서 답답하지는 않았다. 나는 베란다 기둥에 기대고 서서 내 회색 망토를 잡아당겨 내 몸을 꼭 감쌌다. 그러고는 바깥으로는 살을 꼬집는 추위를 잊으려고, 안으로는 나를 괴롭히는 충족되지 않은 허기를 잊으려고 노

력하며 동시에 주변을 살피거나 생각하는 일에 몸을 맡겼다. 내 생
각은 너무 막연하고 단편적이어서 기록할 가치도 없었다. 나는 아
직 내가 어디에 와 있는지 몰랐다. 게이츠헤드와 내 과거의 삶은 거
리를 측정할 수도 없는 먼 곳으로 흘러가버린 것 같았다. 현재는 막
연하고 낯설었고 미래에 대해서는 짐작도 할 수 없었다. 나는 수녀
원처럼 생긴 정원을 둘러보고 다음으로 학교 건물을 올려다보았다.
건물의 절반은 회색으로 낡아 보였고 다른 쪽 절반은 꽤 새로워 보
였다. 새것처럼 보이는 쪽에는 교실과 기숙사가 있었고, 세로 창살
과 격자무늬로 이루어진 창문들을 통해 채광이 이루어지고 있었다.
그로 인해 그 건물은 교회의 모습을 닮아 있었다. 건물 현관에는 돌
현판이 걸려 있었고 거기에 이런 글귀가 새겨져 있었다.

로우드 관 ─ 이 부분은 서기 ○○○○년, 이 면에 있는 브로클허
스트 저택의 나오미 브로클허스트 님에 의해 재건되었다.
"너희도 이와 같이 너희의 빛을 사람들 앞에 비추어 그들이 너희
의 착한 행실을 보고 하늘에 계신 아버지를 찬양하게 하여라."
─ 마태복음 5장 16절

나는 이 글귀를 여러 번 되풀이해서 읽었다. 이 글귀 자체가 설
명을 내포하고 있다고 느끼긴 했지만 이 글의 취지를 꿰뚫어 보는
것은 불가능했다. 나는 계속 '관'이라는 단어의 의미에 대해 곰곰이
생각했다. 그리고 첫 번째 문장과 성경 구절과는 어떤 관계가 있는
가를 알아내려고 노력하고 있을 때였다. 그때 근처에서 기침 소리
가 나서 나는 고개를 돌렸다. 가까운 돌벤치에 한 여학생이 앉아 있

는 것이 보였다. 그녀는 책 위로 몸을 숙이고 열심히 정독하고 있는 것 같았다. 내가 서 있는 곳에서 책 제목이 보였다. '라셀라스'*라는 제목이었다. 생소한 제목이었고 그래서 끌리는 데가 있었다. 책장을 넘기다가 그 여학생이 고개를 들었다. 나는 곧바로 말을 걸었다.

"그 책 재미있니?" 나는 이미 그녀에게 언젠가 책을 빌려달라고 해야지 하는 마음을 먹고 있었다.

"난 이 책 좋아해." 나를 자세히 보며 1, 2초 동안 뜸을 들이더니 그 애가 대답했다.

"내용이 뭐니?" 내가 계속해서 물었다. 처음 보는 사람과 대화를 틀 배짱이 어디서 났는지 도무지 모를 일이었다. 이런 행위는 나의 성격이나 습관과는 어긋나는 것이었다. 그러나 그 애가 하고 있는 일이 어떤 공감대를 건드린 것 같았다. 경박하고 어린애 같은 취향이긴 했지만 나 역시 책 읽기를 좋아했기 때문이다. 나는 심각하거나 내용이 있는 책은 아직 소화하거나 이해할 능력이 없었다.

"자, 봐도 돼." 책을 내밀면서 그 애가 대답했다.

나는 하라는 대로 했다. 잠깐 들여다보니 책 내용은 제목만큼 재미있지 않다는 확신이 들었다. 《라셀라스》는 내 보잘것없는 취향으로 볼 때 지루해 보였다. 꼬마 요정이나 마술램프 요정에 관해서는 아무 이야기가 없었다. 그 빽빽이 활자가 들어선 페이지 위에는 밝은 다양성이 펼쳐져 있지 않았다. 나는 책을 돌려주었다. 그 애는 조용히 책을 받았다. 그러고는 아무 말도 하지 않고 다시 아까처럼

---

*   사무엘 존슨(1759)의 소설에 나오는 왕자의 이름. '행복은 어디에서 발견해야 되는가'와 '훌륭한 삶'이란 어떤 것인가를 다룬 소설.

열심히 읽는 분위기로 빠져들 참이었다. 다시 한번 나는 용기를 내서 그 애를 방해했다.

"현관 위 돌 위에 쓰인 글이 무슨 뜻인지 말해줄 수 있니? 로우드 관이 뭐지?"

"네가 앞으로 살게 될 이 건물을 말하는 거야."

"그런데 왜 관이라고 불러? 다른 학교와 어떤 식으로 다르지?"

"자선 기관이 일부를 보조하는 자선 학교이기 때문이야. 너와 나도 그렇지만 모든 학생들이 자선 보호를 받는 아이들이야. 너도 고아가 아닌가 싶은데. 네 아빠나 엄마가 돌아가시지 않았니?"

"기억도 할 수 없는 옛날에 두 분 다 돌아가셨어."

"그렇군. 이곳 아이들은 모두 한쪽 부모나 양쪽 부모를 잃은 아이들이야. 그래서 이곳이 고아들을 교육하는 자선 기관, 자선관이라고 불리는 거야."

"그럼, 우린 돈도 안 내나? 우리를 무료로 수용해주는 거야?"

"돈을 내지. 아니, 우리 친인척들이 돈을 내. 학생 한 명당 1년에 15파운드씩."

"그런데 왜 우리를 자선 보호 아동이라고 불러?"

"15파운드로는 기숙사나 학비를 충당할 수 없기 때문이야. 부족분은 기부금으로 충당해."

"누가 기부하는데?"

"인근 지역이나 런던에 사는 마음이 자비로운 신사 숙녀분들."

"나오미 브로클허스트는 누구야?"

"현관에 쓰여 있듯이 이 건물의 새로 지은 부분을 건축한 숙녀야. 그분 아드님이 현재 이곳의 모든 일을 감독하고 관리하셔."

"왜 그러지?"

"그분이 이 학교의 재무 책임자이면서 관리자이기 때문이야."

"그렇다면 이 학교는 우리에게 빵과 치즈를 주겠다고 말하던, 그 시계를 차고 있던 숙녀가 소유한 학교가 아니란 말이군."

"템플 선생님? 그분 것이 아니야. 그랬으면 얼마나 좋겠니. 그분은 브로클허스트 씨에게 자신이 한 모든 일을 보고해야 하는 분이야. 브로클허스트 씨가 우리의 음식과 옷을 모두 구입해."

"그분 여기 사니?"

"아니, 2마일 떨어진 곳에 있는 큰 저택에 살아."

"좋은 사람이야?"

"목사님인데 선행을 많이 한다고들 해."

"키 큰 숙녀분이 템플 선생님이라고 했지?"

"그래."

"그러면 다른 선생님들은 뭐라고 부르지?"

"뺨이 빨간 분은 스미스 선생님이라고 해. 재봉 담당이고 우리가 입을 프록코트와 외투, 기타 모든 옷들을 재단해주셔. 우리 옷은 우리가 만들어 입으니까. 검은 머리의 선생님은 스캐처드 선생님이야. 역사와 문법을 담당하시고 2반 학생들의 암기를 감독하셔. 숄을 두르고 허리에 노란색 리본이 달린 손수건을 차고 계신 선생님은 마담 피에로 선생님이야. 프랑스 릴 지방 출신인데 프랑스어를 가르치셔."

"넌 선생님들을 좋아하니?"

"꽤 좋아하는 편이야."

"작고 검은 머리를 가진 선생님과 마담 뭐랬더라 하는 선생님도 마음에 드니? 마담 뭐라고 했지? 난 너처럼 발음할 수가 없구나."

"스캐처드 선생님은 조급하셔. 그분 비위에 거슬리지 않게 조심해. 마담 피에로 선생님은 그다지 나쁘지 않은 분이야."

"하지만 템플 선생님이 가장 좋으신 분이지, 그렇지?"

"템플 선생님은 아주 착하고 매우 똑똑하셔. 다른 선생님들보다 낫지. 그분들보다 훨씬 많은 걸 알고 계시니까."

"넌 여기 오래 있었니?"

"2년."

"너도 고아니?"

"엄마가 돌아가셨어."

"여기서 행복하니?"

"너 질문이 좀 많구나. 현재로선 충분히 대답한 것 같다. 이제 책을 읽고 싶구나."

그러나 그때 점심 식사를 하라는 소리가 들렸다. 모두가 건물로 돌아갔다. 식당에 자욱한 냄새는 아침 식사 때 우리 콧구멍을 내접했던 냄새와 별반 다를 게 없이 구미를 당기게 하는 것이 아니었다. 점심 음식은 커다란 양철 그릇 두 개에 담겨 있었는데, 그릇에서는 썩은 지방 덩어리 냄새가 진동하며 김이 힘차게 피어오르고 있었다. 그 음식이 변변치 않은 감자와 야릇하게 썩은 냄새가 나는 고기 조각들을 섞어 요리한 것이라는 것을 나는 알았다. 이렇게 준비된 음식이 꽤 많이 각 학생에게 배당되었다. 나는 내가 먹을 수 있는 만큼 먹었다. 그리고 앞으로 매일같이 먹게 될 음식이 계속 이와 같을까 하고 속으로 걱정했다.

점심 식사가 끝나자 우리는 즉시 교실로 갔다. 수업이 다시 시작

되었고 다섯 시까지 계속되었다

오후에 일어난 사건 중 두드러진 사건이 하나 있었다. 베란다에서 나와 대화를 나눴던 그 여학생이 역사 수업 시간에 스캐처드 선생님에게서 쫓겨나 큰 교실 한가운데에 서 있도록 벌받는 것을 본 일이었다. 내가 보기엔 그 벌이 너무나 치욕스러워 보였다. 특히 그 애처럼 다 큰 여학생이 그런 벌을 받는다는 건 더 치욕스러워 보였다. 그 애는 열세 살이거나 더 먹은 것같이 보였다. 나는 그 애가 무척 괴로워하면서 창피해하는 모습을 보일 거라고 예상했다. 그러나 놀랍게도 그 애는 울지도 않고 얼굴도 붉히지 않았다. 모든 눈총이 와 닿는 과녁이 되었는데도 그 애는 심각한 표정이었지만 태연하게 서 있었다. '어쩌면 저렇게 침착하게…… 당차게 벌을 참아낼 수 있을까?' 나는 속으로 생각했다. '만약 내가 저 애 처지가 됐다면 차라리 땅이 입을 열어 나를 삼켜주기를 바랐을 거야. 저 앤 벌이 아니라 뭔가를 생각하고 있나 봐. 현재의 상황을 초월한 것 말야. 자기 주변이나 자기 앞에 놓인 것이 아닌 어떤 것을 생각하나 봐. 백일몽에 대해 난 들어본 적이 있지. 저 애가 지금 백일몽을 꾸고 있는 게 아닐까? 눈길이 바닥에만 고정되어 있군. 하지만 분명 바닥을 보고 있는 게 아니야. 자기 내면을 보고 있는 것 같아. 자기 마음 안쪽으로 걸어 들어가는 것 같아. 기억할 수 있는 것을 바라보고 있을 거야. 현재 주변에 있는 것이 아니라. 저 애는 어떤 애일까 궁금해. 착한 애일까, 나쁜 애일까?'

5시가 지나고 얼마 안 돼서 우리는 간식을 먹었다. 작은 머그잔에 담긴 커피 한 잔과 갈색 빵 반 조각이었다. 나는 맛있게 내 빵을 먹고 커피를 마셨다. 그러나 먹은 만큼만 더 먹었더라면 좋았을 것이다 나는 여전히 배가 고팠다 이어서 반 시간가량 쉬는 시간이 뒤따랐다. 그리고 수업이 있었고 다음은 물 한 잔과 귀리 케이크 한 조각이 나왔고 기도가 이어졌고 잘 시간이 되었다. 로우드 학교에서의 첫날은 그러했다.

제6장

다음 날도 전날처럼 자리에서 일어나 골풀 심지 양초 불빛 아래에서 옷을 입는 일로 시작되었다. 그러나 그날 아침 우리는 세수라는 의식을 생략해야만 했다. 물 주전자들의 물이 얼어붙었던 것이다. 지난밤 날씨에 변화가 일어났기 때문이다. 밤새도록 침실 창문 틈새를 통해 휘파람 소리를 내며 불어 들어왔던 예리한 북동풍이 침대 속에 들어 있는 우리들을 떨게 만들었고 물주전자의 내용물을 얼음으로 바꿔놓았던 것이다.

한 시간 반에 걸친 기나긴 기도와 성경 낭송이 끝나기도 전에 나는 얼어 죽을 것만 같았다. 마침내 아침 식사 시간이 되었다. 그날 아침에 나온 죽은 타지 않은 상태였다. 그럭저럭 먹을 만했지만 양이 적었다. 내 몫이 어찌나 적어 보였던지! 양이 두 배였으면 좋겠다는 생각을 했다.

그날 나는 4반 학생으로 명부에 올랐다. 또한 정례적으로 해야 할 과제와 할 일이 내게 주어졌다. 지금까지는 로우드 학교에서 진행되는 일을 구경하는 관객이었지만 이제부터는 그 안에서 연기하는 배우가 된 것이다. 처음에는 암기에 익숙하지 않아서 수업 내용이 길고 어렵게 보였다. 그리고 계속해서 이 과제에서 저 과제로 넘어가는 것이 나를 어리벙벙하게 만들었다. 그래서 오후 3시 무렵 스미스 선생님이 길이가 2야드쯤 되는 가장자리 장식용 모슬린 천과 바늘, 골무, 기타 도구를 손에 쥐어주며 교실 한편 조용한 구석에 가서 천 가장자리를 감칠질하라고 지시했을 때 기쁜 마음이 들었다. 그 시간에 학생들 대부분이 나처럼 재봉 일을 했는데, 한 반만 스캐처드 선생님 주위에 서서 읽기 수업을 받고 있었다. 사방이 조용했기 때문에 그 반 학생들이 받는 수업 내용을 들을 수가 있었다. 또한 학생 각자가 주어진 읽기 과제를 무사히 마치는 것, 스캐처드 선생님이 읽기를 마친 학생들을 나무라거나 칭찬하는 것도 볼 수 있었다. 영국 역사 시간이었다. 읽기를 하는 학생들 사이에서 나는 베란다에서 사귄 아이를 보았다. 수업이 시작되었을 때 그 애는 그 반 맨 앞자리를 차지하고 있었다. 그러나 발음에서 어떤 실수를 범했거나 쉼표에 주의하지 않았다는 이유로 갑자기 맨 뒷자리로 보내졌다. 눈에 잘 띄지도 않는 자리로 보내놓고도 스캐처드 선생님은 계속해서 그 애를 끊임없이 주목의 대상으로 삼고 있었다. 그러고는 계속해서 그 애에게 이런 말을 퍼부었다.

"번스, (그게 그 애의 이름인 것 같았다. 이곳 여학생들은 다른 곳의 남학생들처럼 모두 성으로 불리고 있었다.) 번스, 넌 지금 신발의 옆구리를 밟고 서 있어. 당장 발가락들을 앞으로 튀어나오게 해." "번스, 넌 정말 보기 흉하게 턱을 내밀고 있어. 끌어당겨." "번스, 머리를 똑바로 들고 있으라고 했잖아. 내 앞에선 그런 자세는 취하지 마." 계속 이런 꾸중이 이어졌다.

한 장(章)의 내용이 두 번 통독되자 학생들은 책을 덮고 질문 공세를 받았다. 수업 내용은 찰스 1세 치하에 관한 것이었다. 선박 톤

세, 파운드세, 선박세 등에 대한 별의별 질문이 주어졌지만 대부분의 학생들은 대답을 못하는 것 같았다. 그러나 번스에 도달하면 모든 자질구레하면서 까다로운 질문에 즉각 대답이 나왔다. 그 애는 모든 항목들에 대답할 준비가 되어 있었다. 그 애의 기억은 수업 내용을 모두 담고 있는 것 같았다. 나는 스캐처드 선생님이 번스의 집중력을 칭찬하리라 기대했는데, 그러기는커녕 선생님은 갑자기 고함을 질렀다.

"이 더럽고 불쾌한 것! 너 오늘 아침 손톱 안 씻었지!"

번스는 아무 대답도 하지 않았다. 나는 그 애가 왜 입을 다물고 말하지 않는지 궁금했다. '왜 그럴까?' 나는 생각했다. '물이 얼어붙어서 손톱도 깨끗이 못하고 세수도 못했다고 왜 설명하지 않는 거지?'

스미스 선생님이 실타래를 잡고 있으라고 해서 나는 주의를 돌리고 말았다. 실을 감는 동안 스미스 선생님은 간간이 내게 학교에 다녀본 적이 있는지, 수를 놓을 줄 아는지, 감칠질이나 뜨개질을 할 줄 아는지 등을 물어보았다. 선생님이 나더러 가보라고 할 때까지 나는 스캐처드 선생님의 거동을 계속 지켜볼 수가 없었다. 내 자리로 돌아왔을 때 스캐처드 선생님은 뭔가 지시하고 있었는데, 무슨 내용인지 알 수가 없었다. 여하튼 번스는 곧바로 교실을 나가서 책들이 보관되어 있는 작은 안쪽 방으로 들어가더니 30초 만에 돌아왔다. 손에는 한쪽 끝이 묶여 있는 잔가지 다발로 된 회초리가 들려 있었다. 번스는 공손하고 예의 바르게 이 불길한 도구를 스캐처드 선생님에게 내밀었다. 그러고는 조용히, 아무 지시도 없었는데도 자기 앞치마를 끌렀다. 스캐처드 선생님은 즉시 회초리를 들어 번스의 목 부위를 열두어 차례 힘껏 때렸다. 번스의 눈에선 눈물 한 방울도 솟지 않았다. 이 매질하는 광경을 보고 있자니 아무 소용도 없고 무기력한 분노가 치솟아 손가락이 떨려서 바느질을 멈췄다. 그러는 동안에도 침울한 번스의 얼굴 어느 한 구석도 그 평상시의 표정이 바뀌지 않고 있었다.

"독한 것!" 스캐처드 선생님이 소리쳤다. "칠칠찮은 네 습관을 고칠 수 있는 것은 아무것도 없어. 회초리를 가져가."

번스는 지시에 따랐다. 책장 방에서 다시 나타났을 때 나는 번스를 자세히 살폈다. 주머니에 막 자기 손수건을 넣고 있었는데 여읜 볼 위에는 눈물 자국이 번쩍였다.

저녁때 잠깐 허용되는 휴식 시간이 로우드 학교의 하루 중에서 내게는 가장 즐거운 하루의 토막이라는 생각이 들었다. 5시에 먹은 빵 조각과 꿀꺽 삼킨 커피 한 모금이 고픈 배를 충족시키지는 않았지만 그나마 새로운 활력을 살려놓았던 것이다. 온종일 나를 억누르던 구속의 끈이 느슨하게 풀린 기분이었다. 교실은 오전보다 더 따뜻하게 느껴졌다. 아직 들여오지 않은 양초를 어느 정도 대신하기 위해 난롯불을 좀 더 밝게 피우라는 허락이 내려졌기 때문이었다. 불그레한 황혼, 허락을 받은 소란, 많은 목소리가 만들어내는 혼란은 반가운 해방감을 제공하고 있었다.

스캐처드 선생님이 자기 반 학생 번스를 때리던 모습을 본 그날 저녁, 나는 친구 하나 없이 평상시처럼 의자와 책상과 웃는 아이들의 무리 사이를 이리저리 돌아다녔다. 그러나 외롭다는 생각은 들지 않았다. 창문을 지나치면서 나는 가끔 차일을 들어 올리고 바깥을 내다보았다. 눈은 끊이지 않고 내리고 있었다. 벌써 아래쪽 창유리에 달라붙으며 눈이 쌓이고 있었다. 창문에 귀를 가까이 가져갔을 때 실내의 희희낙락하는 소란과 바깥바람의 서글픈 신음 소리를 구분할 수 있었다.

아마 내가 행복한 집과 친절한 부모를 최근에 떠나온 몸이라면 이 시간이야말로 가슴 아프게 그들과의 작별을 후회하고 있을 시간이었을 것이다. 그리고 창밖에 부는 바람도 내 마음을 슬프게 했을 것이다. 또한 이 형체 없는 혼돈 상태가 내 마음의 평화를 어지럽혔을 것이다. 그러나 사실상 나는 안팎의 혼란으로 야릇한 흥분을 갖게 되었다. 그래서 무모하고 미친 듯이 나는 바람이 더 사납게 불기를 기원했고 어둠침침함이 캄캄한 어둠으로 깊어지기를 기원했고 소란이 아우성으로 확대되기를 기원했다.

의자를 뛰어넘고 책상 밑을 기어 나는 한쪽 난롯가까지 나아갔다. 높은 난로 철망 옆에 무릎을 꿇고 앉아 있을 때 나는 번스를 발견했다. 번스는 주변 상황에 전혀 신경을 쓰지 않고 책을 벗 삼아 조용히 독서에 빠져 있었다. 그녀는 난로의 깜부기불이 발하는 희미한 빛에 비추어 책을 읽고 있었다.

"아직도 《라셀라스》야?" 그녀의 뒤편으로 다가가며 내가 물었다.

"응." 그녀가 대답했다. "거의 다 읽었어."

그러고는 5분이 더 지나자 그녀는 책을 덮었다. 나는 그게 기뻤다. '이제는,' 나는 생각했다. '아마 저 애와 이야기할 수 있겠군.' 나는 바닥 위 그녀 옆에 앉았다.

"번스 말고 이름이 뭐니?"

"헬렌."

"여기서 먼 데서 왔니?"

"북쪽 아주 먼 곳에서 왔어. 스코틀랜드 접경지역이야."

"언제고 돌아갈 거지?"

"그러길 바라지. 하지만 누구도 미래는 장담 못해."

"틀림없이 넌 로우드 학교를 떠나고 싶을 거야."

"아냐. 내가 왜 그래야 돼? 나는 교육을 받기 위해 로우드에 온 거야. 그러니까 목표를 달성할 때까지는 이곳을 떠나봤자 아무 소용이 없을 거야."

"하지만 그 선생님, 스캐처드 선생님이 네게 너무 잔인하지 않니?"

"잔인하다고? 전혀 아니야! 엄하신 거지. 그분은 내 결함을 미워하셔."

"내가 만일 네 처지라면 그 선생님이 싫을 거야. 반항도 할 거고. 만약 아까 그런 매로 나를 때리면 그걸 그녀의 손에서 빼앗아버릴 거야. 그러고는 그녀의 코밑에서 분질러버릴 거야."

"아마 너도 그런 일은 하지 않을 거야. 하지만 성말 그런 일을 저지르면 브로클허스트 씨가 너를 퇴학시켜버릴 거야. 그러면 그 일은 네 친인척들에게 큰 슬픔이 될 거야. 너 자신 말고 아무도 느끼지 못하는 아픔이 있다면 인내심을 가지고 참는 것이 훨씬 잘하는 일이야. 성급한 행동을 하면 그 나쁜 결과가 너와 관련된 모든 사람에게 누를 끼치게 되거든. 게다가 성서도 우리에게 악을 행하는 자에게 선으로 보답하라고 가르치고 있잖아?"

"그렇지만 매질을 당하고 사람들이 가득 찬 교실 한가운데서 서 있는 벌을 받는 건 수치스러운 일 같아. 게다가 넌 이미 다 자란 학생이야. 나는 너보다 훨씬 어린데도 그런 일은 참을 수 없을 거야."

"하지만 피할 수 없으면 참는 게 네 의무일 거야 참아야 하는 게 네 운명인 일을 '난 못 참아'라고 말한다면 그건 나약하고 어리석은 짓이야."

나는 의아해하며 그녀의 말을 들었다. 인내에 관한 그녀의 이론을 이해할 수 없었다. 하물며 자기를 때린 사람에게 그녀가 표명하는 관용은 이해하거나 공감할 수 없었다. 그러나 나는 헬렌 번스가 내 눈에 보이지 않는 어떤 빛으로 사물을 심사숙고한다는 느낌을 가져보았다. 그녀가 옳고 내가 그른 게 아닌가 하는 생각을 해보았다. 하지만 나는 이 문제를 깊이 생각하려고 하지 않았다. 나는 성서의 펠릭스*처럼 지금보다 편리한 시기에 생각하겠다고 뒤로 미루어놓았다.

"넌 결점이 있다고 말하고 있어. 헬렌, 그 결점이 어떤 거야? 내가 보기에는 넌 아주 착한 학생 같아."

"그럼, 겉모습만 보지 말고 내 얘기를 듣고 판단해봐. 스캐처드 선생님께서 말씀하셨듯이 난 칠칠찮은 애야. 좀처럼 물건들을 제자리에 놓거나 제대로 보관하지 못해. 주의력도 없고 규칙을 잊어버려. 수업을 받아야 할 시간에 다른 책을 읽어. 논리적인 방법이 내겐 없어. 그리고 너처럼 가끔 체계적인 제도에 굴복하는 것을 참지 못하겠다고 말할 때가 있어. 나의 이 모든 행동이 스캐처드 선생님의 화를 돋우는 거야. 그분은 천성적으로 깔끔하고 정확하고 까다로운 분이야."

---

* 사도행전 24장, 25장에 나오는 유대 지방 통치자. 바울에 대한 심리를 자꾸 뒤로 연기한 사람. 결과적으로 바울을 박해한 것이 된다.

"게다가 심술궂고 잔인하지." 내가 덧붙였다. 그러나 헬렌 번스는 내가 주가한 말을 인정하지 않았다. 침묵을 지켰다.

"템플 선생님도 스캐처드 선생님처럼 너한테 엄격하시니?"

템플 선생님이라는 이름이 나오자 헬렌의 진지한 얼굴에 부드러운 미소가 스쳤다.

"템플 선생님은 선량함으로 가득 찬 분이야. 누군가를 엄격하게 대하는 것, 심지어 학교에서 제일 못된 학생조차 엄격하게 대하는 것이 그분에겐 고통스러운 일이야. 선생님도 내 결점을 알고 계시지만 부드럽게 말씀하셔. 또한 칭찬받을 만한 일을 하면 아낌없이 보상을 주셔. 정말, 내겐 천성적으로 형편없는 결점이 있다는 강력한 증거가 있거든. 선생님처럼 너무도 온화하고 합리적인 충언도 내 결점을 고치는 데 아무 영향력을 발휘하지 못한다는 점이야. 선생님의 칭찬은 내가 제일 소중히 여기는 것이지만, 그 칭찬마저도 내가 지속적으로 조심하고 신중히 활동하도록 만들지 못한단 말야."

"참 이상하구나." 내가 말했다. "조심하는 게 얼마나 쉬운 일인데."

"너한테는 분명히 쉬울 거야. 오늘 아침 너희 반 수업 때 네 모습을 지켜보면서 네가 수업에 열심히 집중하고 있다는 것을 알았어. 밀러 선생님이 수업 내용을 설명하고 네게 질문을 하셨을 때 네 생각은 전혀 방황하는 것 같지 않았어. 그런데 나는 계속 잡념 속을 헤매거든. 스캐처드 선생님의 수업을 집중해 들으면서 그분의 말씀을 열심히 들어야 할 때 나는 종종 선생님 목소리조차 못 들어. 일종의 꿈에 빠지는 거야. 때때로 나는 노섬벌랜드에 가 있고 주변에서 들는 소유은 고향집에서 가까운 딥덴 지역을 관통해 흐르는 작은 개울에서 나는 졸졸거리는 소리라고 생각해. 그러다가 내가 대답할 차례가 되면 나는 꿈에서 깨야 하고, 꿈속의 개울물 소리를 듣느라 수업을 하나도 듣지 않았으니 대답할 준비가 전혀 안 되어 있는 거지."

"하지만 오늘 오후엔 대답을 정말 잘했잖아."

"그건 단순히 우연이었어. 우리가 읽어왔던 주제가 내 흥미를 끄는 것이었어. 오늘 오후엔 딥덴에 대해 꿈을 꾸는 대신, 옳게 행동하기를 바랐던 사람이 어쩌면 그리 부당하고 어리석게 행동할 수 있었던 건지 의아하게 생각하고 있었어. 찰스 1세가 때로 그렇게 행동했던 거지. 그렇게 고결하고 양심적인 사람이 국왕의 특권만 알지 그 이상을 보지 못했다는 게 너무나 안타까운 일이라는 생각을 했어. 그가 멀리 내다볼 줄만 알았더라면, 그래서 소위 말하는 시대정신이 어디로 가고 있는지를 알았더라면 얼마나 좋았을까! 어쨌든 난 찰스 1세를 좋아해 — 난 그를 존경해 — 그가 가엾어. 시해당한 불쌍한 왕 말야! 그래, 그의 적들은 최고로 나쁜 자들이었어. 그네들은 그럴 권리도 없으면서 피를 흘리게 했어. 감히 어떻게 국왕을 시해할 수 있었을까!"

헬렌은 이제 저 자신에게 말하고 있었다. 그녀는 내가 자기 말을 잘 이해하지 못한다는 것을 잊고 있었다. 자기가 말하는 주제에 대해 내가 무지하거나 무지에 가깝다는 것을 잊고 있었다. 나는 그녀를 내 수준으로 내려오게 했다.

"템플 선생님이 수업하실 때도 네 생각이 이리저리 방황하니?"

"아니. 자주 그러진 않는 게 분명해. 그 선생님은 보통 내 머리에 든 생각보다 더 새로운 내용을 이야기하시기 때문이야. 그분이 구사하는 언어는 유난히 나와 잘 맞아. 그리고 그분이 전달하는 지식은 바로 내가 얻기를 바라는 지식일 대가 많지."

"그러면 템플 선생님과 함께 있을 때는 착하게 행동하겠네."

"응. 소극적인 방식이긴 하지만 그래. 나는 아무 노력도 안 해. 그저 내 성향이 이끄는 대로 따라갈 뿐이야. 그런 식으로 착한 건 아무 가치도 없는 거야."

"엄청 큰 가치가 있어. 네게 착하게 대해주는 사람들에게는 너도 착하게 군다는 말이군. 그건 나도 늘 바라는 바야. 잔인하고 부당한 사람들에게 우리가 늘 친절하고 순종한다면, 그 악한 자들은 자기들 멋대로 행동할 거야. 그들은 절대 무서운 줄 모를 거야. 그래서 전혀 변하지 않고 오히려 점점 더 악해질 거야. 이유 없이 우리를 때리면 우리는 아주 세게 주먹을 돌려줘야 해. 반드시 그래야 돼. 때린 사람이 다시는 그러지 못하게 정신이 들 정도로 세게 때려 줘야 해."

"네가 좀 더 크면 그런 마음을 네 스스로 바꾸기를 바랄게. 넌 아직 배운 거 없는 어린 소녀에 불과해."

"하지만, 헬렌, 난 이렇게 생각해. 아무리 비위를 맞춰주려고 노력해도 계속 나를 싫어하는 사람들은 내 쪽에서도 싫어해야 한다고……. 부당하게 나를 벌하는 사람들에게는 반드시 반항할 거야. 그건 내게 애정을 나타내는 사람들을 내가 사랑해야 하는 것이나, 받아 마땅한 벌을 순순히 받아들이는 일만큼이나 자연스러운 일이야."

"이교도들이나 야만인들이 그런 이론을 주장하지. 그러나 기독교인들과 문명화된 국민들은 배격하는 이론이야."

"어째서 그렇지? 난 이해 못하겠어."

"증오심을 가장 잘 극복하게 해주는 건 폭력이 아니야. 또한 피해를 받았을 때 가장 확실히 회복시켜주는 건 복수가 아니야."

"그럼, 뭐야?"

"신약성서를 읽어봐. 그리고 그리스도께서 말씀하시고 행하신 것을 살펴봐. 그분이 하신 말씀을 네 원칙으로 삼고 그분의 행동을 네 본보기로 삼으란 말이야."

"뭐라고 말씀하셨는데?"

"네 원수를 사랑하라. 너를 저주하는 자에게 축복을 내려라. 너를 미워하고 앙심을 품고 너를 이용하는 자들에게 선을 베풀어라 하고 말씀하셨어."

"그렇다면 리드 부인을 사랑하란 소린데, 난 그렇게 못해. 그리고 그 아들 존을 축복하란 소린데, 그건 불가능해."

자기 차례가 되자 헬렌은 대체 그게 무슨 말인지 설명해달라고 하는 것이었다. 나는 곧바로 내 나름의 방식으로 내가 겪었던 고통과 분노에 대한 이야기를 쏟아내기 시작했다. 흥분한 나머지 앙심을 품고 통렬하게, 무조건 모질게 내가 느끼는 대로 이야기를 했다.

헬렌은 인내심을 가지고 끝까지 내 이야기를 들었다. 헬렌이 무슨 말을 할 거라고 나는 기대했지만 그녀는 아무 말이 없었다.

"들었지?" 나는 초조하게 말했다. "리드 부인은 냉혹하고 나쁘지?"

"그 부인이 너한테 불친절했다는 데는 의심의 여지가 없어. 그건 너도 알다시피 그분이 네 성격을 싫어했기 때문일 거야. 스캐처드 선생님이 내 성격을 싫어하는 것과 같은 거야. 그런데 그 부인이

행하고 말한 모든 것을 넌 어쩌면 그렇게 세세히 기억하고 있지? 그분의 부당한 학대가 네 가슴에 기이할 정도로 깊게 새겨져 있다니, 원! 나는 어떤가 하면 어떤 학대 행위를 당했어도 그 흔적이 내 감정에 남지 않아. 그분의 가혹한 학대와 그것이 불러일으키는 격한 감정을 잊기 위해 노력한다면 넌 더 행복해지지 않겠니? 우리 인생은 원한을 키우거나 부당한 행위들을 마음에 입력해두고 살기엔 너무 짧아. 우리는 모두 현세에서는 결함을 짊어지고 있으며 또 그러지 않을 수가 없어. 그러나 언젠가는 이 썩을 육신을 벗어던짐으로써 우리의 결함을 벗어버릴 수 있을 때가 곧 오리라고 나는 믿어. 타락과 죄가 주체스러운 육신과 함께 우리에게서 떨어져나가고 오직 영혼의 섬광만이 남게 되는 그런 때가 올 거야. 그 영혼의 섬광은 삶과 생각의 원리, 만져지지 않는 원리로서, 피조물에게 영감을 주기 위해 창조주를 처음 떠나올 때처럼 순수한 거야. 그 섬광은 자체가 떠나왔던 곳으로 되돌아갈 거야. 그러고는 아마 인간보다 높은 어떤 존재와 소통을 하게 될 것이고, 아마 영광의 여러 단계를 거쳐 창백했던 인간 영혼에서 제1천사 세라핌의 자리까지 빛을 발하며 올라갈 거야. 반대로 그 섬광은 인간에게서 악마로 타락하도록 방치되지는 않을 거야. 그런 타락은 결코 믿을 수 없어. 내겐 또 다른 신조가 있어. 누구도 내게 가르쳐주지 않았고 내가 좀처럼 입 밖에 내지 않는 신조인데, 그 신조 안에서 나는 행복하고 내가 고수하는 신조이기도 해. 왜냐하면 그 신조는 모든 사람에게 희망을 안겨주기 때문이야. 그 신조는 영원을 안식처로 만들어주지. 공포와 나락이 아니라 굳건한 가정을 만들어주는 거야. 게다가 그 신조가 있으면 나는 죄인과 그가 지은 죄를 명확히 구별할 수 있어. 나는 진지하게 적인을 용서할 수 있어. 반면에 나는 그 죄는 몹시 미워할 수 있어. 그 신조만 있으면 복수하겠다는 마음으로 마음을 졸일 필요가 없고, 타락을 봐도 구역질을 참을 수 있고, 불의가 결코 나를 침울하게 좌절시키지도 않아. 나는 생의 마지막을 예상하며 평온한 마음으로 살아가고 있어."

늘 숙이고 있던 헬렌의 머리는 마지막 문장을 말하면서 더욱 아래로 떨어졌다. 나는 헬렌의 표정을 보고 그녀가 더 이상 나와의 대화를 원치 않으며 차라리 자신의 상념과 대화하기를 원하고 있다는 것을 알았다. 헬렌에겐 명상의 시간이 그다지 많이 허용되지 않았다. 몸집이 크고 거칠게 보이는 반장이 나타나 컴벌랜드의 강한 억양으로 소리쳤다.

"헬렌 번스, 당장 가서 네 서랍을 정리하고 바느질감을 접어놔. 안 그러면 스캐처드 선생님더러 와서 보시라고 이를 테야."

헬렌은 자신의 몽상이 날아가버릴 때 한숨을 내쉬었다. 그러더니 자리에서 일어나 지체하지도 대답도 하지 않은 채 반장의 말을 따랐다.

제7장

로우드 학교에서의 내 첫 학기는 한 시대처럼 느껴졌다. 황금시대로 느껴진 게 아니다. 그저 새로운 규칙과 생소한 과제에 적응하는 데 따른 어려움들과 버거운 싸움으로 이루어진 시간이었다. 이런 여러 가지 점에서 실패하지나 않을까 하는 두려움이 내 몫으로 주어진 육체적 고통보다 더 나를 괴롭혔다. 하긴 육체적 고통도 무시할 수 없는 것이었다.

1월, 2월, 3월 초반에 걸쳐 눈이 많이 쌓였고, 그 눈이 녹은 후 거의 다닐 수 없이 질퍽거리는 길로 인해 우리는 교정 담장 밖에서의 활동을 할 수 없었다. 교회에 가는 일은 예외였다. 그러나 이 울타리 안에서 우리는 매일 한 시간씩 바깥공기 속에서 지내야 했다. 우리의 옷차림은 혹독한 추위에서 우리를 보호하기에는 불충분했다. 장화가 없었기에 눈이 신발 안으로 들어가 안에서 녹았다. 장갑을 끼지 않은 손은 얼어서 감각을 잃었고 동상에 걸렸다. 발도 마찬가지였다. 매일 밤 발이 쑤실 때마다 동상으로 생긴 미칠 듯이 아픈 염증을 참았고, 아침이 되어 퉁퉁 붓고 껍질이 벗겨지고 뻣뻣해진 발을 신발에 밀어 넣을 때의 아픔은 지금도 기억에 생생하다. 다음으로 공급되는 음식의 양이 적어서 고통스러웠다. 자라나는 아이들

익 왕성한 식욕은 무시되고 우리는 허약한 병자를 먹여 살리기에도 부족한 양을 먹었다. 이런 영양 부족 상태에서 하급반 학생을 몹시 압박하는 폐단이 생겨났다. 굶주린 상급반 학생들은 기회가 있을 때마다 저희들보다 어린 학생들을 구슬리거나 위협해서 그들의 몫을 빼앗아 먹었다. 나도 내 몫을 요구하는 두 명의 선배에게 오후 차 마시는 시간에 나눠준 소중한 갈색 빵 조각을 여러 번 떼어주었다. 머그잔의 커피마저 세 번째 선배에게 절반을 빼앗기고 나서 나는 몰래 흘러나오는 눈물과 함께 나머지 커피를 삼켜버렸다. 절박한 배고픔에 밀려 나온 눈물이었다.

그런 겨울철의 일요일은 정말 따분한 날이었다. 우리는 우리의 후원자가 집전하는 브로클브리지 교회까지 2마일을 걸어가야 했다. 출발할 때부터 이미 추웠지만 교회에 도착했을 때는 더 추웠다. 아침 예배가 진행되는 동안 우리 몸은 거의 마비된 상태였다. 점심을 먹으러 학교로 돌아오기에는 거리가 너무 멀었기 때문에 예배 시간 중간에 차디찬 고기와 빵이 평상시 먹던 식사에서 꼭 지켜지던 분량과 똑같이 인색한 분량으로 모두에게 분배되었다.

오후 예배가 끝나면 우리는 훤히 드러난 언덕길을 따라 돌아왔다. 언덕길을 지날 때는 북쪽에 뻗어 있는 눈 덮인 구릉 정상을 넘어오는 매서운 바람이 얼굴에서 살갗을 거의 다 벗겨가는 것 같았다.

지금도 나는 기억할 수 있다. 템플 선생님이 축 늘어져 걷고 있는 우리 대열을 따라 경쾌하고 빠른 걸음으로 걷던 모습이 생각난다. 찬바람이 불어 그녀의 격자무늬 외투가 펄럭이면 그녀는 옷깃을 바짝 여미고 우리에게 기운을 내서 똑바로 행진하라고 독려했다. 그녀는 몸소 본을 보이면서 '건장한 군인처럼' 걸으라고 말하던 모습이 생생하다. 가엾은 다른 선생님들은 모두 풀이 죽어서 남의 기운을 돋울 수가 없었다.

학교로 돌아왔을 때 우리는 활활 타오르는 난로의 빛과 열을 얼마나 간절히 열망했던가! 그러나 적어도 어린 하급반 학생들에게는 이런 것이 주어지지 않았다. 교실에 있던 각각의 난로는 곧바로 두 줄로 늘어선 상급반 학생들에게 포위되고 말았다. 그들보다 어린 학생들은 얼어붙은 양팔을 앞치마로 감싸고 그들 뒤에 무리를 지어 쭈그리고 앉았다.

차 마시는 시간에 작은 위로가 찾아왔다. 그 위로라는 것은 맛있는 버터를 얇게 바른 평소의 두 배나 되는 빵의 형태를 띠고 찾아온 것이었다. 반 조각이 아니라 온전한 빵 한 개였다. 그것은 안식일을 보내고 다음 안식일을 고대하게 하는 우리 모두의 특식이었다. 나는 거의 언제나 이 넉넉한 빵의 절반을 나중에 먹기 위해 애써 보관해두었다. 그러나 남겨놓은 빵과는 영락없이 작별해야 했다.

일요일 저녁은 교리문답과 마태복음 5, 6, 7장을 외워가지고 반복하는 일, 그리고 밀러 선생님이 낭독하는 설교를 듣는 일로 보냈다. 그것을 낭독하면서 참지 못해 해대는 하품은 밀러 선생님이 얼마나 피로해 있는지를 보여주고고 있었다. 이 연극 같은 상황에서 종종 막간극 같은 일이 벌어지기도 했다. 대여섯 명의 어린 학생들이 유티쿠스[*]의 역을 맡았다. 쏟아지는 잠을 이기지 못한 그들은 유티쿠스처럼 3층에서 떨어진 게 아니라 네 번째 줄 의자에서 떨어

---

[*] 사도 바울이 긴 설교를 하고 있을 때 설교를 듣다 잠이 들어 3층 창문에서 굴러떨어진 인물. 바울에 의해 소생되었다.

져, 일으켜 세워보면 반쯤 죽은 상태였다. 이런 졸음에 대한 구제책이 있었는데, 그건 다름 아니라 그들을 교실 한가운데로 끌어내어 설교가 끝날 때까지 그곳에 서 있게 하는 것이었다. 거기 서게 된 아이들은 때로 다리가 말을 안 듣는 바람에 그냥 주저앉아 더미를 이루기도 했다. 그러면 반장용 높은 걸상으로 쓰러지지 않도록 몸을 받친다.

나는 아직까지 브로클허스트 씨의 학교 방문에 대해서는 아무 말도 하지 않았다. 사실 그 신사는 내가 이 학교에 도착한 후 첫 달 대부분의 시간을 집에서 떠나 있었던 것이다. 아마 친구인 부주교 댁 방문이 길어진 모양이다. 그가 자리를 비운 것은 나로서는 다행한 일이었다. 그의 학교 방문을 내가 두려워했던 이유는 말할 필요가 없을 것이다. 하지만 결국 그는 학교를 방문했다.

어느 날 오후, 그러니까 내가 로우드 학교에 와서 3주가 지났을 때였다. 나는 손에 석판을 들고 높은 숫자의 나눗셈 문제를 풀고 있다가 눈을 들어 먼 쪽을 멍하니 바라보았다. 그때 어떤 사람이 막 지나가는 모습이 보였다. 나는 즉시 그 깡마른 인간의 윤곽을 거의 본능적으로 알아차렸다. 그러고 2분 후 선생님들을 포함해서 학교 전체가 일제히 일어났을 때 나는 누가 들어오기에 모두 그렇게 맞이하는지 확인하려고 눈을 들 필요가 없었다. 그 사람은 긴 보폭으로 성큼성큼 교실로 들어왔다. 이윽고 자리에서 일어나 있던 템플 선생님 곁에 선 그 사람은 게이츠헤드 홀 난로 깔개 위에 서서 지독히 불길하게 나에게 찡그리며 인상을 썼던 바로 그 검은 기둥이었다. 그때 나는 이 건물 같은 사람을 곁눈질로 힐끗 보았다. 그렇다. 내 짐작이 옳았다. 바로 그 브로클허스트 씨가 외투의 맨 윗단추까지 채우고 전보다 더 키가 크고 가늘고 엄한 모습으로 거기 서 있었다.

나에게는 그의 출현에 당황해야 할 나름대로의 이유가 있었다. 나는 리드 부인이 나의 기질이나 약점 같은 것에 대해 배신자처럼 그에게 암시하는 소리를 너무나 생생히 기억하고 있었다. 또한 브로클허스트 씨가 템플 선생님이나 다른 선생님들에게 나의 악한 성품을 알리겠다고 약속하던 것도 기억하고 있었다. 그동안 내내 나는 그 약속이 실현될까 봐 전전긍긍하던 참이었다. 나타나서 나의 지난날의 생활과 대화에 관해 발설하는 날 나를 영원히 나쁜 아이로 낙인찍히게 만들 그 '재림하는 분'이 오나 해서 나는 매일 눈을 부릅뜨고 있었다. 그런데 이제 그 사람이 거기 와 있었다.

그는 템플 선생님 곁에 서서 낮은 목소리로 그녀의 귀에다 무슨 말을 하고 있었다. 그가 나의 악독한 행동을 들춰내고 있다는 것을 나는 의심치 않았다. 나는 고통스러운 초조감에 사로잡힌 채 템플 선생님의 눈을 지켜보며 그녀의 까만 안구가 나에게 혐오와 경멸에 찬 눈길을 던질 것을 예상했다. 마침 우연히 내 자리가 교실 앞쪽에 있었기 때문에 나는 그가 말하는 것을 거의 다 들었다. 그가 하는 말은 당장에는 걱정을 덜어주는 내용이었다.

"템플 선생, 내가 로턴에서 구입한 실은 꽤 괜찮을 겁니다. 옥양목 속옷에 맞는 품질일 거라는 생각이 들었어요. 또 그 실에 맞는 바늘을 골랐습니다. 스미스 선생에게는 내가 짜깁기 바늘을 메모한다는 걸 깜빡 잊었다고 전하시고, 다음 주에 종이를 보내주겠다고 전하세요. 그리고 어떤 이유로도 한 학생에게 한 번에 종이 한 장 이상은 절대로 주지 말라고 하세요. 종이를 많이 갖게 되면 주의가 산만해지고 잃어버리기도 쉽거든요. 그리고 아, 맞아, 템플 선생! 털 스타킹 관리에 좀 더 신경을 써야겠습니다. 지난번 이곳에 왔을 때 주방 앞뜰에 나가 빨랫줄에 널어놓은 옷가지를 검사했습니다. 수선 상태가 아주 불량한 검은 양말이 많이 있더군요. 구멍 크기로 봐서 분명히 제때제때 수선하지 않았더군요."

그는 말을.멈췄다.

"지시 사항을 잘 이행하겠습니다, 원장님." 템플 선생이 말했다.

"그리고 교장 선생," 그가 계속해서 말했다. "세탁부 말이 어떤 여학생들이 지난주에 새 목깃을 두 장씩이나 착용했다고 합니다. 그건 너무 많아요. 교칙은 한 학생당 한 장씩으로 제한하고 있어요."

"원장님, 그게 어떻게 된 건지 제가 설명할 수 있을 것 같습니다. 애그니스와 캐서린 존스톤이 지난주 목요일 로턴에 사는 몇몇 친구들에게서 차를 마시러 오라고 초대받았답니다. 그 아이들이 그곳에 갈 때 깨끗한 목깃을 착용하는 걸 허락했기 때문입니다."

브로클허스트 씨는 고개를 끄덕였다.

"좋습니다. 이번 한 번만은 넘어갑시다. 하지만 그런 경우가 너무 자주 발생하지 않도록 해주십시오. 그리고 나를 놀라게 한 일이 하나 더 있습니다. 가사 담당 하녀장과 결산을 하다가 지난 보름 동안 빵과 치즈가 나온 점심을 학생들에게 내놓은 적이 있다는 걸 발견했습니다. 대체 어찌 된 거죠? 학교 규정이 어떻게 되어 있나를 훑어보았습니다. 점심 식사에 대한 그런 규정은 없었어요. 누가 그런 새로운 개선안을 도입한 겁니까? 무슨 권한으로?"

"그 경우에 대해서는 전적으로 제가 책임을 지겠습니다, 원장님." 템플 선생님이 말했다. "아침 식사가 엉망으로 조리되어 학생들이 도저히 먹을 수가 없었습니다. 그래서 제가 감히 나서서 점심때까지 학생들을 굶긴 채로 두지 않기로 했던 것입니다."

"교장 선생, 잠깐 내 말을 들으세요! 이 여학생들을 교육함에 있어 내 계획은 그들을 사치와 방종하는 습관에 길들도록 하는 것이 아니라 강인하고 인내심이 있고 자제력이 있는 사람으로 만드는 것이라는 것을 선생도 알고 있을 겁니다. 설사 식욕을 망치는 사소한 일, 예컨대 고기가 상했다거나 음식의 소스가 너무 적거나 너무 많다거나 하는 일이 우연히 일어난다 하더라도, 이를 위안하느라 뭔가 다른 맛있는 음식으로 대체하는 것으로 이 사건을 무마해서는 안 됩니다. 결과적으로 육신의 욕망은 충족시키고 이 학교의 설립 목표를 제거하는 것이 됩니다. 그런 사건은 오히려 학생들의 정신 교육을 위해 활용해야 합니다. 학생들에게 뭔가가 일시적으로 결핍되었을 때 참고 견디는 불굴의 정신을 보이라고 격려하라는 말입니다. 그런 일이 발생했을 때 짤막한 훈화를 하는 것도 부적절하지는 않을 것입니다. 현명한 교사라면 그런 기회를 이용해서 초기 기독교인들의 고난을 언급할 것입니다. 그리고 순교자들의 고통을 이야기할 것입니다. 또한 제자들에게 각자의 십자가를 메고 따라오라고 했던 축복받은 우리 주님의 간곡한 경고와, '사람은 빵만으로 사는 게 아니라 하느님의 입에서 나온 모든 말씀으로 사는 것'이라는 그분의 경고와, '나를 위해 배고프고 목마르다면 너희는 행복하도다'[*]

---

[*] 마태복음 4장 4절, '사람은 빵만으로…… 하느님의 말씀으로……'라는 부분과 마태복음 5장 6절, 누가복음 6장, 베드로 전서 3장의 내용을 아전인수 격으로 뒤섞어 자신에게 유리하게 발언하는 장면.

라고 하셨던 그분의 성스러운 위로를 언급할 것입니다. 아, 템플 선생, 선생이 학생들 입에 탄 죽 대신 빵과 치즈를 넣어주었을 때 사실은 그들의 부도덕한 육신에는 음식을 먹였을지 모르지만 그들의 불멸의 영혼을 얼마나 굶주리게 했는지는 전혀 생각지 않은 것입니다."

브로클허스트 씨는 다시 말을 멈췄다. 아마 자기감정에 압도된 모양이었다. 템플 선생님은 그가 말을 시작했을 때 눈을 아래쪽으로 향하고 있었다. 그러나 이제는 똑바로 앞쪽을 응시했다. 원래 대리석처럼 창백했던 그녀의 얼굴은 대리석의 차가움과 단단함을 지니고 있는 것 같았다. 특히 그녀의 입은 그걸 열려면 조각가의 끌이 필요한 것처럼 꽉 다물어져 있었다. 이마 또한 서서히 돌처럼 엄하고 차갑게 굳어가고 있었다.

그러는 동안 뒷짐을 지고 난롯가에 서 있던 브로클허스트 씨는 거드름을 피우며 교실 전체를 훑어보는 것이었다. 갑자기 그의 눈이 깜빡거렸다. 마치 무언가가 그의 눈을 부시게 했거나 충격을 준 것 같았다. 몸을 돌리며 그가 지금까지 말했던 것보다 빠른 속도로 말했다.

"템플 선생, 템플 선생, 저 아이, 곱슬머리를 한 저 아이가 대체 어떻게 된 겁니까? 빨간 머리에다, 교장 선생, 곱슬머리라니? 머리 전체가 곱실거리지 않습니까?" 그러더니 자신의 지팡이를 뻗어 그 끔찍한 대상을 가리켰다. 그런 동작을 하는 동안 그의 손은 떨리고 있었다.

"줄리아 세번이란 학생입니다." 템플 선생님은 조용한 음성으로 대답했다.

"줄리아 세번이라. 세상에 원! 그런데 왜 저 아이나 다른 아이들이 곱슬머리를 하고 있는 거죠? 대체 왜 저 아이가 이 학교의 모든 교칙과 교훈을 어기면서, 복음주의에 입각한 이 자선 기관에서 공공연하게 머리를 온통 곱슬머리 다발로 지지며 세속에 영합하고 있지요?"

"줄리아는 선천적으로 곱슬머리입니다." 템플 선생님은 더 조용한 어조로 대답했다.

"선천적이라고요! 좋습니다. 그러나 우리는 선천적인 것에 영합해서는 안 됩니다. 나는 이 학생들이 하느님의 은총을 받는 아이들이 되기를 바랍니다. 그런데 저런 방종을 방치하는 게 웬 말입니까? 아이들 머리가 짧고 단정하고 수수하게 정돈돼 있기를 바란다고 내가 누차 말했을 텐데요. 템플 선생, 저 애의 머리를 죄다 잘라야겠어요. 내일 이발사를 보내지요. 이제 보니 다른 학생들도 머리가 너무 길군요. 저기 저 학생, 돌아서보라고 하세요. 제일 앞쪽 의자에 앉은 학생들은 모두 일어나 벽 쪽으로 얼굴을 향하고 서보라고 하세요."

템플 선생님은 손수건으로 입술을 눌렀다. 입술을 일그러뜨리는 미소, 자신의 의지와는 관계없이 나오는 미소를 살짝 눌러 없애려는 것 같았다. 그러나 그녀는 명령을 내렸다. 상급반 학생들은 자기들에게 요구되는 것을 파악하고 그 명령에 따랐다. 나는 의자에 등을 약간 기대고 앉아서 이러한 조치에 대해 투덜거리는 학생들의 찡그린 얼굴 표정을 지켜보았다. 브로클허스트 씨가 그 표정들을 보지 못한 게 유감스럽다. 컵과 주발의 바깥 표면에는 무슨 일이든 할 수 있지만 그 안쪽은 자기가 생각하는 것만큼 간섭이 통하지 않는다는 것을 어쩌면 느꼈을 것이다.

그는 약 5분 동안 이 살아 있는 메달, 즉 자기가 수집해온 메달들의 뒷면을 꼼꼼히 검사한 후 판결을 내렸다. 그의 말은 심판의 날에 울리는 운명의 종소리처럼 울렸다.

"머리의 윗매듭 장식을 모두 잘라버리세요."

템플 선생님은 항의하려는 것 같았다.

"템플 선생," 하고 그가 계속했다. "나는 섬겨야 할 주인이 있습니다. 그분의 왕국은 세속의 왕국이 아닙니다. 내 사명은 이 학생들 내부의 육신의 욕망을 죽이고 그들이 부끄러워할 줄 아는 마음과 절제하는 마음의 옷을 입도록 가르치는 것입니다. 땋은 머리나 값비싼 옷은 안 됩니다. 앞에 있는 이 학생들은 마치 허영심 자체가 땋아준 것처럼 죄다 머리카락을 꼬아서 땋은 머리를 하고 있습니다. 반복해서 말하는데, 이것들은 모두 잘라버리세요. 머리를 땋느라 낭비한 시간을 생각하면……."

여기서 브로클허스트 씨의 말을 방해하는 일이 있었다. 마침 세 명의 숙녀 방문객이 교실로 들어왔던 것이다. 이 숙녀 방문객들은 좀 더 일찍 들어와 옷에 대한 그의 연설을 들었어야 했다. 그들은 하나같이 벨벳과 실크와 모피 옷감으로 된 옷을 화사하게 차려입고 있었다. 세 명의 숙녀 중 두 명(예쁘게 생긴 열여섯 살과 열일곱 살 소녀들이었다.)은 당시 유행하고 있던 타조 깃털이 달린 회색 비버 모자를 쓰고 있었다. 게다가 이 우아한 모자 가장자리 밑으로는 정교하게 땋은 밝은 빛 머리 다발이 풍성하게 치렁치렁 늘어져 있었다. 나이가 지긋한 숙녀는 가장자리를 흰 담비로 장식한 값비싼 벨벳 숄을 두르고 있었고 프랑스풍의 곱슬머리 가발을 쓰고 있었다.

이 숙녀들을 템플 선생님은 브로클허스트 부인, 브로클허스트 양들로 호칭하며 공손히 마중하여 교실 맨 위 상석으로 안내했다. 그들은 성직자인 육친과 함께 마차를 타고 와서, 브로클허스트 씨가 하녀장과 볼일을 보고 세탁부에게 여러 가지 질문을 하고 교장에게 훈시를 하고 있는 동안, 위층 방들을 샅샅이 검사하고 온 것 같았다. 그들은 이제 리넨 천을 관리하고 기숙사를 관리하는 스미스 선생님에게 다양한 질문을 해대며 비난을 퍼붓기 시작했다. 그러나 그들이 하는 말에 귀를 기울일 틈이 없었다. 뜻밖의 일들이 일어나 주의를 환기시켰고 내 관심을 사로잡았던 것이다.

지금까지 나는 브로클허스트 씨와 템플 선생님의 대화를 귀로 긁어모으며 동시에 내 개인적 안전을 도모하기 위해 조심하는 일을 소홀히 하지 않았다. 그 안전은 관찰의 대상이 되는 것만 피하면 효과적으로 달성될 수 있을 거라고 생각했다. 그런 목적을 위해 나는 의자에 등을 대고 얌전히 앉아 있었다. 그리고 수 계산을 하느라 바쁜 척하면서 얼굴을 가리듯 석판을 들고 있었다. 그런데 그 배반자 같은 석판이 공교롭게도 내 손에서 미끄러져 떨어지고 말았다. 이런 일만 아니었다면 주목의 대상이 되는 일은 피할 수 있었을 것이다. 석판은 귀에 거슬리는 소리를 내며 바닥에 떨어졌다. 그 바람에 곧바로 모든 사람의 시선이 내게 쏠렸다. 나는 모든 게 끝장이라는 것을 알았다. 몸을 굽혀 두 조각 난 석판을 주우면서 나는 있는 힘을 모아 최악의 순간에 대비했다. 마침내 그 순간이 왔다.

"저런 조심성 없는 것!" 브로클허스트 씨가 말했다. 곧이어 말을 계속했다. "이건 새로운 그 학생이군." 내가 숨을 들이마시기도 전에, "저 애에 대해 할 말이 있는데, 잊지 말아야지." 하고 말하면서 큰 소리로 외쳤다. 어쩌면 그리도 큰 소리로 들렸던지! "석판을 깨뜨린 저 애를 앞으로 나오도록 해!"

내 힘만으로는 나는 도저히 꼼짝도 할 수 없었을 것이다. 온몸이 마비된 상태였다. 그러나 내 양쪽에 앉았던 덩치 큰 소녀 두 명이 나를 일으켜 세우더니 그 무시무시한 심판관 앞으로 나를 밀었다. 그러자 템플 선생님이 나를 그의 발치까지 가도록 거들었다. 그때 나는 템플 선생님이 속삭이는 소리로 조언하는 것을 들었다.

"제인, 겁내지 마라. 내 보기엔 단순한 사고였다. 벌받는 일은 없을 거다."

이 친절한 속삭임이 비수처럼 내 가슴을 찔렀다.

'1분만 있으면 템플 선생님도 위선자라고 나를 멸시하시겠지.' 하는 생각이 들었다. 또한 그런 확신 때문에 리드 부인과 브로클허스트 씨와 기타 등등에 대한 일시적 분노의 충동이 내 맥박 속에서 뛰기 시작했다. 나는 헬렌 번스가 아니었다.

"저 걸상을 가져와라." 브로클허스트 씨는 반장 하나가 방금 일어난 걸상을 가리키며 말했다. 그 걸상이 옮겨졌다.

"저 애를 그 걸상 위에 올려놓아라."

그러자 나는 누군가 모르는 사람에 의해 그곳에 올려졌다. 세세한 것들에 신경을 쓸 처지가 아니었다. 다만 사람들이 나를 브로클허스트 씨의 코 높이까지 들어 올렸다는 것, 그가 내게서 1야드 이내에 있다는 것, 보는 각도에 따라 빛깔이 달라 보이는 오렌지색, 자주색 모피 외투가 펼쳐져 있다는 것, 그리고 구름 같은 은백색 깃털이 내 아래 펼쳐져 물결 모양으로 흔들리고 있다는 것을 알았을 뿐이다.

브로클허스트 씨는 헛기침으로 목을 가다듬었다.

"숙녀분들," 하고 그가 자기 가족들을 향해 말했다. "템플 선생님, 여러 선생님들과 학생 여러분, 모두 이 학생이 보이지요?"

물론 그들은 내 모습을 보았을 것이다. 모두의 시선이 마치 초점을 맞추듯 나의 그을린 피부에 집중되어 있었기 때문이다.

"여러분이 보시다시피 이 아이는 아직 어린아이입니다. 보시다시피 이 아이는 보통 어린아이의 형상을 하고 있습니다. 하느님께서는 이 아이에게 우리 모두에게 주신 것과 똑같은 형상을 주셨습니다. 어떤 장애의 징후도 이 아이의 두드러진 특징으로 나타나지 않고 있습니다. 그런데 악한 사탄이 이 아이를 이미 자신의 하인과 하수인으로 삼았을 줄은 그 누가 상상할 수 있겠습니까? 이런 말을 하게 되어 유감입니다만 내 말이 사실입니다."

잠시 정적이 흘렀다. 그동안 나는 마비되었던 신경을 진정시키고 이미 루비콘 강을 건넜구나 생각하기 시작했다. 이 시련을 더 이상 피하려고 할 것이 아니라 굳건히 견뎌내자고 마음먹었다.

"친애하는 학생 여러분." 검정 대리석 같은 목사가 비장한 어조로 다시 말을 이었다. "참으로 슬프고 우울한 일입니다. 하느님의 어린양들 중 한 마리가 될 수도 있는 이 아이가 하느님에게서 버림받은 아이라는 것을 여러분에게 경고하는 것이 내 의무이기 때문입니다. 이 아이는 참된 양 떼의 일원이 아니라 명백히 불법 침입자이며 이방인입니다. 그러니 여러분은 이 아이를 반드시 경계해야 합니다. 절대로 이 아이를 본받지 말아야 합니다. 필요하면 이 아이와 어울리는 일도 피해야 합니다. 노는 자리에 끼워주어도 안 되고 대화에서도 빼버려야 합니다. 선생님들도 이 아이를 감시해야 합니다. 이 아이의 움직임을 계속 주시하고, 하는 말을 평가하고, 하는 행동을 꼼꼼히 살피고, 영혼을 구제하기 위해서 체벌을 가해야 합니다. 사실 그런 구원이 가능하다면 그렇다는 말입니다.(이런 말을 하자니 말까지 더듬거리게 됩니다.) 이 아이는, 기독교 국가에서 태어난 이 아이는 브라마 신에게 기도하고 자가나트 신 앞에 무릎을 꿇는 수많은 이교도 아이들보다도 더 사악한 아이입니다……. 바로 거짓말쟁이이기 때문입니다!"

이제 10분간의 휴식이 주어졌다. 그동안에 완전히 제정신으로 돌아온 나는 교실 안의 모든 여자들을 살펴보았다. 브로클허스트 집안의 여자들은 모두 손수건을 꺼내어 눈에 갖다 대고 있었다. 브로클허스트 부인은 몸을 앞뒤로 흔들어대고 있었고 어린 두 딸들은 "정말 충격적이야!" 하고 속삭이고 있었다. 브로클허스트 씨가 다시 말을 계속했다.

"나는 그런 사실을 저 아이의 은인한테서 들어 알게 되었습니다. 고아였던 저 아이를 받아들여 친딸처럼 키웠던 신앙심이 돈독하고 인자한 부인에게서 들었다는 말입니다. 그 부인의 친절과 너그러움을 저 불행한 아이는 너무나 악독하고 끔찍한 배은망덕으로 되갚았던 것입니다. 그래서 마침내 고매하신 그 후원자께서는 저 아이의 사악함을 본받아 자기 친자식들의 맑은 심성이 오염될까 두려워서 부득이 저 아이를 그들에게서 떼어놓을 수밖에 없었습니다. 그래서 부인은 치유를 위해 저 아이를 이곳으로 보냈습니다. 옛날 유대인들이 병자를 베데스다* 연못에 보냈던 것과 같은 이치입니다. 그러니까 교장 선생님을 위시해서 여러 선생님들은 저 아이 주변의 연못물이 고여 침체되게끔 방치하는 일이 없기를 부탁합니다."

이렇게 숭고한 결론을 내리고는 브로클허스트 씨는 외투의 맨 윗단추를 바로 한 뒤 자기 가족들에게 무슨 말을 비밀스럽게 했다. 그러자 가족들은 모두 일어나 템플 선생님에게 인사를 했다. 그러고는 모든 그 위대하신 분들은 당당하게 교실에서 걸어 나갔다. 문에서 몸을 돌려 내 심판관이 말했다.

"저 아이를 걸상 위에 반 시간 더 서 있게 하십시오. 그리고 오늘 나머지 시간 동안 누구도 저 아이에게 말을 걸지 못하게 하시오."

그래서 나는 걸상 위에 높이 서 있었다. 교실 한가운데 치욕스럽게 맨발로 서 있는 일도 참지 못하겠다고 말했던 내가 지금 치욕스럽게 걸상 받침대 위에 올라서서 모든 사람의 시선을 받게 된 것이다. 그때의 내 감정이 어땠는지 무슨 말로도 표현할 수가 없다. 갖가지 감정이 치밀어오르면서 내 호흡을 틀어막고 목을 죄던 순간 한 여학생이 다가와 내 곁을 지나갔다. 지나가면서 그녀는 눈을 들어 나를 올려다보았다. 그 시선에 얼마나 야릇한 빛이 서려 있었던 가! 그 눈빛이 내 온몸을 관통하며 얼마나 묘한 감정을 불러일으켰던가! 그리고 그 새로운 감정이 얼마나 큰 버팀목이 되었던가! 마치 어느 영웅이 된 순교자가 노예나 희생자 앞을 지나치는 것 같았고, 지나치는 동안에 그들에게 힘을 전해주는 것과 같았다. 나는 움터 오르는 히스테리적 광증을 극복하며 고개를 들고 걸상 위에 당

---

* 요한복음 5장 2~9절. 물을 움직이면 불구자를 치료할 수 있는 것으로 알려진 연못인데, 사람들은 그 물을 천사가 움직이게 한다고 믿었다.

닿히 섰다. 헬렌 번스는 스미스 선생님에게 가서 바느질 일감에 대해 몇 가지 가벼운 질문을 했고, 하찮은 질문을 한다고 꾸중을 들은 뒤 다시 자기 자리로 돌아갔다. 그녀가 내 곁을 지나치면서 다시 한 번 미소를 지어 보였다. 얼마나 멋진 미소였던가! 나는 지금도 그 미소를 기억한다. 그 미소가 뛰어난 지혜와 진정한 용기에서 우러나온 미소였다는 것을 이제는 알고 있다. 그 미소는 마치 천사의 모습을 비춰주는 반사광처럼 그녀의 두드러진 용모와 가냘픈 얼굴과 그 얼굴에 깊이 박힌 회색 눈을 환하게 밝혀주고 있었다. 그러나 사실은 그때 헬렌 번스 자신도 팔에 벌로 달고 다녀야 하는 '칠칠찮은 학생'이란 배지를 달고 있었다. 헬렌이 연습 문제 옮겨 적기를 하다가 그만 잉크를 흘려 종이를 얼룩지게 했다는 죄로 스캐처드 선생님에게서 다음 날 점심으로 빵과 물만 먹어야 한다는 벌을 받는 소리를 들은 게 한 시간도 지나지 않았다. 인간의 본성이란 그처럼 불완전한 것 아닌가! 가장 깨끗한 혹성의 원형 표면 위에도 그런 얼룩이 있는 법이다. 그런데 스캐처드 선생님 같은 사람의 눈은 그저 그런 사소한 결점들만 볼 수 있을 뿐, 밝게 빛나는 둥근 천체의 완전한 모습은 보지 못한다.

제8장

그 정해놓은 반 시간이 끝나기 전에 시계가 다섯 시를 쳤다. 수업이 끝났다. 학생들은 모두 차를 마시러 식당으로 가버렸다. 나는 과감하게 걸상에서 내려왔다. 땅거미가 깊게 깔려 있었다. 나는 구석으로 가서 바닥에 앉았다. 그때까지 나를 지탱해준 마력이 없어지기 시작했다. 반작용이 일어났다. 그래서 곧 나를 사로잡는 슬픔에 압도되어 나는 얼굴을 바닥에 대고 엎드렸다. 나는 눈물을 흘렸다. 헬렌 번스도 이곳에 없었다. 나를 지탱해주는 것은 아무것도 없었다. 홀로 남겨진 나는 자포자기 상태였다. 흘러내린 눈물은 바닥 널빤지를 적셨다. 착한 사람이 되려 했고 로우드 학교에서 많은 것을 배우려고 했었다. 친구도 많이 사귀고 존경도 받고 사랑을 얻으려고 했었다. 이미 나는 눈에 보이는 진전을 이루고 있었다. 바로 그날 아침 드디어 나는 우리 반의 일등 자리에 올랐다. 밀러 선생님이 나를 따뜻하게 칭찬해주셨고 템플 선생님도 찬성의 미소를 지어보였다. 선생님은 내가 두 달만 더 지금 같은 향상을 보여준다면 그림도 가르쳐주고 프랑스어로 수업도 받게 하겠다고 약속하셨다. 그리고 동료 학생들은 나를 잘 받아주었고 동년배들은 나를 동등한 친구로 대우했다. 누구도 나를 괴롭히지 않았다. 그런데 바로 그러 시점에서 나는 다시 으깨지고 짓밟혀버린 것이다, 내가 앞으로 다시 일어설 수 있을까?

'절대 못해'라는 생각이 들었다. 나는 죽어버리기를 간절히 바랐다. 흐느끼며 죽고 싶다는 소망을 띄엄띄엄 중얼거리고 있는 동안 누군가가 다가왔다. 나는 깜짝 놀라 몸을 일으켰다…… 헬렌 번스가 다시 가까이 오고 있었다. 꺼져가는 난로의 불빛이 텅 빈 긴 교실을 걸어오는 그녀의 모습을 보여주었다. 헬렌은 내 커피와 빵을 들고 있었다.

"자, 뭘 좀 먹어." 그녀가 말했다. 그러나 나는 그 두 가지를 치웠다. 지금 같아서는 커피 한 방울이나 작은 빵 부스러기만 먹어도 목이 멜 것 같았다. 헬렌은 나를 물끄러미 바라보았다. 아마 놀란 모양이었다. 열심히 노력했지만 나는 그때까지도 내 흥분을 가라앉히지 못하고 있었다. 그녀는 내 옆에 앉아 두 팔로 무릎을 감싸고 그 위에 머리를 올려놓았다. 그런 자세로 인디언처럼 침묵을 지키고 있었다. 먼저 말을 시작한 건 나였다.

"헬렌, 모든 사람이 거짓말쟁이로 믿고 있는 나 같은 애하고 왜 같이 있니?"

"모든 사람? 제인, 네가 거짓말쟁이라는 소리를 들은 사람은 겨우 80명밖에 안 돼. 세상에는 몇억의 사람이 살고 있고."

"하지만 나랑 그 몇억 사람이 무슨 상관이야? 내가 아는 80명이 나를 경멸하는데."

"제인, 넌 잘못 생각하고 있어. 아마 이 학교에서 너를 경멸하고 싫어하는 사람은 단 한 명도 없을 거야. 난 확신해. 많은 사람들이 너를 많이 동정하고 있다는 걸 말야."

"브로클허스트 씨의 말을 듣고 어떻게 나를 동정할 수 있겠어?"

"브로클허스트 씨는 신이 아니야. 그리고 위대한 사람도 아니고 존경받는 사람도 아니야. 그를 좋아하는 사람도 없다시피 해. 자신을 환영받는 인물로 만들려는 노력은 전혀 안 하는 사람이야. 만일 그 사람이 너를 각별히 총애하는 학생으로 대접했다면, 오히려 네 주변에는 공공연한 아니면 은밀한 적들만 남았을 거야. 현실은 이래. 용기만 있으면 네게 동정을 표시할 사람은 꽤 많을 거야. 선생님들과 학생들이 하루 이틀 동안은 너를 차가운 눈으로 바라볼 지도 모르지. 하지만 가슴속에는 친근함이 숨어 있을 거야. 그러니까 네가 참고 잘 해나가기만 하면 머지않아 그들의 다정한 감정이 잠시 눌렸기 때문에 더더욱 뚜렷하게 나타날 거야. 게다가, 제인," 그녀가 말을 멈췄다.

"헬렌, 말해봐." 내 손을 그녀의 손 안에 집어넣으며 내가 말했다. 그녀가 내 손을 따뜻하게 해주려고 부드럽게 비벼대며 계속해서 말했다.

"세상 사람 모두가 너를 싫어하고 사악한 아이라고 믿는다 해도, 네 자신의 양심이 널 인정해주고 네 죄를 용서한다면 네게 친구가 없을 리 없어."

"맞아. 나도 나 스스로를 좋게 생각해야 한다는 건 알아. 하지만 그건 충분하지 않아. 다른 사람들이 나를 사랑하지 않는다면 난 차라리 죽고 싶어. 나는 외톨박이가 되고 남의 미움을 받는 건 견딜 수 없어. 헬렌, 여길 봐. 너나 템플 선생님이나 혹은 누구든 내가 진정으로 사랑하는 사람의 진정한 사랑을 얻기 위해서라면, 나는 팔뼈가 부러지는 일, 황소 뿔에 받혀 하늘로 솟구치는 일, 발길질을 해대는 말 뒤에 서서 ᄀ 맘밤굽에 가슴을 채이는 일까지도 기꺼이 감수할 거야."

"그런 말 마! 제인! 넌 인간의 사랑을 너무 귀한 것으로 생각하고 있는 거야. 너는 너무 충동적이고 너무 격정적이야. 네 몸을 창조하고 거기에 생명을 불어넣어주신 권능의 손은 네 나약한 자아 말고도 다른 자질을 네게 부여하셨어. 너처럼 나약한 피조물들이 가지고 있는 것 말고 다른 자질을 말야. 이 지구 말고, 현재의 인류 말고, 눈에 보이지 않는 세계와 영혼들의 왕국이 있는 거야. 그 세계는 우리 주변에 있어. 도처에 편재해 있는 세계이기 때문이야. 그리고 그들 영혼들이 우리를 지켜보고 있어. 우리를 지키라는 사명을 부여받았기 때문이야. 우리가 고통과 치욕 속에서 죽어가고, 사방에서 멸시의 칼날이 우리를 저미고, 증오가 우리를 으깨버려도, 천사들이 우리의 고통을 굽어보며 우리의 결백을 인정해주는 거야.(우리에게 아무 죄도 없다면 말야. 브로클허스트 씨가 힘도 없으면서 거들먹거리며 리드 부인에게 간접적으로 들은 네 이야기를 반복할 때 너는 그런 비난을 받을 죄를 짓지 않았다는 걸 나는 알았어. 네 타오르는 눈빛과 맑은 이마에서 어떤 진지한 성품을 읽었기 때문이야.) 하느님은 충분한 보상이라는 월계관을 우리에게 씌워주시기 위해 영혼이 육신에서 이탈하기만을 기다리시는 거야. 그러니 왜 우리가 고통에 눌려 쓰러져야 되니? 인생은 너무나 빨리 끝나는 것이고 죽음은 행복으로의…… 영광으로의 확실한 관문인데."

나는 잠자코 있었다. 헬렌이 내 마음을 진정시켰던 것이다. 그러나 그녀가 전해준 그 평온함 속에는 표현할 수 없는 애달픔이 섞여 있었다. 나는 그녀가 말할 때 어떤 재앙이 닥치고 있다는 인상을 받았다. 그러나 그것이 어디서 기인하는 것인지는 알 수 없었다. 그런데 말을 마치자 그녀는 다소 가쁘게 숨을 내쉬었고 짤막한 기침을 내뱉는 것이었다. 그때 나는 그녀에 대한 막연한 걱정으로 잠시 내 슬픔을 잊어버렸다.

헬렌의 어깨에 머리를 기대고 나는 두 팔로 그녀의 허리를 감았다. 그녀가 나를 가까이 끌어당겨서 우리는 아무 말도 하지 않은 채 편안히 쉬었다. 그렇게 앉아 있고 나서 얼마 되지 않아 누군가가 들어왔다. 하늘에 있던 약간의 육중한 구름이 바람에 쓸려가 달을 환하게 남겨두는 것이었다. 그러자 달빛은 가까운 창문으로 흘러들어와 우리 두 사람과 다가오는 사람을 비춰주었다. 우리는 즉시 그 사람이 템플 선생님이라는 것을 알아차렸다.

"일부러 너를 찾아왔다. 제인 에어." 템플 선생님이 말했다. "내 방에서 좀 보자. 헬렌이 같이 와도 좋다."

우리는 그리로 갔다. 교장 선생님이 가르쳐주신 대로 우리는 복잡한 복도를 요리저리 빠져나가야 했고 방에 도착하기에 앞서 계단을 올라가야 했다. 그 방은 잘 피어오른 난롯불 덕분에 밝아 보였다. 템플 선생님은 헬렌 번스에게 난로 한편에 놓인 낮은 안락의자에 앉으라고 하셨고 또 다른 안락의자에 앉으며 나더러는 옆으로 오라고 하셨다.

"이제 다 끝났니?" 내 얼굴을 내려다보며 그녀는 말했다. "실컷 울어 슬픔을 모두 흘려보냈느냐는 말이다."

"결코 그렇게 되진 않을 것 같아요."

"왜?"

"부당하게 비난을 받았기 때문이에요. 그리고 교장 선생님과 다른 모든 사람들이 이제 저를 악독한 아이라고 생각할 테니까요."

"우리는 네가 앞으로 나는 이런 사람입니다 하고 입증하면 그게 바로 너라고 생각할 거다. 애야, 그러니 앞으로도 계속해서 착하게 행동해라. 그러면 나를 만족시키게 될 거다."

"제가 그렇게 될까요, 템플 선생님?"

"그렇게 되고말고." 그녀가 내 몸에 팔을 두르며 말했다. "자, 이제 브로클허스트 씨가 네 은인이라고 말한 부인이 누군지 말해주겠니?"

"리드 부인 말씀이군요. 제 외숙모예요. 외삼촌이 돌아가시면서 저를 그분에게 맡겼어요. 보살피라고요."

"그럼, 리드 부인이 자발적으로 너를 받아준 게 아니구나?"

"네, 선생님. 그분은 그런 상황을 유감스러워했어요. 하지만 돌아가시기 직전에 외삼촌이 저를 항상 데리고 있겠다는 약속을 부인에게 받아냈다고 했어요. 하인들에게서 여러 번 들은 이야기예요."

"제인, 너도 알겠지만, 모른다면 내가 이야기하겠는데, 그건 어떤 죄인이라도 고소를 당하면 늘 자기변호를 할 기회가 주어진다는 거다. 너는 거짓말을 했다고 비난을 받았다. 그러니 최선을 다해 네 자신을 변호해보아라. 네 기억에 진실이라고 생각되는 것은 무엇이나 말해라. 그러나 없는 사실을 추가하거나 과장하진 말아라."

나는 마음속으로 가장 온건하고 가장 정확히 말하겠다고 결심했다. 그래서 해야 할 말을 조리 있게 이야기하기 위해 몇 분간 깊이 생각하고 나서 내 슬픈 어린 시절 이야기를 그녀에게 모두 털어놓았다. 이미 정서적으로 탈진 상태였기 때문에 슬픈 화제를 전개할 때 내 언어는 평상시보다 더 절제된 상태였다. 또한 분노에 빠져들지 말라고 한 헬렌의 경고를 상기하고 나는 내 이야기 속에 상처와 고통을 이야기하는 내용은 보통 때보다 적게 집어넣었다. 이렇게 절제되고 단순화된 이야기는 더욱 신빙성 있게 들렸다. 이야기를 계속하는 동안에 나는 템플 선생님이 내 말을 전적으로 믿어준다고 느꼈다.

이야기를 하는 도중, 내가 발작을 일으킨 직후 약제사 로이드 선생님이 나를 보러 왔다는 말을 했다. 나는 그 너무도 끔찍했던, 붉은 방 사건을 결코 잊지 못하고 있었다. 내겐 그랬단 말이다. 붉은 방 사건을 세세히 이야기하면서 너무 흥분한 나머지 분명 어느 정도 한계선을 분명 넘어선 것 같았다. 리드 부인이 내 처절한 애원을 거절하고 유령이 나올 것 같은 그 캄캄한 방에 두 번째로 감금하고 문을 잠가버렸을 때 내 가슴을 움켜잡았던 발작적 고뇌는 회상 속에서도 도저히 누그러뜨릴 수가 없었기 때문이다.

나는 이야기를 마쳤다. 템플 선생님은 2, 3분 동안 묵묵히 나를 바라보았다. 그러더니 그녀가 입을 열었다.

"로이드 씨라는 분에 대해서는 나도 조금 알고 있다. 그분에게 편지를 보내마. 만약 그분의 회답이 네 말과 일치하면 많은 사람들 앞에서 네가 받았던 그 비난에서 네가 벗어나게 해주겠다. 제인, 하지만 제인, 내 지금의 생각은 네가 결백하다는 것이다."

그녀는 내게 키스를 해주었다. 계속 나를 곁에 두면서 (거기 서 있는 게 퍽 만족스러웠다. 그분의 얼굴, 옷, 한두 개의 장식, 하얀 이마, 풍성하고 윤이 흐르는 곱슬머리, 그리고 반짝이는 까만 눈을 바라보는 데서 나는 어린애 같은 기쁨을 얻어냈다.) 이번에는 헬렌 번스에게 말하기 시작했다.

"헬렌, 오늘 밤은 몸이 어떠니? 오늘도 기침 많이 했니?"

"그리 많이 한 것 같진 않아요, 선생님."

"가슴의 통증은?"

"조금 나아졌어요."

템플 선생님은 자리에서 일어나 헬렌의 손을 잡고 맥을 짚어보았다. 그러더니 자기 자리로 돌아왔다. 자리에 다시 앉을 때 나는 선생님이 낮게 한숨을 내쉬는 소리를 들었다. 잠시 수심에 잠겨 있다가 선생님은 몸을 일으키며 명랑한 어조로 말했다.

"어쨌든 너희 둘은 오늘 밤 내 손님이다. 그러니 손님 대접을 해야겠구나." 그녀는 벨을 울렸다.

"바바라." 부름에 응하여 달려온 하인에게 선생님이 말했다. "난 아직 차를 안 마셨어. 차 쟁반을 들여와. 그리고 이 두 어린 숙녀들을 위해 컵들을 가져와."

그러자 곧 쟁반이 들어왔다. 난로 옆 작고 둥근 탁자 위에 놓인 사기 컵들과 밝게 빛나는 찻주전자가 내 눈에 얼마나 예쁘게 보였는지 모른다. 차에서 모락모락 피어오르던 김은 또 얼마나 향기로운 냄새를 풍겼던가! 게다가 토스트에서는 얼마나 맛있는 냄새가 났던가! 그러나 실망스럽게도 내 눈에 보인 토스트는 매우 양이 적었다. 템플 선생님 역시 그 사실을 알아차린 모양이었다.

"바바라." 선생님이 말했다. "빵과 버터를 좀 더 갖다줄 수 없겠니? 세 명이 먹기엔 좀 부족하겠어."

바바라가 나갔다가 곧 돌아왔다.

"선생님, 하든 부인이 평소 분량대로 올려 보냈다고 하는데요."

밝혀둘 사실이 있다. 하든 부인이란 사람은 살림을 담당하는 하녀장이었다. 브로클허스트 씨의 심장을 그대로 빼닮은 부인인데, 마치 고래 뼈와 강철을 반반씩 섞어 만든 심장의 소유자 같았다.

"그래, 잘 알았어." 템플 선생님이 응답했다. "바바라, 그냥 이 걸로 때워보지 뭐." 어린 하녀가 물러가자 선생님은 미소를 지으며 말했다. "다행히 이번 한 번만은 내 실력으로 부족한 양을 메울 수 있단 말야."

선생님은 헬렌과 나를 탁자 쪽으로 가까이 오라고 말한 후 우리들 각자 앞에 차 한 잔과 맛있지만 얄팍한 토스트 조각을 올려놓았다. 그러고 나서 선생님은 서랍을 열더니 그 안에서 종이에 싼 꾸러미를 꺼냈다. 이윽고 그 안에 있던 씨앗을 넣어 만든 큼직한 케이크가 우리들 눈앞에 모습을 드러냈다.

"너희들이 돌아갈 때 각자 가져가라고 조금씩 나눠줄 참이었어." 그녀가 말했다. "그러나 토스트 양이 너무 적으니 지금 먹어야겠다." 그러고는 케이크를 자르기 시작했다. 쩨쩨한 구석이 없고 손이 큰 분이었다.

그날 저녁 우리는 마치 신들이 먹는 맛있는 술과 음식을 먹듯 잔치를 벌였다. 그 잔치에서 또한 적지 않은 기쁨을 준 것은 잔치 주인이 아낌없이 제공한 맛있는 음식으로 허기진 식욕을 채울 때 우리를 바라보며 지어 보인 흐뭇해하는 미소, 그 주인의 미소였다.

차를 다 마시고 쟁반이 치워지자 선생님은 다시 우리를 난롯가로 불렀다. 우리는 그녀의 양쪽에 앉았다. 그런데 이제는 대화가 선생님과 헬렌 사이에서 오고갔다. 그런 대화를 듣도록 허용된 것은 실로 대단한 특권이었다.

템플 선생님은 늘 풍채가 침착한 데가 있었고 거동에 위엄이 있었고 구사하는 언어에 세련된 특징이 깃들어 있었다. 그래서 그녀가 격정적이거나 흥분하거나 무엇을 열망하는 정신 상태에 빠지는 일은 없었다. 그녀를 바라보고 그녀의 말을 경청할 때 느끼는 기쁨을 감소시키는 무언가가 있다면 그건 바로 좌중을 압도하는 그녀에 대한 경외심이었다. 그런 것이 그때의 내 느낌이었다. 그러나 헬렌 번스에 대해 말하자면 나는 놀라서 정신이 아찔할 정도였다.

생기를 가져다준 음식과 밝게 타오르는 난롯불과 사랑하는 선생님의 존재와 친절 때문이었는지, 아니면 다른 무엇보다도 자신의 독특한 정신 안에 있는 그 무언가 때문이었는지는 알 수 없지만, 헬렌 내면에 있는 여러 가지 힘이 솟아나 있었다. 그 힘들은 잠을 깨고 불이 붙여진 상태였다. 그 힘은 제일 먼저 그녀의 뺨에서 밝은 색깔로 타올랐다. 그 시간까지 늘 창백하고 핏기 없는 모습만 보여주던 뺨이었다. 다음으로 그 힘은 촉촉해진 눈의 광채 속에서 빛을 발했다. 그 눈은 갑자기 템플 선생님의 눈보다 훨씬 더 독특한 아름다움을 발했다. 예쁜 빛깔과 긴 속눈썹과 연필로 그린 눈썹이 만들어내는 아름다움이 아니라 눈의 의미와 움직임과 광채가 나타내는 아름다움이었다. 다음으로 그녀의 입술에도 그녀의 혼이 앉아 있었고, 어떤 샘물에서 흘러나온 것인지 알 수 없는 말들이 그 입술을 통해 흘러나오고 있었다. 도대체 열네 살짜리 소녀가 얼마나 크고 기운찬 심장을 가졌기에, 순수하고 당차고 열정적인 웅변의 샘, 그것도 자꾸 물이 불어나는 샘을 그 안에 담고 있단 말인가? 내 기억에 남는 그날 저녁에 헬렌이 한 말의 특징은 바로 그런 것이었다. 그녀의 정신은 많은 사람들이 질질 끌면서 오래 사는 그 긴 시간을 아주 짧은 시간에 다 살아버리려고 서두르는 것 같았다.

그 두 사람은 내가 들어본 적이 없는 일들에 대해 대화했다. 여러 국가들, 지나간 시대들, 먼 나라들에 대해 이야기했고, 발견되었거나 추측되는 자연의 비밀들이 화제였다. 그들은 책에 대해서도 이야기했다. 그들이 읽은 책이 그렇게 많다니! 얼마나 방대한 지식을 축적했던가! 다음으로 그들은 프랑스 이름과 프랑스 작가들을 너무나 잘 알고 있는 것 같았다. 템플 선생님이 헬렌에게 너의 아버지가 틈틈이 시간을 내어 가르쳐주신 라틴어를 복습하느냐고 물으시더니, 서가에서 책 한 권을 꺼내어 베르길리우스가 쓴 한 페이지를 해석하도록 했을 때 나의 경탄은 극에 달했다. 헬렌은 선생님이 시키는 대로 그 글을 한 줄 한 줄 소리 내어 읽을 때마다 존경을 담당하는 내 신체 기관은 점점 더 팽창했다. 헬렌이 글 읽기를 마치자 취침 시간을 알리는 종이 울렸다. 더 이상 꾸물거릴 시간이 없었다. 템플 선생님이 우리 둘을 안고 가슴 쪽으로 바싹 당기며 말했다.

"얘들아, 너희들에게 하느님의 축복이 내리기를 빈다."

선생님은 나보다 헬렌을 조금 더 오래 안고 있었다. 그리고 더 마지못하는 태도로 헬렌을 놓아주었다. 우리가 문에 갈 때까지 선생님이 계속 시선을 떼지 못한 쪽도 헬렌이었다. 그리고 두 번째로 슬픔이 담긴 한숨을 내쉰 것도 헬렌 때문이었다. 선생님은 헬렌 때문에 뺨에서 흘러내리는 눈물을 닦았다.

침실에 도착하자마자 스캐처드 선생님의 목소리가 들렸다. 그녀는 서랍 검사를 하고 있었다. 마침 헬렌의 서랍을 열고 있던 참이었다. 우리가 들어섰을 때 날카로운 질책이 헬렌을 맞이했다. 이어서 헬렌은 지저분하게 접어놓은 대여섯 개의 소지품을 어깨에 붙여놓는 벌을 다음 날 받을 것이라고 통보받았다.

"정말 내 소지품들은 뒤죽박죽이었어," 헬렌이 작은 목소리로 내게 속삭였다. "정리하려고 했었는데 깜빡했어."

다음 날 아침 스캐처드 선생님은 판지 한 장 위에다 눈에 띄는 큰 글씨체로 '단정치 못한 여자'라고 쓰고는, 그걸 이마에 거는 성구함처럼 헬렌의 넓고 온순하고 지적이고 착해 보이는 이마에 걸게 했다. 헬렌은 그것을 마땅히 받아야 할 벌로 여기고 참을성 있게 화도 내지 않으며 저녁때까지 걸고 다녔다. 오후 수업이 끝나고 스캐처드 선생님이 교실에서 나가는 순간 나는 헬렌에게 달려가 판지를 떼어내어 난롯불 속에 던졌다. 헬렌이 어떻게도 할 수 없었던 분노가 온종일 내 영혼 속에서 타고 있었고, 뜨겁고 굵은 눈물방울이 끊임없이 내 뺨을 뜨겁게 덥히고 있었다. 그녀가 슬프게 체념하는 모습이 내 가슴에 견딜 수 없는 고통을 주었기 때문이다.

이런 사건이 있은 지 1주일쯤 지났을 때 로이드 약제사에게 편지를 보냈던 템플 선생님에게 답장이 왔다. 답장에는 내 말을 입증해주는 내용이 담긴 것 같았다. 템플 선생님은 학교의 모든 성원들을 모이게 한 뒤, 제인 에어에게 가해졌던 비난에 대해 문의했었다는 말과, 다행스럽게도 제인은 그 모든 비난을 깨끗이 벗어났다고 말할 수 있게 되어 매우 행복하다고 선언했다. 그러자 선생님들이 나와 악수를 했고 키스도 해주었다. 동료 학생들의 대열 사이에서도 기쁨으로 웅성거리는 소리가 퍼졌다.

이처럼 통탄스러웠던 짐을 벗어버린 나는 바로 그 시간부터 모든 난관을 개척자처럼 뚫고 나가겠다는 결심을 하고 새롭게 공부를 하기 시작했다. 나는 힘들여 공부에 임했다. 그러자 그 성과는 노력에 비례했다. 내 기억력은 태어날 때부터 좋은 편은 아니었지만 활용할수록 향상되었다. 연습이 내 지력을 날카롭게 해주었다. 몇 주가 지나자 나는 한 학년 윗반으로 월반했다. 또한 두 달도 채 지나기 전에 내게 프랑스어와 그림을 배우는 일이 허용되었다. 나는 프랑스어 에트르(Etre) 동사의 첫 두 가지 시제를 배웠고 처음으로 오두막 한 채를 스케치했다.(오두막의 벽들은 기울어진 경사에 있어 피사의 사탑을 훨씬 능가할 정도였다.) 이러한 프랑스어 학습과 오두막 그리기는 같은 날에 있었던 일이다. 그날 밤 잠자리에 들었을 때 나는 내 허기진 배속의 갈망을 달래곤 했던, 뜨겁게 구운 감자와 하얀 빵과 신선한 우유 등 바르메시드*의 저녁 식사를 상상 속에서 준비하는 걸 잊었다. 그 대신 나는 어둠 속에서 내 눈에 들어오는 이상적인 화폭이 펼치는 장관을 마음껏 눈요기했다. 모두가 내 손으로 그린 작품들이었다. 연필로 자유분방하게 그린 집과 나무, 그림처럼 아름다운 바위와 폐허, 쿠이프**의 그림을 닮은 가축 떼, 아직 봉오리를 터뜨리지 않은 장미꽃 위를 맴도는 나비들, 익은 버찌를 쪼아 먹는 새들, 어린 담쟁이 잔가지들로 주위를 엮은 굴뚝새 둥지, 그 안에 진주 같은 알을 담고 있는 둥지를 그린 아름다운 그림들이었다. 또한 나는 그날 피에로 선생님이 보여준 짤막한 프랑스어 단편소설을 내가 유창하게 번역할 가능성에 대해서도 생각해봤다. 하지만 그 문제는 내가 달콤한 잠에 빠지기 전까지는 만족스럽게 풀리지 않았다.

솔로몬은 멋진 말을 남겼다. "살진 소고기를 먹으며 서로 미워

---

* 《아라비안나이트》에 나오는 부자. 진미라고 하면서 빈 그릇만 내놓았던 인물.
** 알베르트 쿠이프(1620~1691). 네덜란드의 풍경화 작가. 사실주의 화가였다.

하는 것보다 사랑하며 채소를 먹는 편이 낫다."

　온통 궁핍으로 둘러싸인 로우드 학교지만, 나는 이곳을 게이츠 헤드와 그 매일같이 넘치는 사치로운 생활과는 절대로 바꾸지 않을 것이다.

제9장

　그러나 로우드 생활의 궁핍함, 아니, 고난이라는 표현이 더 적절할지 모르지만, 그 궁핍함이 조금 가셨다. 봄이 다가오고 있었다. 사실 봄은 이미 와 있었다. 서릿발 같은 겨울은 끝났다. 겨울의 눈도 녹았다. 살을 에는 바람도 누그러졌다. 1월의 칼바람에 껍질이 벗겨지고 절름거릴 정도로 부어오른 내 불쌍한 발은 4월의 온화한 입김을 받아 아물면서 가라앉기 시작했다. 밤과 아침은 캐나다에서와 같은 낮은 기온으로 우리의 혈관을 흐르는 바로 그 피를 더 이상 얼리지 않았다. 우리는 이제 교정에서 보내는 휴식 시간도 견딜 수 있었다. 때로 화창한 날에는 그 휴식 시간이 유쾌하고 쾌적하게 느껴지기 시작했다. 또한 그 갈색 화단 위에도 초록색이 자라고 있었다. 초록빛은 매일 생기를 발산했고, 마치 희망의 여신이 밤에 그곳을 밟고 횡단하면서 매일 아침 더 밝아진 자기 발자국을 남겨놓은 것 같았다. 잎사귀 사이에서는 꽃들이 빠끔히 밖을 내다보았다. 아네모네꽃, 크로커스, 자주색 앵초, 황금 눈을 한 팬지 등이 얼굴을 내밀었다. 반공휴일에 해당하는 목요일 오후마다 이제 우리는 산책을 나갔다. 그래서 길 가장자리 울타리 밑에서 피어나는 더 예쁜 꽃들을 발견했다.

또한 내가 발견한 사실은, 사람들의 침입을 막는 스파이크가 박힌 높은 교정 담장 밖에는 거대한 기쁨이 깔려 있다는 사실이었다. 끝없이 펼쳐진 기쁨, 지평선에 다다라야만 그 한계에 이르는 광대한 기쁨이었다. 그 기쁨은 신록과 그림자로 가득 찬 거대한 계곡을 둘러싼, 귀족과도 같은 모습을 한 산봉우리들이 그리는 정경 속에 있었고, 검은 돌들과 반짝이는 소용돌이로 가득 찬 밝은 벽계수 속에 있었다. 같은 경치인데도 얼음으로 굳어지고 눈으로 덮인 채 강철 같은 겨울 하늘 아래 펼쳐져 있던 모습을 볼 때는 왜 그리 달라 보였던지! 죽음처럼 선뜻한 안개가 동풍이 하자는 대로 이 보랏빛 산봉우리들을 따라 헤매다가 초원까지 굴러내려 마침내 계곡물의 얼어붙은 안개와 섞이던 그 겨울! 계곡물 자체도 그때는 거침없는 탁한 급류로서 숲을 가르며 흘러, 허공 속으로 요란한 광란의 소리를 날려 보내며 종종 거세게 퍼붓는 빗소리와 휘몰아치는 진눈깨비 소리와 합쳐지는 것이 예사였다. 양쪽 둑에 있는 숲은 어땠느냐 하면, 그 숲은 단지 해골들의 대열을 보여줄 뿐이었다.

4월이 5월로 가고 있었다. 밝고 평온한 5월이었다. 파란 하늘, 평온한 햇살, 부드러운 서풍이나 남풍이 5월의 나날을 채워주고 있었다. 그러더니 이제 초목이 힘차게 성숙해갔다. 로우드 학교도 마치 제 머릿단을 풀어헤친 것 같았다. 온통 초록으로 물들고 온통 꽃이 넘쳤다. 학교의 거대한 느릅나무, 물푸레나무, 참나무 등 해골 같던 몰골들이 당당한 생명체로 되살아났다. 숲에서 자라는 식물군도 학교의 후미진 구석에서 솟아나고 있었고, 수없이 다양한 이끼들이 우묵하게 팬 곳을 채웠다. 풍성하게 피어나는 야생 앵초와 식물들로 인해 땅속에서 신기한 황금색 햇살이 솟아오르는 것 같았다. 나는 이 그늘진 장소에서 피어오른 창백한 금빛 광채가 가장 아름다운 광채를 흩뿌리는 것 같다고 생각했다. 나는 이 모든 것을 자주, 실컷, 누구의 방해도 받지 않고 거의 혼자서 즐겼다. 몸에 배지 않은 자유와 기쁨을 내가 느끼는 데는 이유가 있었다. 그 이유를 설명할 때가 온 것 같다.

로우드 학교가 언덕과 숲의 가슴팍에 안겨 있고 냇물 가장자리에서 위로 세워진 곳이라고 말하면, 거주용으로 쾌적한 장소라는 말로 들리지나 않았는지 모르겠다. 분명 그곳은 쾌적한 장소이다. 그러나 건강에도 유익한 곳인지 어쩐지는 별개의 문제다.

로우드 학교가 위치한 숲 골짜기는 안개의 온상이며 안개가 유발하는 역병의 온상이었다. 이 역병은 발걸음을 재촉하는 봄과 함께 재빨리 고아 수용 시설인 우리 학교에 기어들어 와 학생들이 우글우글하는 교실과 기숙사에 발진티푸스를 불어넣었다. 그리하여 5월이 오기 전에 학교 역내를 병원으로 변모시켰다.

배는 곯고 감기 같은 것에 방치된 상태여서 학생들 대부분은 그 질병에 감염될 만반의 태세가 되어 있었다. 팔십 명 중 마흔다섯 명이 한꺼번에 발병하여 누웠다. 수업이 중단되고 교칙도 느슨해졌다. 병을 잘 견뎌낸 소수의 학생들에게는 거의 무제한의 자유가 허용되었다. 양호 담당 교사가 건강을 유지하기 위해 학생들이 밖으로 자주 나가 운동을 해야 할 필요성을 역설했기 때문이었다. 설령 그런 게 아니었더라도 누구도 우리를 감시하거나 제지할 겨를이 없었다. 템플 선생님의 관심 전부는 환자들에게로 가 있었다. 선생님은 밤에 휴식을 위해 몇 시간 짬을 내는 것 외엔 병실에서 살았다. 다른 선생님들도 바쁘기는 마찬가지였다. 운 좋게도 아이들을 데려길 능력이나 의향이 있는 가족이나 친지가 있는 학생들이 이 전염병의 온상을 떠나겠다고 하면 짐을 꾸려주고 필요한 준비를 해주느라 선생님들은 눈코 뜰 새 없었다. 이미 병이 깊이 도진 많은 학생들은 사실상 죽기 위해 집으로 간 것이었다. 몇몇 학생들은 학교에서 죽어서 조용히 그리고 신속히 매장되었다. 병의 성격상 지체가 용납되지 않았다.

로우드 학교에서는 병이 함께 사는 동거인이 되고 죽음이 단골손님이 되어버렸다. 학교 담 안쪽은 침울함과 공포감으로 가득 차고 건물 내의 방과 복도에서는 병원 냄새가 김처럼 피어올랐다. 인간을 대량으로 학살하는 이 악취를 극복하기 위해 약제와 훈증 약제를 열심히 살포하고 피워댔지만 허사였다. 그러는 동안 저 밝은 5월은 구름 한 점 없이 담장 너머 가파른 언덕들과 아름다운 삼림 위에다 빛을 쏟고 있었다. 교정 역시 꽃들로 빛을 발했다. 접시꽃들이 나무처럼 뻗어 올랐고 백합이 꽃잎을 열었고, 튤립과 장미도 만개된 상태였다. 자그마한 화단 가장자리는 분홍색 갯질경이와 진홍색 더블 데이지꽃으로 화려했다. 아름다운 들장미들은 아침저녁으로 향신료 향기와 사과 향기를 내뿜었다. 그러나 로우드 학교의 환자들 대부분에게는 이 향기로운 보물들이 아무 쓸모가 없었다. 그저 간혹 가다 그 풀잎과 꽃잎을 한 움큼 관에 넣어줄 때만 쓸모가 있었다.

그러나 나와 함께 잘 견뎌낸 다른 학생들은 이런 장면과 계절의 아름다움을 마음껏 즐겼다. 우리는 아침부터 밤까지 집시처럼 숲을 여기저기 헤매고 다닐 수 있었다. 우리는 하고 싶은 것을 하고 가고 싶은 곳으로 갔다. 매일의 생활도 전보다 나아졌다. 브로클허스트 씨와 그의 가족들은 이제 학교 근처에는 얼씬도 하지 않았다. 살림

살이에 대한 검열도 없었다. 심술쟁이 하녀장도 병에 감염될까 두려워 가버렸다. 두려움이 그녀를 쫓아버린 것이었다. 그 후임 하녀장은 로턴의 어떤 의료 기관 하녀장 출신인데 아직 새로운 거처의 운영 방식에 길들여지지 않았고 비교적 관대한 마음씨를 가진 여자였다. 게다가 먹일 학생 수가 줄었고 병자들은 거의 먹지 못했다. 우리들의 아침 식사 그릇에는 음식이 전보다 낫게 채워졌다. 정규 식사를 준비할 시간이 없을 때 그녀는 큼직한 식은 파이를 주거나 두꺼운 빵 조각과 치즈를 주는 일도 자주 있었다. 그러면 우리는 각자 제일 마음에 드는 장소로 점찍어놓은 숲 속 자리로 가지고 가서 호화로운 만찬을 즐겼다.

내가 제일 좋아하는 장소는 계곡물 한가운데 하얗게 물기 없는 상태로 솟아 있던 매끄럽고 넓은 돌이었다. 물론 그곳에 가려면 물속을 철벅철벅 걸어야 했다. 나는 맨발로 묘기를 부리듯 그 일을 해냈다. 그 돌은 나와 다른 소녀 한 명이 편안하게 들어가기에 알맞은 넓이였다. 당시에 내가 택한 친구는 메리 앤 윌슨이란 아이였다. 영리하고 관찰력이 예민한 아이였고 같이 어울리면 즐거웠다. 재치 있고 창의성이 있기 때문이기도 했지만 또 한편으로는 나를 편하게 해주는 태도가 있었기 때문이다. 나보다 몇 살 위였는데, 그녀는 세상을 나보다 더 잘 알고 있었고 내가 듣고 싶어 하는 이야기를 많이 해주었다. 그녀와 함께 있으면 내 호기심이 충족되었다. 실수를 저질러도 너그럽게 봐주고 무슨 말을 해도 중단시키거나 간섭하지 않았다. 그녀는 이야기에 재능이 있었고 나는 그걸 분석하는 재능이 있었다. 그녀는 알려주기를 좋아했고 나는 질문하기를 좋아했다. 그래서 우리는 거침없이 같이 어울렸고, 이러한 상호 교제를 통해 큰 향상은 아니더라도 많은 즐거움을 얻었다.

그런데 이러는 동안 헬렌은 어디 있었던가? 이처럼 달콤한 자유의 나날을 왜 헬렌과 함께 보내지 않았나? 내가 그녀를 잊었단 말인가? 아니면 그녀와의 순수한 교제를 지겨워할 정도로 내가 형편없는 아이였던가? 확실히 내가 언급했던 메리 앤 윌슨은 내 첫 친구보다는 열등했다. 메리는 내게 그저 재미난 이야기를 해주고 내가 아주 듣고 싶어 하는 선정적이고 자극적인 가십을 이야기해줄 수 있을 뿐이었다. 반면 헬렌에 대해 정확히 말하자면, 그녀와 대화의 특권을 누리게 된 상대방에게 그보다 훨씬 고매한 일에 대한 취향을 말해줄 수 있는 자격을 갖춘 소녀였다.

독자 여러분, 이건 진실로 하는 말이다. 나는 이 사실을 알고 느꼈다. 나는 결함이 많은 사람이다. 결점이 많고 또 그 결점을 보충할 자질도 없는 사람이지만 나는 헬렌 번스와 함께 있는 시간이면 결코 지루함을 느끼지 않았다. 이제까지 한 번도 그녀에 대해 품었던 애착을 털어버린 적이 없었다. 그 애착은 내 마음에 활력을 주었던 어떤 감정보다 더 강하고 부드럽고 존경심이 담긴 애착이었다. 어찌 그러지 않을 수 있겠는가? 헬렌은 언제고 어떤 상황에서도 내게 온화하고 신의 있는 우정을 보여주었기 때문이다. 그녀가 내게 보인 우정은 불쾌한 심사로 인해 단 한 번도 일그러지거나 화가 나서 교란된 적이 없었다. 그러나 그랬던 헬렌이 그때 병에 걸렸던 것이다. 벌써 몇 주 동안 헬렌은 내 시야에서 사라져 내가 모르는 위층 어딘가에 옮겨져 있었다. 들은 바로는 그녀는 열병 환자들을 수용하는 병동에 있지 않고 다른 곳에 있었다. 왜냐하면 그녀의 증상은 발진티푸스가 아니라 결핵이기 때문이었다. 무식한 나는 결핵이란 말을 듣고 그걸 그저 가벼운 병으로 이해했으며 시간을 들여 간호하면 분명히 나을 수 있는 병임을 확신했다.

햇살이 매우 따사로운 오후에 헬렌이 템플 선생님에게 이끌려 한두 번 아래로 내려와 교정으로 나온 적이 있다는 사실 때문에 나는 더욱 굳게 그런 확신을 가지고 있었다. 그러나 그때 그녀에게 가서 말을 거는 것은 허용되지 않았다. 그저 교실 창문을 통해 헬렌의 모습을 지켜봤을 뿐이었다. 그것도 똑똑히 본 것이 아니었다. 그녀의 몸이 무엇으로 폭 싸여 있었고 멀리 베란다 밑에 앉아 있었기 때문이다.

6월 초의 어느 날 저녁 나는 매우 늦은 시간까지 메리 앤과 숲 속에 있었다. 우리는 평상시처럼 다른 아이들과 떨어져 있었고 꽤 먼 곳까지 헤매고 다녔다. 너무 멀리까지 쏘다녔기 때문에 우리는 길을 잃었다. 그래서 숲 속 도토리를 먹고 사는 반야생 돼지 떼를 사육하는 부부의 외딴 오두막에 가서 길을 물어야 했다. 학교로 돌아왔을 때에는 어느덧 달이 떠오르고 있었다. 의사 선생님 것으로 알고 있는 조랑말이 정원 문 앞에 서 있었다. 메리 앤은 그런 저녁 시간에 베이츠 선생님을 불러온 것으로 보아 누군가가 몹시 아픈 게 틀림없다는 생각이 든다고 말했다. 메리 앤은 건물 안으로 들어갔다. 나는 숲에서 캐온 뿌리 한 움큼을 내 몫의 화단에 심기 위해 몇 분 더 뒤에 처져 있었다. 아침까지 그 뿌리들을 심지 않으면 말라죽을지도 모르는 일이었다. 뿌리들을 다 심고도 나는 교정에 조금 더 머물렀다. 이슬이 내린 듯 꽃들은 더욱 향기로운 냄새를 풍겼다. 너무나 평온하고 따뜻하고 쾌적한 저녁이었다. 아직도 붉게 타고 있는 노을 진 서쪽 하늘은 다음 날도 화창한 날이 될 것을 기약하고 있었다. 어슴푸레한 동녘 하늘에서는 달이 잠엄하게 떠오르고 있었다. 이런 정경을 바라보며 어린애처럼 즐거워하고 있던 순간 전에는 한 번도 떠오른 적이 없던 생각이 내 마음에 떠오르는 것이었다.

'지금 병상에 누워 죽을 위험에 처한다면 얼마나 슬플까! 이 세상이 이렇게 좋은 곳인데…… 여기서 부름을 받고 어딘지 모르는 곳으로 가야만 한다면 얼마나 끔찍한 일일까?'

그러고 나서 내 마음은 난생처음 천국과 지옥에 관하여 내 머리에 주입된 내용을 이해하려고 진지하게 노력했다. 그러자 처음으로 내 마음은 움츠러들고 암담했다. 또한 처음으로 내 뒤와 내 양옆과 앞쪽을 힐끗 보았더니 그 주변 모두에는 바닥을 알 수 없는 심연만 보일 뿐이었다. 내 마음은 오직 한 가지 지점, 마음이 서 있는 지점―현재만을 느꼈다. 나머지 모든 것은 형체 없는 구름이며 텅 빈 심연이었다. 그 심연 속으로 비틀거리며 다가가 떨어질 거라는 생각에 내 마음은 떨리는 것이었다. 이러한 새로운 생각에 몰두하고 있는 동안 나는 현관문이 열리는 소리를 들었다. 베이츠 선생님이 나오고 그 옆에 간호사가 함께 있었다. 선생님이 자기 조랑말에 오르고 떠나는 것을 배웅하던 간호사가 막 문을 닫으려는 순간 나는 그녀에게 달려갔다.

"헬렌 번스는 어떤가요?"

"아주 좋지 않다." 그녀의 답이었다.

"베이츠 선생님이 보러 오신 건 헬렌인가요?"

"그래."

"선생님이 뭐라고 하세요?"

"이곳에 있을 날이 얼마 남지 않았다는구나."

만약 어제 내가 듣는 데서 이런 말이 내 귀에 도달했다면 나는 그저 헬렌을 노섬벌랜드의 자기 고향 집으로 데려간다 하는 뜻으로 받아들였을 것이다. 그 말이 헬렌은 죽어가고 있다는 뜻일 줄은 생각도 못했을 것이다. 그러나 지금 나는 그 의미를 즉시 알아차렸다. 헬렌이 이 세상에 살게 될 마지막 날들을 헤아리고 있다는 것, 곧 영혼들이 거주하는 지역, 그런 곳이 있다면 말인데, 그런 지역으로 간다는 사실이 생생하게 이해되었다. 나는 충격적인 공포를 체험하고 이어서 강한 슬픔의 전율을 느꼈다. 이어서 그녀를 보겠다는 욕망, 봐야 할 필요성을 느꼈다. 그래서 헬렌이 어느 방에 누워 있는지를 물었다.

"템플 선생님 방에 있단다." 간호사가 말했다.

"제가 올라가서 이야기를 나눠도 될까요?"

"그건 안 된다, 얘야. 그건 적절치 못해. 이제 너도 안으로 들어갈 때가 됐다. 이슬이 내릴 때 밖에 나와 있으면 열병에 걸려."

간호사는 현관문을 닫았다. 나는 교실로 통하는 옆문으로 해서 들어갔다. 시간을 딱 맞춰 들어간 것이다. 9시였다. 밀러 선생님이 학생들에게 잠자리에 들라고 명령하고 있었다.

그리고 두 시간 후, 아마 11시 가까이 되었을 때였다. 좀처럼 잠을 이룰 수 없던 나는 쥐 죽은 듯 조용한 기숙사의 정적으로 미루어 동료들이 모두 깊은 잠에 빠져 있다고 생각하고 조용히 일어나 잠옷 위에다 평상복을 걸친 뒤 신발도 신지 않고 방을 살금살금 걸어나와 템플 선생님의 방을 찾아 나섰다. 방은 건물 맨 끝에 있었지만 나는 찾아가는 길을 알고 있었다. 구름에 가려지지 않은 여름 달이 빛을 발하며 복도 창문 이곳저곳으로 들어와 방을 찾을 수 있도록 도와주었다. 장뇌 냄새와 태운 초제(醋劑) 냄새가 열병 환자들을 수용한 방 근처에 다가왔다고 경고하고 있었다. 나는 밤새 방을 지키는 간호사가 나의 접근을 알아챌까 봐 겁이 나서 방문 앞을 재빨리 통과했다. 발각되어 침실로 보내질까 봐 두려웠다. 나는 헬렌을 꼭 만나야 했다. 그녀가 죽기 전에 안아줘야 했다. 마지막 키스도 해주고 마지막 인사말도 나눠야 했다.

나는 계단을 내려가서 건물 아래층의 한 구역을 가로지른 뒤 아무 소음도 없이 문 두 개를 여닫는 데 성공했다. 다음으로 다른 오르막 계단에 다다랐다. 이 계단을 올라가니 바로 맞은편에 템플 선생님의 방이 있었다. 열쇠 구멍에서 불빛이 흘러나오고 있었고 문 밑으로도 흘러나오고 있었다. 깊은 정적이 부근에 퍼져 있었다. 가까이 다가가보니 문이 빠끔히 열려 있었다. 아마 병자가 있는 답답한 방에 신선한 공기가 좀 들어오게 하기 위한 조치였을 것이다. 내 영혼과 감각기관이 날카로운 통증으로 떨고 있었지만, 지체하고 싶은 생각이 전혀 없고 초조한 충동으로 가득 차 있었기 때문에 나는 문을 밀고 안을 들여다보았다. 내 눈은 헬렌을 찾았다. 동시에 죽음을 발견하게 될까 봐 겁이 났다.

템플 선생님 침대 바로 옆에 흰 커튼으로 반쯤 가려진 작은 침대가 놓여 있었다. 이불 밑에 누워 있는 하나의 형체가 보였다. 그러나 그 얼굴이 늘어진 커튼 자락에 가려 보이지 않았다. 정원에서 나와 이야기를 나눴던 간호사는 안락의자에 앉아 자고 있었다. 아직 꺼지지 않은 양초가 탁자 위에서 희미하게 타고 있었다. 템플 선생님 모습은 보이지 않았다. 나중에 알았는데, 열병 환자 방에 헛소리를 하는 환자가 있어 불려갔던 것이다. 나는 앞으로 나아가 그 작은 침대 곁에 섰다. 손으로 커튼을 잡았지만 커튼을 젖히기에 앞서 말을 하기로 했다. 여전히 시체를 보게 될지도 모른다는 두려움에 나는 몸을 움츠렸다.

"헬렌!" 나는 부드럽게 속삭였다. "깨어 있니?"

그녀가 몸을 움찔하더니 커튼을 젖혔다. 창백하고 수척해졌지만 아주 차분해 보이는 그녀의 얼굴이 보였다. 변한 게 너무나 없어서 나의 두려움은 즉시 사라졌다.

"제인, 정말 이게 너니?" 그녀 특유의 점잖은 목소리로 헬렌이 물었다.

'아!' 나는 생각했다. '헬렌은 안 죽어. 사람들이 잘못 안 거야. 곧 죽을 사람이면 말도 할 수 없고 저렇게 침착한 표정을 지을 수 없어.'

나는 그녀의 침대로 올라가 그녀에게 키스했다. 그녀의 이마는 차고 뺨은 차가우면서 수척했다. 손과 팔목도 마찬가지였다. 그러나 그녀는 예전처럼 미소를 짓고 있었다.

"제인, 여기 왜 왔어? 11시가 넘었어. 몇 분 전에 11시 치는 소리 들었어."

"널 보러 왔어, 헬렌. 몹시 아프다는 소릴 들었어. 너하고 이야기를 하기 전엔 잘 수가 없었어."

"그러면 나한테 작별 인사하러 온 거네. 아마 시간에 딱 맞춰 온 건지도 모르겠다."

"헬렌, 어디 가니? 집으로 갈 거니?"

"응, 내 영원한 집…… 내 마지막 집으로 가."

"안 돼. 안 돼, 헬렌!" 나는 전망에 빠져 말을 중지했다 눈물을 삼키려고 애쓰는데 헬렌에게 발작적인 기침이 엄습했다. 그러나 그 기침은 간호사를 깨우진 않았다. 기침이 끝나자 그녀는 탈진하여 얼마 동안 누워 있었다. 그리고 나서 그녀가 속삭였다.

"제인, 네 작은 발이 맨발이네. 누워서 이불로 몸 좀 덮어."

나는 그렇게 했다. 헬렌은 팔을 내 몸 위에 둘렀고, 나는 헬렌에게 더 가까이 파고들었다. 긴 침묵이 있은 뒤 그녀가 다시 말을 이었다. 여전히 속삭이는 소리였다.

"제인, 난 정말 행복해. 그러니 내가 죽었다는 말을 들어도 꿋꿋해야 해. 그리고 슬퍼하지 마. 슬퍼할 일이 없으니까. 우리 모두는 언젠가는 죽어. 게다가 나를 데려가는 그 병도 고통스럽지 않아. 아주 점잖고 서서히 진행되는 병이야. 내 마음이 편안해. 내 죽음을 슬퍼해줄 사람도 없어. 아빠만 있어. 하지만 최근에 결혼하셔서 나를 그리워하지도 않을 거야. 어린 나이에 죽으니 난 커다란 고통들을 피할 수 있을 거야. 나한테는 세상에 나가 크게 성공할 자질도 없고 재능도 없어. 그동안 난 계속 실수만 하고 살았을 거야."

"하지만 어디로 가는 거야, 헬렌? 볼 수 있어? 알아?"

"나는 믿어. 나에게는 믿음이 있어. 하느님 곁으로 가는 거야."

"하느님이 어디 있는데? 하느님이 뭔데?"

"나를 만드신 분. 너도 만드신 분. 하느님은 자신이 창조한 것은 절대로 멸하지 않으셔. 나는 그분의 권능을 절대적으로 믿어. 그리고 그분의 선하심을 전적으로 신뢰해. 나를 그분께 데려가고 그분 모습이 내게 보이게 되는 대단한 시간이 올 때까지 시간을 세고 있어."

"헬렌, 그러면 넌 천국과 같은 곳이 있다고 확신하는구나. 그리고 우리가 죽으면 우리의 영혼이 그곳에 갈 수 있다고 확신하고 있구나."

"나는 내세가 있다고 확신해. 나는 하느님은 선하시다는 것을 믿어. 나는 나의 불멸의 부분을 아무 불안도 없이 그분에게 맡길 거야. 하느님은 나의 아버지시며 친구이셔. 나는 그분을 사랑해. 그분도 날 사랑하신다고 난 믿어."

"헬렌, 그러면 내가 죽으면 널 다시 만날 수 있을까?"

"너도 똑같은 행복의 나라로 오게 될 거야. 그리고 똑같이 전능하시고 어디에나 계신 아버지의 영접을 받게 될 거야. 틀림없어. 사랑하는 제인."

나는 다시 물어보았다. 그러나 이번에는 마음속으로만 물었다. '그런 나라가 어디 있니? 그런 것이 존재하니?' 그러면서 나는 두 팔로 헬렌을 껴안았다. 그 어느 때보다 그녀가 내게 더 소중한 사람으로 생각되었다. 그녀를 떠나보낼 수 없다는 생각이 들었다. 나는 그녀 목에 내 얼굴을 파묻었다. 이윽고 그녀가 끝없이 상냥한 음성으로 말했다.

"아, 이렇게 편안할 수가! 아까 기침을 해서 좀 피곤했었는데 이젠 잠들 수 있을 것 같아. 하지만 제인, 내 곁을 떠나지 마. 너랑 같이 있고 싶어."

"사랑하는 헬렌, 네 곁에 있을 거야. 누구도 나를 데려가지 못해."

"제인, 따뜻하니?"

"응."

"잘 자, 제인."

"잘 자, 헬렌."

헬렌은 내게 키스했다. 나두 헬렌에게 키스해주었다. 그리고 나서 우리는 곧 잠들었다.

내가 잠을 깼을 때 훤한 낮이었다. 어떤 익숙하지 않은 동작이 나를 깨운 것이다. 나는 위를 올려다보았다. 누군가가 나를 품에 안고 있었다. 그녀는 복도를 통과하여 나를 기숙사로 데려갔다. 나는 침대를 빠져나갔다고 해서 야단맞지 않았다. 사람들은 그런 일 말고도 생각할 일이 많았다. 내가 여러 가지 질문을 해도 설명해줄 여유가 없었다. 그러나 하루 이틀 지나고 나서야 나는 템플 선생님에게서, 동틀 무렵 방으로 돌아와보니 내가 헬렌의 작은 침대 위에서 자고 있는 것을 발견했다는 이야기를 들었다. 얼굴은 헬렌의 어깨에 대고 팔은 그녀의 목을 두른 채 자고 있더라고 했다. 그리고 헬렌은—죽어 있었다는 것이다.

헬렌의 무덤은 브로클브리지 교회 묘지에 있다. 그녀가 죽은 지 15년 동안 그녀의 무덤은 다만 풀이 깔린 흙더미로 덮여 있을 뿐이었다. 그러나 지금은 회색 대리석 석판이 그곳을 표시해주고 있다. 그녀의 이름과 "Resurgam"〔나는 다시 부활하리라〕이라는 라틴어 단어가 그 위에 새겨져 있다.

제10장

　여기까지 나는 내 어린 시절의 대수롭지 않은 일들을 자세히 기록해왔다. 내 생애 첫 10년에다 그 숫자와 거의 맞먹는 수의 장을 할애했다. 그러나 이 책은 본격적인 자서전을 쓰기 위한 것이 아니다. 나는 다만 살아가면서 내가 보인 반응들 중에서 어느 정도 흥미를 자아낼 것으로 믿는 기억만을 끄집어내야겠다. 그래서 나는 이제 8년간의 시간을 거의 침묵 속에 놔두고 건너뛰겠다. 이야기의 연결 고리를 유지하기 위해 그저 몇 줄의 글만이 필요할 뿐이다.

　발진티푸스 열병은 로우드 학교를 황폐화시키라는 사명을 다하고는 서서히 그곳에서 사라졌다. 그러나 그 지독한 독성과 희생자 숫자가 그 학교에 대한 대중의 관심을 끌고 난 다음이었다. 질병의 원인 규명이 시작되었다. 그리하여 여러 가지 사실들이 밝혀지면서 대중의 분노를 일으켰다. 건강에 해로운 학교 부지, 학생들이 먹는 음식의 질과 양, 음식 준비에 사용된 짜고 악취 나는 물, 형편없는 의복과 잠자리, 이 모든 것들이 발각되었다. 이런 발각은 브로클허스트 씨에게는 굴욕을 안겼고 로우드 학교에는 이로운 결과를 초래했다.

　부유하고 자애로운 몇몇 지역 유지들이 더 나은 부지에 더 편리한 건물을 설립토록 하기 위해 후하게 기부를 했다. 새로운 규정이 제정되고 식사와 의복에도 개선책이 도입되었다. 학교 기금 관리는 운영위원회의 소관으로 넘어갔다. 브로클허스트 씨는 재산과 가족 연고 관계로 인해 무시할 수 없는 사람이었기 때문에 여전히 재무 관리인직을 유지하긴 했지만, 직무 수행은 그보다 훨씬 너그러운 심성과 동정심을 지닌 사람들의 도움을 받았다. 그의 장학사 직책도 합리적인 이성과 엄정함, 안락과 절약, 연민과 공정함을 조화시킬 줄 아는 인사들과 공유해야 했다. 이렇게 개선된 학교가 진정 유익하고 고상한 교육기관으로 바뀌는 데는 별로 시간이 걸리지 않았다. 학교가 재탄생한 후에도 나는 8년이나 이 학교 내 거주자로 남아 있었다. 6년은 학생 신분이었고 2년은 교사 신분이었다. 이 두 가지 활동에서 나는 가치와 중요성을 입증했다.

이 8년 동안 내 삶은 한결같았다. 그렇다고 나는 불행하진 않았다. 활동이 전혀 없는 생활이 아니었기 때문이다. 나는 탁월한 교육 수단을 내 손 가까이에 두고 있었다. 몇 가지 과목에 대한 애정, 모든 것에서 뛰어나고 싶은 욕망, 그리고 선생님들, 특히 내가 사랑하는 선생님들을 기쁘게 해드리는 일에서 얻는 기쁨 등이 합쳐지며 나를 자극했다. 나는 내게 주어지는 유리한 점들을 충분히 이용했다. 마침내 나는 최상급반의 일등으로 올라섰다. 그 후 나는 교사라는 직책을 부여받았다. 나는 2년 동안 교사의 직분을 열성적으로 수행했다. 그러나 그 기간이 끝나자 내 마음에 변화가 일었다.

이런 변화가 진행되는 동안 템플 선생님은 계속 교장 자리를 유지했다. 나의 학업 성취 중 최선의 부분은 바로 그녀가 지도한 덕분에 얻을 수 있었다. 그녀와의 우정과 교분은 내게 끊임없는 위안이었다. 그 선생님은 내 어머니이자 가정교사의 자리에 있었고 최근 들어서 친구의 자리에 있었다. 바로 이런 시기에 그녀는 결혼하여 남편과 먼 지역으로 옮겨가고 말았다. 남편은 목사였는데 그런 아내를 얻을 자격이 있는 훌륭한 분이었다. 그래서 템플 선생님이 내게서 사라진 것이다.

템플 선생님이 떠난 날부터 나는 더 이상 예전의 내가 아니었다. 모든 안정된 감정과 로우드 학교를 어느 정도 내 집으로 여기던 생각이 그녀와 더불어 사라지고 말았다. 나는 그녀의 성격에서 일부를, 그리고 그녀의 습관에서 많은 부분을 내 것으로 흡수했던 것이다. 조화로운 사고방식, 잘 억제된 감정 같은 것이 내 마음에 들어와 그 속에 사는 거주자가 되어 있었다. 나는 의무와 질서를 충실히 따랐다. 나는 조용했다. 나는 내가 만족하며 살고 있다고 믿었다. 다른 사람들의 눈에도 그랬고 나 자신의 눈에도 나는 절제되고 가라앉은 성격의 소유자처럼 보였다.

그러나 운명이 선생님의 남편 네이스미스 목사라는 형태를 띠고 나와 선생님 사이에 끼어든 것이다. 나는 결혼식이 끝나자마자 선생님이 곧장 여행 복장을 하고 역마차에 오르는 모습을 보았다. 그리고 마차가 언덕을 올라 꼭대기 너머로 사라지는 모습을 지켜보았다. 그러고 나서 나는 내 방으로 갔다. 나는 내 방에서 결혼식을 축하하는 뜻에서 반공휴일로 정한 그날의 남은 시간 대부분을 혼자 있었다.

나는 그 시간 대부분을 방 안을 이리저리 걸어 다니는 것으로 보냈다. 나는 나의 손실을 아쉬워하고 그 손실을 어떻게 메울까를 생각하고 있다고 상상했다. 그러나 나의 그런 생각이 끝나고 머리를 들어 오후가 다 지나고 저녁 시간이 된 지도 한참 되었다는 것을 깨달은 순간, 불현듯 머릿속에 또 하나의 발견이 떠올랐다. 다시 말해서 사색의 순간을 거치면서 깨닫게 된 내게 변신 작용이 일어났다는 생각이었다. 내 마음이 템플 선생님에게서 빌렸던 모든 것을 다 벗어버렸다는 깨달음이었고, 그녀 가까이에서 내가 호흡했던 평온한 대기까지 선생님이 떠나면서 다 가져갔다는 깨달음이었고, 이젠 내 본연의 모습을 되찾게 되어 해묵은 옛 감정이 다시 꿈틀거리는 것이 느껴지고 있다는 깨달음이었다. 나를 버텨주던 버팀목이 사라진 것처럼 보이진 않았지만 하나의 동기가 사라진 것처럼 느껴졌다. 풍파 없이 잔잔하게 살아갈 능력이 사라졌다는 것이 아니라 잔잔하게 살 이유가 더 이상 존재하지 않는 것 같았다. 몇 년 동안 내가 살아온 세상은 로우드 학교였다. 내 경험은 그곳의 규칙과 제도에 대한 경험이었다. 이제 실제 세상은 넓은 것이며, 희망과 공포가 있는 다양한 분야가, 감각과 흥분이 있는 다양한 분야가 위험이라는 소용돌이 속에서 인생에 대한 참 지식을 찾기 위해 넓은 세파 속으로 뛰어들 용기를 가진 사람들을 기다린다는 사실을 기억해냈다.

나는 창가로 가서 창을 열고 밖을 내다보았다. 건물의 두 날개가 있었다. 교정이 있었다. 로우드 학교 인근 지역이 있었다. 수많은 산이 솟아 있는 지평선이 있었다. 내 눈은 다른 모든 물체들을 지나쳐 가장 멀리 보이는 파란 산봉우리들에 가서 머물렀다. 올라가기를 갈망했던 봉우리들이었다. 바위와 히스 관목으로 이루어진 저 경계선 안쪽은 모두 감옥 터로 느껴졌다. 유배지처럼 느껴졌다. 어떤 산기슭을 돌아 꾸불꾸불 뻗어가다 두 개의 산 사이에 난 골짜기에 이르러 자취를 감추고 있는 하얀색 길을 나는 눈으로 따라갔다.

계속 그 길을 따라 더 먼 곳으로 가봤으면 얼마나 좋을까! 바로 그 길을 따라 마차로 여행했던 때가 생각났다. 해질 무렵 저 언덕을 내려오던 생각이 났다. 처음 로우드 학교에 놓여진 날부터 너무나 오랜 세월이 지난 것 같았다. 그 후로 나는 한 번도 로우드를 떠난 적이 없었다. 방학은 모두 학교에서 보냈다. 리드 부인은 나를 게이츠헤드로 부르기 위해 사람을 보낸 적이 없었다. 그녀든 가족이든 아무도 나를 방문하러 온 적이 없었다. 나는 편지나 전갈을 통해 바깥 세상과 소통한 적이 없었다. 그저 학교의 규칙, 학교의 의무, 학교의 관례와 생각, 학교에 관련된 목소리와 얼굴, 어휘, 복장, 학교가 좋아하는 일과 싫어하는 일, 그런 것들이 내가 삶에 대해 아는 전부였다. 그런데 그런 내가 이제 그런 것들로는 불충분하다고 느끼기 시작한 것이다. 지난 8년의 판에 박힌 생활이 단 하루 오후 시간에 싫증이 난 것이다. 나는 자유를 갈망했다. 자유를 갈망하며 나는 가쁜 숨을 내쉬었다. 자유를 갈망하며 기도를 내뱉었다. 그 기도가 희미하게 불어온 바람을 타고 흩어지는 것 같았다. 나는 그 기도는 포기하고 조금 소박한 소원을 머리에 그렸다. 변화를 위한 자극제를 기원했다. 그러나 그런 애원도 텅 빈 허공 속으로 쓸려가버렸다. "그렇다면," 하고 나는 거의 필사적으로 울부짖었다. "적어도 새로운 예속이라도 허용해주소서!"

그때 저녁 식사를 알리는 종이 울려 나를 아래층으로 불렀다.

취침 시간이 될 때까지 방해받았던 사색의 끈을 이을 자유로운 시간이 없었다. 잠자리에 들고 나서도 같은 방을 쓰는 선생이 하잘 것없는 잡담을 끝도 없이 늘어놓는 통에, 다시 생각에 담고 싶었던 그 주제에 대해 생각할 수 없었다. 그녀가 잠들어 조용해지기를 얼마나 바랐던가! 창가에 서 있을 때 내 마음에 떠올랐던 그 생각으로 되돌아갈 수만 있다면 나를 구원할 어떤 창의적인 제안이 튀어나올 것만 같았다.

마침내 그라이스 선생이 코를 골았다. 그녀는 육중하게 생긴 웨일즈 출신의 여자였다. 지금까지 그녀의 습관적인 코골이가 나를 방해하는 귀찮은 소리라고만 생각했지 달리 생각한 적은 한 번도 없었다. 그날 밤만은 깊고 굵은 코 고는 소리가 들리자 어찌나 반가운지 마음이 시원해지는 것이었다. 이제 방해에서 벗어난 것이다. 반쯤 지워졌던 생각이 즉시 되살아났다.

'새로운 예속! 그 속에는 무언가가 있을 것이다.' 나는 독백했다. (마음속으로만 말했다는 걸 이해해주기 바란다. 큰 소리를 내어 말한 것이 아니다.) '분명 있을 거야. 예속이란 말은 그다지 달콤한 말로 들리진 않기 때문이야. 자유, 흥분, 기쁨 같은 단어들과는 같지 않아. 이 세 단어들은 정말 즐겁게 소리가 난단 말야. 하지만 내게는 그저 소리에 불과해. 너무도 허망하고 덧없는 것들이어서 거기에 귀를 기울인다는 것은 시간 낭비일 뿐이지. 그저 예속! 이건 엄연한 현실성이 있는 일임에 틀림없어. 누구든 예속될 수 있는 거야. 나는 8년이나 이곳에 묶여 봉사했어. 이제 내가 원하는 것은 다른 곳에서 예속된 삶을 살겠다는 거야. 내 의지로 많은 것을 얻을 수 없으란 법이 있어? 그것이 실현 가능성이 없는 일이란 말인가? 가능해, 가능하다고. 그 목표는 그다지 어려운 게 아니야. 그 목표에 도달할 수단을 찾아내기 위해 충분히 가동할 수 있는 머리만 있으면 가능해.'

나는 그런 머리를 일깨우기 위해 침대 위에 일어나 앉았다. 쌀쌀한 밤이었다. 나는 숄로 어깨를 덮은 다음 있는 힘을 다해 다시 생각하기 시작했다.

'내가 원하는 게 뭐지? 새로운 집에서, 새로운 얼굴 사이에서, 새로운 환경에서 일하는 새로운 자리야. 그런 곳을 원하는 것은 더 나은 것을 원해봤자 소용이 없기 때문이야. 새로운 일자리를 찾으려면 사람들은 어떻게들 하지? 아마 친구들에게 문의해보겠지. 그런데 난 친구가 없어. 친구 없는 사람도 많아. 그런 사람들은 스스로 알아보고 스스로 조력자가 되겠지. 그럴 때 그들이 의지하는 방편이 뭘까?'

알 수가 없었다. 나에게 답을 주는 건 아무것도 없었다. 그래서 나는 내 머리에게 대답을 찾아내라고, 그것도 빨리 찾아내라고 명령했다. 머리는 점점 더 빨리 작동했다. 머리와 관자놀이에서 맥박이 고동치는 것을 느꼈다. 그러나 거의 한 시간 동안 머리는 혼란 속에서 작동했지만 그것의 노력으로는 아무런 결과도 나오지 않았다. 헛된 노력을 하다 보니 열이 나서 나는 일어나 방 안을 거닐었다. 커튼을 젖히고 한두 개 별을 바라보다가 추위로 몸이 떨려와서 나는 다시 침대 속으로 들어갔다.

내가 침대를 벗어나 있던 사이에 어떤 친절한 요정이 내가 원했던 제안을 내 베개 위에 떨어뜨리고 간 것이 분명했다. 침대에 누웠을 때 그 제안이 조용히 그리고 자연스럽게 내 머릿속으로 들어오는 것이었다. ―"일자리를 원하는 사람은 광고를 해야 돼. ○○○ 주 《헤럴드》 신문에다."

'어떻게 하지? 광고에 대해 아는 게 하나도 없는데.'

이제 답변이 힘 안 들이고 신속히 떠올랐다.

"광고 문안과 광고비를 봉투에 넣고 밀봉한 다음 수취인 주소를 《헤럴드》편집자 앞으로 하면 돼. 그러고 나서 기회가 되면 곧바로 로턴 우체국으로 가서 그걸 부쳐. 답장은 로턴 우체국, J. E. 앞으로 해. 편지를 보내고 일주일이 되면 다시 가서 편지 온 게 있는지 물어봐. 온 게 있으면 그것에 따라 행동해."

나는 이 계획을 두 번 세 번 검토했다. 그 계획은 이제 내 마음 속에서 소화된 상태였다. 나는 그것을 명확하고 실질적인 형태로 머릿속에서 다듬었다. 만족스러웠다. 그래서 잠을 잘 수 있었다.

나는 꼭두새벽에 일어났다. 학생들을 깨우는 기상 종이 울리기 전에 광고 문안을 작성해서 봉투 속에 넣고 보낼 곳의 주소를 썼다. 광고 내용은 이랬다.

교직 경험이 있는 젊은 숙녀(나는 이미 2년 동안 교사직을 맡고 있었으니까)가 14세 미만의 아이가 있는 집 가정교사 자리를 찾습니다. (내 나이가 이제 겨우 18세밖에 되지 않았기 때문에 비슷한 또래의 학생을 가르치는 건 별 도움이 되지 않을 거란 생각이 들었다.) 좋은 영어 교육을 위시해서 프랑스어, 미술, 음악 등 통상적인 과목들을 가르칠 자격이 있는 숙녀입니다. (독자 여러분, 당시에는 지금 보면 몇 과목 되지 않는 이런 교양과목 목록이 퍽 종합적인 목록으로 여겨졌던 것이지요.)

답장은 ○○○주, 로턴 우체국, J. E. 앞으로 보내주시면 됩니다.

광고문을 넣은 봉투는 하루 종일 서랍 속에 들어 있었다. 오후 차 마시는 시간이 지난 후 나는 새로 부임한 교장 선생님에게 개인적인 용무와 동료 선생님 몇 분의 잔심부름을 하기 위해 로턴에 갔다 오겠다는 허락을 구했다. 선뜻 허락을 얻었다. 나는 떠났다. 걸어서 2마일 거리였다. 비가 내리는 저녁이었지만 어두워지려면 아직 시간이 많았다. 나는 한두 군데 가게에 들른 뒤 우체국으로 가서 편지를 부치고 억수같이 퍼붓는 빗속을 뚫고 돌아왔다. 옷에서는 빗물이 흘러내렸지만 마음이 후련했다.

다음 주는 길게 느껴졌다. 그러나 지상의 모든 일들이 그런 것처럼 마침내 그 주일도 끝났다. 나는 다시 한번 어느 유쾌한 가을날이 저물 무렵 로턴 읍으로 가는 오솔길을 걷고 있었다. 계곡물을 곁에 끼고 골짜기의 가장 아름답게 굴곡진 곳을 통해 나 있는 길은 정말 그림같이 아름다웠다. 그러나 그날 나는 매혹적인 풀밭이나 개울물보다 지금 내가 가고 있는 그 작은 도시에서 나를 기다릴 수도 있고 기다리지 않을 수도 있는 편지를 더 많이 생각했다.

이번 일을 하기 위해 표면상 내놓은 용무는 신발을 맞추기 위해 발 크기를 재는 일이었다. 그래서 나는 그 일부터 처리했다. 그 일을 끝내고 나는 구둣방에서 나와 깨끗하고 조용한 작은 길을 건너 우체국으로 들어갔다. 코 위에 뿔테 안경을 걸치고 양손에 벙어리 장갑을 낀 나이 지긋한 부인이 자리를 지키고 있었다.

"혹시 J. E. 앞으로 온 편지가 있습니까?"

그녀는 안경 너머로 나를 주시한 후 서랍을 열고 한참 동안 그 안의 내용물을 뒤적였다. 시간이 어찌나 오래 걸리던지 희망이 사라지려고 하고 있었다. 마침내 그녀는 자신의 안경 앞에 편지 한 통을 들고 5분가량이나 뜸을 들인 뒤 그걸 카운터 너머로 건넸다. 편지를 건네면서 그녀는 다시 한번 호기심에 찬 미심쩍은 눈길을 내게 보냈다. 그 편지는 바로 J. F.한테 온 것이었다.

"한 통뿐인가요?" 내가 물었다.

"다른 건 없습니다." 그녀가 말했다. 나는 그것을 주머니에 넣고 얼굴을 돌려 학교로 향했다. 그 자리에서 편지를 열어볼 수가 없었다. 교칙상 8시까지 학교로 돌아가야 했는데 이미 7시 반이었다.

도착하자 여러 가지 일들이 나를 기다리고 있었다. 자습 시간 동안 학생들과 함께 앉아 있어야 했고 기도문 낭송도 내 차례였다. 학생들이 잠자리에 드는 것도 봐줘야 했다. 그런 다음 다른 교사들과 함께 저녁을 먹었다. 취침을 위해 침실로 물러간 후에도 피할 수 없는 그라이스 선생이 아직도 나와 붙어 있었다. 촛대에 꽂힌 초가 끄트머리밖에 남지 않았기 때문에 나는 혹시 그녀가 그 초가 다 탈 때까지 수다를 떨면 어쩌나 걱정했다. 다행스럽게도 너무 많이 먹은 저녁이 수면제 효과를 발휘했다. 내가 옷을 다 벗기도 전에 그녀는 벌써 코를 골고 있었다. 양초는 아직 1인치 정도 남아 있었다. 나는 그제야 편지를 꺼냈다. 봉인 부근에 F라는 글자가 적혀 있었다. 편지를 뜯어보았더니 내용은 짤막했다.

지난주 목요일 ○○○ 주 《헤럴드》에 광고를 낸 J. E.양이 거기 실린 자격을 정말 갖추시고 그 자격이나 성품을 보증해줄 수 있는 신원보증인들의 만족스런 신원보증서를 보내주실 수 있다면, 일자리를 제공할 수 있습니다. 아직 열 살이 안 된 여자아이 하나를 맡게 되는 자리입니다. 연봉은 연 30파운드입니다. J. E. 양께서는 신원보증인들의 신원보증서와 이름, 주소, 기타 세부사항들을 다음 주소로 보내주시기 바랍니다.

○○○주, 밀코트 시 인근, 손필드 저택, 페어팩스 부인 앞.

나는 편지를 오랫동안 자세히 들여다보았다. 글씨체가 구식이었고 다소 분명치 않았다. 나이 든 숙녀분의 글씨 같았다. 나는 그게 더 마음에 들었다. 왜냐하면 그런 식으로 나 혼자의 힘으로, 그러니까 나 혼자의 판단으로 행동하다가 결국 궁지에 빠질지도 모른다는 개인적인 걱정이 그동안 내 마음을 조이고 있었기 때문이다. 그리고 무엇보다도 나는 내 노력의 결과가 품위 있고 적절하고 반듯하기를 바라고 있었다. 그래서 나이 지긋한 부인이란 것이 내가 하고 있는 일에 불리한 요인은 아닐 거라는 생각이 들었다. 페어팩스 부인! 나는 검정색 가운을 걸치고 미망인 모자를 쓴 부인의 모습을 상상의 눈으로 그려보았다. 어쩌면 쌀쌀맞을지 모르지만 무례하지는 않은 부인의 모습, 존경할 만한 나이, 지긋한 영국 여인의 전형을 그려보았다. 손필드! 이것은 틀림없이 그 부인의 저택 이름일 것이다. 저택의 모습도 깔끔하고 정돈이 잘된 곳일 거라고 나는 확신했다. ○○○주, 밀코트 시. 나는 영국 지도를 기억 속으로 끌어냈다.

그렇다. 그곳이 보였다. 그 주와 도시의 모습이 보였다. ○○○주는 내가 당시에 살고 있던 벽지에 해당하는 면보다 런던에서 70마일이나 더 가까운 곳이었다. 그 사실 역시 그 일자리가 내 마음을 끄는 요인이었다. 나는 삶과 움직임이 있는 곳으로 가기를 갈망했다. 밀코트 시는 A강변에 위치한 큰 공장 도시였다. 틀림없이 번화한 도시일 것 같았다. 번화할수록 더욱 좋았다. 적어도 완벽한 변화를 가져다줄 테니까. 그렇다고 내 공상이 높은 굴뚝들이나 매연 구름에 대한 생각으로 매료된 건 아니었다. '하지만,' 나는 속으로

우겼다 '손필드 저택은 아마도 시내에서 한참 떨어진 곳에 있겠지.'

바로 그때 초꽂이가 넘어지고 심지가 꺼져버렸다.

다음 날 나는 새로운 조치를 취해야 했다. 내 계획을 더 이상 내 가슴속에다만 담아둘 수 없었다. 성공적인 실천을 위해서는 계획을 알려야 했다. 교장 선생님과 이야기할 기회를 찾다가 나는 점심 휴식 시간에 그럴 기회를 얻게 되었다. 나는 교장 선생님에게 지금 받는 봉급(로우드 학교의 봉급은 연봉이 15파운드에 불과했다.)보다 두 배나 받을 수 있는 새 일자리를 얻게 될 것 같다고 말했다. 그러니까 나를 대신해서 이 문제를 브로클허스트 씨와 학교 운영위원 몇 분에게 말씀드리고 그분들을 내 신원보증인들로 내세워도 괜찮을지 알아봐달라고 부탁했다. 그녀는 고맙게도 그 일의 중개인으로 나서는 데 동의했다. 다음 날 그녀는 브로클허스트 씨에게 그 일을 알렸다. 그는 리드 부인이 나와 혈연관계가 있는 후견인이기 때문에 그녀에게 편지를 보내야겠다고 말했다. 따라서 부인에게 편지가 갔고, 그쪽에서 답장이 왔다. 자기는 오래전에 내 일에 간섭하기를 포기한 사람이니까 내 마음대로 해도 좋다는 내용의 답장이었다. 이 답장은 운영위원들에게 회람되었다. 그러고 내게는 매우 지루하게 지연된다고 생각되는 시간이 지난 후 마침내 가능하면 더 좋은 일자리를 찾아가도 좋다는 공식 허락이 내려졌다. 그 허락에 더해서 지금까지 내가 로우드 학교에서 학생으로서 또 교사로서 늘 훌륭한 모범을 보여왔기 때문에 내 성품과 능력을 보증하는 신원보증서를 운영위원들의 서명을 첨부하여 곧 내게 발부해주겠다는 확약을 얻었다.

166

나는 이 신원보증서를 한 달 이내에 받을 수 있었기에 한 부를 페어팩스 부인에게 보냈다. 곧바로 부인의 답장을 받았다. 답장 내용은 부인이 만족한다는 것과 내가 가정교사로 입주할 날짜를 두 주일 후로 정하겠다는 것이었다.

이제 나는 준비에 바빴다. 2주일은 빨리 지나갔다. 나는 옷이 그다지 많지 않았다. 그건 내 필요에 적절한 정도였다. 그래서 8년 전 게이츠헤드를 떠날 때 가져왔던 그 가방에 여행 가방을 꾸리는 일은 마지막 날 해도 충분했다.

짐 가방은 끈으로 묶고 명찰도 못으로 박아 붙였다. 반 시간 후면 그 짐을 로턴 읍내로 가져가기 위해 배달부가 방문할 것이다. 나 자신은 다음 날 아침 일찍 마차를 타러 읍내로 가면 됐다. 나는 까만 모직으로 된 여행복을 솔로 털고 보닛과 장갑, 토시를 준비했다. 혹시 서랍에 빠뜨린 소지품이 있을지 몰라 다시 확인했다. 이제 할 일이 더 이상 없게 되자 앉아서 쉬려고 했다. 하지만 쉴 수가 없었다. 온종일 서 있었지만 한순간도 쉴 수가 없었다. 너무 흥분되었기 때문이다. 그날 밤 내 인생의 한 시기가 막을 내리고 내일 새로운 시기가 열리게 된다. 그 사이에서 잠을 잔다는 것은 불가능했다. 그러한 변화가 생성되고 있는 동안 나는 열심히 지켜보고 있어야 했다.

"선생님," 로비에서 나를 만난 하인이 말했다. 나는 그곳에서 고민에 싸인 유령처럼 서성이고 있었다. "아래층에서 어떤 손님이 뵙자고 하는데요."

'배달부일 거야.' 이렇게 생각하고 나는 더 이상 묻지 않고 아래층으로 달려 내려갔다. 나는 문이 반쯤 열려 있는 뒤편 응접실, 즉

교사용 거실을 지나 부엌으로 갔다. 그때 누군가가 달려 나왔다.

"틀림없이, 이건 아가씨야! 어디서 만났어도 알아볼 수 있었을 거야!" 나의 진로를 막은 장본인이 내 손을 잡았다.

바라보았더니 점잖은 부인처럼 잘 차려입은 하녀 복장을 한 여인이었다. 그러나 아직 젊고 검은 머리에 검은 눈, 생기발랄한 안색을 한 매우 잘생긴 얼굴이었다.

"자, 제가 누구지요?" 그녀가 알 것도 같고 모를 것도 같은 목소리와 미소로 내게 다가왔다. "제인 아가씨, 설마 저를 까맣게 잊어버린 건 아니겠죠?"

바로 그 순간 나는 너무너무 기뻐서 그녀를 안고 키스를 퍼부었다. "베시! 베시! 베시!" 그저 그 말밖엔 안 나왔다. 이 말을 듣고 베시는 반은 울음이 섞인 웃음을 웃었다. 우리 둘은 응접실로 들어갔다. 난롯가에 격자무늬 프록코트와 바지를 입은 세 살쯤 된 어린아이가 서 있었다.

"제 어린 아들이에요." 베시가 재빨리 말했다.

"베시, 그럼, 결혼했군!"

"네, 5년 전쯤 마부 로버트 레븐과 결혼했어요. 그리고 저 보비 말고 딸아이도 하나 있어요. 그 애 이름은 제인이라고 지어주었어요."

"그럼, 지금 게이츠헤드에 살지 않는군."

"문지기 집에 살아요. 늙은 문지기가 떠났거든요."

"그렇구나. 그런데 그 댁 사람들은 잘 지내고 있나? 그 사람들에 대해 모두 말해봐, 베시. 우선 앉아. 그리고 보비, 이리 와서 내 무릎에 앉을래?" 하지만 보비는 옆걸음질로 제 엄마한테 가는 것이 더 좋은 모양이었다.

"제인 아가씨, 키가 많이 크진 않았네요. 살도 그다지 오르지 않고." 레븐 부인이 된 베시가 계속해서 말했다. "아마 학교에서 아가씨를 잘 보살피지 않은 모양이군요. 리드 아가씨가 아가씨보다 어깨 위로 머리 하나는 더 있을 거예요. 그리고 조지아나 아가씨는 옆으로 벌어진 것으로 치면 아가씨 두 배는 되겠어요."

"베시, 조지아나는 미인일걸."

"꽤 미인이죠. 지난겨울 마님과 함께 런던에 갔었어요. 그곳 사람들 모두가 아가씨를 보고 탄복했대요. 어떤 젊은 귀족이 조지아나한테 반했었죠. 그렇지만 남자의 가족들이 그들의 결합에 반대했죠. 그래서…… 아가씨, 뭘 그리 생각하세요?…… 그 남자와 조지아나는 같이 도망치기로 결심했었지요. 그러나 발각되어 저지당했어요. 언니인 리드 아가씨가 두 사람을 발견한 거예요. 질투가 났던 모양이에요. 그래 두 아가씨는 개와 고양이처럼 아옹다옹하며 살고 있어요. 늘 다투기만 해요."

"그렇군. 그럼, 존 리드는 어떻게 됐어?"

"오, 자기 엄마가 바라는 것만큼 잘 지내지 못해요. 대학에 갔는데 시험에 낙젠가 뭔가 했대요. 그러고 나서는 외삼촌들이 변호사가 되길 바라는 마음에 법을 공부하기를 원했어요. 하지만 너무 방탕한 젊은이라 삼촌들도 그에게 별로 기대를 걸지 않을 것 같아요."

"생긴 건 어때?"

"키가 아주 커요. 잘생긴 젊은이라고 말하는 사람들도 더러 있어요. 하지만 입술이 너무 두꺼워요."

"리드 부인은?"

"마님은 건장하고 혈색두 좋아 보여요. 하지만 마음이 아주 편치는 않을 거예요. 존 도련님의 행실이 마음에 들지 않을 거예요…… 도련님이 돈을 마구 써대거든요."

"리드 부인이 베시를 이리 보낸 거야?"

"정말, 그건 아니에요. 전 오래전부터 아가씨를 보고 싶었어요. 그런데 아가씨한테서 편지가 왔다는 소리가 들렸고 다른 곳으로 간다는 소식을 들었어요. 이번엔 다른 고장으로 가셔서 제가 도저히 닿을 수 없는 곳으로 떠나시기 전에 가서 만나야겠다고 생각했던 거예요."

"베시, 내 모습을 보고 실망했을 것 같군." 나는 웃으면서 말했다. 나를 보는 베시의 눈에는 애정이 담겨 있긴 했지만 어떤 형태로든 탄복을 나타내는 빛은 없다는 것을 나는 감지했다.

"아니에요, 제인 아가씨. 전혀 그렇지 않아요. 아가씨는 품위가 있어요. 숙녀처럼 보이고요. 제가 기대했던 모습 그대로예요. 아가씨는 어릴 때부터 예쁜 미인은 아니었어요."

나는 베시의 솔직한 답변에 미소를 지었다. 그녀의 말이 맞다고 나는 생각했다. 그러나 고백하건대, 그 말의 취지에 전적으로 무관심하진 않았다. 18세라는 나이는 누구나 다른 사람들의 눈을 즐겁게 해주고 싶은 나이이다. 그런데 그러한 욕망을 뒷받침할 외모를 지니고 있지 못하다는 확신은 결코 기분 좋은 것이 못된다.

"하지만 아가씨는 똑똑할 거예요." 베시가 위로하듯 말을 이었다. "뭘 할 줄 아시지요? 피아노 칠 줄 아세요?"

"조금."

그 방에는 피아노가 한 대 있었다. 베시는 피아노로 가서 뚜껑을 열었다. 그러고 나더니 앉아서 한 곡 연주해달라고 청하는 것이었다. 왈츠 음악 한두 곡을 연주하자 그녀는 매료되었다.

"리드 아가씨들은 그렇게 잘 치진 못할 거예요." 그녀가 신이 나서 말했다. "제가 늘 말했잖아요. 아가씨가 공부 면에선 그들보다 나을 거라고요. 그림도 그릴 줄 아세요?"

"저기 벽난로 장식 위 그림이 내가 그린 거야." 그것은 수채화로 그린 풍경화였다. 나를 위해 학교 운영위원회에 나가 중개역을 한 새 교장에게 감사의 표시로 선물한 그림이었다. 그녀가 그것을 액자에 넣어 걸어놓은 것이다.

"제인 아가씨, 아름다운 그림이군요! 리드 아가씨들은 말할 것도 없고 그들의 그림 선생님이 그린 어느 그림 못지않게 잘 그렸군요. 아가씨들은 근처에도 못 오겠네요. 그런데 프랑스어도 배웠나요?"

"응, 베시. 읽을 줄도 알고 말할 줄도 알아."

"모슬린이나 무명천에 수놓을 줄도 알겠네요?"

"알아."

"세상에! 제인 아가씨, 정말 숙녀가 되셨네요. 그리될 줄 알았다니까요. 아가씨의 친척들이 지켜보든 말든 아가씨는 성공할 거예요. 참, 물어볼 말이 있어요. 혹시 아가씨 친가 쪽 친척인 에어 가문 사람들에게서 연락 온 것 없었나요?"

"평생 그런 건 없었어."

"그랬군요. 마님께서 늘 그 사람들은 가난뱅이에다 아주 천박한 사람들이라고 말씀하시던 건 아가씨도 아시잖아요. 그런데 그 사람들이 가난할는지는 모르지만 제가 보기엔 적어도 리드 가문 사람들만큼 점잖은 상류층인 것 같았어요. 7년 전쯤 어느 날 에어 씨라고 하는 분이 아가씨를 만나러 게이츠헤드로 찾아온 적이 있었어요. 마님께선 아가씨가 50마일가량 떨어진 학교에 가 있다고 말씀하셨어요. 그분은 퍽 실망하는 것 같았어요. 그분이 오래 지체할 수가 없었거든요. 외국으로 배를 타고 떠날 예정인데 배가 런던에서 하룬가 이틀 후에 떠나기로 되어 있었대요. 정말 신사분처럼 보이는 분이었어요. 제 생각엔 아가씨의 삼촌인 것 같았어요."

"베시, 외국 어느 나라로 간다고 했지?"

"수천 마일이나 떨어진 섬나라라고 했어요. 포도주를 생산하는 곳이래요……. 집사가 말해주었는데…… 뭐라더라?"

"마데이라 아냐?" 내가 거들었다.

"맞아요. 바로 거기예요. 그게 바로 그곳 이름이에요."

"그래서 그분은 떠났나?"

"네. 집에 머문 게 몇 분 되지 않았어요. 마님이 그분에게 아주 거만하게 구셨거든요. 마님은 나중에 그분을 '천한 장사꾼'이라고 부르더군요. 제 남편 로버트는 그분을 포도주를 거래하는 상인일 거라 믿더군요."

"그럴 거야." 내가 대답했다. "아니면 포도주 상인 밑에서 일하는 직원이나 대리인일지도 모르지."

베시와 나는 한 시간 넘게 옛날을 회상하며 이야기를 나누었다. 그러고 나서 그녀는 떠나야 했다. 다음 날 오전 나는 로턴 읍에서 마차를 기다리는 동안 그녀와 몇 분 더 함께했다. 마침내 우리는 그곳 브로클허스트 지부의 문 앞에서 작별을 고했다. 우리는 각자 갈 길로 갔다. 베시는 자신을 게이츠헤드로 데려다줄 마차를 타기 위해 로우드 언덕 마루로 향했고 나는 밀코트 시 인근에 있다는, 그 미지의 지역에서의 새로운 임무와 새로운 삶으로 나를 데려다줄 마차에 올랐다.

제11장

　소설의 새 장은 연극의 새 장면과 좀 닮았다. 따라서 내가 이제 막을 끌어올리면, 독자인 당신은 분명히 밀코트 시에 있는 조지 여관의 방 안을 관람하고 있다고 상상해야 할 것이다. 그 방은 대개의 여관방들이 그렇듯 커다란 무늬가 있는 벽지가 발라져 있고 여관 특유의 그저 그런 카펫과 가구와 벽난로 장식들이 있고, 그저 그런 판화들이 걸려 있다. 조지 3세와 황태자의 초상화도 있고 울프의 죽음을 그린 그림도 걸려 있다. 독자는 이 모든 광경을 천장에 매달린 오일 램프 불빛과 잘 타고 있는 난로에서 나오는 불빛으로 볼 수 있다. 난롯가에는 망토를 걸친 내가 앉아 있고 탁자 위에는 내 토시와 우산이 놓여 있다. 그리고 열여섯 시간 동안이나 쌀쌀한 10월 날씨에 노출되어 있었기 때문에 무감각할 정도로 얼어 뭉친 몸을 난롯불의 온기로 녹이고 있다. 나는 오후 4시에 로턴을 떠났는데 밀코트 시의 시계는 지금 막 아침 8시를 치고 있다.

　독자의 눈에는 내가 편안한 숙소를 잡은 편안한 모습으로 비치겠지만 사실 내 마음속은 그다지 평온하지 않았다. 나는 마차가 이곳에 도착했을 때 나를 마중하러 나온 사람이 그곳에 나와 있을 거라고 생각했었다. 여관의 '신발닦이' 하인이 내 편의를 위해 갖다

댄 나무 계단을 밟고 마차에서 내리면서 나는 초조하게 주변을 둘러보았다. 또한 누가 내 이름을 부르거나 나를 손필드 저택으로 데려가기 위해 대기하는 마차의 안내문을 보게 될 거라 기대하고 있었다. 그러나 그런 건 전혀 보이지 않았다. 여관 급사에게 혹시 에어 선생이란 사람을 찾는 사람이 있었느냐고 물었지만 대답은 없다였다. 그래서 나는 1인실로 안내해달라고 부탁하는 수밖에 없었다. 그래서 온갖 의문과 두려움이 내 마음을 괴롭히는 가운데 이렇게 여기에서 기다리고 있는 것이다.

세상 경험이 전혀 없는 젊은 여자가 그처럼 완벽하게 홀로 있게 되었다는 느낌, 모든 연고와 단절되어 표류하면서 목적지로 삼은 항구에 도달할 수 있는지 어쩐지도 모고, 게다가 수많은 장애물 때문에 떠났던 출발지로 되돌아갈 수도 없다는 느낌은 참으로 이상한 느낌이었다. 모험의 매력이 그런 기분을 완화시키고 불타는 자존심이 그 감정을 녹여주긴 했지만 공포심의 박동이 그 감정을 교란시켰다. 또한 반 시간이 흘렀는데도 여전히 나 혼자 있게 되자 내가 느끼는 두려움은 나를 완전히 압도했다. 나는 누군가를 부르기 위해 벨을 울려야겠다고 생각했다.

"이 근방에 혹시 손필드라는 저택이 있나요?" 나는 호출을 받고 달려온 급사에게 물었다.

"손필드라고요? 모르겠습니다, 부인. 카운터에 가서 물어보겠습니다." 그가 사라졌다가 금세 다시 나타났다.

"혹시 손님 성함이 제인 에어십니까?"

"네."

"여기 어떤 분이 기다리고 계십니다."

나는 벌떡 일어나 토시와 우산을 들고 황급히 여관 복도로 나갔다. 어떤 남자가 열린 문 앞에 서 있었다. 가로등이 켜진 길가에 한 필의 말이 끄는 마차가 희미하게 보였다.

"이것이 선생님 짐인 것 같군요?" 나를 보면서 그 남자가 복도에 놓여 있던 내 가방을 가리키며 다소 무뚝뚝하게 말했다.

"그렇습니다." 했더니 그는 1인승 마차처럼 생긴 그 마차에 가방을 실었다. 그래서 나도 마차에 올랐다. 그가 마차 문을 닫기에 앞서 나는 손필드까지 거리가 얼마나 되느냐고 물었다.

"6마일쯤 됩니다."

"도착하려면 시간이 얼마나 걸릴까요?"

"아마 한 시간 반쯤 걸릴 겁니다."

그는 마차 문을 단단히 닫고 나서 밖에 있는 자기 자리에 올라앉았다. 우리는 출발했다. 마차는 천천히 달렸기 때문에 나는 깊이 생각할 시간이 많았다. 마침내 내 여행의 종착지에 가까이 왔다는 생각이 들자 나는 만족스러웠다. 안락하진 않았지만 그런대로 편안한 마차 안에서 등을 뒤로 기대고 있으면서 나는 편안한 마음으로 많은 것을 생각했다.

'소박한 하인이나 마차로 볼 때 페어팩스 부인이란 분은 그리 위세를 부리는 부인 같지는 않군.' 나는 속으로 생각했다. '그럴수록 잘된 일이야. 나는 단 한 번 말고는 멋진 인간들과 살아본 적이 없지. 그나마 그 한 번도 몹시 불행하게 살았지. 부인이 여자 아이하고 단 둘이서만 사는 건지 궁금하군. 만일 단둘이 살고, 또한 상냥한 부인이라면 나는 분명히 그분과 잘 지낼 수 있을 거야. 최선을 다해야지. 최선을 다해도 항상 보답이 따르는 건 아니라는 것은 유

176

감스러운 일이지. 로우드 학교에서 나는 정말이지 그런 결심을 했고 그 결심을 이어가서 사람들 마음에 드는 데 성공했었지. 그러나 리드 부인에게서는 그렇지 않았어. 최선을 다했어도 항상 경멸에 찬 배척을 받았었지. 페어팩스 부인이 제2의 리드 부인으로 판명되지 않기를 하느님께 빌어야지. 그러나 그렇게 판명난다면 난 이곳에 꼭 머무를 필요가 없지. 까짓것, 엎친 데 덮쳐보라지, 난 다시 광고를 낼 수 있으니까. 이제 얼마나 왔나 궁금하군.'

나는 창을 내리고 밖을 내다보았다. 밀코트 시는 우리 뒤에 있었다. 번쩍이는 불빛의 수로 판단하건대, 밀코트 시는 로턴 읍보다 훨씬 큰 대도시 같았다. 이제 내 눈이 닿는 한 우리는 일종의 시 공유지 같은 곳을 통과하고 있었다. 그 지역 전체에 걸쳐 집들이 산재해 있었다. 로우드와는 다른 지역에 들어선 기분이었다. 인구는 많지만 덜 아름답고, 활기차긴 하지만 낭만은 덜한 곳이었다.

길은 험하고 안개가 자욱한 밤이었다. 나를 안내하는 마부가 거기서는 줄곧 말이 걸어가도록 내버려두었다. 내가 생각하기로는 한 시간 반이 두 시간으로 늘어나고 있었다. 마침내 마부는 자리에서 몸을 돌려 말했다.

"이제 손필드까지 얼마 남지 않았습니다."

나는 다시 밖을 내다보았다. 교회를 지나치고 있었다. 하늘을 배경으로 교회의 낮고 넓은 종탑이 보였다. 마침 15분마다 시각을 알려주는 종이 울리고 있었다. 언덕 언저리에 좁은 은하수같이 늘어선 불빛들이 보였다. 거기에 마을과 작은 촌락이 있다는 표시였다. 십여 분 후 마차를 몰고 온 하인이 내려서 두 짝으로 된 문을 열었다. 이제 우리는 바깥 대문부터 현관까지 나 있는 길을 천천히 올라가 집의 높다란 정면에 도달했다 커튼을 친 내닫이창 하나에서 촛불이 반짝이고 있었다. 다른 부분은 온통 캄캄했다. 마차는 현관문 앞에 섰다. 하녀 하나가 문을 열었다. 나는 마차에서 내려 안으로 들어갔다.

"이리로 오세요, 선생님." 어린 하녀가 말했다. 나는 사방이 높은 문으로 둘러싸인 네모진 홀을 가로질러 그녀를 따라갔다. 하녀는 나를 어느 방으로 안내했다. 그곳에선 난롯불과 촛불이 이중으로 불을 밝히고 있어 처음에는 너무나 눈이 부셨다. 바로 두 시간 전부터 계속 깜깜한 어둠에 길들여져 아무것도 보이지 않았던 것과는 대조적이었다. 그러나 그때 나는 아늑하고 기분 좋은 하나의 화폭이 내 시야에 들어오고 있는 것을 느꼈다.

아늑하고 자그마한 방, 쾌활하게 타고 있는 난롯가의 둥근 탁자, 등이 높은 구식 안락의자 하나, 바로 그 안에 상상할 수도 없이 말끔하면서도 작은, 그러면서도 나이가 지긋한 숙녀가 앉아 있었다. 미망인 모자를 쓰고 검은 실크 가운에다 흰 모슬린 앞치마를 걸친 모습이 내가 상상했던 페어팩스 부인의 모습과 정확히 들어맞았다. 다만 상상했던 것보다 덜 위압적이고 더 온순해 보였다. 그녀는 뜨개질을 하고 있었다. 큰 고양이 한 마리가 그녀의 발치에 얌전히 앉아 있었다. 간단히 말해서 방 안 풍경은 안락한 가정의 이상을 구현하는 데 무엇 하나 빠질 게 없었다. 새로 온 가정교사에게 이보다 더 마음 든든하게 하는 첫인사는 상상할 수 없었다. 사람을 압도하는 위세도 없었고 당황케 만드는 당당함도 없었다. 내가 방 안으로 들어서자 노부인은 일어서서 지체 없이 친절한 거동으로 앞으로 나와 나를 마중했다.

"안녕하세요, 선생님. 마차 타고 오시느라 지루했겠네요. 존이 워낙 마차를 천천히 모니까요. 추우실 텐데 난롯가로 오십시오."

"페어팩스 부인이시죠?" 내가 말했다.

"네, 맞아요. 앉으세요."

그녀는 나를 자기 의자로 안내한 다음, 몸소 내 숄을 벗겨주고 보닛 끈도 풀어주었다. 나는 그렇게 수고하시지 말라고 부탁했다.

"아, 이건 수고가 아니에요. 선생님은 추위로 손이 곱았을 거예요. 레아, 가서 따끈한 니거스* 한 잔하고 샌드위치 한두 조각 잘라 오너라. 여기 저장실 열쇠가 있다."

그러고서는 부인은 매우 가정주부답게 주머니에서 열쇠 꾸러미를 꺼내어 하녀에게 건네주었다.

"자, 그럼, 난롯가로 더 가까이 오세요." 부인이 계속했다. "선생님, 짐도 같이 가지고 오셨겠지요?"

"네, 부인."

"그걸 선생님 방에 갖다 놓도록 하고 오겠습니다." 그렇게 말하고 그녀는 부산을 떨며 방을 나갔다.

'나를 손님처럼 대접하는군.' 나는 생각했다. '이런 환대는 전혀 기대하지 못했는걸. 나는 쌀쌀하고 딱딱한 대접이나 기대했었는데. 내가 들어본 가정교사에 대한 대접하고는 딴판이군. 하지만 너무 미리부터 좋아하면 안 되지.'

부인이 다시 돌아왔다. 그녀는 손수 탁자에 놓인 뜨개질 도구와 책 한두 권을 치우고 레아가 막 가져온 쟁반을 놓을 공간을 마련해

---

* 포도주를 조금 탄 뜨거운 설탕물.

놓았다. 그녀는 직접 내게 음식물을 건넸다. 나는 지금까지 내가 받았던 어떤 대접보다 더 극진한 대접을 받는 당사자가 되었다는 사실에 다소 당황스러웠다. 게다가 나를 고용한 주인이면서 나보다 연장자인 부인이 그런 대접을 했기 때문에 더욱 그랬다. 그러나 부인 자신이 자기 위치를 벗어난 행동을 한다고 생각하지 않는 것 같아서, 나는 그런 예의를 조용히 받아들이는 것이 더 낫겠다고 생각했다.

"오늘 밤 페어팩스 양을 만나는 기쁨을 맛볼 수 있을까요?" 부인이 내민 음식을 먹은 뒤에 내가 물었다.

"선생님, 뭐라고 하셨나요? 내가 가는귀가 먹어서." 하고 착한 부인은 귀를 내 입 가까이 갖다 대면서 말했다.

나는 그 질문을 더욱 또박또박 발음하며 반복했다.

"페어팩스 양이라고 하셨나요? 아, 바렝 양을 말하는 모양이군요. 선생님이 앞으로 맡게 될 학생의 이름은 바렝입니다."

"그래요! 그러면 부인의 딸이 아니란 말씀이시군요?"

"그래요. 나는 가족이 없어요."

나는 바렝 양이 부인과 어떤 인척 관계인가를 물음으로써 내 첫 번째 질문을 이어가고 싶었다. 그러나 처음부터 너무 많은 질문을 하는 것은 결례라는 생각이 들었다. 게다가 때가 되면 틀림없이 듣게 될 것이기 때문이다.

"난 매우 기쁘네요……." 부인이 내 맞은편에 앉으며 고양이를 무릎 위에 올려놓은 뒤 말을 이었다. "선생님께서 오셔서 너무 기뻐요. 말벗이 생겨서 이제 이 집에서 사는 게 무척 즐거운 일이 될 테니까요. 확실히 이 저택에 사는 것은 어느 때건 즐거운 일이지요.

손필드는 유서 깊은 멋진 저택입니다. 최근 들어 다소 관리가 소홀해지고 있지만 여전히 훌륭한 저택이지요. 그러나 아시겠지만 제 아무리 훌륭한 집이라도 겨울철에 늘 완전히 혼자 있다 보면 쓸쓸하고 고독해지는 법이지요. 내가 지금 혼자라고 말하고 있네요……. 레아는 분명히 착한 하녀이고 존과 그의 아내는 매우 예의 바른 사람들이에요. 그러나 선생님도 아시겠지만 그들은 하인들에 불과해요. 대등한 위치에서 이야기를 나누고 친하게 지낼 수는 없는 노릇이지요. 권위를 잃을지 모르니까 적당한 거리를 두어야 해요. 정말이지 지난번 겨울에는(기억하시겠지만 정말 혹독한 겨울이었어요. 눈이 안 온다 싶으면 대신 비가 오고 바람이 불었지요.) 11월부터 2월까지 푸줏간 사람과 우편배달부 이외엔 한 사람도 이 저택을 찾은 사람이 없었답니다. 그래서 밤마다 혼자 앉아 있었더니 정말 우울해 죽겠더라고요. 가끔 레아더러 들어오라고 해놓고 책을 읽도록 했답니다. 하지만 가엾은 그 애는 그 일을 별로 좋아하는 것 같지 않았어요. 그걸 구속이라고 느낀 거지요. 봄과 여름에는 지내기가 더 나았어요. 햇빛과 긴 낮이 굉장한 차이를 가져오니까요. 그러다가 올가을이 시작될 무렵 어린 바렝과 그 애의 보모가 왔어요. 그 후로 즉시 어린이 하나가 온 집 안에 활기를 불어넣었어요. 이제 선생님까지 오셨으니 퍽 즐거울 겁니다."

이 점잖은 부인의 이야기를 듣고 있을 때 내 마음은 그 부인을 향해 훈훈한 열을 발하는 것 같았다. 나는 의자를 그녀 쪽으로 가까이 끌고 간 후 나와 말벗을 하며 지내는 그녀의 생활이 기대만큼 즐거운 생활이 되기를 바란다고 말했다.

"하지만 오늘 밤은 늦게까지 선생님을 잡아두지 않겠어요." 그녀가 말했다. "방금 12시를 쳤어요. 하루 종일 여행하셔서 피곤하실 테니까요. 침실로 안내해드리죠. 선생님 침실은 내 방 바로 옆에 마련해두었어요. 방은 작지만 저택 전면의 큰 방들보다 더 마음에 드실 거예요. 큰 방들에는 더 좋은 가구가 비치되어 있는 건 확실해요. 그러나 그 방들은 너무 음울하고 고적해요. 나도 그런 방에서는 절대로 자지 않아요."

나는 그녀의 사려 깊은 선택에 감사했다. 또한 긴 여행으로 정말로 피로함을 느꼈기 때문에 이제 가서 쉬고 싶다고 말했다. 그녀는 촛불을 들었다. 나는 그녀를 따라 그 방에서 나왔다. 그녀는 먼저 현관문이 잘 잠겼는지 확인부터 했다. 자물쇠에서 열쇠를 뽑은 후 그녀는 계단 위로 나를 안내했다. 계단과 난간은 참나무로 만들어져 있었다. 계단 창문은 높았고 격자 창문이었다. 계단 창문의 모양이나 열린 침실 문들이 늘어선 복도의 모습은 일반 저택이라기보다는 교회의 창문들이나 복도같이 보였다. 매우 싸늘하고 납골당을 연상시키는 공기가 계단과 복도를 채우고 있어서 텅 빈 공간과 고독이라는 침울한 생각만 떠오르게 하고 있었다. 마침내 나는 내 방으로 안내되었는데, 그 방은 크기가 작았고 현대식 보통 가구들이 비치되어 있어서 기뻤다.

페어팩스 부인이 잘 자라고 친절하게 인사를 하고 떠나자 나는 문을 잠그고 느긋하게 방 안을 둘러보았다. 현관의 넓은 홀, 몹시 어둡고 넓은 계단, 그리고 싸늘한 긴 복도로 인해 받은 섬뜩한 인상을 내 작은 방의 활기찬 모습을 보고 어느 정도 지웠고, 그제서야 육체적 피로와 정신적 불안의 연속이었던 하루가 끝나고 마침내 무사히 안전한 안식처에 도달했다는 사실을 기억해냈다. 감사하고 싶우 충동이 내 가슴을 부풀렸다. 나는 침대가에 무릎을 꿇고 마땅히 감사해야 할 곳에 감사 기도를 올렸고, 일어서기 전에 앞으로 내가 걸어갈 길 위에도 도움을 내려주십사 하고 간절히 기도하는 일도 잊지 않았다. 또한 자격이 입증되기 전인데도 솔직하게 극진히 대해준 부인의 친절을 받을 만한 자격이 내게 있게 되기를 간절히 바란다고 기도했다. 그날 밤의 잠자리는 전혀 가시방석이 아니었고 호젓한 방엔 아무 두려움도 없었다. 피곤하기도 하고 동시에 흡족하기도 해서 나는 이내 깊은 잠에 빠져들었다. 눈을 떴을 땐 날이 환히 밝아 있었다.

밝은 파란색 무명으로 된 커튼 틈새로 햇살이 빛을 가지고 들어오자 내 방은 매우 밝은 아늑한 장소로 보였다. 그 햇살에 벽지를 바른 사면의 벽들과 카펫을 깐 방바닥이 보였다. 로우드 학교의 회반죽만 칠한 벽이나 널빤지 바닥과는 너무나 달라서, 그 모습을 보는 순간 기분이 좋아지는 것이었다. 겉으로 나타난 외양이 젊은이들에게는 큰 영향을 미치는 법이다. 아름다운 인생의 시기, 가시밭과 고역만큼 꽃과 기쁨을 갖게 되는 시기가 내게 시작되고 있다고 나는 생각했다. 새로운 환경의 변화, 다시 말해서 희망을 갖도록 제공된 새 일자리에 의해 깨어난 나의 신체적·정신적 기능들이 모두 꿈틀거리는 것 같았다. 그 기능들이 무엇을 기대하는지 정확히 설명할 수는 없다. 그러나 그것은 무언가 즐거운 것이었다. 그날이나 그 달에 오는 것이 아니라 불확실한 미래의 어느 시점에서 찾아올 그 무엇이었다.

나는 자리에서 일어나 신경을 써서 옷을 입었다. 수수한 차림일 수밖에 없다. 지독히 소박하게 만들어지지 않은 옷은 한 가지도 없었기 때문이다. 나는 아직 천성적으로 옷을 단정하게 입으려고 노력하는 사람이었다. 외양을 무시한다든가 남에게 주는 인상에 관심을 갖지 않는 것은 내 습성이 아니었다. 반대로, 나는 될수록 남에게 잘 보이기를 원했고, 내 부족한 미모가 허락하는 한 남들을 즐겁게 해주기를 원했다. 나는 때로 좀 더 잘생기지 못한 것을 아쉽게 생각했다. 때로 장밋빛 뺨, 곧은 코, 앵두처럼 작은 입을 가졌으면 좋겠다고 생각했다. 키도 크고 당당해 보이고 아름답게 발달된 몸매를 가졌으면 했다. 나는 키가 작고 창백하고 너무 불규칙하면서 눈에 두드러진 신체적 특성들을 가진 것을 불운이라고 느꼈다. 그런데 이러한 열망과 유감을 품게 된 이유는 무엇일까? 그것은 말하기 어려울 것이다. 당시에는 내 자신에게도 그 이유를 분명히 말할 수 없었다. 그러나 나에게는 어떤 이유가 있었다. 논리적이면서 자연스럽기도 한 이유가 있었다. 머리를 말끔히 빗고 검정색 프록코트를 입고—이건 마치 퀘이커 교도처럼 보였지만 내 몸에 단정하게 맞았는데—깨끗한 흰색 목깃을 잘 매만지고 나자, 이만하면 페어팩스 부인 앞에 나서도 충분히 품위 있게 보일 것이고 내가 맡게 될 학생 아이가 적어도 내가 싫다고 꽁무니를 빼지 않을 정도는 되겠다고 생각했다. 침실 창문을 열어놓고 화장대 위의 모든 물건들이 똑바로 정돈되었는지를 확인한 후 나는 용기를 가다듬어 밖으로 나왔다.

나는 매트가 깔린 긴 복도를 지나 매끄러운 참나무 계단을 내려갔다. 그러자 홀이 나타났다. 나는 그곳에 잠시 발을 멈췄다. 나는 벽에 걸려 있는 그림들을 바라보았다. (내가 지금 기억나는 한 사람은 가슴막이 갑옷을 입은 무서운 표정의 남자 그림이었고 금가루를 뿌린 머리와 진주 목걸이를 하고 있는 부인을 그린 그림이었다.) 또한 천장에 매달린 청동 램프와, 오래되고 하도 닦아서 새까맣게 변색된 참나무 상자, 기이하게 조각된 그 참나무 상자에 들어 있는 시계를 바라보았다. 모든 것이 나에게는 위엄이 있고 위풍당당하게 보였다. 그러나 그 당시의 나는 위풍당당한 것에 익숙하지 않았다. 반은 유리로 된 홀의 문은 열려 있었다. 나는 문지방을 넘어 나갔다. 화창한 가을 아침이었다. 이른 아침 햇살이 갈색으로 물든 잡목 숲과 아직도 푸른 들판 위를 청명하게 비춰주고 있었다. 잔디밭까지 걸어가면서 저택의 전면을 올려다보며 찬찬히 살폈다. 저택은 상당히 컸지만 거대하다고는 할 수 없는 3층 건물이었다. 귀족의 저택이 아니라 시골 지주의 저택이었다. 건물 꼭대기에 빙 둘려 있는 총안 흉벽은 그림 같다는 인상을 주었다. 회색빛 건물 전면은 건물 뒤편 위쪽으로 보이는 까마귀 집터와 뚜렷한 대조를 이루고 있었는데, 그 까마귀 집의 거주자들은 날고 있었다. 까마귀들은 잔디밭과 숲 위를 날다가 넓은 목초지 들판 위에 내려앉았다. 그 거대한 초원과 잔디밭이 달린 저택 정원은 울타리를 대신하는 푹 팬 도랑으로 구분되었다. 목초지가 자라는 들판에는 거대하고 오래된 가시나무들과 옹이가 박힌 튼튼하게 생긴 큰 참나무들이 줄지어 늘어서 있었다. 이 들판과 나무들의 모습이 손필드라는 이름의 어원*을 즉시 설명해주었다. 들판 저 멀리에는 야산들이 보였다. 로우드 부근의 산들처럼 높지도 않고 바위투성이가 아니었다. 또한 로우드 부근의 산들처럼 활기찬 세상과 격리하는 장벽 같지도 않았다. 충분히 온

---

* Thornfield는 thorn(가시나무)과 field(벌판)의 합성어.

하하고 고적해 보이는 야산들은 번잡한 밀쿠트 시 인구에서 발견되리라고는 전혀 기대하지 못했을 정도로 호젓하게 손필드 저택을 감싸 안고 있는 것 같았다. 이 야산들 한편에 조그만 마을 집들의 지붕과 나무들이 뒤섞여 여기저기 산재해 있었다. 마을 교구 성당은 손필드 저택과 더 가까이 서 있었다. 성당의 낡은 종탑이 저택과 마을 입구 사이에 있는 작은 언덕을 내려다보고 있었다.

나는 아직도 그 고즈넉한 풍경과 쾌적하고 신선한 아침 공기를 만끽하고 있었고, 아직도 즐겁게 까마귀들의 울음소리에 귀를 기울이고 있었고, 아직도 그 고색창연하고 넓은 저택의 잿빛 정면을 자세히 살피고 있었고, 이 저택은 페어팩스 부인처럼 자그마한 외로운 부인이 살기에는 너무 크겠구나 하는 생각을 하고 있었다. 바로 그때 부인이 대문 앞에 나타나는 것이었다.

"아니, 벌써 나오셨어요?" 그녀가 말했다. "이제 보니 아침잠이 없으시군요." 내가 가까이 가자 부인은 상냥한 키스와 악수로 나를 맞이했다.

"손필드 저택이 마음에 드세요?" 그녀가 물었다. 나는 대단히 마음에 든다고 대답했다.

"그러실 거예요." 그녀가 말했다. "예쁜 곳이지요. 하지만 로체스터 씨가 여기 와서 영원히 사실 생각을 하지 않거나 아니면 적어도 보다 자주 방문하실 생각을 안 하시면 이곳이 엉망진창이 되지나 않을까 걱정돼요. 훌륭한 저택과 정원이란 것은 주인이 계셔야 하는 거지요."

"로체스터 씨!" 내가 큰 소리로 말했다. "그분이 누군데요?"

"손필드 저택의 주인이세요." 그녀가 조용히 대답했다. "그분

성함이 로체스터라는 걸 모르셨어요?"

물론 나는 몰랐다. 그에 대한 이야기를 전에 들어본 적이 없었다. 그러나 노부인은 그의 존재를 모두가 아는 보편적 사실, 즉 누구나 본능적으로 알고 있음에 틀림없는 사실로 여기는 것 같았다.

"전," 하고 내가 말을 계속했다. "손필드는 부인 소유의 저택인 줄 알았어요."

"내 소유라고요? 아이구머니나! 어떻게 그런 생각을! 내 소유라고요? 나는 다만 이 집 살림을 맡은 가정주부, 그러니까 관리인에 불과해요. 분명 나와 로체스터 씨는 외가 쪽으로 먼 친척뻘이 되긴 해요. 아니, 제 남편이 그렇긴 하지요. 제 남편은 저기 저 언덕 너머에 있는 헤이라는 작은 마을을 담당한 사제였어요. 그리고 마을 입구 근처의 성당도 남편 것이었어요. 로체스터 씨의 어머니 이름이 페어팩스였고 그분이 제 남편과 팔촌 간이었어요. 하지만 난 결코 그런 인척 관계를 내세워 우쭐대는 사람이 아닙니다. 사실 그런 건 내게 전혀 중요하지 않아요. 나는 그저 나 자신을 평범한 가사 관리인이라는 관점에서 생각할 뿐입니다. 나를 고용한 이 댁 주인이 늘 나를 정중히 대해주시니까 더 이상 바랄 게 없어요."

"그러면 그 어린 아가씨…… 제 제자가 될 학생은요?"

"그 애는 로체스터 씨가 후견을 맡은 애예요. 주인께서 내게 그 애를 가르칠 가정교사를 찾아보라고 위임하신 거지요. 내 믿건대, 그분께서는 그 아이를 이곳 ○○○ 주에서 키우실 모양이에요. 마침 아이가 저기 오네요. 아이가 유모라고 부르는 자기 '본'〔몸종〕과 같이 오네요." 이제야 수수께끼가 풀렸다. 다정하고 친절한 이 작은 미망인은 지체 높은 귀부인이 아니라 나와 마찬가지로 이 집에 고용된 식솔이었다. 그렇다고 그녀를 내가 안 좋게 생각한 거 아니었다. 오히려 그 반대로 전보다 더 그녀가 마음에 들었다. 그녀와 나 사이의 평등한 관계는 현실이었다. 그녀 쪽에서 단순히 생색을 내며 나를 봐준 결과가 아니었다. 그래서 더욱 잘된 일이었다. 내 위치가 그만큼 더 자유로워지기 때문이었다.

이러한 발견에 대해 곰곰이 생각하고 있을 때 꼬마 여자아이가 몸종 하녀를 데리고 잔디밭으로 달려왔다. 나는 내 학생인 그 아이를 바라보았다. 아이는 처음엔 나를 보지 못한 것 같았다. 아주 어린 아이였고 일곱 살이나 여덟 살쯤 되어 보였다. 가냘픈 체구에 새하얀 얼굴을 하고 있었고 풍성한 머리칼이 곱실거리며 허리까지 늘어져 있었다.

"아델라 양, 굿 모닝." 페어팩스 부인이 말했다. "이리 와서 앞으로 아델라 양을 가르쳐서 장차 똑똑한 숙녀로 만들어주실 숙녀분에게 말을 해야지요." 아이가 다가왔다.

"세 라 마 구베르낭트?"〔이분이 제 가정교사세요?〕 아이가 나를 가리키며 자기 보모에게 프랑스어로 물었다. 그러자 보모가 대답했다.

"메 위, 세르텐느망."〔그래요. 맞아요.〕

"둘 다 외국인인가요?" 프랑스어를 듣고 놀란 내가 물었다.

"보모는 외국인이고 아델라는 유럽에서 태어났어요. 내 생각엔, 여섯 달 전까진 그곳을 한 번도 떠나본 적이 없는 것 같아요. 처음 이곳에 왔을 때는 영어를 전혀 할 줄 몰랐어요. 지금은 그럭저럭 조금 할 줄 알아요. 영어에다 프랑스어를 하도 섞어서 말하는 통에 나는 잘 못 알아듣겠어요. 하지만 선생님께선 얘가 하는 말을 잘 이해하시겠네요."

다행히 나는 프랑스인 선생님한테서 프랑스어를 배운 유리한 처지였다. 기회만 있으면 습관적으로 피에로 선생과 프랑스어로 대화를 나누었고, 게다가 지난 7년간 매일같이 프랑스어 표현을 외웠다. 그리고 말의 악센트를 익히느라 무진 고생했고 그 선생의 발음을 되도록 똑같이 흉내 내려고 애썼다. 그래서 나는 프랑스어를 어느 정도 용이하게, 그리고 정확하게 구사할 수 있었다. 따라서 아델라 양과 대화하는 데 쩔쩔맬 것 같지는 않았다. 내가 제 가정교사라는 말을 듣고 꼬마 아가씨는 다가와서 나와 악수를 했다. 아침 식사를 하기 위해 아델라를 안으로 데리고 들어가면서 나는 프랑스어로 그녀에게 몇 마디 했다. 그녀는 처음에는 간단히 대꾸했다. 그러나 우리가 식탁에 앉은 후 아델라는 커다란 엷은 갈색 눈으로 나를 십여 분간 자세히 관찰하더니 갑자기 유창하게 재잘대기 시작했다.

"아!" 그녀가 프랑스어로 소리쳤다. "선생님은 로체스터 씨처럼 우리 말을 잘하시네요. 그분께 말하듯 말할 수 있겠네요. 소피도 그래요. 소피도 기뻐할 거예요. 이곳에선 누구도 소피 말을 못 알아듣거든요. 페어팩스 부인은 영어밖에 못하세요. 소피는 제 보모예요. 나하고 함께 연기 내뿜는 굴뚝이 있는 큰 배를 타고 바다를 건너 이곳에 왔어요. 연기가 얼마나 많이 나던지! 그래서 난 뱃멀미를 했어요. 소피도 그랬고요. 로체스터 씨도 그랬어요. 로체스터 씨는 살롱이라고 부르는 예쁜 방 소파에 누워 계셨고 소피와 나는 다른 방의 작은 침대를 썼어요. 나는 침대에서 떨어질 뻔했어요. 침대가 꼭 선반 같았어요. 그런데, 선생님, 이름이 뭐지요?"

"에어—제인 에어라고 해."

"에르? 에이! 발음할 수가 없네. 그래서 우리 배는 날이 완전히 밝기 전에 어떤 큰 도시에 정박했어요. 아주 어두운 집들에다 연기 투성이의 매우 큰 도시였어요. 제가 떠나온 그 예쁘고 깨끗한 도시와는 전혀 같지 않았어요. 로체스터 씨가 저를 팔에 안고 널판 가교를 건너 육지로 내려왔어요. 소피는 뒤를 따라오고요. 우리는 모두 마차에 탔는데, 마차는 우리를 이 집보다 훨씬 크고 멋진 호텔이라고 부르는 아름다운 집으로 데려갔어요. 우리는 거기서 거의 일주일을 머물렀어요. 나와 소피는 매일 공원이라고 부르는, 나무들로 가득 찬 넓은 초록빛 장소를 산책했어요. 그곳엔 나 말고도 다른 아이들이 많았고, 예쁜 새들이 많이 살고 있는 연못도 있었어요. 난 새들에게 빵 부스러기를 주었지요."

"저렇게 빨리 말하는데 알아들을 수 있으세요?" 페어팩스 부인이 말했다.

피에로 선생의 유창한 발음에 익숙해 있었기 때문에 나는 아델라의 말을 잘 알아들었다.

"부탁이 있어요." 착한 부인이 계속해서 말했다. "저 애 부모에 대해 한두 가지 질문 좀 해주세요. 그들을 기억하는지 궁금하군요."

"아델," 내가 물었다. "네가 말한 그 깨끗한 도시에 있을 때 누구하고 같이 살았지?"

"오래전엔 엄마와 같이 살았어요. 그런데 엄마는 성모 마리아에게 가셨어요. 엄마가 제게 춤추고 노래하고 시를 읽는 걸 가르쳐주셨어요. 굉장히 많은 신사 숙녀분들이 엄마를 보러 오셨어요. 그래서 저는 그분들 앞에서 춤도 추고 그분들 무릎에 앉아서 노래도 불렀어요. 전 그게 좋았어요. 지금 여기서 제 노래를 들려드릴까요?"

아이가 아침을 먹은 후여서 나는 할 수 있는 걸 하나만 해보라고 허락했다. 아델은 의자에서 내려오더니 내게로 와서 내 무릎 위에 앉았다. 그러고는 작은 손을 얌전하게 제 앞에 맞잡고 곱슬머리를 흔들어 뒤로 젖히고 눈을 천장으로 가져가더니 오페라 아리아 한 곡을 부르는 것이었다. 애인에게 버림받은 여인이 부르는 노래였다. 애인의 변절을 슬퍼하던 여주인공이 자신의 자존심을 불러내어 도움을 요청하고, 하녀에게 부탁해서 자신이 가진 보석들 중 가장 화려한 것들로 치장토록 시키고 그날 밤 무도회에서 그 배신자를 만나기로 결심한 후, 일부러 명랑한 척하면서 그의 변절은 자신에게 아무런 영향도 미치지 못한다는 것을 입증해 보인다는 내용의 아리아였다.

어린애가 부르기에는 이상하게 선택된 주제 같았다. 아이의 혀 짧은 발음으로 사랑과 질투의 가락이 노래되어 나오는 것을 들으며 무언가 과시하고자 하는 의도가 들어 있다고 나는 생각했다. 그런 의도는 좋지 않은 취미였다. 적어도 나는 그렇게 생각했다.

아델은 칸초네도 악보에 맞게 그리고 나이에 맞는 순진성을 발휘하며 불렀다. 노래가 끝나자 아델은 내 무릎에서 뛰어내리며 말했다. "선생님, 이제 어떤 시를 암송해드리겠어요."

자세를 제대로 잡고 나서 아델은 〈생쥐들의 동맹〉이란 라퐁텐의 우화를 암송하기 시작했다. 아델은 이 작품을 구두점과 강세, 목소리의 유연성과 적절한 몸동작까지 신경을 쓰면서 웅변조로 낭송했다. 실로 나이에 비해 특이한 낭송이었다. 아이가 용이주도하게 훈련되었다는 것을 입증한 것이었다.

"그 작품을 네게 가르쳐주신 분이 엄마니?" 내가 물었다.

"네. 엄마는 이런 식으로 암송하곤 했어요. 카베 부 동크? 뤼 디

앵 드 세 라, 파흘레![무슨 일이야? 이 쥐들 중 한 마리가 그녀에게 말했습니다. 말해봐!] 엄마는 앞의 질문 부분에서 내 손을 들라고 했어요……. 그렇게…… 그 질문 부분에서는 목소리를 올리는 걸 상기시켰어요. 이제 춤을 보여드릴까요?"

"아니다. 그만하면 됐다. 그런데 엄마가 성모 마리아에게 가셨다고 네가 말했는데, 그 후에는 누구와 살았지?"

"프레더릭 부인과 그분 남편과 함께요. 부인이 저를 보살펴주었어요. 하지만 그분은 아무 인척 관계도 아니에요. 그분은 가난한 분인 것 같아요. 집이 우리 엄마 집처럼 훌륭하지 않았어요. 그곳에는 오래 있지 않았어요. 로체스터 씨가 영국에 가서 같이 살고 싶지 않느냐고 제게 물었어요. 그래서 그러고 싶다고 말했어요. 프레더릭 부인을 알기 전부터 로체스터 씨를 알고 있었거든요. 그분은 늘 저에게 친절하셨고 예쁜 옷과 장난감을 주셨어요. 하지만 보시다시피 그분은 약속을 지키지 않으셨어요. 저를 영국에 데려다 놓고는 혼자서 유럽으로 돌아가셨어요. 그래서 그분을 전혀 보지 못하고 있어요."

아침 식사 후 아델과 나는 서재로 갔다. 그 방은 로체스터 씨의 지시로 교실로 사용하기로 되어 있는 것 같았다. 대부분의 책들은 책장 유리문 안에 들어 있었고 자물쇠로 잠겨 있었다. 그러나 책장의 한 칸은 열려 있었고 그 안에 초등학교 과정에 필요한 모든 것들이 다 들어 있었으며, 가벼운 문학작품들, 시, 전기, 여행기, 그리고 몇 권의 로맨스 소설들이 들어 있었다. 아마 가정교사에게 개인적인 독서를 위해 필요한 책이 이런 것들이라고 로체스터 씨는 생각했던 모양이다. 그런데 사실 말이지 그런 책들만으로도 당시의 내게는 크게 만족스러웠다. 로우드 학교에 있을 때 내가 이따금 모을 수 있었던 빈약한 장서에 비하면 그 책들은 오락과 정보의 풍성한 수확물을 제공해주는 것 같았다. 이 방에는 역시 소형 피아노가 있었는데 완전히 신품에다 소리가 훌륭한 것이었다. 또한 그림 그리기를 위한 이젤과 한 쌍의 지구의가 있었다.

내 학생은 비록 열심히 공부하겠다는 마음은 없었지만 아주 순한 아이라는 것을 알 수 있었다. 아델은 어떤 식의 규칙적인 작업에는 익숙하지 않았다. 나는 처음부터 아이를 너무 오래 붙잡고 있는 것은 현명한 일이 아니라고 생각했다. 따라서 아이에게 충분히 말을 했고 뭔가 좀 학습이 되었다고 생각되거나 오전이 정오로 접어들 무렵이면 아델이 보모에게 돌아가는 것을 허락했다. 그 후 점심 먹을 때까지 나는 아델을 위해 사용할 간단한 스케치를 작업하기로 했다.

화첩과 연필을 가지러 2층으로 올라가고 있을 때 페어팩스 부인이 나를 불렀다. "오전 수업이 이제 끝났나 보군요." 그녀가 말했다. 그녀는 어떤 방 안에 서 있었는데 마침 그 접게 되어 있는 방의 문이 열려 있었다. 그녀가 말을 걸어왔기 때문에 나는 그 방으로 들어갔다. 장중해 보이는 큰 방이었다. 자주색 의자와 커튼, 터키산 카펫, 호두나무 널판을 붙인 벽, 색유리로 만들어진 거대한 창문, 고상하게 만들어진 높은 천장 등이 보였다. 페어팩스 부인은 찬장 위에 놓여 있는 예쁜 자주색 수정 꽃병의 먼지를 털어내고 있던 중이었다.

"정말 아름다운 방이군요!" 나는 둘러보며 감탄했다. 그 방 반만큼 되는 장중함도 나는 본 적이 없었기 때문이다.

"그래요. 이 방은 식당이에요. 환기 좀 시키고 햇빛도 들어오라고 막 창문을 열었어요. 사람이 쓰지 않는 방은 모든 것에 습기가 차기 마련이지요. 저기 저 응접실은 마치 지하 납골당 같아요."

부인은 창문에 해당하는 넓은 아치형 문을 가리켰다. 그 문에는 창문처럼 자주색으로 물들인 커튼이 쳐져 있었는데 고리에 묶여 있었다. 나는 넓은 계단 두 칸을 올라가서 그 방 안을 들여다보았다. 그랬더니 마치 요정의 집을 힐끔 보았다는 생각이 들었다. 그 문 너머에 있는 방 안 풍경은 나 같은 초보자 눈에는 너무나 눈부신 장면이었다. 그러나 그 방은 실은 안쪽에 내실 하나가 있는 응접실에 불과했다. 두 방 모두 하얀 양탄자가 깔려 있었고 그 양탄자 위에는 화려한 화환들이 놓여 있는 것 같았다. 두 방의 천장에는 흰 포도와 포도 덩굴 잎 모양이 새겨져 있었고 그 아래로 극명한 대조를 이루며 진홍색 소파와 긴 의자들이 빛을 발하고 있었다. 파로스 섬에서 나온 엷은 빛깔의 대리석으로 장식된 벽난로 위 장식들은 번쩍이는 붉은 루비색 보헤미아산 유리로 만들어져 있었다. 또한 창문과 창문 사이에 놓인 대형 거울들은 눈 같은 흰색과 불 같은 붉은색을 섞어서 반사하고 있었다.

"페어팩스 부인, 어쩌면 방들을 이렇게 잘 정돈해놓으셨을까!" 내가 말했다. "먼지 하나 없고 천 조각으로 덮은 데도 없고 방의 공기가 싸늘한 것만 아니면 매일 방 안에 사람이 살았다고 생각들 하겠네요."

"에어 선생님, 그건 이래서 그래요. 로체스터 씨가 집을 방문하시는 건 드문 일이지만, 막상 방문하실 때는 늘 갑작스럽고 예고가 없으시죠. 한번은 모든 것이 천으로 덮여 있었지요. 그래서 도착하자마자 우리가 방을 정돈하느라 법석을 떠는 것을 보고 그분이 불편해하시는 걸 보았거든요. 그래서 평소에 방들을 정돈해놓고 있는 게 최선이라고 생각했어요."

"로체스터 씨는 엄격하고 까다로우신 분인가요?"

"특별히 그렇지는 않아요. 하지만 그분은 신사적인 취향과 습관을 가지고 있어요. 따라서 모든 게 자기 취향과 습관에 부합되게 관리되기를 바라시죠."

"그분이 마음에 드세요? 사람들이 그분을 좋아하나요?"

"아, 물론이지요. 로체스터 가문은 여기서 늘 존경을 받아왔지요. 선생님 눈으로 볼 수 있는 이 인근의 거의 모든 땅은 기억도 할 수 없는 옛날부터 로체스터 가문 소유였어요."

"그래요. 하지만 자기 땅을 소홀히 하고 있는데도 그분이 좋으세요? 그분 자체를 인간으로서 사람들이 좋아하나요?"

"그분을 좋아하지 않을 이유가 없어요. 내가 믿기로는 그분은 소작인들에게 공정하고 관대한 주인으로 대접받으실 거예요. 하지만 그분이 그들 속에 끼여 살아온 기간은 얼마 되지 않아요."

"특이한 기질은 없나요? 간단히 말해서 그분 성격이 어떤가요?"

"아! 그분 성격은 흠잡을 데가 없다고 생각해요. 조금 특이하긴 해요. 여행을 무척 많이 하셨어요. 세상을 많이 보셨을 거예요. 아마 똑똑한 분일 거예요. 하지만 나는 그분과 많은 대화는 나눈 적이 없어요."

"어떤 식으로 특이한가요?"

"모르겠네요……. 설명하기가 쉽지 않은걸요……. 강한 인상을 주는 건 아무것도 없는데, 그분이 우리에게 말을 하면 우린 그걸 느꺼요. 그분이 농담을 하는지 진담을 하는지, 기분이 좋은지 아니면 그 반대인지 확실히 가늠할 수가 없어요. 간단히 말해서 그분을 완전히 이해하지는 못해요. 적어도 내 경우는 그래요. 하지만 그건 중요한 게 아니지요. 그분은 너무나 좋은 주인이시니까요."

이것이 그녀의 고용주이자 내 고용주이기도 한 그 사람에 대해 그녀에게서 얻어낸 설명이었다. 어떤 성격을 묘사하거나, 아니면 사람이건 사물이건 그 두드러진 점을 관찰하거나 묘사하는 일을 전혀 할 줄 모르는 사람들이 있는 법이다. 이 착한 부인은 분명히 그런 부류에 속하는 사람이었다. 내 질문이 그녀를 당황케는 만들었지만 그녀의 입을 열지는 못했다. 부인의 눈에 로체스터 씨는 로체스터 씨였다. 신사며 지주일 뿐 더 이상의 존재는 아니었다. 부인은 더 많은 것을 묻거나 알려고 하지 않았다. 따라서 그녀는 주인의 정체를 더 확실히 알고 싶어 하는 내 욕망을 분명 이상하게 생각하고 있는 것 같았다.

식당을 나섰을 때 부인은 저택의 다른 곳들을 보여주겠다고 먼저 나섰다. 나는 감탄을 연발하며 위층 아래층으로 그녀를 따라다녔다. 모든 곳이 잘 정돈돼 있었고 예뻤다. 나는 특히 정면 쪽에 위치한 방들이 장중하다고 생각했다. 그리고 비록 어둡고 나직했지만 3층의 방들도 그 고색창연한 분위기로 인해 흥미로웠다. 한때는 아래층에서 사용되던 가구들이 세월을 따라 유행이 변하면서 이곳으로 옮겨져 차곡차곡 쌓여 있었다. 또한 좁은 여닫이 창문들을 통해 스며들어오는 희미한 빛이 백 년이나 된 침대들의 뼈대를 드러내 보이고 있었다. 종려나무 가지와 아기 천사의 머리들이 야릇하게 조각되어 있어 마치 헤브라이인들의 성스러운 궤짝처럼 보이는 참나무나 호두나무로 짠 궤짝들, 등받이가 높고 좁은 멋진 의자들의 대열, 이미 관 속의 먼지로 변한 지 두 세대나 지난 고인들의 손길로 제작되고, 절반쯤 지워진 자수 자국이 위쪽 쿠션에 뚜렷이 보이는 그보다 더 오래된 걸상들, 이런 물건들의 모습을 보여주고 있었다. 이러한 유물들은 모두가 3층의 손필드 저택이 지나간 과거의 안식처이자 기억의 신전이라는 것을 말해주고 있었다. 낮에도 후미진 3층 방들의 정적과 침울함과 기이한 분위기는 내 마음에 들었다. 그러나 넓고 육중한 그 방들의 침대에서 하룻밤이나마 잠을 자고 싶은 마음은 조금도 없었다. 어떤 침대는 참나무 문 뒤에 숨어 있었고 어떤 침대는 이상하게 생긴 꽃들과 기이한 새들, 더 이상 기이할 수 없는 희한한 형상의 인간들을 묘사한 자수가 빽빽이 놓인 낡은 영국제 커튼 뒤에 감추어져 있었다. 이 모든 것이 정말이지 창백한 달빛을 받는다면 이상하게 보였을 것이다.

"하인들이 이런 방들에서 자나요?" 내가 물었다.

"아뇨. 하인들은 뒤에 있는 작은 방들에서 지내고 있습니다. 여기서 잘 하인은 하나도 없어요. 만약 손필드 저택에 유령이 있다면 그 유령 나오는 곳이 바로 여기라고들 할 겁니다."

"제 생각도 그렇네요. 그럼, 유령은 없단 말씀이군요?"

"유령 얘기는 들어본 적이 없네요." 페어팩스 부인은 미소를 지으며 말했다.

"전해 내려오는 이야기도 없나요? 전설이라든가 유령 이야기 같은 건 없나 해서요."

"없는 것 같아요. 그렇긴 하지만 로체스터 가문 사람들은 한창때 조용한 분들이기보다 난폭한 분들이었다는 말들은 해요. 하지만 바로 그런 이유 때문에 그분들은 지금 각자의 묘지에서 평온하게 휴식하고 있을 겁니다."

"그래요……. '발작과도 같은 인생의 열병이 끝난 후에는 편안히들 잠자는 거죠.'*" 나는 중얼거렸다. "지금 어디로 가는 거죠?" 그녀가 그곳을 떠나려고 하기에 내가 물었다.

"함석지붕으로요. 올라가서 그곳에서 경치 한번 구경하지 않으실래요?" 나는 여전히 그녀를 뒤쫓아갔다. 극히 좁은 계단을 올라가니 지붕 밑 다락방이 나왔고, 다시 그곳에서 사다리를 타고 지붕 밑 뚜껑문을 통과하자 저택의 지붕이 나왔다. 이제 나는 까마귀들의 영토와 같은 고도에 오르게 되어 그들의 둥지를 들여다볼 수 있었다. 총안 흉벽 위로 몸을 굽혀 멀리 아래를 바라보면서 나는 마치 지도처럼 펼쳐진 지형을 훑어보았다. 밝은 벨벳 같은 잔디밭이 이 대저택이 깔고 앉은 회색빛 터전을 둘러싸고 있는 모습이 바싹 조인 허리띠 같았다. 공원처럼 넓은 들판에는 고목들이 점점이 박혀 있었다. 어두운 색으로 시들어가는 숲은 오솔길로 갈라져 있었는데, 통로가 눈에 띄게 확장되어 있었고, 나무들이 신록으로 푸르다기보다 이끼가 덮여 더 푸르렀다. 대문 가까이에 있는 성당, 마찻길, 그리고 고요한 야산들은 모두 가을 햇살을 받으며 휴식하고 있었다. 지평선을 감싼 상서로운 하늘은 진주처럼 흰 무늬가 박힌 대리석이 깔린 듯 쾌청한 푸르름이었다. 풍경 속에 자리한 형상들은 어느 것도 특별한 데가 없었다. 그러나 그 모두가 내 마음을 즐겁게

---

* 〈맥베스〉 3막 2장 23행. 맥베스가 자신의 괴로운 심정을 자기가 죽인 덩컨 왕이 죽어서 향유하는 평화로움과 비교하는 장면이다.

하고 있었다. 몸을 돌려 다시 뚜껑문을 통과할 때 나에게는 사다리 타고 내려갈 길이 거의 보이지 않았다. 지붕 밑 다락방은 지하 납골당만큼이나 검은 어두움이었다. 줄곧 올려다보았던 아치를 이룬 푸른 하늘, 햇살로 조명된 숲, 기쁜 마음으로 응시했던, 저택을 중심으로 주변에 깔린 목초지와 초록색 야산들……, 이런 것들과 비교해서 다락방이 어두웠던 것이다.

페어팩스 부인은 그 뚜껑문을 잠그기 위해 잠시 내 뒤에 처졌다. 나는 손으로 허공을 더듬어 간신히 다락방 출구를 찾았다. 이어서 나는 좁은 다락방 계단을 내려왔다. 나는 그 계단 끝과 이어진 긴 복도에서 잠시 기다렸다. 복도는 3층 정면 쪽 방들과 뒷면 쪽 방들을 갈라놓는 복도였다. 그 복도는 좁고 낮았고 먼 저쪽 끝에 창문 하나가 달랑 나 있어 침침했다. 또한 두 줄로 서 있는 작고 검은색 문들은 모두 닫혀 있어서 이건 꼭 푸른 수염의 사나이*가 사는 성의 낭하 같았다.

가만가만 발걸음을 옮기는 동안이었다. 그렇게 조용한 지역에서 전혀 예상치 않았던 소리, 그러니까 웃음소리가 내 귀를 때리는 것이었다. 분명하고 형식적이면서 즐겁지도 않은데 웃는 웃음이었다. 나는 멈췄다. 웃음도 멈췄다. 그러나 잠시뿐이었다. 웃음은 다시 시작되었는데 먼저보다 더 소리가 컸다. 처음에 들린 웃음은 분명하긴 했지만 낮은 웃음소리였다. 그 웃음소리는 모든 적막한 방에서 메아리를 일으킬 것같이 느껴질 정도로 요란하게 울려 퍼지면서 사

---

* 수많은 부인을 거느리고 살다가 모두 살해하여 시신을 방에 숨겨두었던 전래동화에 나오는 악한.

라져갔다 한 방에서 시작된 웃음이지만 온 방들에서 나는 웃음 같았다. 그 웃음이 터져 나온 방의 문을 지적하라면 지적해낼 수 있을 정도였다.

"페어팩스 부인!" 내가 소리 질렀다. 그제야 그녀가 다락방 계단을 내려오는 소리가 들렸기 때문이다. "그 커다란 웃음소리를 들으셨지요? 웃는 게 누구죠?"

"십중팔구 어떤 하인일 겁니다." 그녀가 대답했다. "아마 그레이스 풀이라는 하녀일 겁니다."

"부인께서도 그 소리를 들으셨나요?" 내가 다시 물었다.

"네, 똑똑히 들었어요. 종종 그 하녀의 웃음소리를 들어요. 이곳의 한 방에서 바느질을 하는 하녀예요. 때로 레아와 함께 있을 때도 있어요. 둘이 함께 있으면 시끄러울 때가 많아요."

그때 낮고 음절마다 끊어지는 어조로 웃음이 다시 시작되더니 야릇한 웅얼거림으로 끝났다.

"그레이스!" 페어팩스 부인이 소리쳤다.

나는 사실 그레이스라는 하녀가 응답할 것이라고 기대하지 않았다. 그 웃음은 내가 이제까지 들어본 어떤 웃음보다 더 비극적이며 불가사의한 웃음이었기 때문이다. 그래서 만약에 대낮의 정오 시간이 아니었다면, 또 이 이상하게 터져 나온 웃음으로 인해 유령이 따라 나올 여건이 제대로 마련되었더라면, 또한 장소나 시간이 공포감을 일으키기에 알맞은 상황이었다면, 나는 이성을 저버리고 겁에 질려버렸을 것이다. 그러나 놀란 감정이나마 품었던 내가 바보였다는 것을 입증하는 일이 일어났다.

내게서 가장 가까운 방문이 열리더니 하녀 하나가 나오는 것이었다. 서른에서 마흔 사이로 보이는 여자였다. 단단해 보이고 어깨는 딱 벌어지고 붉은 머리에 지독히 못생긴 얼굴을 하고 있었다. 그녀보다 낭만적인 데가 없고 귀신 같은 데가 없는 유령은 거의 상상할 수도 없었다.

"그레이스, 너무 시끄러워." 페어팩스 부인이 말했다. "지시사항을 기억하라구!" 그레이스는 아무 말 없이 무릎 굽혀 절을 하고는 들어갔다.

"바느질도 하고 레아가 하는 일을 거들라고 데리고 있는 하녀예요." 미망인이 계속했다. "몇 가지 못마땅한 곳이 전혀 없는 건 아니에요. 하지만 일은 꽤 잘하지요. 그건 그렇고 오늘 아침 새 학생과는 어떻게 지내셨나요?"

이렇게 아델에게로 돌아간 대화는 밝고 명랑한 아래층에 도달할 때까지 계속되었다. 홀에서 아델이 우리를 맞으러 달려와 소리쳤다.

"두 숙녀분들, 식사가 준비되었습니다!" 그러고는 이렇게 덧붙였다. "저는 정말 배가 고파요."

페어팩스 부인 방에 차려진 점심 식사가 우리를 기다리고 있었다.

제12장

손필드 저택과 그곳 사람들과 오래 사귀게 되었어도 내가 처음 그곳에 소개되었을 때 그곳 분위기가 다짐해주는 것 같았던 순탄한 생활에 대한 약속이 물건너 가지는 않았다. 페어팩스 부인은 처음 본 그대로 차분한 성격에 친절한 심성을 지닌 여자였고 유능한 교육을 받은 평균 지능을 지닌 부인으로 판명되었다. 내 학생은 활기찬 아이였다. 버릇없는 응석받이로 자라서 이따금 고집을 부리고 제멋대로 하는 것이 문제이긴 했다. 그러나 이제는 전적으로 내가 도맡아 돌보게 되었고 누구에게도 부당한 간섭을 받아 그 아이를 개선하려는 내 계획을 좌절시키는 일은 없었기 때문에, 아이는 조금 가지고 있던 변덕을 잊고 고분고분하고 가르칠 만한 아이가 되었다. 아이는 대단한 재능이 있거나 두드러진 성격적 특성을 가지고 있지는 않았다. 또한 보통 아이 수준보다 한 치라도 자신을 높일 만큼 특별히 발달된 감성이나 취향을 지닌 것도 아니었다. 그렇다고 그 수준 이하로 떨어지는 결함이나 악습을 가진 것도 아니었다. 아이는 꽤 향상되고 있었고, 아주 깊은 애정까지는 아닐지 모르지만 나에 대해 활기찬 애정을 품게 되었다. 나 또한 아이의 단순성과 더듬거리며 말하는 명랑한 수다와 내 비위를 맞추려는 노력 덕분에, 보답으로 함께 있으면 서로 즐거워질 정도의 애착이 내 마음에 자리 잡았다.

말이 났으니 말인데, 이런 발언은 아이들의 천사 같은 본성에, 그리고 아이들 교육을 책임진 사람들은 아이들에게 거의 우상숭배에 가까운 헌신을 해야 할 의무가 있다는 데 경건한 이론을 간직하고 있는 사람들에게는 너무 차가운 말로 들릴 것이다. 그러나 나는 부모들의 이기심에 아첨하거나, 위선적인 말에 맞장구치거나, 허튼소리를 지지하기 위해 이 글을 쓰고 있는 것이 아니다. 나는 그저 진실을 말하고 있을 뿐이다. 나는 아델의 행복과 발전에 양심적으로 배려했고 아델의 어린 자아에 조용한 호감을 느꼈다. 마찬가지로 나는 페어팩스 부인의 친절에 감사하는 마음을 간직했다. 또한 부인이 내게 가지고 있는 조용한 존중과 절제를 아는 심성과, 성격에 비례하는 기쁨을 그녀가 나와 함께 살면서 제공하고 있는 것에도 감사했다.

내가 다음과 같은 말을 덧붙인다고 해서, 누구든 나를 비난하고 싶으면 비난해도 좋다. 사실 나는 이따금씩 저택 주위를 혼자 산책하기도 하고 바깥 출입문까지 걸어 내려가 그 문들을 통해 눈으로 거기서 뻗어가는 길을 따라가는 때가 있었다. 혹은 아델이 보모와 놀고 있고 페어팩스 부인이 식품 저장실에서 젤리를 만들고 있는 동안 혼자 3층 계단을 올라가 지붕 밑 다락방 뚜껑문을 열고 함석 지붕에 도달해서는 거기서 외딴 들판과 언덕 너머를 멀리 바라보고 희미한 지평선을 따라 눈길을 보내는 때가 있었다. 바로 그럴 때 나는 그런 한계선을 넘어서까지 볼 수 있는 시력을 갈망했다. 그렇다면 들어는 봤지만 실제로는 본 적이 없는 활기로 가득 찬 분주한 세상과 도시들과 지역들을 볼 수 있을 거라고 생각했기 때문이다. 또한 그럴 때마다 나는 내가 가진 경험보다 더 실질적인 경험을 갈망했다. 여기서 내가 접할 수 있는 것보다 더 많이 나와 비슷한 인간들과의 교제, 그리고 다양한 성격을 가진 인간들과의 더 많은 친교를 갈망했다. 물론 나는 페어팩스 부인의 좋은 점과 아델의 좋은 점을 값진 것으로 여겼다. 그러나 나는 그들과는 다른 더욱 생동하는 선량함이 존재할 것이라고 믿었다. 그리고 나는 내가 믿고 있는 것들을 직접 눈으로 보기를 바랐다.

누가 나를 비난하느냐고? 많은 사람들이 비난하리란 건 의심할 여지도 없다. 날더러 불평꾼이라고들 부를 것이다. 어쩔 수 없는 일이다. 안절부절못하는 인자가 내 성격 속에 있었다. 때때로 그런 성격이 나를 고통으로 몰아갔다. 그럴 때 나의 유일한 구원책은 3층 복도를 이리저리 걸어 다니며 그곳의 정적과 고독에서 마음의 안정을 찾는 것이었다. 그리하여 내 마음의 눈이 앞에 펼쳐지는 온갖 화려한 환상에 골몰하도록 방치하는 것이었다. 확실히 그런 환상은 종류도 많았고 환히 불타오르는 환상이었다. 그 순간 내 심장은 희열에 찬 박동으로 울렁거렸고, 그 박동은 가슴을 부풀리며 괴롭게도 했지만 생명력으로 팽창하게도 했다. 가장 좋았던 것은 그런 환상들이 결코 끝나지 않는 어떤 이야기에다 나의 내면의 귀를 열어준 것이었다. 나의 상상력이 창조하여 끝도 없이 낭송되는 이야기, 내가 갈망하지만 실생활에서는 결코 가질 수 없는 온갖 사건과 삶과 열정과 감정으로 가속이 붙는 이야기를 말하고 있는 것이다.

인간이 평온한 삶에 만족해야 한다고 말하는 것은 헛된 일이다. 인간은 활동을 해야 한다. 그런 활동을 찾을 수 없으면 만들어내려한다. 몇백만 명의 인간들이 내 운명보다 더 정적인 운명에 처해 있다. 또한 몇백만 명의 인간들이 자신들의 운명에 대해 무언의 반란을 일으키고 있다. 정치적 반란 외에도 얼마나 많은 반란이 지구를 머리로 채우고 있는 수많은 인간들의 삶 속에서 발효되고 있는지는 아무도 모른다. 대체로 여자들은 매우 온건한 존재들로 간주된다. 그러나 여자들도 남자들이 느끼는 것과 똑같이 느낀다. 여자들도 자기 능력을 발휘할 필요가 있는 것이다. 남자 형제들처럼 자신들의 노력을 쏟을 분야가 필요하다. 그들도 남자들이 고통 받는 것 못지않게 가혹한 제약과 절대적인 침체 속에서 고통을 받는다. 그러나 동료 인간으로서 여자들보다 훨씬 더 많은 특권을 누리고 있는 남성들이 여자는 그저 집구석에 틀어박혀 푸딩이나 만들고, 스타킹이나 짜고, 피아노나 연주하고, 가방에 자수나 놓으라고 말한다면 그건 편협한 일인 것이다. 그러니까 여자들이 관습이 여자들에게 필요한 것이라고 선언한 것 이상의 것을 행하고 배우려고 나설 때, 그들을 비난하거나 비웃는 것은 지각없는 일인 것이다.

이렇게 혼자 있을 때 나는 그레이스 풀의 웃음을 어쩌다가 아니라 꽤 자주 들었다. 전번과 똑같은 터져 나오는 소리, 그 똑같은 낮고 느린 하! 하! 소리였다. 처음 들었을 때 전율을 느끼게 하는 소리였다. 또한 그녀가 이상하게 중얼거리는 소리도 들었다. 웃음보다 더 이상한 소리였다. 그녀가 침묵을 지키는 날도 있었다. 그러나 그녀가 내는 소리가 무슨 뜻인지 설명할 수 없는 날도 있었다. 때로 나는 그녀를 보았다. 그녀는 대야나 접시나 쟁반을 손에 들고 방에서 나와 부엌으로 내려갔다가 곧 돌아왔다. 대개(낭만적인 독자시여, 솔직한 진실을 말하는 것을 용서하시길 바랍니다!) 흑맥주가 담긴 큰 자을 들고 돌아왔다. 그녀의 외모는 입으로 내뱉은 이상한 웃음이나 중얼거림으로 생겼던 호기심을 싹 가시게 만드는 제동장치 같은 역할을 했다. 험상궂고 냉정한 그녀의 외모에는 흥미를 끌 만한 점이 하나도 없었다. 나는 그녀를 대화로 이끌려고 몇 번 시도해 보았다. 그러나 그녀는 말수가 적은 사람 같았다. 단음절 단어로 대답했기 때문에 모든 대화 노력은 으레 포기해야 했다.

저택의 다른 식구들, 예컨대 존과 그의 아내, 가정부 레아, 프랑스인 보모 소피는 모두 점잖고 예의 바른 사람들이었다. 그러나 어느 관점으로 보나 관심을 가질 만한 사람들은 아니었다. 소피와는 프랑스어로 이야기를 하곤 했다. 그래서 때로 나는 그녀의 모국에 대해 질문했다. 그러나 소피는 설명이나 이야기를 할 수 있는 재능이 없는 여자였고 질문을 북돋기보다 질문을 제지하려고 계획된 것 같은 맥 빠지고 혼란스러운 대답을 하는 것이었다.

10월, 11월, 12월이 지나갔다. 어느 날 오후 페어팩스 부인이 아델을 하루 쉬게 해달라고 부탁했다. 감기가 들었다는 것이었다. 아델도 그 부탁에 간절히 동조했다. 그 간절함이 어린 시절 나에게도 가끔 주어진 휴일이 얼마나 소중했는지를 상기시켜주었다. 그래서 나는 그 부탁을 들어주었다. 그런 것에서 유연성을 보여주는 것은 잘하는 일이라고 생각했다. 몹시 춥긴 했지만 화창하고 평온한 날이었다. 긴 오전 내내 서재에 조용히 앉아 있는 게 지루했다. 페어팩스 부인이 편지를 한 통 썼는데 이제 부칠 일만 남아 있었다. 나는 보닛을 쓰고 망토를 걸치고 헤이 마을까지 가서 편지를 부쳐주겠다고 자원했다. 2마일 거리는 쾌청한 겨울 오후 산책으로 적당할 것 같았다. 아델이 페어팩스 부인의 거실 난로 옆에 놓인 작은 제

의자에 편안히 앉아 있는 것을 본 나는 평상시에 종이에 싸서 서랍 속에 내가 보관하던 인형, 아이가 제일 좋아하는 밀랍 인형을 가지고 놀라고 주었다. 그게 지루해지면 기분 전환으로 읽으라고 이야기 책도 주었다. 그러고는 아이의 "흐브네 비앵토, 마 본느 아미, 마 셰르 마드무아젤 자네트."〔빨리 갔다 오세요. 내 착한 친구, 사랑하는 제인 선생님.〕—이렇게 내게 보내는 인사에 키스로 화답한 후 길을 나섰다.

땅은 굳어 딱딱했고 대기는 고요했고 길은 외로웠다. 나는 빨리 걸었다. 급기야 몸이 후끈거렸다. 그래서 그 시간 그 상황에서 나를 위해 조용히 기다리고 있는 여러 가지 기쁨을 즐기고 분석하기 위해 천천히 걸었다. 3시였다. 종탑 밑을 지나갈 때 교회 종이 울렸던 거다. 3시라는 시간의 매력은 그 시각이 서서히 침침해지는 상태로 접근해간다는 점, 태양이 낮게 미끄러지며 창백한 빛을 발한다는 점에 있었다. 나는 손필드 저택에서 1마일 떨어진 곳, 어느 오솔길에 와 있었다. 그곳은 여름철엔 들장미로, 가을철엔 견과류와 검정 딸기로 유명하고, 현재에도 들장미 열매와 산사나무 열매들 속에 산호빛 보석들을 담아놓고 있었다. 그러나 겨울철 최고의 기쁨은 완벽한 고독과 잎사귀 하나 없는 휴식 상태였다. 대기가 숨을 한 번 내쉬며 꿈틀거려 보았댔자 여기서는 소리 하나 나지 않았다. 버스럭거릴 호랑가시나무 하나 없었고 사철나무 하나 없었기 때문이며, 벌거벗은 산사나무와 개암나무 관목들도 길 중간에 깔려 있는 하얗고 겉이 깎인 돌들처럼 정적을 유지하고 있었기 때문이다. 양편에는 광활한 들판만이 멀리까지 펼쳐져 있었고 이제 풀을 뜯는 소들은 보이지 않았다. 이따금 산울타리 속에서 움직이는 작은 갈색의 새들은 떨어지는 것을 저희들만 잊어버린 황갈색 나뭇잎들 같았다.

이 오솔길은 헤이 마을까지 줄곧 오르막길이었다. 그 길의 중간 지점에 이르렀을 때 나는 밟고 넘는 계단 위에 앉았다. 그 계단부터가 들판이었다. 망토를 여미고 양손을 토시 안에 넣었더니 지독히 추운 날인데도 춥지 않았다. 혹독하게 추운 날씨라는 것은 돌길을 덮은 얇은 얼음판이 증명하고 있었다. 지금은 얼어붙어 있지만 작은 실개천이 며칠 전 급격히 녹는 바람에 그 길 위로 넘쳐흘렀던 것이다. 그 자리에 앉아서 나는 손필드 저택을 내려다보았다. 총탄 흉벽을 이고 있는 회색 저택이 아래쪽 골짜기에서 가장 두드러지게 보이는 대상이었다. 저택의 나무들과 검은색 까마귀 둥지들이 서쪽에 솟아 있었다. 나는 해가 나무들 사이로 내려가더니 심홍색의 말끔한 모습으로 가라앉을 때까지 거기에 머물렀다. 그러고 나서 나는 동쪽으로 향했다.

위쪽에 위치한 언덕 마루에 떠오르는 달이 걸려 있었다. 아직은 구름처럼 창백하지만 시시각각 밝아지고 있었다. 달은 나무들 때문에 반쯤 가려진 채, 몇몇 굴뚝에서 파란 연기를 내뿜고 있는 헤이 마을을 두루 내려다보고 있었다. 마을은 아직 1마일 거리에 있었다. 그러나 그 절대적인 고요 속에서 나는 마을에서 속삭이는 삶의 소리를 분명히 들을 수 있었다. 또한 나의 귀는 물이 흐르는 소리도 감지했다. 어떤 계곡에서 나는 소린지 아니면 어떤 깊은 곳에서 나는 소린지는 구별할 수 없었다. 그러나 헤이 마을 너머로는 많은 야산들이 있었다. 그래서 분명히 많은 개울들이 야산들 사이를 실처럼 빠져나가고 있을 것이었다. 그날 저녁의 정적은 가장 가까이에 있는 개울물이 내는 밝은 소리와 가장 먼 곳에서 흐르는 물의 속삭임도 다 같이 들려주었다.

그때 어떤 거친 소리가 이 아름다운 잔물결 소리와 소곤대는 소리들을 모두 거칠게 지워버리는 것이었다. 그 소리는 멀리에서 들리는 것 같기도 하고 동시에 명확하게 들리는 것 같기도 했다. 분명히 쿵! 쿵! 땅을 밟는 소리였다. 부드러운 소리의 완만한 파장을 지워버리는 금속성의 딸그락 소리였다. 그림에서 전면에다 어둡고 강렬하게 그려진 단단한 큰 바윗덩어리나 거대한 참나무의 거친 줄기의 모습이 배경에 해당하는 부분에 점점 엷어지는 색조로 그려진 파란 산과 밝은 지평선과 뭉게구름을 지워버리는 장면과 흡사했다.

그 시끄러운 소리는 돌길 위에서 나는 소리였다. 말 한 필이 달려오고 있었다. 길이 구불구불해서인지 아직 모습은 보이지 않았다. 그러나 그것은 다가오고 있었다. 나는 울타리 계단에서 일어나 막 떠나려던 참이었다. 그러나 길이 너무 좁았기 때문에 말이 지나갈 때까지 그냥 앉아 있기로 했다. 그 당시만 해도 나는 어렸기 때문에 내 기억 속에는 밝고 어두운 온갖 공상들이 자리를 차지하고 있었다. 특히 쓰레기 같은 기억 속에는 아이들 방에서 들었던 이야기들에 관한 기억이 들어 있었다. 그런데 그런 기억이 떠오를 때면, 성숙되어가는 젊은 나이였기에 어린 시절이 제공할 수 있었던 것보다 훨씬 더 강렬하고 생생하게 그 기억들을 되살렸다. 말이 다가오고 있고 나는 그것이 땅거미를 헤치고 다가오기를 기다리는 동안, 베시가 들려준 이야기 하나가 난데없이 떠오르는 것이었다. '가이트래시'라고 부르는 영국 북부 지방의 유령이 등장하는 이야기였다. 말이나 노새나 커다란 개의 모습을 하고 으슥한 길에 출몰한다는 유령이었다. 그리고 지금 내게 다가오고 있는 것처럼 늦은 시간에 길을 가는 여행자들을 덮친다는 유령이었다.

말이 아주 가까이 왔지만 아직 보이지 않았다. 나는 땅을 때리는 말발굽 소리 말고도 울타리 아래에서 다른 뭔가가 맹렬히 달려오는 소리를 들었다. 다음 순간 개암나무 몸통 바로 밑으로 거대한 개 한 마리가 미끄러지듯 달려가고 있었다. 검은색과 흰색의 털 색깔 때문에 나무들을 배경으로 뚜렷하게 보였다. 긴 털과 거대한 머리통을 가진 사자 같은 짐승……. 영락없이 베시가 이야기했던 유령 가이트래시가 나타난 것이었다. 그러나 개는 조용히 나를 지나쳐 갔다. 내가 예상했던 거와는 달리, 개의 눈이 아닌 어떤 초월한 눈, 그러니까 괴상한 눈으로 내 눈을 올려다보기 위해 멈추지도 않았다. 이윽고 말이 나타났다. 키가 큰 말이었고 등에는 사람이 타고 있었다. 인간의 모습을 한 남자가 나를 사로잡았던 최면에서 나를 깨웠다. 가이트래시 위에 사람이 올라탄다는 것은 있을 수 없는 일이었다. 그것은 늘 혼자인 존재다. 내 생각이었는데, 악귀들이란 말 없는 죽은 동물의 시체에 들어가 사는 경우는 있어도 살아 있는 보통 사람의 몸 안에서 자신의 안식처를 탐하진 않는 법이다. 이 사람은 가이트래시가 아니었다. 그저 밀코트로 가는 지름길을 택한 여행자였다. 그는 나를 지나쳐 갔고 나도 가던 길을 갔다. 그런데 몇 발자국 떼어놓았을 때 나는 돌아보았다. 뭔가 미끄러지는 소리가 나더니 "이런, 젠장, 지금 뭐 하자는 거야!" 하는 외침이 들렸다. 이어서 우당탕 나뒹구는 소리가 내 주의를 끌었다. 사람과 말이 나자빠져 있었다. 돌길을 유리처럼 덮고 있던 빙판 위에서 미끄러진 것이다. 그 개가 돌아서서 내게로 뛰어왔다. 주인이 곤경에 빠진 것을 보고 말이 신음하는 소리를 듣고는 개가 짖어댔다. 그 짖는 소리는 저녁을 맞는 언덕에 메아리쳤다. 그 개 짖는 소리는 개의 체구에 비례되

듯 깊고 우렁찼다. 개는 자빠진 사람과 동물 주위를 냄새를 맡으며 맴돌다가 내게로 다가왔다. 당장 구원의 손길을 다른 데서 찾을 수 없으니 할 수 있는 일이 그것밖에 없었다. 나는 개의 뜻에 따라 그 여행자에게로 걸어갔다. 그 남자는 말에게 눌려 있는 자기 몸을 빼려고 안간힘을 쓰고 있었다. 그의 노력에는 매우 힘찬 데가 있어서 나는 그가 크게 다치지는 않았구나 하고 생각했다. 나는 그에게 물었다.

"선생님, 어디 다치시지 않았습니까?"

그가 무슨 욕설을 웅얼거리고 있었다는 생각이 든다. 그러나 그건 확실하지 않다. 어쨌든 그는 어떤 상투적인 혼잣말을 웅얼거리느라 내게 곧바로 대답하지 못했다.

"제가 뭘 도와드릴까요?" 내가 다시 물었다.

"한쪽에 그냥 서 있으시오." 그가 일어서며 대답했다. 먼저 무릎까지만 몸을 일으키더니 다시 발을 완전히 펴고 일어섰다. 나는 비켜섰다. 이어서 말이 몸을 일으켰다. 말이 발로 땅을 구르자 마구가 딸가닥거리는 소리를 냈다. 그런 소리에 마구 짖어대는 개의 울부짖음이 합세하는 통에 나는 어쩔 수 없이 몇 야드 물러섰다. 그러나 나는 이 일의 결말을 보기 전까지는 완전히 물러갈 생각이 없었다. 결국 결말은 다행스럽게 끝났다. 말은 다시 일어섰고 "조용해! 파일럿!" 하는 명령에 개도 조용해졌다. 남자는 몸을 숙여 자신의 발과 다리를 만졌다. 이상이 없나를 확인하는 것 같았다. 어딘가 아픈 데가 있는 모양이었다. 방금 전에 내가 앉아 있던 울타리 계단으로 가서 앉는 것이었다.

나는 진심으로 도움을 주고 싶었다. 그게 아니면 호의라도 좀 베풀고 싶다고 생각했다. 나는 다시 그에게 접근했다.

　"선생님, 혹시 다치셨거나 도움이 필요하시면 제가 손필드 저택이나 헤이 마을에 가서 사람을 불러오겠습니다."

　"고맙지만 나 혼자서도 괜찮습니다. 뼈가 부러진 것도 아니고…… 발을 접질린 것뿐입니다." 그러면서 그는 다시 일어서서 발을 내디뎌보는 것이었다. 그러나 결과는 자기도 모르게 "아이쿠!" 하는 소리를 지르는 것이었다.

　황혼의 끝자락이 아직 서쪽에 걸려 있었고 달도 점점 밝아지고 있었다. 나는 그의 모습을 똑똑히 볼 수 있었다. 그는 승마복에 싸여 있었다. 목깃에는 털이 달려 있었고 쇠로 된 버클이 승마복에 채워져 있었다. 세부까지는 명확히 구분할 수는 없었지만 대체로 중키에 가슴은 상당히 넓은 남자였다. 거무스레한 안색에 엄격한 특징을 띤 얼굴이었고 이마는 넓었다. 눈과 찌푸려 가운데로 몰린 눈썹은 화가 나고 심기가 불편해 보였다. 청춘기는 지났지만 중년에 이른 건 아니었다. 아마 서른다섯쯤 된 것 같았다. 그가 무섭게 느껴지진 않았지만 좀 수줍은 기분이 들었다. 만약 그가 잘생기고 영웅같이 생긴 젊은 신사였다면 나는 틀림없이 그가 마다하는데도 다가가서 이렇게 질문하고 요구하지도 않는 도움을 주겠다고 감히 나서지 못했을 것이다. 나는 여지껏 잘생긴 젊은이를 본 적이 거의 없었다. 그런 젊은이에게 말을 걸어본 적은 더욱 없었다. 나는 아름다움, 우아함, 씩씩함, 매력 같은 것에 대해 이론적으로 존경과 경의를 마음에 품고 있었다. 그러나 이러한 특질들이 남자라는 형태로 구체화된 것을 만났더라면, 이런 특질들이 내게 있는 특질과는 공감하지도 할 수도 없다는 것을 본능적으로 직감하고는, 밝게 빛나긴 하지만 왠지 반감을 일으키는 불빛이나 번갯불을 피하듯 피해버렸을 것이다.

내가 말을 걸었을 때 이 낯선 사람이 미소를 띠고 기분 좋게 나왔다면, 그리고 돕겠다는 내 제안을 명랑하고 고마워하는 태도로 거절했다면, 나는 내 갈 길을 갔을 것이고 질문을 다시 해야겠다는 사명감도 느끼지 않았을 것이다. 그러나 그 남자의 찡그린 얼굴과 거친 태도가 나를 편안하게 만들었다. 그가 나더러 어서 가보라고 손짓했지만 나는 그 자리를 고수했고 이렇게 선언했다.

"말에 오르시는 것을 봐야지, 그러기 전에는 이런 늦은 시간에, 이런 인적도 없는 길에 선생님을 그냥 두고 떠날 수 없다는 생각이 들어서요."

이 말을 하자 그는 나를 바라보았다. 그는 그 전까지 내게 눈길 한번 주지 않고 있었다.

"내 생각엔 아가씨야말로 지금은 집에 가야 할 시간인 것 같군요." 그가 말했다. "혹시 이 근처에 사시면 어느 집 아가씨인가요?"

"저 아래 삽니다. 그리고 달빛이 있으면 늦은 시간에 밖에 나와도 전 전혀 무섭지 않습니다. 선생님이 원하시면 기꺼이 헤이 마을까지 달려가겠습니다……. 사실 저는 편지를 부치러 그곳에 가고 있는 중입니다."

"저 아래에 산다……. 그러면 흉벽이 있는 저 저택을 말하는 겁니까?" 그가 손필드 저택을 가리키며 말했다. 그 저택 위로는 달이 회백색 빛을 비추며 그곳을 숲과 뚜렷이 구별되게 창백한 형태로 부각시키고 있었다. 숲은 이제 저녁 하늘과 대조를 이루며 거대한 어둠의 덩어리처럼 보였다.

"네, 선생님."

"그게 누구의 집이지요?"

"로체스터 씨 댁입니다."

"로체스터 씨를 압니까?"

"모릅니다. 그분을 뵌 적이 없습니다."

"그럼, 그분은 지금 집에 안 계십니까?"

"안 계십니다."

"그분이 어디 있는지 말해줄 수 있습니까?"

"아뇨."

"물론 그 댁 하인은 아닐 테고. 그럼, 아가씨는……." 그가 말을 그치고 내 옷차림을 훑어보았다. 물론 평상시처럼 극히 수수한 차림이었다. 그때 나는 검정색 메리노 모직 망토를 걸치고 비비 털 보닛을 쓰고 있었다. 둘 다 숙녀의 몸종 하녀가 입기에도 부족한 형편없는 복장이었다. 그는 내가 무엇을 하는 여자인지를 짐작하려고 머리를 짜는 것 같았다. 내가 그를 거들어주었다.

"저는 가정교사입니다."

"아, 가정교사!" 그가 반복했다. "내가 그걸 잊어버린 데서야 원!" 그는 이렇게 말하면서 옷차림을 꼼꼼히 훑어보았다. 2분가량 지난 후 그는 울타리 계단에서 일어났다. 그러나 움직이려고 할 때 그의 얼굴이 고통으로 일그러졌다.

"아가씨에게 도와줄 사람을 데려오라고 시킬 순 없어요." 그가 말했다. "그러나 친절을 베풀어주시려면 나를 직접 도와줄 수 있을 거요."

"그렇게 하겠습니다, 선생님."

"혹시 지팡이로 쓸 수 있는 우산 있습니까?"

"없습니다."

"그럼, 저 말 고삐를 잡아서 저놈을 내게로 끌어와봐요. 겁은 안 나겠지요?"

나 혼자만 있었다면 말에 손을 대는 일이 분명 무서웠을 것이다. 그러나 그런 일을 해달라는 말을 듣자 나는 그 말대로 하고 싶었다. 토시를 계단에 내려놓고 그 키가 큰 말에게 다가갔다. 나는 고삐를 잡으려고 노력했다. 그러나 말은 힘이 넘쳤고 제 머리 쪽으로 내가 접근하는 것을 허락하지 않았다. 계속 노력했지만 모두 허사였다. 그러는 동안 말이 앞발을 구르는 통에 나는 와락 겁이 났다. 그 여행자는 한동안 기다리며 바라보다가 마침내 웃음을 터뜨렸다.

"알겠어요." 그가 말했다. "마호메트에게 산을 옮겨다줄 수 없으면, 아가씨가 할 수 있는 일은 마호메트가 산으로 가도록 돕는 것일 거요. 자, 이리 좀 오시라고 부탁하겠소."

나는 갔다. "미안하구려." 그는 계속했다. "어쩔 수 없이 아가씨에게 의지해야겠군요." 그는 두터운 손을 내 어깨 위에 얹고 약간의 힘을 주며 내게 기대면서 말을 향해 절뚝거리며 갔다. 일단 고삐를 잡자 그는 즉시 말을 제압하고는 안장에 뛰어올랐다. 그런 노력을 하는 과정에서 접질린 곳이 비틀렸던지 그는 얼굴을 몹시 찌푸렸다.

"자, 이제," 하고 그는 꽉 다물었던 아랫입술을 풀면서 말했다. "내 채찍만 갖다주십시오. 저 울타리 밑에 놓아두었어요."

나는 그것을 찾다가 발견했다.

"고맙습니다. 자, 이제 헤이 마을로 가서 편지를 부치고 될수록 빨리 돌아오시오."

박차가 달린 발뒤꿈치를 가볍게 차자 말이 우선 깜짝 놀라 뒷발로 서더니 힘차게 달려가버렸다. 개도 그 뒤를 따랐다. 셋 모두가 사라졌다.

　　거센 바람 회오리치며 휩쓸고 간
　　황야의 히스 덤불처럼*

　나는 토시를 집어 들고 걸어갔다. 이 사건은 내게 우연히 일어났다가 끝난 사건이었다. 중요하지도 않고 낭만도 없고 어느 의미에서 재미도 없는 사건이었다. 그러나 한 시간 정도이지만 단조로운 내 삶에 변화라는 표시를 찍는 일이었다. 내 도움이 필요했고 도움을 요청받았던 것이다. 내가 그 도움을 준 것이다. 내가 무언가를 해냈다는 생각에 내 마음이 뿌듯했다. 비록 하찮고 일시적인 일이었지만 그것은 능동적인 행동이었다. 나는 전적으로 수동적인 삶에 진력이 나 있었다. 그 새로운 얼굴 역시 내 기억의 화랑에 새로 소개된 그림 같았다. 그런데 그 그림은 화랑에 걸린 다른 그림과 달랐다. 첫째로 남자 그림이라는 점에서 그랬다. 둘째로 어둡고 강렬하고 엄격해 보이는 그림이라는 점에서 달랐다. 헤이 마을에 도착하여 우체통에 편지를 밀어 넣을 때까지도 그 새로운 그림이 내 눈앞에서 어른거렸다. 그리고 집으로 돌아올 때 언덕길을 빠른 걸음으로 내려오는 내내 그 모습이 보였다. 울타리 계단에 도착하자 나는 잠시 걸음을 멈추고 주변을 둘러보며 귀를 기울였다. 돌길 위에서

---

*　토머스 모어의 〈성스러운 노래〉에서.

다시 말굽 소리가 들리고 망토를 걸친 남자와 가이트래시를 닮은 개, 즉 뉴펀들랜드산 개가 다시 모습을 드러낼지 모른다는 생각이 들었기 때문이다. 그러나 산울타리와 앙상한 가지만 남은 버드나무만 눈앞에 보일 뿐이었다. 그 버드나무는 달빛을 마중하기 위해 조용히 곧장 위로 솟아 있었다. 귀에 들리는 소리라고는 1마일 거리에 있는 손필드 저택 주변 나무들 사이를 이어질 듯 끊어질 듯 배회하며 불고 있는 희미한 바람 소리뿐이었다. 그 소리가 나는 아래 방향으로 눈길을 돌리자 저택 앞마당 너머 창문 한 곳을 밝히고 있는 불빛이 눈에 들어왔다. 그 불빛을 보자 나는 늦었다는 것을 깨닫고는 급히 걸음을 재촉했다.

나는 손필드 저택에 다시 발을 들여놓고 싶지 않았다. 그 문지방을 넘는다는 것은 다시 침체된 생활로 되돌아간다는 뜻이었다. 그 적막한 홀을 가로지르고 어두운 계단을 오르고 쓸쓸하고 작은 내 방을 찾는 것, 그런 다음에는 조용한 페어팩스 부인을 만나 기나긴 겨울 저녁을 그녀와, 오로지 그녀와 보내는 것이며, 그렇게 되면 미약하나마 산책으로 생긴 흥분을 완전히 가라앉히는 꼴이 될 것이다……. 획일적이면서 너무나 정적인 삶의 보이지 않는 족쇄들로 내 능력을 완전히 감싸서 질식시킬 것이다. 나는 서서히 그런 삶이 지닌 안정되고 편안한 특권적 가치를 감사히 여기지 않는 심리 상태로 빠져들고 있었다. 이 시점에서 불확실하지만 투쟁하는 삶이라는 폭풍우 속에 내던져진 삶을 살았더라면, 또한 거칠고 험난하고 고통스러운 체험을 통해 지금 내가 그 한가운데서 불평하는 평온한 삶을 동경하는 법을 깨닫게 되었다면 내게 얼마나 유익한 일이 되었을까! 그렇다. 만약 그랬더라면 '너무 편한 의자'에 그냥 가만히 앉아 있는 게 지겨워진 사람에게 긴 산책을 하는 것이 유익한 것처럼, 내게 도움이 되었을 것이다. 그런 사람이 움직이고 싶어 하는 것이 자연스러운 것처럼, 내 처지에서 움직이고 싶어 하는 갈망은 자연스러운 것이었다.

나는 바깥문 가에서 머뭇거렸다. 잔디밭 위에서도 머뭇거렸다. 포장된 마당 인도 위에서도 앞으로 갔다 뒤로 갔다 하면서 서성거렸다. 유리문의 덧문은 내려져 있었다. 그래서 집 안은 볼 수 없었다. 내 눈과 마음은 둘 다 침침한 저택…… 그때 내 눈에 비쳤듯, 불빛 하나 없는 작은 방으로 가득 찬 잿빛 굴 같은 그 집에서 철수하여 앞에 광활하게 펼쳐진 하늘로 끌려가고 있는 것 같았다. 오점 같은 구름을 완전히 벗어난 푸른 바다 같은 하늘이었다. 달이 엄숙한 행진을 하며 떠오르고 있었다. 달이 저를 숨겨주었던 언덕 꼭대기들을 저 아래, 훨씬 아래에다 떼놓고 작별하면서, 그 달의 눈동자는 위만 올려다보는 것 같았고, 바닥을 헤아릴 수 없는 깊이와 측정할 수 없는 거리에 있는 한밤중의 어둠, 그 정점으로 가기를 열망하는 것 같았다. 달이 가는 길을 떨면서 따르는 별들의 모습이 내 가슴을 떨리게 만들었고 그 별들을 보고 있으려니 내 혈관의 피가 끓었다. 자질구레한 것들이 우리를 현실세계로 돌아오게 만든다. 홀에 있는 시계가 종을 울렸다. 그것이면 충분했다. 나는 달과 별들에서 몸을 돌려 옆문을 열고 들어섰다.

현관홀은 캄캄하지 않았다. 여태껏 불이 켜져 있는 건 아니고, 높이 매달린 청동 램프에만 불이 켜져 있었다. 그런데 따스한 불빛이 현관홀과 참나무 계단 아래쪽에 넘쳐흐르고 있었다. 이 붉은 빛은 커다란 식당에서 흘러나오는 빛이었다. 문짝 두 개로 이루어진 방문은 활짝 열려 있었다. 난로 철망 안에서 불이 기분 좋게 타고 있었다. 그 불빛을 받아 벽난로의 대리석 겉면과 황동 철물이 빛을 반사했고 자색 커튼과 반들거리는 가구들을 드러내 보이고 있었다. 난로의 불빛은 또한 벽난로 앞에 모여 있는 사람들의 모습도 드러내 보였다. 그런데 화기애애하게 주고받는 목소리들이 뒤섞인 것을 알아채고 그중에서 아델의 목소리를 구분하려는 순간 문이 닫혀버리는 것이었다.

나는 페어팩스 부인 방으로 달려갔다. 그 방에도 난롯불이 피워져 있었다. 그러나 촛불도 없었고 부인도 없었다. 대신 검고 흰 반점이 있고 얼룩덜룩한 털이 길게 난 개 한 마리가 난로 깔개 위에 똑바로 앉아 심각하게 난롯불을 들여다보고 있는 것이 보였다. 산길에서 만났던 가이트래시처럼 생겼던 개와 똑같이 생긴 개였다. 하도 닮은 개여서 나는 다가서면서 불렀다. "파일럿!" 그러자 그 놈은 벌떡 일어나 다가오더니 내 냄새를 맡았다. 쓰다듬어주자 개는 거대한 꼬리를 흔들었다. 그러나 그 개는 단둘이 있기에는 너무 무섭게 생긴 짐승이었다. 대체 이 개가 어디서 온 것인지 알 수 없었다. 나는 초인종을 눌렀다. 촛불이 필요해서였다. 또한 이 방문객에 대한 설명도 듣고 싶었다. 레아가 들어왔다.

"이게 웬 개죠?"

"주인님과 함께 왔어요."

"누구와 함께?"

"주인님이오. 로체스터 님이오— 방금 도착하셨어요."

"그래요! 그럼, 지금 페어팩스 부인이 그분과 함께 계신가요?"

"네, 아델 양도 같이 있어요. 모두 식당 방에 계세요. 존은 의사 선생님을 부르러 갔고요. 주인님께 사고가 있었대요. 말이 넘어지는 바람에 발복을 접질리셨대요."

"말이 헤이 마을로 가는 언덕길에서 넘어졌대요?"

"네, 언덕길을 내려오다 빙판에서 미끄러졌대요."

"아! 레아, 촛불 좀 갖다주세요."

레아가 양초를 가져왔다. 그녀의 뒤를 페어팩스 부인이 따라 들어왔다. 부인도 레아와 같은 소식을 반복해서 전해주는 것이었다. 의사인 카터 씨가 왕진을 와서 지금 로체스터 씨와 함께 있다는 소식을 덧붙였다. 부인은 차를 준비하라고 지시하기 위해 서둘러 방을 나갔다. 나는 외출복을 갈아입기 위해 위층으로 올라갔다.

제13장

로체스터 씨는 그날 밤 의사의 지시에 따라 일찍 잠자리에 든 것 같다. 다음 날 아침에도 그는 일찍 일어나지 않았다. 그가 아래층으로 내려온 것은 용무를 처리하기 위해서였다. 대리인과 소작인 몇 명이 찾아와 그와 이야기를 하기 위해 기다리고 있었다.

아델과 나는 서재를 비워줘야 했다. 그 방은 손님을 맞이하는 응접실로 매일 사용될 예정이었다. 2층 방 하나에 불이 피워졌다. 나는 그 방으로 책들을 옮겼고 앞으로 교실로 쓰기 위해 정리했다. 아침 시간이 지나는 동안 나는 손필드 저택이 변한 것을 깨달았다. 그곳은 교회처럼 고요한 곳이 아니었다. 한 시간 혹은 두 시간마다 문 두드리는 소리와 벨 울리는 소리가 들렸다. 또한 현관홀을 지나다니는 발소리가 자주 들렸고 아래층에서는 각기 다른 어조의 새로운 목소리들이 들려왔다. 마치 외부 세계에서 냇물이 흘러들어온 것 같았다. 주인이 돌아온 것이었다. 나는 이런 저택이 더 마음에 들었다.

그날은 아델을 가르치기가 쉽지 않았다. 아델은 공부에 집중하지 못했다. 아델은 계속해서 문으로 달려가 로체스터 씨의 모습을 보지나 않을까 하는 마음에 계단 난간 너머 아래를 바라보았다. 그러고 나서는 여러 가지 핑계를 만들어 아래층으로 내려가려 했다.

저를 찾지도 않는데 서재에 가보려는 속셈임을 나도 귀신처럼 간파했다. 나는 다소 화를 내며 아델에게 좀 앉아 있으라고 일렀다. 아델은 끊임없이 자신이 평소 부르던 식으로 로체스터 씨를 "아미, 무슈 에두아르드 페어팩스 드 로체스터"〔친구 에드워드 페어팩스 로체스터 씨〕라고 부르며 그에 대해 재잘거렸다. (나는 로체스터 씨의 본명을 들어본 적이 없었다.) 또한 아델은 그분이 자기를 위해 무슨 선물을 가져왔는지 짐작해보라고 했다. 전날 밤 그가 아이에게 밀코트에서 짐이 도착하면 그 안에 관심을 가질 만한 내용물이 담긴 작은 상자가 있을 거라고 암시한 것 같았다.

"그건 분명히," 하고 아델이 프랑스어로 말했다. "그 안에 내게 줄 카드가 들어 있다는 소리예요. 그리고 선생님을 위한 카드도요. 그분은 선생님에 대해서도 물으셨어요. 가정교사 선생님 이름이 뭐냐고 하시면서 혹시 몹시 마르고 창백하고 자그마한 분이 아니냐고 물으셨어요. 저는 그렇다고 대답했어요. 맞는 말이지요? 안 그래요, 선생님?"

나와 내 학생은 평상시대로 페어팩스 부인의 거실에서 식사를 했다. 오후에는 날씨가 험했고 눈이 내렸다. 우리는 오후를 교실에서 보냈다. 어두워지자 나는 아델에게 책과 바느질감을 치우고 아래층으로 내려가도 좋다고 허락했다. 아래층이 비교적 조용했고 현관 초인종을 울리는 소리도 그친 것으로 보아 이제 로체스터 씨가 한가해졌다고 나는 짐작했다. 혼자 남게 되자 나는 창가로 걸어갔다. 그러나 거기서는 아무것도 보이는 것이 없었다. 황혼과 눈발이 함께 대기를 가득 채우고 잔디밭 위에 관목 무더기들을 보이지 않게 가리고 있었다. 나는 커튼을 내리고 다시 난롯가로 갔다.

선명한 깜부기불 속에서 나는 어떤 경치를 눈에 그리고 있었다, 그것은 전에 본 기억이 있는 라인 강변 하이델베르크 성*을 그린 그림과 다를 것도 없는 경치였다. 그때 페어팩스 부인이 들어왔다. 그녀가 들어오는 바람에 내가 이어 붙이고 있던 난롯불 모자이크 그림이 부서졌고, 혼자 있을 때 몰려들기 시작하는 무겁고 달갑지 않은 상념들도 흩어져버렸다.

"로체스터 씨께서 오늘 저녁 응접실에서 선생님과 선생님 학생과 함께 차를 마시면 좋겠다고 전하랍니다." 그녀가 말했다. "하루 종일 바빠서 선생님을 더 일찍 보자고 하지 못하셨대요."

"차 마시는 시간이 언제지요?" 내가 물었다.

"아, 6시예요. 여기 시골에 오시면 그분은 일찍 주무시고 일찍 일어나시죠. 그런데 그 프록 작업복은 갈아입는 게 좋겠어요. 제가 가서 단추 잠그는 걸 도와드리겠어요. 여기 촛불이 있어요."

"옷을 꼭 갈아입어야 하나요?"

"네, 그러는 게 좋겠어요. 저도 로체스터 씨가 와 계시면 저녁 시간에는 늘 옷을 차려입는답니다."

이런 번거로운 의식은 좀 권위적인 것으로 느껴졌다. 그러나 나는 내 방으로 갔으며, 페어팩스 부인의 도움을 받아, 입고 있던 검정색 모직 프록을 검정색 실크 옷으로 갈아입었다. 밝은 회색 옷 말고 내가 가진 옷 중에서 가장 좋은 유일한 여벌이었다. 밝은 회색 옷은, 옷에 대해 내가 가지고 있던 로우드 학교식 생각으로는 너무 화려해서 아주 특별한 경우가 아니면 도저히 입을 수 없다고 생각

---

* 하이델베르크 성은 네카어 강변에 있다. 작가의 오류이다.

하고 있었다.

"브로치가 빠졌네요." 페어팩스 부인이 말했다. 나에게는 작은 진주 장식 하나가 있었다. 템플 선생님이 이별의 정표로 준 것이었다. 그것을 달고 나서 우리는 아래층으로 내려왔다. 낯선 사람들에게 익숙하지 않았기 때문에 나는 이렇게 격식을 차리고 로체스터 씨가 있는 자리로 불려 간다는 것이 좀 시련처럼 느껴졌다. 나는 페어팩스 부인을 앞세우고 식당으로 들어갔고 그 방을 가로지를 때도 그녀의 그늘에 숨었다. 커튼이 드리워진 아치형 문을 통과해서 우리는 그 안의 우아한 내실로 들어갔다.

밀랍 양초 두 개가 탁자 위에 켜져 있었고 다른 두 개의 양초가 벽난로 장식 위에 켜져 있었다. 활활 타고 있는 난로의 불빛과 열기를 쬐며 파일럿이 누워 있었고 아델이 그 옆에 무릎 꿇은 자세로 앉아 있었다. 로체스터 씨는 쿠션으로 발을 받쳐놓고 긴 소파에 몸을 반쯤 기대고 누워 있는 것 같았다. 그는 아델과 개를 쳐다보고 있었다. 난로 불빛이 그의 얼굴을 훤하게 비추고 있었다. 나는 넓고 까만 눈썹을 보고 그 언덕에서 본 여행자라는 것을 알았다. 네모난 그의 이마가 수평으로 가지런히 뒤로 빗어 넘긴 검은 머릿결 때문에 더 네모져 보였다. 그의 결단력 있게 보이는 코를 알아보았다. 그 코는 아름답기보다는 성격을 더 두드러지게 나타내는 코였다. 넓은 콧구멍이 그의 불같은 성격을 나타낸다고 나는 생각했다. 그의 굳은 입, 턱 끝, 턱 주변…… 그렇다, 이 세 가지가 무섭게 엄격해 보였다. 틀림없었다. 나는 망토를 벗은 그의 몸이 그 네모진 형태를 하고 있어 얼굴 모양과 조화를 이루고 있다는 것을 알아차렸다. 사실 그의 몸집은 글자 그대로 운동선수 같은 몸집이라고 나는 생각했다. 어깨는 벌어지고 허리는 가늘었다. 키는 크지 않았고 우아하지도 않은 건 사실이었다.

로체스터 씨는 페어팩스 부인과 내가 방 안으로 들어왔다는 것을 알았음에 틀림없었다. 그러나 그는 우리를 눈여겨볼 기분이 나지 않는 것 같았다. 우리가 다가가도 고개를 들지 않았기 때문이다.

"에어 선생님이 오셨습니다, 주인님." 페어팩스 부인이 조용히 말했다. 그는 상체를 약간 굽혀 인사를 표했다. 그러나 여전히 개와 아델에게서 눈을 떼지 않고 있었다.

"에어 선생님을 자리에 앉게 하시오." 그가 말했다. 억지로 힘을 들여서 뻣뻣하게 상체를 굽힌 인사나, 초조하면서도 형식을 갖춘 말투에는 의미가 담겨 있었다. '도대체 에어 선생이 와 있건 오지 않았건 그게 나와 무슨 상관이야? 이 순간에는 나는 저 여자와 말하고 싶은 기분이 아니란 말야.' 하고 말하는 것 같았다.

나는 전혀 당황하지 않고 자리에 앉았다. 오히려 그가 나를 완벽한 예의로 맞았다면 당황했을 것이다. 내 편에서 보답이나 답례로 그런 대접에 어울리는 품위 있고 우아한 응답을 할 수 없었을 것이다. 오히려 거친 뜻밖의 행동이 나를 어떤 의무에서 벗어나게 한 것이었다. 반대로 무슨 변덕이 동했는지 아주 조용히 침묵을 지키는 그의 모습이 내게는 유리했다. 게다가 이렇게 괴상한 인사 교환 과정은 나의 강한 호기심을 자극했다. 나는 그가 어떻게 나올지 알고 싶어 흥미가 생겼다.

그는 동상처럼 계속 앉아 있었다. 말도 없었고 꼼짝도 하지 않았다. 페어팩스 부인은 누구라도 먼저 정다운 태도를 보이는 게 필요하다고 생각했는지 이야기하기 시작했다. 그녀는 언제나 그렇듯 친

226

절하게, 또한 평상시처럼 진부하게, 종일 일에 짓눌린 주인을 위로했고 아픈 발목 때문에 얼마나 괴로우셨느냐고 위로했다. 그러고는 그런 상황을 잘 참아낸 인내와 끈기에 찬사를 보냈다.

"부인, 난 차를 좀 마시고 싶습니다." 이것이 부인이 들은 유일한 응답이었다. 그녀는 황급히 벨을 울렸다. 차 쟁반이 들어오자 그녀는 세심하고 민첩하게 찻잔과 스푼들을 배열하기 시작했다. 나와 아델이 탁자로 갔지만 주인은 소파를 떠나지 않았다.

"로체스터 씨의 컵을 가져다드리겠어요?" 페어팩스 부인이 내게 말했다. "아델에게 시키면 엎지를 것 같아서요."

나는 부탁받은 대로 했다. 그가 내 손에서 찻잔을 받자 아델은 그 순간이 바로 나를 위해 물어보고 싶었던 질문을 할 절호의 기회라고 생각하고 큰 소리로 묻는 것이었다.

"아저씨, 가져오신 작은 상자 안에 에어 선생님에게 줄 선물도 들어 있죠?"

"누가 선물 이야기를 했니?" 그가 무뚝뚝한 목소리로 말했다. "에어 선생님, 선물을 기대하셨습니까? 선물을 좋아하십니까?" 그는 검고 화가 난 듯하면서 꿰뚫어 보는 눈으로 내 얼굴을 유심히 살폈다.

"잘 모르겠습니다, 주인님. 선물에 대해서는 경험이 거의 없습니다. 일반적으로 선물은 받으면 기분 좋은 것으로 여겨지지요."

"일반적으로 그렇게 여겨진다고요? 그러면 선생 생각은 어떻습니까?"

"주인님께 드릴 만한 가치 있는 대답을 할 수 있게 시간을 좀 주시면 감사하겠습니다. 선물이란 많은 얼굴을 가지고 있어요, 안 그런가요? 그러니 선물의 성격에 대해 의견을 말하려면 먼저 그 많은 얼굴들을 모두 고려해야 되니까요."

"에어 선생, 당신은 아델처럼 단순하지는 않군요. 아델은 나를 보자마자 시끄럽게 '선물'을 요구했어요. 그런데 당신은 본론은 피하고 돌려서 말하는군요."

"제가 선물을 받을 만한 자격이 있는지 아델만큼 확신이 서지 않기 때문입니다. 아델은 오랜만에 만난 어른에게 선물을 요구할 권리가 있고, 그건 또한 관례에서 오는 권리지요. 아델 말로는 선생님께서 늘 장난감 선물을 주시는 습관이 계시다고 했습니다. 하지만 제가 선물을 받아야 할 이유를 말해야 한다면 그건 당황스러운 일입니다. 저는 낯선 사람이고 선물을 받고 감사해야 할 만한 일을 한 게 아무것도 없으니까요."

"아, 저, 지나친 겸손에 의지하진 마시오! 나는 아델을 자세히 살펴보았소. 그랬더니 당신이 아이 때문에 수고를 많이 했다는 걸 알 수 있었소. 저 애는 머리가 뛰어나지 않고 재능도 없어요. 그런데 짧은 기간 동안에 상당한 향상이 있었소."

"주인님, 제게 방금 '선물'을 주신 것입니다. 감사합니다. 가르치는 학생에 대한 칭찬이야말로 선생들이 가장 탐내는 보상입니다."

"흠, 그런가요!" 로체스터 씨는 그렇게 말하고는 말없이 차를 마셨다.

"난로 쪽으로 오시오." 차 쟁반이 치워지고 페어팩스 부인이 뜨개질감을 들고 구석으로 가서 앉자 주인이 말했다. 아델이 내 손을 잡고 끌고 다니며 방 가장자리 벽에 붙은 작은 탁자와 진열장 위에 놓인 예쁜 책들과 장식물들을 구경시켜주던 참이었다. 우리는 의무감에 사로잡힌 것처럼 그의 지시에 따랐다. 아델은 내 무릎에 앉아 있길 원했지만 파일럿과 놀라는 지시를 받았다.

"이 집에 와서 산 지 석 달 됐다고요?"

"네, 주인님."

"어디 출신이라고 했더라?"

"○○○주에 있는 로우드 학교입니다."

"아, 자선 재단 말이군. 그래, 그곳에 얼마나 있었소?"

"8년이요."

"8년! 당신은 끈질긴 생명력을 갖고 있는 게 틀림없군. 그 절반의 기간을 그런 장소에서 지내도 몸이 다 해체되고 말 거라는 생각이 드는데. 당신이 마치 다른 세상에서 온 사람 같은 표정을 지니고 있는 게 놀랄 일이 아니군. 지난밤 헤이 마을 산길에서 당신과 우연히 마주쳤을 때 나는 난데없이 요정 이야기가 생각났소. 그래서 혹시 당신이 내 말에게 마법을 건 게 아니냐고 당신에게 물어볼 뻔했소. 아직도 뭐가 뭔지 모르겠어요. 부모님들은 어떤 분들이지요?"

"안 계십니다."

"지금껏 한 번도 같이 산 적이 없었던 것 같군요. 그분들 기억은 납니까?"

"아니요."

"그렇겠군요. 그런데, 그 울타리 계단에 앉아 당신 패거리들을 기다리고 있었던 거요?"

"누구를 기다렸다고요, 주인님?"

"초록색 옷을 입은 자들 말이오. 그들에게 더할 나위 없이 적절한 밤이었으니까. 그 패거리들이 동그랗게 원을 그려 앉은 곳을 내가 마구 통과하니까 당신이 돌길 위에다 빌어먹을 얼음을 펼쳐놓은 것 아니오?"

나는 고개를 저었다. "초록색 옷을 입은 사람들은 백 년 전에 모두 영국을 떠났습니다." 그가 진지하게 말했던 것 못지않게 나도 진지하게 대답했다. "그래서 헤이 마을 산길이든 근방 들판에서도 그들의 흔적을 찾을 수 없을 겁니다. 앞으로는 여름 달이나 추수철의 가을 달이나 겨울 달도 그들의 잔치를 밝혀주는 일은 더 이상 없을 거라고 생각해요."

페어팩스 부인은 뜨개질감을 내려놓고 눈썹을 치켜뜨며 대체 무슨 말들을 하고 있는지 의아해하는 눈치였다.

"그건 그렇고." 로체스터 씨가 다시 말을 이었다. "부모가 안 계신다 해도 친척은 있겠지요? 부모님의 형제나 자매 말이요."

"없습니다. 한 분도 본 적이 없습니다."

"그럼, 집은?"

"전 집이 없습니다."

"형제와 자매는 어디 살지요?"

"제겐 형제자매가 없습니다."

"누가 선생을 이곳에 추천했지요?"

"제가 직접 광고를 냈고, 페어팩스 부인이 그 광고에 답장을 주셨습니다."

"맞아요." 이제야 우리가 무슨 이야기를 하는지 알아차린 부인이 말했다. "저는 하느님께서 도와주셔서 제가 하게 된 선택에 대해 감사하고 있습니다. 그동안 에어 선생님은 제게 너무나 소중한 말 벗이었어요. 그리고 아델에게는 사려 깊고 친절한 선생님이셨고요."

"그렇게 수고스럽게 선생의 성품을 보증하려고 애쓰지 말아요." 로체스터 씨가 응답했다. "칭찬을 들었다고 해서 내가 편견을 갖진 않을 테니까. 내 스스로 판단할 거요. 이 선생은 내 말을 나가자빠지게 하는 것으로 시작한 사람이야."

"네?" 페어팩스 부인이 말했다.

"발목 접질린 것, 선생에게 고맙다고 해야 할 판이야."

미망인은 어리둥절한 표정이 되었다.

"에어 선생, 도시에 살아본 적 있소?"

"없습니다. 주인님."

"사람들하고 많이 어울려보았소?"

"로우드 학교 학생들과 선생님들 빼놓고는 없습니다. 그리고 지금은 이곳 손필드의 식구들과 살고 있고요."

"책은 많이 읽었소?"

"우연히 손에 들어온 책들만 읽었습니다. 수도 많지 않았고 그다지 많은 학식이 담긴 책은 아니었습니다."

"수녀 같은 생활을 해왔군. 분명 종교 의식에 대해 훈련을 잘 받았겠고……. 로우드 학교를 관리하는 사람이 브로클허스트 목사라고 알고 있는데, 맞소?"

"네, 주인님."

"아마 거기 여학생들은 수녀들로 가득 찬 수녀원에서 감독을 맡은 원장을 숭배하듯 그 사람을 숭배했겠지요?"

"오, 그건 아녜요."

"냉정하군! 아니라고! 세상에! 풋내기 수녀가 원장을 숭배하지 않았다고! 그건 불경스럽게 들리는군."

"저는 브로클허스트 씨를 좋아하지 않았습니다. 그런 감정은 저 혼자만이 느낀 게 아닙니다. 그 사람은 무자비한 사람이었습니다. 거들먹거리고 참견만 하는 사람이었습니다. 그는 우리 머리카락을 잘라버리고 절약을 핑계로 우리한테 몹쓸 바늘과 실을 사주었어요. 그런 걸로는 바느질을 할 수 없었어요."

"아주 잘못된 절약이었군요." 다시 이야기의 물길을 잡은 페어팩스 부인이 말을 거들었다.

"그게 그 사람이 저지른 잘못의 머리와 앞면*이요?" 로체스터 씨가 물었다.

"그 사람은 운영위원회가 결성되기 전에 학교 부식 담당 사무를 혼자 관리 감독할 때는 우리를 굶기기도 했습니다. 그리고 일주일에 한 번씩 긴 강연으로 우리의 진을 뺐습니다. 저녁 시간에는 자기 저서에서 발췌한 내용을 낭송해서 우리를 지치게 만들었고, 갑작스러운 죽음과 심판에 관한 내용이라 잠자리에 들려는 우리를 겁에 질리게 하기도 했어요."

"로우드 학교에 입학했을 때가 몇 살이었소?"

"열 살쯤 되었었죠."

"거기서 8년 동안 있었으니까 지금 열여덟이겠군."

나는 그렇다고 했다.

---

* 셰익스피어의 〈오셀로〉에서 따온 표현.

"알다시피 산술이란 매우 유용한 것이요. 산술의 도움이 없었다면 난 당신의 나이를 짐작할 수 없었을 거요. 이목구비와 전체 얼굴이 당신의 경우처럼 그렇게 따로 놀면 나이를 짐작하기가 어려운 일이요. 그래, 지금까지 로우드 학교에서 무엇을 배웠소? 악기 연주는 할 수 있어요?"

"조금요."

"물론 그것이 정해진 답변이겠지. 서재로 가시오. 내 말은 당신이 그러고 싶다면 말이오. 명령조로 말한 걸 양해하시오. 난 늘 '이것을 해라'라는 말과 그 일이 실행되는 일에만 익숙해진 사람이니 새로 온 선생이라고 해서 길이 든 내 습성을 바꿀 수는 없소. 그러니 자, 일단 서재로 가시오. 촛불을 들고 가서 서재 문을 열어놓고 피아노 앞에 앉아 한 곡 연주해보시오."

나는 서재로 가서 그의 지시에 따랐다.

"됐소!" 얼마 안 가서 그가 큰 소리로 외쳤다. "좀 칠 줄 아는군! 영국의 여느 여학생들처럼 말이오. 아마 그중 몇몇보다는 잘 치는 편이겠군. 하지만 잘 치는 건 아니야."

나는 피아노를 닫고 돌아왔다. 로체스터 씨가 계속해서 말했다.

"오늘 아침 아델이 선생이 그린 거라고 하면서 스케치 몇 장을 내게 보여주더군. 그게 정말로 선생이 죄다 그린 건지 모르겠소. 혹시 미술 선생이 도와준 게 아니오?"

"아닙니다. 정말 그건 아닙니다!" 내가 불쑥 말을 던졌다.

"아, 내가 자존심을 건드렸군. 그럼, 그림 내용이 독창적인 것이라고 장담할 수 있으면 가서 화첩을 가져와보시오. 자신이 없으면 가져오지 않겠다고 해요. 나는 짜깁기한 그림은 식별할 줄 알아요."

"그렇다면 아무 말도 하지 않겠습니다 주인님께서 직접 판단하십시오."

나는 서재에서 내 화집을 가져왔다.

"저 탁자를 가까이 가져와요." 그가 말했다. 나는 바퀴 달린 탁자를 그의 소파까지 밀고 갔다. 아델과 페어팩스 부인도 그림을 보기 위해 가까이 왔다.

"이렇게 몰려들지 말고." 로체스터 씨가 말했다. "내가 다 보고나면 가져가서 보라고. 이렇게 얼굴들을 내 얼굴에 들이밀지 말고."

그는 스케치한 작품과 그림을 하나하나 자세히 들여다보았다. 그리고 그중 세 장을 따로 빼놓는 것이었다. 나머지들은 자세히 보고 나서 옆으로 치워버렸다.

"페어팩스 부인, 이 그림들을 다른 탁자로 가져가요." 그가 말했다. "그리고 아델과 함께 감상하시오……. 당신은 (나를 보며) 자리에 그대로 앉아서 내 질문에 대답하시오. 내 보기에 이 그림은 한 사람이 그린 것 같은데, 그 한 사람 손이 당신 손이요?"

"그렇습니다."

"언제 시간을 내서 이런 그림을 그렸지요? 시간도 많이 걸렸겠고 생각도 많이 했겠는데."

"로우드 학교에서 보낸 지난 두 번의 방학 동안에 그렸습니다. 그땐 달리 할 일이 없었습니다."

"원본 그림은 어디서 났소?"

"제 머릿속입니다."

"내가 지금 보고 있는 어깨 위의 그 머리 말이오?"

"그렇습니다, 주인님."

"그 머리 안에 이와 같은 다른 그림도 담고 있소?"

"그럴 거라고 생각은 합니다. 그러기를 희망합니다……. 더 좋은 내용의……."

그는 자기 앞에 그림들을 펼쳤다. 그러고는 다시 한번 번갈아 가며 그림들을 살펴보았다.

그가 이렇게 그림에 빠져 있는 동안, 독자여, 나는 당신에게 그 그림들이 무슨 그림이었는지 설명해드리겠다. 우선 그것들은 놀라울 것이 전혀 없는 그림이라는 말을 해야겠다. 그 그림들의 주제는 사실 내 마음속에 생생하게 떠올랐던 것들이다. 그 주제들을 그림으로 형상화시키기 전 내 마음의 눈으로 그것들을 보았을 때는 너무나 감명 깊은 것이었다. 그러나 내 손은 내 상상을 좀처럼 따라주지 않았다. 각각의 경우 내 손은 내 상상이 담고 있는 사물의 창백한 초상을 만들어냈을 뿐이다.

그 그림들은 수채화였다. 첫 번째 그림은 파도 일렁이는 바다 위를 굴러가는 낮고 검푸른 색깔의 구름을 그린 것이었다. 원경은 그늘로 처리되어 있었다. 전경도 역시 그늘 처리였다. 아니, 육지가 없으니까 앞부분은 가장 가까운 거센 파도를 그려 처리했다. 한 가닥 빛이 반쯤 물에 잠긴 돛을 두드러지게 표현해주고 있었다. 그 돛대 위에 거품으로 얼룩진 날개를 한 검고 큰 가마우지 한 마리가 앉아 있었다. 그 새는 부리에 보석이 박힌 금팔찌를 물고 있었다. 나는 내 팔레트가 낼 수 있는 가장 밝은 색깔과 내 연필이 그려낼 수 있는 가장 빛나는 명료함이 부각되도록 그 팔찌를 그렸다. 새와 돛대 아래로는 하나의 익사한 시체가 가라앉는 상태로 초록색 물을 통해 눈길을 위로 던지고 있었다. 시신의 하얀 팔 하나만이 분명히 보이는 유일한 사지였는데, 그 팔에 있던 팔찌는 휩쓸려 나왔거나 떨어져 나온 것 같았다.

두 번째 그림은 야산의 희미한 봉우리만을 전경에 그려놓았는데, 그곳의 풀과 나뭇잎들은 살랑살랑 부는 미풍에 밀린 듯 옆으로 쓸려 있었다. 그 봉우리 너머 위쪽으로는 광활한 하늘이 펼쳐져 있었는데 석양의 하늘처럼 검푸른 색조를 띠고 있었다. 그 하늘 위로 여자의 상반신이 솟아오르고 있었는데, 어둑어둑한 색채와 부드러운 색조가 결합하여 만들어낼 수 있는 색조로 묘사되어 있었다. 희미한 이마에는 별 하나가 왕관처럼 달려 있었고, 그 밑의 얼굴 모양은 자욱한 수증기를 통해 보이는 형상이었다. 두 눈은 어둡고 사납게 보였고, 머리칼은 폭풍이나 예리한 번개에 의해 찢어져 빛을 잃은 구름처럼 어두운 물결 모양을 하고 있었다. 그녀의 목덜미 위에는 달빛을 닮은 창백한 반사광이 비춰 있었다. 그와 똑같은 희미한 빛으로 처리된, 줄지어 깔려 있는 엷은 구름에서는 금성의 모습이 떠오르며 아래에 대고 목례를 하고 있었다.

세 번째 그림은 북극 지방의 겨울 하늘을 뚫고 솟아오른 한 개의 빙산 봉우리를 보여주고 있었다. 함께 모인 북극의 광선들이 자신들의 희미한 창을 올려 세우자 그것들은 지평선을 따라 빽빽이 늘어선 창의 대열 같았다. 이런 빛들을 원경으로 돌리고 그림 앞쪽에는 머리 하나가 솟아 있었다. 빙산 쪽으로 기울어지고 그 빙산에 기대어 쉬고 있는 거대한 머리통이었다. 이마 밑에 모여 이마를 받치고 있는 가느다란 두 개의 손이 그림 아래쪽 형상들 앞에 있는 까만 베일을 들어 올리고 있었다. 이마는 핏기 하나 없이 뼈처럼 희었다. 생기를 잃은 절망감 말고는 아무 의미도 없이 푹 꺵기고 고정된 눈만 보일 뿐이었다. 관자놀이 위, 머리를 둥글게 감싸고 있는 검은 천의 터번 주름 사이로는, 구름처럼 성질과 농도가 모호한, 하얀 불꽃들로 이루어진 고리가, 그보다 훨씬 더 붉은 불꽃으로 장식된 채 빛을 발하고 있었다. 이 창백한 초승달 모양은 "왕관과 닮아" 있었고 그런 왕관이 씌워진 대상은 "형체도 없는 형체"*였다.

"이 그림들을 그릴 때 행복했소?" 이윽고 로체스터 씨가 물었다.

"그림에 몰두해 있었습니다, 주인님. 행복했습니다. 간단히 말씀드리자면, 그림을 그리는 일은 그때까지 알았던 기쁨 중에서 제일 짜릿한 기쁨이었습니다."

"그 말은 별로 납득할 수 없군. 당신이 한 말로 미루어 보면, 당신은 기쁨이란 것을 거의 모르고 살아왔다고 했거든. 하지만 아마도 당신은 이 이상한 색조를 혼합하고 배열하는 동안 뭐랄까, 일종의 예술가적 꿈속에서 살았던 것 같소. 매일 오랜 시간을 그림 앞에 앉아 있었소?"

"방학이었기 때문에 다른 할 일이 없었습니다. 그래서 아침부터 정오까지, 그리고 정오부터 밤까지 앉아 있었습니다. 한여름의 기나긴 나날들이 제가 그림에 전념하도록 도와주었던 것입니다."

"그래, 열심히 노력해서 얻은 결과에 만족했소?"

"전혀 만족하지 못했습니다. 의도했던 생각과 실제 작품 사이의 차이 때문에 괴로웠습니다. 각 작품의 경우 제가 상상한 것을 실제로 표현할 능력이 전혀 없었습니다."

"꼭 그런 건 아니었어요……. 당신은 생각한 것의 그림자는 확

---

* 존 밀턴의 《실낙원》 2부 666~673행에서. 죽음을 묘사한 부분에서 인용한 것.

보하고 있었던 거요. 그러나 아마 그 이상은 확보하지 못했을 거요. 머릿속 구상을 완전히 표현해내기엔 화가로서의 당신의 솜씨와 지식이 부족했던 거요. 그렇지만 이 그림들은 여학생의 그림치고는 독특한 그림들이오. 머릿속에 떠올린 구상으로 말하면 요정 같은 것이군요. 이 초저녁 별 속에 담긴 이 눈들은 당신이 꿈에서 본 것들임에 틀림없군요. 이렇게 명료하게 그려놓았는데, 전혀 밝은 빛이 없다니 어찌 된 일일까? 아마 위에 있는 달이 그 빛을 눌러버렸기 때문일 거요. 엄숙한 그 깊은 눈 속에 담긴 뜻은 무엇이지요? 또한 누가 바람에 색칠하는 법을 가르쳐주었소? 하늘에도 산 위에도 세찬 바람이 불고 있군요. 라트모스 산*은 어디서 보았소?…… 그림 속의 산은 라트모스 산이야. 자…… 됐소. 이제 그림을 치워요!"

내가 화첩의 끈을 묶자마자 그는 시계를 보더니 급히 말했다.

"9시군요. 에어 선생, 아델을 이렇게 늦게까지 앉아서 놀게 할 생각이오? 아이를 잠자리로 데려가시오."

아델은 방을 나가기에 앞서 그에게 키스하러 갔다. 그는 아델의 애정 표현을 참긴 했지만 그런 표현에 대해 파일럿이 그랬을 것처럼 그다지 좋아하지 않았다. 아니, 파일럿보다 더 좋아하지 않는 것 같았다.

"자, 이제 모두들 가서 편히 쉬시오." 그가 손으로 문을 가리키며 말했다. 우리와 함께하여 피곤하니 우리를 떨쳐버리고 싶다는 표시였다. 페어팩스 부인은 뜨개질감을 접었고 나는 내 화첩을 들

---

* 터키에 있는 산. 그리스 신화에서 달의 여신이 잘생긴 양치기 엔디미온에게 반해서 매일 밤 깊이 잠든 엔디미온을 포용했다고 한다.

었다. 우리가 무릎을 굽혀 인사했지만 답례로 돌아온 건 고개를 꾸뻑하는 냉랭함이었다. 그래서 우리는 방에서 나왔다.

"페어팩스 부인, 로체스터 씨가 유달리 특이하신 분은 아니라고 하셨죠?" 아델을 침대에 눕히고 나서 부인의 방에 가서 둘이 있게 되었을 때 내가 말했다.

"글쎄, 특이하시던가요?"

"그런 것 같아요. 변덕이 심하고 종잡을 수가 없는 분인 것 같아요."

"맞아요. 분명히 낯선 사람에게는 그렇게 보일 거예요. 하지만 나는 그분의 태도에 매우 익숙해서 절대로 그렇게 생각하지 않아요. 또한 그분이 설사 특이한 기질을 가지셨다 해도 참작해드려야 해요."

"그건 왜죠?"

"한편으로는 그게 그분이 타고난 본성 때문이지요. 누구도 본성은 어떻게 할 수 없는 것 아니겠어요. 또 한편으로는 분명히 그분을 괴롭히고 마음의 평정을 방해하는 아픈 기억이 있기 때문일 겁니다."

"그 기억이란 어떤 것인가요?"

"한 가지 예로 가족들 간의 불화가 문제였지요."

"하지만 가족이 없으시잖아요."

"지금은 없지요. 하지만 줄곧 있어왔지요. 적어도 친척들은 있었어요. 몇 년 전에 그분은 형님을 잃으셨어요."

"형님이라고요?"

"그래요. 지금의 로체스터 씨가 이 집안 재산을 소유하게 된 것은 그다지 오래되지 않았어요. 겨우 9년밖에 안 됐어요."

"9년이면 꽤 긴 시간인데요. 형님을 잃었다고 아직도 마음을 달
랠 수 없을 정도로 형님을 좋아했던 모양이죠?"

"그건 아니에요……. 아마 아닐 겁니다. 두 형제 사이에 좀 오해
가 있었던 모양입니다. 형님이신 로랜드 로체스터 씨는 동생인 에
드워드 로체스터 씨를 공정하게 대하지 않았던 것입니다. 아마 아
버지에게 편견을 주입시켜 동생을 좋지 않게 생각하도록 충동질한
모양입니다. 그 늙은 신사분, 그러니까 아버지 되시는 분은 돈을 좋
아하는 분이어서 가문의 재산을 고스란히 보전하기를 열망했었지
요. 그분은 그것을 분할하여 재산이 줄어드는 것을 원치 않으셨어
요. 그러나 그분은 로체스터 가문의 명성이 지닌 권위를 유지하기
위해 에드워드 씨도 재산을 갖게 되기를 간절히 바랐던 것입니다.
그래서 에드워드 씨가 성년이 되자 어떤 조치를 취했는데, 그 조치
가 매우 공정하지 못한 것이었어요. 그게 큰 화근이었습니다. 돌아
가신 로체스터 어른과 형 로랜드 씨는 공모해서 돈을 벌게 해준다
는 명목으로 에드워드 씨를 어떤 자리로 보냈던 것입니다. 그 자리
를 에드워드 씨는 고통스러운 자리로 여겼던 것이지요. 그 자리가
정확히 어떤 성격을 띤 자리인지 나도 정확히 모릅니다만, 에드워
드 씨는 그런 곳에서 고생해야 한다는 것을 견디지 못했던 것입니
다. 에드워드 씨는 상대를 용서하는 관대한 사람이 아니지요. 그분
은 가족들과 연을 끊고 그 이후로는 지금까지 이곳저곳 정처 없이
떠돌며 불안정한 삶을 살아오셨어요. 그러다가 형님이 유언장도 없
이 세상을 떠나는 바람에 그분에게 이 저택의 소유권이 넘어가게
되었지요. 그 후로 로체스터 씨가 이곳 손필드 저택에 보름 이상 머

물고 가신 적이 단 한 번이라도 있었는지 모르겠군요. 정말이지, 이 옛날 집을 멀리하시는 게 놀랄 일도 아니에요."

"왜 이 집을 멀리하려고 하시죠?"

"아마 집이 우중충하다고 생각하시나 봐요."

그 대답은 뭔가를 회피하는 대답이었다. 나는 보다 명확한 것을 알고 싶었다. 그러나 페어팩스 부인은 로체스터 씨가 겪은 시련의 원인과 성격에 대해 명쾌한 정보를 제공할 능력도 마음도 없는 것 같았다. 그녀는 그것은 자기에게도 수수께끼이며, 자기가 알고 있는 사실도 대개 추측에서 나온 것이라는 점을 힘주어 말했다. 그녀는 그 화제에 대해 더는 이야기하고 싶지 않은 게 분명했다. 따라서 나도 질문을 포기했다.

제14장

그 이후 며칠 동안 나는 로체스터 씨를 거의 보지 못했다. 그는 아침나절에는 용무를 보느라 매우 바쁜 것 같았다. 오후에는 밀코트나 인근 지역에서 신사들이 방문했는데, 그들은 때로 식사를 같이 하느라 머물렀다. 말을 타도 될 만큼 접질린 발목이 낫자 그는 꽤 자주 말을 타고 외출했다. 대개 나가면 밤늦도록 돌아오지 않는 걸로 보아 앞서 받은 방문에 대한 답방을 하는 것 같았다.

그동안에는 아델도 자기에게 오라고 부르지 않았다. 내가 그의 얼굴을 보는 것은 가끔 홀이나 계단이나 복도에서 우연히 마주치는 게 고작이었다. 그는 그럴 때마다 어떤 때는 쌀쌀맞게 목례만 까닥하고 차가운 눈길만 던지는 형식으로 내가 있다는 것을 겨우 인정하며 오만하고 냉정하게 지나쳤는가 하면, 어떤 때는 신사다운 정중한 태도로 허리를 굽혀 인사하며 미소까지 지어 보였다. 그런 그의 기분의 변화가 내 기분을 상하게 하지는 않았다. 그런 그의 기분 변화와 나는 아무 상관이 없었기 때문이다. 그의 기분의 썰물과 밀물은 나와는 전혀 무관한 원인에 기인하고 있었기 때문이다.

어느 날 로체스터 씨는 손님들과 같이 식사를 했다. 그런데 내 화첩을 가져오라고 사람을 보냈다. 틀림없이 그림들을 구경시키기 위해서였을 것이다. 손님들은 밀코트에서 열릴 공공 모임에 참가하기 위해 일찍 돌아갔다. 부인이 그렇다고 알려주었다. 그러나 그날 밤은 비가 오는 궂은 날씨여서 로체스터 씨는 그들과 동행하지 않았다. 손님들이 가고 나자 그가 벨을 울렸다. 나와 아델더러 아래층으로 오라는 전갈이 왔다. 나는 아델의 머리를 빗기고 단정하게 옷을 입혔다. 내 머리는 늘 그렇듯 퀘이커 교도처럼 단정했기 때문에 따로 매만질 필요가 없었다. 땋은 머리를 포함해서 짧고 간소해서 헝클어질 까닭이 없었기 때문에 우리는 곧장 아래층으로 내려갔다. 아델은 마침내 '작은 선물 상자'가 도착한 게 아닌가 궁금해하고 있었다. 무슨 착오가 있어 선물 상자의 도착이 여태껏 지연되고 있었기 때문이다. 아델은 기뻐했다. 우리가 식당에 들어섰을 때 작은 상자 하나가 탁자 위에 놓여 있었다. 아델은 본능적으로 그게 뭔지 아는 것 같았다.

"마 부아트! 마 부아트!"〔내 상자다! 내 상자다!〕 그녀는 소리치며 그것으로 달려갔다.

"그래. 마침내 네 상자가 왔구나. 순종 파리내기 아가씨, 그걸 구석으로 가지고 가서 속에 든 걸 꺼내서 재미있게 놀아라." 로체스터 씨가 굵은 목소리로 다소 빈정대며 말했다. 그 목소리는 난롯가에 놓인 큰 안락의자 깊숙한 곳에서 나오는 소리였다. "그리고 명심해라." 그가 계속해서 말했다. "그 내용물 해부 과정에서 나온 세세한 내용을 가지고 나를 귀찮게 하지 마라. 내용물 상태가 이렇다 저렇다도 하지 마라. 잠자코 내용 점검을 하란 뜻이야……. 티엥-투아 트랑킬, 앙팡, 콩프랑-튀?"〔조용히 하란 말이야. 애야, 알겠니?〕

아델에게 그런 경고는 거의 필요 없는 것 같았다. 아델은 그 보물을 가지고 소파로 물러나 상자 뚜껑에 감긴 끈을 뜯느라 정신이 없었다. 거치적거리는 것을 모두 제거하고 티슈 종이로 만들어진 은색 봉투를 들어 올리고는 탄성만 지를 뿐이었다.

"오, 시엘! 크 세 보!"〔와, 세상에! 너무 예쁘다!〕 아이는 황홀경에 빠져 선물들을 들여다보느라 정신이 없었다.

"에어 선생도 왔나?" 그제야 자리에서 몸을 반쯤 일으키고 문쪽을 돌아보며 주인이 물었다. 나는 아직 문 가까이에 서 있었다.

"아! 거기 있었군. 앞으로 와서 여기 앉아요." 그는 의자 하나를 자기 의자 가까이로 끌었다. "나는 아이들의 수다는 좋아하지 않아요." 그가 계속했다. "노총각이라서 아이들 재잘대는 소리와 관련된 즐거운 추억이 없기 때문이지요. 저녁 내내 어린애와 머리를 맞대고 시간을 보내는 것은 견딜 수 없는 일일 거요. 에어 선생, 의자를 자꾸 멀리 끌어가지 마시오. 내가 놓은 바로 그곳에 앉아 있으시오. 괜찮다면 그러란 말이오. 이런 예의는 헷갈린단 말야, 참! 계속 까먹는다니까. 나는 특히 단순한 머리를 가진 늙은 숙녀들 흉내내는 낼 줄 모른단 말야. 하긴 우리 집에도 한 분 계시지. 참, 그분을 소홀히 하면 안 되지. 그분도 페어팩스 가문 사람이지. 아니, 페어팩스 가문과 결혼한 사람이지. 피는 물보다 진하다는 말도 있지."

그는 벨을 울려 페어팩스 부인을 급히 오라고 지시했다. 부인은 손에 뜨개질감을 들고 곧바로 도착했다.

"부인, 어서 와요. 자선 좀 베풀어주십사 해서 불렀어요. 아델에게 선물에 대해 나한테 말하지 말라고 일러두었어요. 아마 지금 기뻐서 터질 지경일 거요. 그러니 부인께서 그 애의 경청자도 되어주시고 질문자도 되어주는 수고 좀 해주시오. 그러면 부인이 행하신 가장 큰 자선 행위 한 가지를 하는 것이 될 거요."

정말 아델은 페어팩스 부인을 보자마자 부인을 제 소파로 불렀다. 그러고는 재빨리 선물 상자 안에 들어 있던 도자기, 상아, 밀랍으로 된 장난감들로 부인의 무릎 위를 가득 채웠다. 그러면서 자신이 구사할 수 있게 된 엉터리 영어로 설명과 환희를 쏟아냈다.

"이제 나도 훌륭한 주인 역할을 수행하고," 로체스터 씨는 말을 이었다. "손님들끼리 서로 즐길 수 있게 했으니 나도 자유롭게 내게 기쁨을 주는 일에 전념해야겠소. 에어 선생, 의자를 좀 더 앞으로 끌고 오시오. 아직도 너무 뒤로 물러나 앉아 있군요. 이 안락의자에서는 몸을 틀지 않고는 선생을 볼 수가 없소. 난 몸을 트는 건 질색이오."

나는 지시대로 했다. 하긴 나는 어쩐지 그늘 속에 남아 있고 싶었다. 그러나 로체스터 씨는 명령을 단도직입적으로 내리는 버릇이 있는 사람이라 그가 하는 말에 신속히 복종하는 것이 당연한 일처럼 보였다.

내가 이미 말한 것처럼 우리는 식당에 있었다. 정찬을 위해 켜져 있던 샹들리에가 축제 분위기가 날 정도로 넓게 밝은 빛으로 방 안을 가득 채우고 있었다. 커다란 벽난로도 온통 붉고 맑게 불타고 있었다. 높은 창문과 그보다 더 높은 아치형 창문 앞에 자색 커튼이 풍요롭고 넉넉하게 드리워져 있었다. 감히 큰 소리로 말할 수 없었는지 소리를 죽여서 속삭이는 아델의 수다 이외에는 모든 것이 고요했다. 그 수다가 끊기는 공백은 창유리를 때리는 겨울비 소리가 메워주고 있었다.

다마스크 천으로 덮인 의자에 앉아 있는 로체스터 씨는 전에 보아온 그와는 다른 모습으로 보였다. 그다지 엄격해 보이지 않았고 전보다 훨씬 덜 침울해 보였다. 입술에는 미소가 어려 있었고 두 눈은 반짝였다. 술을 마셔서 그런지 어쩐지는 확실하지 않았다. 그러나 그랬을 가능성은 충분히 있었다. 간단히 말해 그는 정찬을 끝낸 직후의 기분에 아직 사로잡혀 있었다. 그는 훨씬 느긋해져 있었고 보다 상냥했다. 아침나절에 냉랭하고 굳어 있던 기질보다는 좀 흐트러진 모습이었다. 그러나 큰 머리통을 부풀어 오른 의자 등에 기대고, 말끔히 자른 화강암 같은 얼굴과 검고 큰 눈에 난롯불 빛을 받고 있는 그의 모습은 매우 엄격해 보였다. 그는 크고 검은 눈이면서도 매우 아름다운 눈을 가지고 있었기 때문이다. 때로 그의 눈 깊은 곳에서 어떤 변화가 일어나는 일이 없는 것은 아니지만, 그 변화는 부드럽다고 할 수는 없어도 적어도 부드럽다는 느낌을 떠올리게 하는 것이었다.

그는 2분 동안이나 불을 바라보고 있었다. 나도 그 시간만큼 그를 바라보고 있었다. 그런데 그가 갑자기 몸을 돌리면서 그의 얼굴에 가 있던 내 눈길을 알아챘다.

"에어 선생, 나를 자세히도 살피는군." 그가 말했다. "나를 미남이라고 생각해요?"

내가 신중했다면 이 질문에 흔히들 그러하듯 막연하면서 예의 바르게 대답했을 것이다. 그러나 어쩌다 보니 나도 모르게 내 혀에서 대답이 미끄러져 나오고 말았다. "아뇨, 주인님."

"아, 이런! 선생한텐 뭔가 독특한 데가 있어요." 그가 말했다. "양손을 앞에 모으고 눈길을 늘 카펫에 두고 있을 때 보면 선생은 어린 수녀의 모습이거든. 이상하고 조용하고 엄숙하고 단순한 인상이 풍겨요. (말이 나서 하는 말이지만 지금처럼 그 눈이 곧장 내 얼굴을 향하고 있을 때는 예외지만.) 그러다가 누가 질문을 던지거나 당신이 대답해야만 하는 말을 던지면 당신은 거침없이 응답을 내뱉는단 말이오. 퉁명스럽지는 않지만 무뚝뚝한 대답을 쏟아낸단 뜻이오. 아까 그 대답은 무슨 뜻이오?"

"주인님, 제가 너무 경솔했습니다. 죄송합니다. 외모에 대한 질문에 즉흥적인 대답을 하기란 쉬운 일이 아니며, 사람마다 취향이 다르고, 외관상의 미나 그와 비슷한 것은 그다지 중요한 게 아니라고 대답했어야 옳았습니다."

"그런 대답은 하지 말았어야 옳았소. 정말 잘생긴 외모가 중요하지 않다고! 그러니까 앞서 말한 무례한 발언을 무마하고 나를 어루만지고 달래서 내 마음을 가라앉히는 척하면서 다시 교활하게 주머니칼로 내 귀 밑을 찌르고 있군! 말을 계속해봐요. 자, 부탁인데, 내게 어떤 결점이 눈에 띄는지 말해봐요. 내 사지와 이목구비 모두가 다른 사람과 같다고 생각하는데."

"로체스터 주인님, 제가 처음에 대답한 것을 취소하게 해주십시오. 상처를 안겨주는 대답을 하려 했던 게 아닙니다. 그건 다만 실수였습니다."

"바로 그런 거였으면 나도 그렇게 생각하겠소. 그러니까 그 말에도 책임을 져야 할 것이오. 나를 평해보시오. 내 이마가 맘에 안 드오?"

그는 이마를 가로로 덮고 있는 검은 물결의 머리카락을 쓸어 올려 지적 활동을 담당하는 단단한 이마를 드러내 보였다. 그러나 인자함을 나타내는 부드러운 표시가 솟아 있어야 할 부위가 급격히 꺼져 있었다.

"자, 선생, 내가 바보 같소?"

"천만의 말씀이십니다, 주인님. 그 대답으로 주인님이 박애주의
자신지 어쩐지를 여쭤본다면 저를 무례하다고 생각하시겠죠?"

"또 시작이군! 머리를 쓰다듬어주는 척하면서 칼로 또 찌르는
군. 내가 이렇게 말한 것은 나라는 사람은 아이들이나 늙은 부인과
는 어울리기 싫다고 말했기 때문이오. (이런 말은 작은 소리로 해야
지, 참!) 아니, 젊은 숙녀 선생, 나는 항상 박애주의자는 아니요. 하
지만 양심 같은 것은 있지." 이렇게 말하면서 그는 양심의 기능을
나타낸다고들 말하는 이마의 돌출부를 가리켰다. 다행히 그를 위해
그 부위가 눈에 띄게 나와 있었다. 사실상 이마 윗부분을 두드러지
게 넓게 보이게 만들고 있었다. "게다가 좀 거칠지만 따뜻한 마음씨
를 가진 적이 있었소. 선생처럼 그런 어린 나이 적엔 나도 풍부한
감성을 가지고 있었소. 미숙한 자들, 아무도 돌보지 않은 자들, 불
운한 자들을 각별히 편애한 적이 있었소. 그러나 그 후 운명이 나를
때려눕히고 만 거요. 운명이 나를 주먹으로 으깨버렸소. 그래서 지
금은 인디언들의 고무공처럼 단단하고 질긴 사람이 되었다고 자위
하고 있는 거요. 물론 그 고무공 한두 군데에 틈이 생겨 바람이 새
고 있고 그 중간 부위에는 아직 정감을 느끼는 부분이 남아 있긴 하
지요. 그러니 내게 아직 희망이 남아 있는 거요?"

"무엇에 대한 희망입니까, 주인님?"

"그 인디언의 고무공에서 결국 육신을 지닌 인간으로 다시 변신
할 거라는 희망이 있을까요?"

'이 사람 술을 너무 많이 마신 게 틀림없어.' 하고 나는 속으로 생

각했다. 이런 이상한 질문에 어떻게 대답해야 할지 알 수 없었다. 그가 재변신을 할 수 있을지 없을지 내가 어떻게 알 수 있단 말인가?

"몹시 당황하는 것 같군요, 에어 선생. 내가 미남이 아닌 것처럼 당신도 예쁘지 않지만 그렇게 당황하는 모습이 선생에게 어울리는군요. 또한 그런 모습은 날 편하게 하는군요. 그 탐색하는 듯한 선생의 눈을 내 얼굴에서 이탈시켜 털 양탄자의 꽃무늬만 열심히 바라보게 만드는 게 바로 그 당황하는 모습이란 말이오. 그러니 계속 당황하라구. 젊은 숙녀 선생, 오늘 밤은 사람과 함께 있으면서 대화를 나누고 싶소."

이렇게 선언하면서 그는 의자에서 일어나서 벽난로 장식 위에 팔을 기대고 섰다. 이런 자세를 취하자 그의 얼굴은 물론 그의 체형까지 명확하게 보였다. 유달리 넓은 그의 가슴은 사지의 길이와 불균형을 이루고 있었다. 대부분의 사람들은 그를 추남이라고 생각했을 것이라고 나는 확신한다. 그러나 그의 풍채에는 자신도 의식하지 못하는 자부심이 잔뜩 서려 있었고 그의 태도에는 여유만만함이 철철 넘치고 있었다. 자신의 외모에 대해 철저히 무관심한 표정을 짓고 있었다. 또한 타고난 것이든 우연발생적인 것이든, 단순한 신체적 매력의 결핍을 보상하는 자신의 다른 자질이 지닌 매력에 대해 오만한 긍지를 가지고 있었기 때문에 그를 바라보고 있으면 불가피하게 그 무관심을 공유하게 되는 것이었다. 심지어 맹목적이고 불완전한 의미에서조차 그 자신감을 신뢰하게 되었다.

"오늘 밤 누군가와 함께 있으면서 대화를 나누고 싶소." 그가 그 말을 반복했다. "바로 그 때문에 선생을 부른 거요. 난롯불과 샹들리에는 내게 충분한 말벗이 되지 않았어요. 파일럿도 마찬가지였을 거고. 다들 말할 줄 모르니까. 아델은 좀 낫지만 여전히 접수 미달이지. 페어팩스 부인도 마찬가지고. 그런데 선생은 마음만 먹으면 내게 맞는 말벗이 될 거라는 생각이 들었소. 선생을 처음 여기로 와달라고 했던 그날 밤 선생은 날 당황하게 만들었던 거요. 그 후 난 선생을 거의 잊었소. 다른 일로 생각할 게 많아서 선생을 생각할 틈이 없었소. 그렇지만 오늘 밤은 마음을 편하게 먹기로 결심했어요. 성가신 일은 털어버리고 즐거운 일만 생각하기로 했어요. 선생을 끌어내어 선생에 대해 더 알게 되면 즐거울 것 같소. 그러니까 말을 해봐요."

나는 말은 안 하고 미소를 지었다. 그다지 만족해서 짓는 미소도 아니고 유순한 미소도 아니었다.

"말 좀 해봐요." 그가 재촉했다.

"뭐에 관해서 말해야 하나요, 주인님?"

"뭐든 하고 싶은 말을 해요. 이야기 주제와 그 주제를 다루는 방식의 선택은 전적으로 선생에게 맡기겠소."

그래서 나는 그냥 앉아서 아무 말도 하지 않았다. '내가 단지 말을 위한 말이나 하고 자기과시를 하기를 바란다면 그는 사람을 잘못 골랐다는 것을 깨달을 거야.' 나는 속으로 생각했다.

"에어 선생, 꿀 먹은 벙어리군요."

나는 여전히 벙어리였다. 그는 내 쪽으로 머리를 숙이더니 힐끗 한번 쳐다보고는 내 눈 속으로 돌진하려는 것 같았다.

"고집을 부리는 건가요?" 그가 말했다. "또한 불쾌한 모양이군요. 아, 그렇지만 일관성은 있군. 내가 터무니없이, 거의 무례한 형식으로 요청했나 보군. 에어 선생, 용서해요. 분명히 말하지만 나는 선생을 나보다 열등한 사람으로 대접하고 싶지 않아요. 다시 말해서(그는 말을 정정하면서) 선생과 나는 스무 살 정도의 차이가 나고 경험으로 따져도 내가 1세기는 앞섰으니까 거기서 발생하는 우월함만 주장하겠소. 아델이 '그건 내가 끝까지 주장해요.' 하고 말하기 일쑤인데, 그건 합당한 말이지요. 그런 우월함, 오직 그런 우월함을 이용해서 지금 여기서 선생에게 이야기 좀 해달라고 부탁하는 거요. 선생의 이야기로 내 머릿속의 생각을 다른 데로 틀어주시오. 한 가지만 생각하느라 상처를 입고 녹슨 못처럼 부식되어가는 내 생각 말이요."

그는 체면 불구하고 해명했다. 거의 사과하는 자세였다. 나는 윗사람의 그러한 겸손함에 무감각할 수 없었다. 무감각하게 보이고 싶지도 않았다.

"제가 할 수만 있다면 기꺼이 즐겁게 해드리겠습니다, 주인님. 그러나 어떤 화제를 끄집어내야 할 텐데 그럴 수가 없군요. 주인님의 흥미를 끌 만한 화제가 무엇인지 제가 어떻게 알겠습니까? 제게 질문을 하십시오. 그러면 최선을 다해 대답하겠습니다."

"그렇다면 우선 내가 진술한 여러 근거에 입각해서 때로 느닷없이 권위적인 자세, 어쩌면 강요하는 자세를 취해도 그럴 권리가 있다는 것에 동의하겠소? 다시 말해서 선생은 오직 같은 건물 안에서 같은 사람들과 조용히 살아온 반면, 나는 선생의 아버지뻘 나이라는 사실, 그리고 수많은 나라의 수많은 인간들과 전투를 치르듯 다양한 경험을 하면서 지구의 절반을 헤매고 다녔다는 사실에 동의하겠소?"

"주인님, 좋으실 대로 하십시오."

"그건 대답이 아니오. 오히려 짜증나게 하는 대답이오. 대단히 회피성이 담긴 대답이니까…… 명확히 대답해봐요."

"주인님, 저보다 나이가 많으시다거나 세상을 저보다 많이 보셨다는 이유만으로 주인님이 제게 명령할 권리를 가지셨다고는 생각하지 않습니다. 저보다 우월하다고 주장할 수 있는 것은 그 시간과 경험을 어떻게 이용했느냐에 달린 것입니다."

"흠, 빨리도 말하는군! 그러나 내 경우와는 맞지 않는 발언이니까 그 말은 받아들이고 싶지 않소. 그 두 가지 이점을 나쁘게 이용했다고는 말하지 못하지만 나는 그것들을 무관심한 자세로 이용했기 때문이오. 그럼, 우월성 문제는 일단 제외합시다. 그래도 선생은 내 명령조의 말투에 화를 내거나 기분을 상하지 말고 가끔 내 지시를 받아들이는 데 동의해야 하오. 동의하지요?"

나는 미소를 지었다. '로체스터 씨는 특이한 분이군……. 자신의 지시를 받아들이는 대가로 내게 연간 30파운드를 지불한다는 걸 잊고 있는 것 같애.' 하고 나는 속으로 생각했다.

"그 미소는 매우 마음에 드는군." 내 얼굴을 스치는 표정을 즉각 포착하고 그가 말했다. "하지만 말도 해봐요."

"주인님, 급료를 받는 아랫것들이 주인이 내린 지시 때문에 화를 내거나 기분을 상할까 봐 신경을 쓰는 주인은 아마 거의 없을 겁니다."

"급료를 받는 아랫것들이라! 그럼, 선생이 급료를 받는 내 아랫것이오? 그래요? 아, 맞아. 급료를 잊고 있었군! 그러면 급료를 받는다는 이유로 내가 좀 허세를 부려도 괜찮다고 하겠소?"

"아녜요, 주인님. 그 이유라면 동의하지 않겠습니다. 주인님이 급료에 대해서는 까맣게 잊고 계셨기 때문에, 또한 주인님께서는 이 집에 사는 아랫사람들이 주인님께 의지하며 사는 동안 편안하게 지내는지 신경을 써주시기 때문이라면 저는 진심으로 동의하겠습니다."

"그러면 그 수많은 인습적인 형식이나 말투를 빼버려도 그것이 내 무례에서 비롯되었다고 생각하지 않고 내 요구를 허용하겠소?"

"주인님, 저는 확실히 말씀드리는데, 격식을 따지지 않는 태도를 무례로 오해할 사람이 아닙니다. 오히려 저는 그런 태도를 좋아합니다. 그러나 자유인으로 태어난 사람은 무례에는 굴복하지 않을 것입니다. 아무리 급료를 받아도 말입니다."

"말도 안 돼! 자유롭게 태어난 대부분의 인간들은 급료를 받기 위해서라면 무엇에나 굴복하는 법이오. 그러니 그처럼 전혀 알지 못하는 일반론은 혼자만 간직하고 함부로 말하지 말아요. 아무리 부정확한 대답이긴 해도 그 대답에 대해 마음속으로 선생과 악수하는 바이오. 그런 말을 하는 태도와 그 말의 본질에 대해서 다 같이 악수하는 바이오. 그 태도는 성실하고 솔직했소. 그런 태도는 흔히 볼 수 있는 게 아니오. 그렇게 볼 수 없는 것이지. 반대로 솔직함에 흔히 돌아가는 보답은 가식, 냉담, 그리고 말한 의미에 대해 바보처럼 천하게 오해하는 태도뿐인 법이오. 어린 여학생을 가르치는 풋내기 가정교사 삼천 명 중에서 세 명도 지금 선생이 대답한 것처럼 대답하지 않았을 것이요. 그렇다고 선생에게 아첨할 의도는 없소. 선생이 설령 다른 대다수 사람과는 다른 틀에서 주조된 사람이라 하더라도 그건 선생 자신의 공이 아니오. 자연의 여신이 그렇게 한 것이오. 그러니까 결국 너무 빨리 결론을 내리고 있군. 지금까지 선생에 대해 아는 것을 가지고 얘기하자면 선생은 다른 사람들보다 나을 게 없소. 선생이 가지고 있는 몇 가지 장점들을 상쇄할 형편없는 단점들을 선생이 가지고 있을 수 있다는 말이오."

'그건 당신도 마찬가지일 거예요.' 하고 나는 속으로 생각했다. 이런 생각이 내 머리를 스칠 때 내 눈은 그의 눈과 마주쳤다. 그는 내 눈빛에 담긴 의미를 읽은 것 같았다. 그 의미가 내 머릿속에서 상상되어진 것이 아니라 직접 입으로 말한 것같이 그가 이렇게 말했다.

"그래요, 그래요. 선생 말이 옳아요." 그가 말했다. "나도 많은 결점을 가지고 있소. 그걸 알고 있으며 그 결점들에 대해 변명하고 싶은 생각은 없다는 것을 분명히 말해두겠소. 나는 다른 사람들에게 너무 가혹하게 행동할 필요가 없다는 것을 하느님이 알고 계신다는 말이오. 내게는 지나간 과거의 삶과 일련의 행적들이 있고, 가슴 속에는 깊이 생각해야 할 삶의 색깔이 있소. 그러한 것들이 내게 당연히 요구하는 것은 이웃들에게 내가 퍼붓는 조소나 비난을 회수하여 내 자신에게 그 화살을 돌리라는 것이오. 인생을 잘못 산 다른 사람들처럼 나도 내 잘못의 절반을 불운이나 역경의 탓으로 돌리고 싶은데…… 나는 스물한 살의 나이에 인생의 잘못된 길로 들어섰던 것이오. 아니, 억지로 떠밀려 들어갔던 것이오. 그리고 그 후 결코 올바른 길로 돌아오지 못했소. 나는 아주 다른 사람이 될 수도 있었을 거요. 선생처럼 착한 사람이 될 수도 있었을 거요. 보다 현명하고 선생처럼 때가 묻지 않을 수도 있었을 거요. 선생에게 있는 마음의 평화, 깨끗한 양심, 오염되지 않은 추억이 부럽군요. 어린 선생, 오점이나 오염이 없는 추억은 더없이 아름다운 보석이오…… 고갈

될 줄 모르는 샘, 순수한 원기가 솟아나는 샘이요. 안 그렇소?"

"주인님, 열여덟 살 때의 주억은 어떤 것이었습니까?"

"그때에는 모든 게 제대로였지. 투명하고 건강했어요. 배 밑창에 고인 썩은 물이 그 시절을 악취 나는 흙탕물로 만들지 않았었소. 열여덟 땐 나도 선생과 같았던 거요…… 너무나 똑같았을 거요. 에어 선생, 대체로 자연의 여신은 나를 착한 사람으로 만들 의도가 있었던 거요. 더 훌륭한 바탕의 인간 말이오. 그런데 보다시피 난 그런 인간이 아니란 말이오. 선생도 내게서 그런 인간의 모습을 보지 못하겠다고 말할 것이오. 적어도 나는 선생의 눈빛만 봐도 다 알 수 있다고 자부하고 있소. (나는 눈이 말하는 언어를 금세 해독하는 사람이니 앞으로 그 기관으로 표현하는 것을 조심하라고요.) 그러니 내 말을 믿어요…… 나는 악당이 아니라는 것 말이오. 선생은 그렇게 생각하지 마시오……. 악당이라는 오명을 내게 씌우지 말아요. 쓰레기 같은 부잣집 자식들이 인생을 장식하기 일쑤인 그 형편없고 쩨쩨한 방탕 생활에다 모든 것을 낭비하는 그런 진부한 흔해빠진 죄인이 되어 있다면 ─ 이건 내 신정으로 믿는 바인데 ─ 그것은 내 타고난 성향 때문이 아니라 오히려 내가 겪은 환경 때문이었다고 생각해주시오. 선생에게 내가 이렇게 고백하는 게 이상하오? 이건 알아두시오. 장차 살아가면서 선생은 자신도 모르게 아는 어떤 친지의 비밀을 들어주는 사람으로 선택되었다는 것을 알게 될 것이오. 그 사람들도 나처럼 선생의 특기가 선생 이야기를 하는 게 아니라 그들의 이야기를 경청해주는 거라는 것을 본능적으로 알아차릴 거요. 그들 또한 자신들의 신중치 못한 언행에 대해 선생이 악의적인 경멸감을 품는 것이 아니라 타고난 동정심을 가지고 자기들 말을 경청하고 있다고 느낄 것이오. 그 동정심을 표출할 때도 주제넘지 않기 때문에 더 위안이 되고 격려가 되지요."

"그걸 어떻게 아십니까— 주인님, 모든 것을 어떻게 짐작할 수 있으십니까?"

"잘 알고 있소. 그러니까 일기장에 내 생각을 적어놓듯 자유롭게 이야기를 하고 있는 거요. 마땅히 나는 내게 닥친 여러 여건들을 극복했어야 했다고 선생은 말하고 싶을 거요. 그랬어야 옳았소…… 그랬어야 됐어요. 그러나 알다시피 나는 그렇게 못했소. 운명의 여신이 나를 학대할 때 나는 냉정하게 있을 만한 지혜가 없었소. 나는 자포자기했고 이어서 타락하고 만 거요. 이제 어떤 악독한 바보 녀석이 시시한 상스러운 말로 나를 구역질나게 해도 내가 그놈보다 낫다고 우쭐해하지 못하오. 그놈과 나는 수준이 같다고 고백하지 않을 수 없어요. 꿋꿋하게 견뎌냈더라면 좋았을걸 하는 생각이 들어요. 그런 소망을 품고 있다는 걸 아무도 몰라요. 유혹에 끌려 오류를 범하면 후회가 따르는 것을 두려워해야 돼요, 에어 선생. 후회는 인생의 독이오."

"회개가 그 후회의 치료약이라고들 말하고 있어요, 주인님."

"그건 치료약이 아니오. 개심이라면 치료약이 될지도 모르겠군. 나도 개심할 수 있을 거요. 아직 그럴 만한 힘이 있지, 만약…… 하지만 나처럼 족쇄를 차고 짐을 걸머지고 저주받은 처지에 그런 생각이 무슨 소용 있겠소? 게다가 회복할 수 없도록 운명이 내게 행복을 가져다주기를 거부했기 때문에 내게는 인생에서 오로지 쾌락을 얻어낼 권리가 생긴 것이오. 그러니까 나는 어떤 대가를 치르더라도 그 쾌락을 얻어낼 것이오."

"주인님, 그러시면 앞으로도 계속 타락하시겠군요?"

"아마 그럴 수도 있을 거요. 그러나 달콤하고 신선한 쾌락을 얻을 수 있다고 해서 왜 반드시 타락해야 하지? 벌이 벌판에서 야생 꿀을 모으듯 그 달콤하고 신선한 꿀을 얻을지도 몰라요."

"그 꿀은 쏘는 맛이 있을 겁니다……. 주인님, 그것은 쓴맛이 날 겁니다."

"선생이 그걸 어떻게 알지요? 선생은 아직 한 번도 그 맛을 본 적이 없는데. 어찌 그리 심각하고 엄숙한 표정을 짓는 거요? 선생은 여기 이 카메오 세공품 두상 조각만큼이나 이런 일에는 무식한 상태요! (그는 벽난로 위에서 조각품 하나를 집으며 말했다.) 선생은 나한테 설교할 권리가 없소. 풋내기인 선생은 아직 인생의 입구에도 들어서지 못한 거요. 또한 인생의 신비한 것들에 대해서는 절대 무식자인 셈이오."

"주인님, 저는 주인님이 하신 말씀을 상기시켜드리고 있을 뿐입니다. 주인님은 오류를 범하는 것은 후회를 가져오며 후회는 인생의 독이라고 하셨습니다."

"그런데 지금 누가 오류를 말하고 있지요? 내 머리를 스치는 생각이 오류라고 생각하지 않소. 그건 유혹이 아니라 영감이라고 믿고 있소. 그리고 그런 생각은 매우 온화하고 매우 위로가 된다고 생각해요……. 그 점은 확실히 알고 있단 말이오. 그 생각이 다시 찾아오고 있군! 확실히 말하지만 그 생각은 악마가 아니오. 악마라 하더라도 빛나는 천사의 옷을 입고 있군요. 그런 아름다운 손님이 내 마음속으로 들어오기를 청한다면 나는 들어오라고 허락해야 한다는 생각이 드는군요."

"주인님, 그런 생각은 믿지 마십시오. 그것은 참된 천사가 아닙니다."

"또 그러시네. 선생이 그걸 어떻게 알지요? 무슨 직관으로 선생이 나락에 떨어진 천사와 영원한 옥좌에서 온 전령 천사를 구분하고, 안내자와 유혹자를 구분하는 시늉을 하는 거죠?"

"주인님 얼굴로 판단했습니다, 주인님. 말씀하신 그 생각이 주인님께 다시 나타났다고 하실 때 주인님의 얼굴은 고통스러운 기색을 하고 있었습니다. 그런 생각에 귀를 기울이시면 그게 주인님께 더 큰 불행을 가져올 거라고 확신합니다."

"전혀 그렇지 않아요……. 그 생각은 이 세상에서 가장 고마운 메시지를 담고 있소. 그 밖의 일에 대해서도 선생은 내 양심을 지켜주는 파수꾼이 아니오. 그러니까 불편한 마음을 갖지 말아요. 자, 이리 오게나, 사랑스러운 방랑자여!"

그는 다른 사람에겐 보이지 않고 자신의 눈에만 보이는 어떤 영상에게 말을 걸듯 이렇게 말했다. 그리고 절반쯤 앞으로 늘어뜨렸던 양팔을 가슴 위에 포개면서 보이지 않는 그 영상을 포옹으로 감싸는 것 같았다.

"이제," 하고 그가 나를 향해 말했다. "나는 그 순례자를 맞아들였소……. 변장한 신적 존재라고 나는 진심으로 믿소. 벌써 그것은 내게 좋은 일을 해주었소. 내 마음은 일종의 납골당이었소. 이제 내 마음은 성스러운 신전이 될 것이오."

"주인님, 진실을 말씀드리자면 저는 주인님을 전혀 이해하지 못하고 있습니다. 대화를 계속 끌어갈 수 없군요. 저의 한계를 벗어났기 때문입니다. 오직 한 가지는 알겠습니다. 주인님은 마땅히 되어야겠다고 생각하는 만큼 착한 사람이 되지 못했고 자신의 불완전함을 후회한다고 말씀하셨습니다. 이게 제가 이해할 수 있는 한 가지 사실입니다. 주인님께서는 더럽혀진 기억을 갖고 있는 것은 영원한 파멸이라고 암시하셨습니다. 제가 느끼는 것은, 주인님께서 열심히 노력하시면 조만간 주인님이 인정할 만한 그런 인물이 되는 것도 가능할 것입니다. 그리고 오늘부터라도 주인님이 생각과 행동을 고쳐나가겠다고 결심하시면 몇 년 안에 새롭고 오점 없는 추억들을 쌓아 나가게 될 것이라고 생각합니다. 그리고 그런 추억들을 즐겁게 회상하실 수 있을 것입니다."

"옳은 생각이오. 말도 옳았소, 에어 선생. 이 순간 나는 지옥으로 가는 길을 힘차게 포장하고 있는 셈이군요."

"그게 무슨 뜻이지요, 주인님?"

"부싯돌처럼 오래 견딜 수 있다고 믿는 선량한 의도를 잔뜩 깔아놓는다는 말이오. 분명 내가 접하는 사람들이나 내가 추구하는 일들이 전과는 달라질 거요."

"더 나은 쪽으로 달라진다는 뜻입니까?"

"더 나아질 거요…… 순수한 광석이 찌꺼기 쇳물보다 나은 것만큼 더 나아질 거요. 선생은 내 말을 의심하는 것 같군. 나는 내 목표와 동기가 무엇인지 알고 있소. 그래서 바로 이 순간 나는 그 두 가지가 옳다는 법, 그러니까 메디아인들과 페르시아인들의 법*처럼 바꿀 수 없는 법을 통과시키겠소."

---

* 에스더 1장 19절. 페르시아의 아하스레오스 왕은 말을 잘 듣지 않는 아내와 이혼하고 에스더를 새 아내로 맞아들이고는 "메디아와 페르시아의 법령 속에 그 법을 적어 넣으라"고 명한 이야기에서.

"그 두 가지에 합법적인 지위를 부여하기 위한 새로운 법령이 필요하다면 그 두 가지가 다 정당할 수 없습니다, 주인님."

"에어 선생, 새로운 법령이 절대적으로 필요하다 하더라도 그들은 정당한 것이오. 들어본 적이 없는 상황의 결합은 들어보지 못한 규정이 필요한 법이오."

"그 말씀은 위험한 격언처럼 들립니다, 주인님. 남용될 수 있다는 것을 즉시 알 수 있기 때문입니다."

"설교를 잘 하는 현자가 왔군! 그건 그렇군. 그러나 우리 집 신령님들을 걸고 맹세하지만 내가 그런 법을 남용하는 일은 결코 없을 거요."

"주인님도 인간이시며 오류를 범하실 수 있습니다."

"그래요. 그건 선생도 마찬가지요. 그래서 어쨌다는 거요?"

"인간이어서 오류를 범할 수 있는 존재는 오직 신과 같은 완전한 존재에게만 안전하게 맡길 수 있는 권력을 침해해서는 안 됩니다."

"무슨 권력이지요?"

"아무 인정도 받지 않은 이상한 행동 노선을 말하는 권한 같은 것입니다…… '그것을 옳은 것으로 하라'와 같은 말을 하는 권한이지요."

"'그것을 옳은 것으로 하라.' 바로 그 말이군. 그건 선생이 발언한 말이군."

"'그러면 옳을 수도 있다'라고 해야겠습니다." 나는 자리에서 일어나며 말했다. 전혀 알 수 없는 이야기를 계속한다는 것은 쓸데없는 일이라는 생각이 들었고 대화를 나누는 상대방의 성격을 꿰뚫어 보는 것이 나로서는 불가능하다는 생각이 들었기 때문이다. 적어도 현재까지는 거기에 손을 뻗칠 수 없었다. 불확실성과 막연한 불안감을 느꼈고 내 자신의 무지에 대한 확신이 뒤따랐다.

"어디 가는 거요?"

"아델을 재우려고요. 잠잘 시간이 지났어요."

"내가 스핑크스처럼 말해서 무서웠나 보군요."

"주인님의 언어는 수수께끼 같습니다. 그러나 당황하긴 했지만 분명히 두렵지는 않습니다."

"선생은 두려워하고 있어……. 선생의 자기 사랑이 실수를 두려워하고 있소."

"그런 의미에서라면 저는 정말 겁이 납니다. 말도 안 되는 소리가 제 입에서 나오지 않기를 바라고 있습니다."

"말도 안 되는 말을 해도 아주 엄숙하고 조용한 태도로 하겠지. 의미 있는 발언으로 내가 오해할 정도로 말이오. 에어 선생, 큰 소리로 웃는 일은 절대로 없소? 수고스럽게 대답까지 하진 말아요. 내 보기에 선생은 좀처럼 웃지 않고 있소. 그런데 아주 즐겁게 웃을 수는 있는 사람이오. 진정으로 말하는데, 내가 날 때부터 악하지 않은 것처럼 선생도 날 때부터 엄숙한 사람은 아닐 거요. 로우드 학교의 속박된 생활이 아직 선생에게 들러붙어 있는 거요. 그게 선생의 얼굴을 통제하고 목소리를 가로막고 사지를 제약하고 있는 거요. 선생은 남자나 남자 형제, 아버지나 주인이나 또는 그런 사람들 앞에서 너무 즐겁게 웃거나, 거리낌 없이 말하거나 너무 경망스럽게 행동하는 것을 두려워하고 있소. 그러나 조만간 선생이 나를 자연스럽게 대하는 법을 익히게 될 날이 올 것이오. 왠지 선생에겐 인습적으로 대하는 게 불가능하다는 생각이 들기 때문이오, 그때가 되면 선생의 표정과 몸짓도 지금보다 훨씬 더 발랄하고 다양해질 거요. 선생에게서 조밀한 새장 창살 사이로 언뜻 호기심에 가득 찬 시선을 던지고 있는 새의 모습을 보게 되는군요. 활기차고 들떠 있고 결연한 포로처럼 갇혀 있는 새 말이오. 자유롭게 풀려나기만 하면 그 새는 구름 높이까지 솟아오를 거요. 여전히 가봐야겠소?"

"주인님, 9시를 쳤습니다."

"염려 말아요. 잠깐만 기다리시오. 아델이 아직 잠자리에 들 준비가 안 된 것 같소. 에어 선생. 난로를 등지고 얼굴은 방을 향하고 있는 내 자세 때문에 내가 방 안을 더 잘 관찰할 수 있어요. 선생과 대화를 나누는 동안에도 틈틈이 아델을 지켜보고 있었어요. 내게는 저 아이를 흥미롭게 지켜봐야 할 애라고 생각할 이유가 있어요―그 이유는 때가 되면 내가 선생에게 이야기할지도 모르고, 아니, 이야기하게 될 것이오. 저 애가 10분 전쯤에 자기 선물 상자에서 조그만 분홍색 실크 아동복을 꺼냈어요. 그걸 보는 애 얼굴이 황홀한 빛을 내더군요. 교태가 저 애의 핏속에 흐르고 머리에도 섞여 있고 뼛속 골수까지 양념을 치고 있어요. '일 포 크 즈 레세!'〔이 옷 입어볼래!〕하고 애가 소리쳤어요. '애 타 랭스탕 멤므!'〔지금 당장!〕하고 방을 뛰쳐나갔소. 지금 소피와 함께 옷을 갈아입고 있을 거요. 몇 분 후 다시 돌아올 거요. 그러면 어떤 모습을 보게 될지 뻔해요. 막이 오를 때 무대 위에 모습을 드러내던 셀린 바렝의 축소판이겠지. 그러니 마음 쓸 것 없어요. 그러나 내 연약하디 연약한 감정은 충격을 받으려고 할 거요. 그게 내 지금 심정이오. 자, 아직 가지 말고 내 말이 사실인지 아닌지 지켜보라고요."

오래지 않아 아델의 작은 발이 홀을 가로질러 경쾌하게 뛰어오는 소리가 들렸다. 애의 후견인이 예측했던 대로 애는 변모된 모습으로 방 안으로 들어왔다. 스커트 자락에 주름이 최대한 들어가 있고 장밋빛 공단으로 만들어진 아주 짧은 드레스가 조금 전까지 입고 있던 갈색 실내복을 대신하고 있었다. 장밋빛 봉오리들로 만든 화환이 이마에 둘려 있었다. 발에는 실크 스타킹과 자그마한 흰색 공단 샌들이 신겨져 있었다.

"에스크 마 로브 바 비엥?"[제 옷 잘 어울리나요?] 아델이 앞으로 뛰어나오며 큰 소리로 외쳤다. "에 메 술리에?"[또 신발은요?] "에 메 바?"[제 스타킹은요?] "트네, 즈 크루아 크 즈 베 당세!"[잘 봐요. 춤을 출 것 같으니까요!]

그러고는 옷을 펼치고 발을 끄는 스텝 춤을 추며 방을 가로질러 왔다. 로체스터 씨 앞에 이르자 아이는 발끝으로 서며 그 앞에서 가볍게 돌았고, 다음으로 한쪽 무릎을 굽히며 크게 외쳤다.

"무슈, 즈 부 르메르시 밀 푸아 드 보트르 봉테."[아저씨, 관대하신 선물에 천 번 감사드려요.] 일어서면서 덧붙였다. "세 콤므 슬라 크 마 망 퍼제, 네스 파, 무슈?"[바로 이렇게 엄마가 아저씨에게 하곤 했어요. 그렇죠?]

"정확히 똑같구나!" 그의 대답이었다. "'바로 저런 식으로' 저 애 엄마는 나를 유혹해서 내 영국 바지 주머니에서 영국 금화를 가져갔던 것이오. 에어 선생, 나도 파랬던 날이 있었소. 에어 선생, 그래요, 풀처럼 파릇파릇했었지. 한때 나를 푸르게 만들었던 그 봄날 같은 풋풋한 색조에 비하면 선생을 지금 풋풋하게 하는 그 색조는 비교가 되지 않아요. 하지만 내 봄날은 이제 사라져버렸소. 저 작은 프랑스 꽃만 내 손에 남겨놓고 말이오. 어떤 기분 상태가 되면 저 꽃을 제거하고 싶어지곤 해요. 저 꽃을 피워낸 뿌리가 지금은 하나도 소중하지 않아요. 또 저 꽃은 오직 금가루로만 피워낼 수 있는 꽃이라는 것을 알았기 때문에 꽃이 피어도 전혀 즐겁지 않게 된 거요. 특히 지금처럼 저렇게 가식적인 모습을 보일 때면 더 그러하오. 내가 저 꽃을 간직하고 키우는 것은 차라리 로마 가톨릭의 원칙, 즉 크고 작은 무수한 죄들을 한 가지 선행으로 속죄할 수 있다는 원칙에 의거해 그러고 있어요. 이런 모든 것을 언젠가 설명해주겠소. 그럼, 잘 자요."

제15장

로체스터 씨는 얼마 후 기회가 생겼을 때 모든 것을 설명했다. 어느 날 오후 우연히 그는 정원에서 나와 아델을 만났다. 아델이 파일럿과 함께 깃털공을 가지고 노는 동안, 그는 아델이 보이는 범위 내에서 너도밤나무가 늘어선 긴 길을 따라 오르내리며 산책이나 하지 않겠느냐고 내게 묻는 것이었다.

그때 그가 말했다. 아델은 프랑스 오페라 무용수 셀린 바렝의 딸이라고 말했다. 그의 말을 빌자면 "대단한 격정"을 자신이 품었던 여인이었다. 이런 그의 열정에 셀린은 한층 더한 열정으로 보답하겠다고 공언했었다. 비록 추남이지만 자신이 그녀의 우상이라고 생각했고, 그녀가 벨베데레 아폴로상*의 우아함보다 자신의 '운동선수 같은 체격'을 더 좋아한다고 믿었다는 것이다.

"그래서, 에어 선생, 나는 그런 프랑스 요정이 나 같은 영국 땅 신령 같은 놈을 더 좋아한다는 사실에 우쭐해져 그녀를 도시 저택에 살게 했던 거요. 그녀에게 하인들과 마차, 캐시미어 숄, 다이아

---

* 바티칸이 소장하고 있는 아폴로 청동상. 남성적 아름다움의 이상을 구현한 것으로 알려져 있다.

몬드 보석과 덩텔* 의상 등등을 모두 갖추어주었었소. 간단히 말해서 정석대로 스스로를 타락시키는 과정을 시작했던 거요. 다른 얼간이들과 다른 바 없었소. 내게는 치욕과 파멸에 이르는 뭔가 새로운 길을 만들어갈 독창성도 없었던 것 같소. 이미 다져진 그 중심에서 단 1인치도 벗어나지 않으려고 바보처럼 정확하게 옛길을 좇아갔던 거요. 그러다가 다른 모든 얼간이들이 맞게 되는 운명을 나도 맞게 된 거요. 그런 벌을 받아도 쌌던 것 같소. 어느 날 밤이었소. 그녀가 나를 보리라고는 예상하지 않았던 시간에 나는 우연히 그녀를 찾아갔었던 거요. 그날 난 그녀의 정체를 알아냈던 것이오. 어쨌든 후텁지근한 밤이었소. 파리 시내를 어슬렁거리느라 너무 피곤해서 나는 그녀의 내실에 앉아 있게 되었소. 방금 전까지 그녀가 그 방에 있었던 탓에 성스러워진 그곳 공기의 향기를 들이마시며 행복에 젖어 있었소. 아니, 이건 내 과장인데…… 사실 나는 그녀에게 조금이라도 성스러운 장점이 있다고는 생각하지 않았소. 그것은 그녀가 남기고 간 롤 향의 일종이었소. 성소의 향기라기보다 사향과 호박 향이 섞인 냄새였소. 온실 꽃향기와 사람이 뿌린 향수 냄새가 어우러지는 통에 숨이 막히기 시작하자 나는 창문을 열고 발코니로 나가겠다는 생각을 했던 거요. 달빛이 환히 비추고 있었고 게다가 가스등이 켜져 있었으며 주위는 아주 고요하고 청명했소. 발코니에는 의자 한두 개가 놓여 있었소. 의자에 앉아 시가 하나를 꺼내 들었소……. 괜찮다면 지금 한 대 피우고 싶군요."

여기서 이야기가 잠시 중단되었다. 그는 그 틈을 타서 시가를 꺼

내어 불을 붙였다. 시가를 입술에 물고 하바나산 시가 연기 한 줄기를 차갑고 어두운 공기에 태워 보내고 나서 말을 계속했다.

"나는 그 시절에는 봉봉 사탕도 좋아했어요, 에어 선생. 그래서 그 초콜릿 사탕을 '크로캉' 거렸지요.〔오도독오도독 씹어 먹고 있었어요.〕…… 이런 저질적인 내 표현을 용서하십시오…… 이렇게 씹어 먹고 시가를 피우는 일을 번갈아 하며 인근 오페라하우스를 향해 멋진 거리를 미끄러져가는 마차 행렬을 바라보고 있었소. 그때 멋진 영국 말 두 필이 끄는 우아한 마차가 창문을 내린 채 화려한 도시의 밤 풍경 속을 달려오는 것이 보였소. 아주 확연히 보이더군요. 나는 그 마차가 셀린에게 내가 선물한 마차라는 것을 알아차렸소. 셀린이 돌아오고 있었어요. 물론 기대고 섰던 철제 난간에 닿아 있던 내 가슴은 초조해지면서 쾅쾅 뛰기 시작했소. 예상대로 마차는 저택 문 앞에서 정지하더군요. 나의 불꽃(이것은 오페라에 등장하는 정부를 지칭하는 표현이오.)이 내렸어요. 망토로 몸을 감싸고 있었지만(그렇게 후덥지근한 6월 저녁엔 불필요하게 번거로운 복장이었소.), 나는 그녀가 마차 발 받침대에서 뛰어내릴 때 스커트 자락 밖으로 살짝 드러난 작은 발을 보고 그녀라는 걸 즉각 알아차렸소. 나는 발코니 너머로 몸을 내밀며 낮은 목소리로 '몽 앙주'〔내 천사〕하고 중얼거릴 참이었소……. 물론 내 사랑하는 사람의 귀에만 들릴 수 있는 그런 목소리로 말이오. 그런데 그때 한 사람이 더 마차에서 뛰어내렸소. 그 역시 망토로 몸을 감싸고 있었소. 그러나 포장도로 위에 발소리를 낸 것은 박차가 박힌 발꿈치였소. 그리고 그 저택의 아치 모양 '포르트 코셰르'〔마차 출입문〕로 들어온 것은 모자를 쓴 머리통이었소.

에어 선생, 질투를 느껴본 적이 없지요? 물론 없을 거요. 물어볼 필요도 없지. 사랑을 느껴본 적이 없을 테니까. 앞으로 그 두 가지 감정을 느끼게 될 거요. 선생의 영혼은 잠자고 있는 거요. 그 영혼을 깨울 충격이 앞으로 주어질 거요. 선생의 어린 시절이 이제까지 미끄러지듯 타고 온 그 평온한 흐름 속에서 모든 인간의 삶도 그와 같이 평온하게 흘러가는 것이라고 선생은 생각하겠지요. 눈을 감고 귀를 막은 채 떠가고 있기 때문에 선생은 그리 멀지 않은 밀물 바다에 삐쭉삐쭉 솟은 암초들을 보지 못하고 그 밑에서 거친 파도가 끓고 있는 것을 듣지도 못하는 거요. 그러나 내 분명히 말해두겠소……. 내 말을 명심하시오……. 언젠가 선생도 암초로 가득 찬 해협 어귀에 다다를 것이오. 그곳에 이르면 인생이라는 강물 전체가 흐름을 정지하고 소용돌이와 혼란 상태, 거품과 소음으로 바뀔 것이오. 그러면 선생은 암초 꼭대기에서 원자 부스러기로 부서지거나 아니면 어떤 거대한 파도에 의해 위로 들어 올려져 실려 가서 보다 잔잔한 흐름 속으로 들어가게 될 거요…… 지금의 나처럼 말이오.

나는 오늘 같은 이런 날이 좋소. 쇠처럼 차가운 저 하늘이 좋아요. 이러한 차가운 서리에 깔린 세상의 엄숙함과 고요함이 좋아요. 손필드 저택이 좋소. 이 고색창연함, 이 은거하는 기분, 오래된 까마귀의 둥지들, 가시나무들, 건물의 잿빛 정면, 그 잿빛 하늘을 반사하며 줄지어 서 있는 어두운 창문들이 좋소. 하지만 이 집이 지긋지긋하게 생각되는 세월이 얼마나 길었던지! 거대한 집, 역병에 감염된 집처럼 기피했었지! 지금도 여전히 얼마나 싫어하는지……."

그는 이를 갈더니 말을 멈췄다. 그는 발걸음을 멈추고 단단한 땅을 구두로 찼다. 어떤 증오에 찬 생각이 그를 사로잡고 움켜쥐는 통에 앞으로 전진할 수 없게 만드는 것 같았다.

그가 이렇게 멈춰 섰을 때 우리는 그 큰길을 올라오는 중이었다. 저택의 홀이 앞에 있었다. 흉벽을 올려다보며 그는 그때까지 또 그 후로도 내가 본 적이 없는 이글거리는 눈초리를 그 흉벽 쪽으로 던지고 있었다. 고통, 수치, 분노…… 초조, 혐오, 증오…… 이런 감정들이 그의 까만 눈썹 밑 커다랗게 팽창된 눈동자 속에서 떨리며 갈등을 빚고 있는 것 같았다. 어느 것이 승리를 거둘 것인가를 놓고 싸움은 치열했다. 그러나 막상 승자가 된 것은 다른 감정이었다. 견고하고 냉소적인 어떤 것, 고집 세고 결의에 찬 어떤 감정이었다. 그 감정이 그의 격정을 진정시키고 그의 얼굴을 화석으로 만들었다. 그는 말을 계속했다.

"침묵을 지킨 그 시간 동안, 에어 선생, 나는 내 운명과 한 가지 점을 정리하고 있었소. 저기 저 너도밤나무 둥치 곁에 내 운명이 서 있었소. 포레스의 히스 벌판에서 맥베스 앞에 나타난 마녀 중 한 명처럼 생긴 보기 흉한 노파였소. '손필드 저택을 좋아하느냐?' 그녀가 손가락을 들어 올리며 말하더군. 그러고는 허공에다 경고의 말을 쓰더군. 위층 창문들과 아래층 창문들 사이 건물 정면에 그 경고문은 무시무시한 그림 문자 형태를 띠고 이렇게 쓰여지더군. '할 수 있으면 좋아해라. 감히 좋아하려거든 좋아해라!'

'좋아할 겁니다.' 내가 말했소. '감히 좋아하겠소.' (이러면서 그는 우울하게 덧붙였다.) 나는 약속을 지킬 것이오. 나는 내 행복과 내 선량한 삶을 방해한 장애물들을 깨부술 거요. 나는 이제까지의 내 모습, 현재의 내 모습보다 더 나은 사람이 되고 싶은 거요. 욥기의 리바이어던이 작살과 화살과 쇠미늘 갑옷을 깨부쉈던 것처럼 다른 사람들이 쇳덩어리와 놋쇠 덩어리라고 여기는 방해물들을 나는 그저 지푸라기나 썩은 나무라고 생각할 것이오."

이때 아델이 셔틀콕을 들고 그의 앞으로 달려왔다. "저리 가!" 그가 사납게 외쳤다. "애야, 멀리 가서 있거라. 아니면 소피에게 가 던지!" 그가 다시 침묵으로 돌아가 산책을 계속하자 나는 그가 말 하다가 갑자기 그만둔 대화 주제를 상기시켰다.

"주인님, 바렝 양이 그 도시 저택 문 안으로 들어왔을 때 주인님 은 발코니를 떠나셨나요?" 내가 물었다.

이렇게 시간적으로 김이 샌 질문은 그가 퇴짜 놓을 것이라고 기 대하면서 한번 던져본 것이었다. 그러나 예상과는 달리 그는 얼굴 을 찌푸리며 잠겨 있던 몽상에서 깨어나 내게 눈을 돌렸다. 이마에 드리워졌던 그늘도 다 깨끗이 걷힌 것 같았다.

"오, 셀린 이야기를 잊고 있었군! 자, 다시 계속하지. 나를 사로 잡은 여자가 그렇게 기사를 대동하고 저택으로 들어오는 모습을 보 았을 때 나는 무슨 '쉿' 하는 소리를 들은 것 같았소. 그리고 초록 색 뱀 같은 질투심이 달빛이 비추는 발코니에 똬리를 틀고 있다가 몸을 요동치며 일어나 내 조끼 속으로 미끄러져 들어와 중간에 걸 려 있는 것들을 2분 만에 야금야금 삼켜버리며 내 심장 한가운데로 파고드는 것이었소. 이상해!" 그는 갑자기 이야기를 이탈하며 외쳤 다. "어린 선생, 내가 이런 이야기를 들어주는 상대를 하필 선생을 택한 게 이상하다는 말이오. 또한 놀랍도록 이상한 건 선생이 내 이 야기를 조용히 경청하고 있다는 사실이오. 마치 나 같은 남자가 자 기 애인이었던 오페라 무용수 이야기를 별나고 미숙한 아가씨에게 하는 것이 세상에서 가장 흔한 일이라도 되는 것처럼 말이오! 하지만 일전에도 말한 것처럼 선생은 그 근엄하고 사려 깊은 신중한 태도를 지니고 있어서 비밀 이야기를 들어주는 사람으로 아주 적합한 사람 같소. 게다가 내 자신의 마음을 전달할 때 그 교신을 받는 자리에 어떤 마음의 소유자를 배치했는지 나는 알고 있단 말이오. 쉽게 감염되지 않는 마음 말이오. 그리고 아주 특이하고 독특한 마음이오. 다행히 나는 그 마음에 해를 끼칠 의도가 전혀 없소. 설사 내가 해를 가한다 해도 선생은 나한테서 해를 입지 않을 거요. 선생과 내가 대화를 더 많이 나눌수록 그건 더 좋은 일이오. 내가 선생을 말라죽게 할 일은 없을 거고, 선생은 내게 새로운 기운을 불어넣어 줄 사람이기 때문이오." 이렇게 잠시 곁가지 같은 이야기를 한 후 그는 다시 이야기를 계속했다.

"나는 발코니에 남아 있었소. '분명히 저 두 남녀가 이 내실로 들어올 테니 잠복할 준비나 하자.'고 생각했소. 그래서 나는 열린 창문 사이로 손을 넣어 훔쳐볼 수 있는 틈만 조금 남기고 창문 커튼을 드리웠소. 여닫이 창문도 닫아버렸소. 두 남녀가 속삭이는 사랑의 맹세만 충분히 새어나올 수 있을 정도의 틈새만 조금 열어놓고 완전히 닫았지. 그런 다음 나는 살금살금 의자로 돌아갔소. 내가 다시 의자에 앉으려 할 때 두 남녀가 들어오더군. 나는 재빨리 눈을 창문 틈으로 가져갔소. 셀린의 하녀가 들어와 램프에 불을 붙이고 탁자 위에 놓고 나갔소. 두 남녀는 그래서 내게 명확히 보였소. 두 사람은 각자의 망토를 벗더군. 공단과 보석으로 번쩍이는 바렝의 모습이 드러났소. 물론 내가 사준 선물이었소. 상대방 남자는 장교 복장을 하고 있었소. 나는 그가 젊은 바람둥이 자작이란 것을 즉시 알았소. 몇 번 자리를 함께한 적이 있던 멍청하고 타락한 젊은 녀석이었소. 나는 그에게 증오심을 가진 적이 없었소. 왜냐면 난 그를 철저히 경멸했기 때문이오. 그가 누군지를 알게 되는 순간 뱀의 독이빨, 질투심이 곧 부러지더군요. 왜냐하면 동시에 셀린에 대한 내 사랑도 초심지 자르개 밑에서 꺼지고 말았기 때문이오. 그런 하찮은 경쟁자 때문에 나를 배신할 수 있는 여자라면 쟁취할 만한 가치도 없는 여자였소. 그저 경멸이나 받아야 마땅한 여자였소. 그러나 그녀의 봉 노릇을 한 나보다는 경멸을 덜 받겠지.

두 남녀가 이야기를 시작하더군. 그 대화가 내 마음을 아주 편하게 만들었소. 경박하고 돈 냄새나 풍기고, 박정하고, 의미도 없고…… 듣는 사람을 화나게 하기보다는 지치게 만드는 대화였소. 탁자 위에 내 명함이 한 장 놓여 있었는데, 그걸 보고 두 사람은 내 이름을 놓고 토론을 벌이더군. 둘 다 나를 제대로 공격할 정력이나 기지도 없었소. 하지만 그들은 나름대로의 유치한 방식으로 나를 할 수 있는 한 야비하게 모욕하는 것이었소. 특히 셀린이 더 그랬소. 심지어 내 신체적인 약점을 거론할 때는 오히려 재기를 발휘하였소…… 신체장애라는 말까지 사용했소. 사실 그때까지 그녀는 내 외모에 대해 습관적으로 '아름다운 남성'이라는 표현까지 쓰며 열정적인 감탄을 연발했었소. 그 점에서는 그녀는 선생과 정반대였소. 선생은 나와 두 번째 만났을 때 나를 미남으로 생각하지 않는다고 딱 잘라 말했었소. 그때 셀린과 선생이 너무 대조가 돼서 난 너무 놀랐었소. 게다가……."

그때 아델이 다시 그리로 달려왔다.

"아저씨, 대리인이 찾아와서 아저씨를 뵙자고 한다고 존이 와서 말했어요."

"아! 그런 경우라면 이야기를 줄여야겠군. 나는 창문을 열고 그냥 그들을 향해 걸어갔소. 그러고는 셀린을 내 보호에서 해방시켜주고 그녀에게 저택을 비우라고 통보하고 당장 필요한 비상금을 주었소. 그녀의 비명, 히스테리, 기도, 항의, 발작은 무시해버렸소. 자작 녀석과는 불로뉴 숲에서 만나기로 약속했소. 다음 날 아침 나는 기쁘게도 그 녀석과 결투를 벌이게 되었고 녀석의 가엾고 창백한 두 팔 중 하나에 총탄을 박아 넣었소. 팔은 병든 닭 날개처럼 축 늘어져버렸소. 그렇게 해서 나는 두 사람에게 내 할 일을 다 했다고 생각했소. 하지만 불행하게도 셀린 바렝은 이 일이 있기 6개월 전에 꼬마 계집아이 아델을 내게 선물했소. 저 애가 내 딸이라고 우기면서 말이오. 애 얼굴에서 내가 아버지라는 어떤 불쾌한 증거도 찾을 수 없지만 혹시 그럴지도 모르겠소. 차라리 파일럿이 저 애보다 나를 더 닮았다고 해야 할 것이오. 나와 결별하고 몇 년이 지난 후 저 애 엄마라는 여자는 아이를 버리고 음악가인지 가수인지 하는 놈과 이탈리아로 도망가버렸소. 나는 아델 쪽에서 내게 요구했던 친부로서의 부양 요구에 대해서는 아무것도 인정하지 않았소. 지금도 인정 않기는 마찬가지요. 난 저 애의 아버지가 아니기 때문이오. 그러나 애가 지독한 궁핍에 시달린다는 말을 듣고, 나는 그래도 저 애를 파리의 진창에서 끄집어내어 영국 시골 정원의 건강한 토양에서 깨끗하게 자라도록 이곳에 데려다 놓은 거요. 그리고 페어팩스 부인이 아이를 교육시키기 위해서 선생을 찾았던 거요. 이제 저 애가 프랑스 오페라 무용수의 사생아라는 사실을 알았으니, 선생의 처지와 가르치는 학생에 대한 생각에 변화가 생겨나겠군. 때가 되면 나를 찾아와 다른 일자리를 찾았다고 통고하면서 새 가정교사를

구해보라고 간청하거나 그와 비슷한 부탁을 하게 되겠지. 안 그렇
소?"

"그렇지 않습니다. 아델은 엄마의 잘못에도, 또 주인님의 잘못
에도 책임이 없습니다. 저는 아델을 존중합니다. 어느 의미에서 아
델은 부모가 없는 애입니다. 엄마에게서는 버림받고, 주인님에게서
는 친자식 인정을 받지 못했다는 것을 알았으니 저는 전보다 더 애
착을 가지고 대하겠습니다. 친구로서 제게 기대는 외로운 고아 아
이보다 가정교사를 귀찮은 존재로 여겨 미워하는 부잣집 응석받이
를 제가 어떻게 더 좋아하겠습니까?"

"아, 그게 선생이 저 아이를 보는 관점이군! 자, 이제 들어가봐
야겠군. 선생도 마찬가지요. 날이 어두워지고 있소."

그러나 나는 아델과 파일럿과 함께 바깥에 좀 더 머물렀다. 나는
아델과 뜀박질 시합도 하고 배드민턴도 쳤다. 집으로 돌아와 아델
의 보닛과 코트를 벗기고는 그녀를 내 무릎 위에 앉혔다. 무릎에 한
시간이나 앉아 있게 하면서 마음대로 재잘거리도록 허락했다. 자신
에게 많은 주의를 쏟아줄 때 아이들은 보통 그러기 쉬운데, 아이가
좀 버릇없이 굴고 쓸데없는 생각에 빠져들어도 전혀 꾸짖지 않았
다. 아델의 그런 행동은 내면의 천박한 심성을 드러내고 있었다. 그
런 심성은 아마 엄마에게서 물려받은 것 같았고 영국적 심성과는
맞지 않았다. 그러나 아델에게는 장점도 있었다. 나는 아델의 내면
에 있는 좋은 것을 모두 최대한 옳게 평가하고 싶었다. 나는 아델의
얼굴과 이목구비의 특성 속에서 로체스터 씨와 닮은 구석을 찾아보
았지만 전혀 그런 것은 없었다. 어떤 특징도, 어떤 표정의 변화도
둘 사이의 혈연관계를 나타내지 않았다. 안타까운 일이었다. 아델

이 만약 그와 닮았다는 것이 판명될 수만 있었다면 로체스터 씨는 아델을 훨씬 더 소중히 여겼을 것이다.

그날 밤 내 방으로 물러온 뒤에야 나는 로체스터 씨가 했던 이야기를 찬찬히 되새겨보았다. 그가 말했듯, 그 이야기 자체에는 별 특이한 것이 없을지도 몰랐다. 영국의 어떤 부자가 프랑스 무용수를 열정적으로 사랑하다가 배신당했다는 것은 분명히 사회에서는 일상적인 다반사였다. 그러나 요즘에 와서 자신의 마음이 만족스럽다는 이야기와, 오래된 저택과 그 주변 속에서 새로운 기쁨을 되살렸다는 말을 하는 도중에 갑자기 그를 엄습했던 발작적인 격정에는 뭔가 결정적으로 이상한 점이 있었다. 나는 의아한 기분으로 그 일을 깊이 생각해보았다. 그러나 당장에는 설명할 수 없는 일이라고 생각하고 나는 차츰 그 생각을 접었다. 다만 그가 나를 대한 태도 쪽으로 내 생각을 돌렸다. 비밀 이야기를 내게 해도 된다고 생각한 그의 나에 대한 신뢰는 내 분별력에 대한 찬사 같았다. 찬사로 여기고 찬사로 받아들였다. 첫 주에 비하면 그는 여러 주 동안 한결같은 모습으로 나를 대하고 있었다. 나는 결코 그의 장애물이 아닌 것 같았다. 그는 선뜻한 오만의 발작을 일으키지 않았다. 예상하지 않은 시간이나 장소에서 나를 만나도 늘 그 만남이 반가워 보였다. 나를 위해 한마디 던지거나 미소를 던지는 때도 더러 있었다. 공식적으로 나를 자기 앞에 호출했을 때도 그는 나를 따뜻하게 예우했다. 내가 정말 그를 즐겁게 해줄 능력을 가졌구나 하고 느낄 정도였다. 또한 그와 함께하는 저녁 대화 시간은 그 자신의 즐거움을 위한 것이기도 하지만 내게 이득이 되는 시간이었다.

사실 나는 비교적 말수가 적은 편이다. 그러나 나는 그의 이야기를 재미있게 들었다. 말하는 것, 자기 의사를 전달하는 것이 그의 천부적인 성격이었다. 그는 세상을 잘 모르는 나 같은 사람에게 세상의 여러 풍경과 돌아가는 방식을 열어주고 싶어 했다. (세상의 부패한 풍경과 사악한 방식이 아니라, 그런 것들이 연출되는 무대의 방대한 규모와 그것들을 특징 짓게 하는 낯선 신기함에서 얻어지는 흥미로움을 나는 말하고 있는 것이다.) 나는 그가 제시하는 새로운 생각들을 받아들이고, 그가 그려내는 새로운 화면을 상상하고, 그가 펼쳐 보이는 새로운 영역을 마음속으로 따라가면서 짜릿한 기쁨을 느꼈다. 어떤 해가 되는 말에 의해 내가 놀라고 마음이 아픈 적은 없었다.

그의 편안한 태도는 나를 고통스러운 속박감에서 해방시켰다. 그가 예의 바르고 다정하면서도 솔직하게 나를 대해주었기 때문에 나는 그에게 끌렸다. 그가 내 주인이 아니라 내 혈연이라는 생각이 들 때도 가끔 있었다. 그는 여전히 가끔은 위압적인 데가 있었지만 나는 그런 점에 대해서는 신경을 쓰지 않았다. 그게 그의 버릇이려니 생각했다. 내 삶에 더해진 이런 새로운 재미로 인해 너무 행복하고 만족스러워서 나는 혈연에 대한 갈망을 접었다. 얇은 초승달을 닮은 내 운명이 커지는 것 같았다. 삶의 빈 여백이 채워지고 있었다. 신체적 건강도 향상되어 살도 찌고 기력도 생겼다.

그런데 이때에 이르러서도 로체스터 씨가 내 눈에 추남으로 보였을까? 독자여, 그렇지 않다. 고맙다는 마음, 나를 즐겁게 하고 다정한 것으로 연상되는 여러 가지 일들로 인해 그의 얼굴은 내가 가장 보고 싶은 대상이 되어 있었다. 그가 방 안에 들어와 있다는 자체는 가장 밝게 타오르는 난롯불보다 더 나를 즐겁게 했다. 그러나 나는 그의 결점을 잊지 않았다. 그건 정말 잊을 수가 없었다. 내 앞에 그는 그 결점을 종종 전시하는 것이었다. 그는 오만하고 냉소적이었고, 열등하다는 표현을 붙일 수 있는 모든 것에는 관대하지 않았다. 그가 내게 보여주는 크나큰 친절도 다른 많은 사람들에게 보여주는 부당한 냉혹함으로 인해 다 상쇄되고 있다는 것을 나는 은밀히 깨닫고 있었다. 그는 또한 침울했다. 왜 그런지는 설명할 수 없었다. 그에게 책을 읽어주기 위해 불려 갔을 때, 그가 팔을 포개고 그 위에 머리를 올려놓은 채 쓸쓸히 혼자 앉아 있는 모습을 여러 번 목격했다. 그가 고개를 들고 위를 올려다보는 순간 침울하고 거의 악의에 찬 찌푸린 표정이 그의 얼굴을 온통 어둡게 하고 있었다. 그러나 이러한 침울함과 냉혹함과 이전의 그의 도덕적 결함, (내가 '이전'이라고 한 것은 이제 그가 그런 것을 다 정정한 것처럼 보였기 때문인데) 이 세 가지 모두의 원인은 어떤 잔인한 운명의 십자가 때문일 것이라고 나는 믿었다. 나는 그가 선천적으로 훨씬 더 착한 심성과 높은 원칙을 지닌 사람이라고 믿었고, 환경이 키우고 교육이 주입하고 운명이 격려한 취향보다 훨씬 더 순수한 취향을 지닌 사람이라고 믿었다. 그의 내면에는 훌륭한 자질이 있지만 그것들이 잠시 좀 늘어져서 망가지고 얽혀 있을 뿐이라고 나는 생각했다. 그의 슬픔이 어떤 것인지는 몰랐어도 그 슬픔에 대해 나는 슬퍼했고 그 슬픔을 덜어주기 위해서라면 많은 것을 주었을 것이라는 점은 지금도 부인할 수 없다.

　그날 나는 촛불을 끄고 침대에 누웠지만 그의 얼굴이 떠올라서 잠을 잘 수가 없었다. 그 가로수 길에서 걸음을 멈추고 자신의 운명이 앞에 나타나 그에게 손필드 저택에서 감히 행복하게 살 수 있으면 그래 보라고 했다고 말할 때의 그의 모습이 떠올랐기 때문이다.

'그게 왜 안 되지?' 나는 자문했다. '누가 그를 저택에서 소외시킨단 말인가? 그가 곧 집을 떠나게 될까? 한 번에 보름 이상은 머물지 않는다고 페어팩스 부인이 말했지. 그런데 이번에는 집에 돌아와 머문 지가 8주나 되었어. 만약 그가 떠난다면 그 변화는 서글플 거야. 그가 봄, 여름, 가을 동안 집을 비운다고 생각하면…… 햇살도 화창한 나날이 얼마나 덤덤하고 쓸쓸할까!'

이런 생각을 골똘히 하다가 내가 잠이 들었는지 어쩐지는 잘 모른다. 여하튼 나는 누군가 희미하게 중얼거리는 소리를 듣고 깜짝 놀라 잠에서 깼다. 그 중얼거리는 소리는 특이하고 애처로운 소리였고 내 바로 위에서 난다고 생각했다. 촛불을 끄지 말 걸 그랬다는 생각이 들었다. 그날 밤은 무섭도록 캄캄했다. 기분이 언짢았다. 나는 일어나 침대에 앉아 귀를 기울였다. 그 소리는 잠잠해졌다.

나는 다시 잠을 자려고 노력했다. 그러나 내 심장은 불안하게 뛰고 있었다. 이미 마음의 평온은 깨어져 있었다. 멀리 아래쪽 홀에서 시계가 2시를 치고 있었다. 바로 그때 내 방문을 만지는 소리가 나는 것 같았다. 누군가가 바깥쪽 어두운 복도를 따라 벽 널빤지를 손가락으로 더듬어 나가다가 내 문을 스친 것 같았다. "거기 누구요?" 하고 내가 말했다. 아무 대답이 없었다. 나는 무서워서 온몸이 오싹했다.

즉시 나는 그게 파일럿일지 모른다는 생각을 했다. 부엌문이 열려 있기라도 하면 녀석은 가끔 로체스터 씨 방문 문턱까지 혼자 들어온 적이 있었기 때문이다. 아침 시간에 녀석이 그곳에 엎드려 있는 것을 본 적도 몇 번 있었다. 그 생각이 나자 마음이 다소 가라앉았다. 나는 다시 자리에 누웠다. 고요한 정적이 예민해진 신경을 진정시켰다. 방해받지 않고 하결같이 이어진 ㄱ ㅇ ㅠ가 온 집 안을 다시 지배하자 나는 다시 잠으로 돌아가고 싶은 생각이 들기 시작했다. 그러나 그날 밤 나는 잠을 잘 팔자가 아니었다. 꿈이 내 귀에 가까이 오자마자 그 꿈은 뼛골까지 얼어붙게 만드는 일이 일어나는 바람에 깜짝 놀라 달아나버리고 말았다.

그건 귀신이 들린 웃음이었다. 낮고 억눌리고 굵은 그 웃음은 바로 내 방문 열쇠 구멍에 대고 토해낸 웃음 같았다. 내 침대 머리는 문 가까이 있었다. 그래서 처음에 나는 그 귀신의 웃음소리가 내 침대 바로 곁에 서서 내는 소리라고 생각했다. 아니, 오히려 내 베개 옆에 쭈그리고 있다고 생각했다. 나는 일어서서 주위를 둘러보았다. 아무것도 볼 수 없었다. 그러나 아직 내가 주변을 응시하고 있는 동안 그 괴상한 소리가 반복되었다. 결국 나는 그 웃음소리가 벽 판자 뒤편에서 나는 소리라는 것을 깨달았다. 충동적으로 내가 먼저 한 일은 침대에서 일어나 방문 빗장을 걸어 잠그는 일이었다. 다음으로 나는 "거기 누구 있소?" 하고 다시 외쳤다.

누군가가 목을 가르랑거리며 신음 소리를 냈다. 얼마 안 있어 그 발소리는 복도를 따라가 3층 계단 쪽으로 물러갔다. 최근에 그 계단을 막는 문이 만들어져 있었다. 그 문이 열렸다가 닫히는 소리가 났다. 그러고는 사방이 조용해졌다.

'그레이스 풀이었나? 또 귀신에 사로잡혔나?' 하고 나는 생각했다. 이제 더 이상 혼자 있는 것이 불가능했다. 페어팩스 부인에게 가야 했다. 나는 급히 실내복을 입고 숄을 걸쳤다. 방문 빗장을 내리고 떨리는 손으로 방문을 열었다. 방문 바로 밖에는 초 하나가 매트 위에 켜진 채 남아 있었다. 그 광경을 보고 나는 깜짝 놀랐다. 하지만 연기로 가득 찬 것처럼 복도의 공기가 온통 희뿌연 걸 보고 나는 더 놀랐다. 이 뿌연 연기가 대체 어디서 생겨난 것인지 알아내기 위해 오른쪽 왼쪽을 열심히 살피고 있는데, 뭔가 타는 듯한 고약한 냄새가 점점 더 강하게 나는 것이었다.

뭔가가 삐걱하는 소리를 냈다. 빠끔 열린 방문이었다. 그것은 로체스터 씨의 방문이었다. 그런데 연기가 그 방에서 구름처럼 복도로 몰려나오고 있었다. 더 이상 페어팩스 부인을 생각할 겨를이 없었다. 그레이스 풀이나 그 웃음소리도 생각할 겨를이 없었다. 순식간에 나는 그 방 안에 들어가 있었다. 혓바닥 같은 불꽃이 침대 주변에서 너울대고 있었다. 커튼에 불이 붙어 있었다. 불꽃과 연기 한가운데에서 로체스터 씨는 깊은 잠에 빠진 채 꼼짝도 하지 않고 길게 누워 있었다.

"일어나세요! 일어나세요!" 내가 소리쳤다. 그의 몸을 흔들었다. 그러나 그는 그저 중얼거리며 돌아누울 뿐이었다. 연기로 의식이 몽롱해진 상태였다. 한순간도 지체할 수 없었다. 침대보에 불이 붙고 있었다. 나는 세숫대야와 물주전자 쪽으로 달려갔다. 다행히 대야는 넓고 주전자의 깊이는 꽤 깊었고 그 두 개에는 물이 꽉 차 있었다. 나는 그것들을 번쩍 들어다가 그 안의 물을 침대와 침대 임자 위에 흠뻑 뿌렸다. 다시 내 방으로 달려와 내 물주전자를 들고와서 로체스터 씨의 침대 위에 물세례를 내렸다. 그러자 하느님의 도움으로 침대를 집어삼키려던 불을 끄는 데 성공했다.

꺼진 불씨가 내는 쉭 하는 소리와 물을 쏟아낸 후 던져버린 물주전자들이 낸 깨지는 듯한 소리 때문에, 무엇보다도 내가 아낌없이 쏟아준 철썩 하는 물벼락 때문에 로체스터 씨가 마침내 잠에서 깨어났다. 방 안은 캄캄했지만 나는 그가 깼다는 것을 알았다. 물웅덩이에 빠져 있는 자신을 자각하고 그가 이상한 욕설을 퍼붓는 것을 들었기 때문이다.

"홍수라도 난 건가?" 그가 소리쳤다.

"아닙니다, 주인님." 내가 대답했다. "그런데 불이 났습니다. 일어나세요. 어서요. 불은 이제 꺼졌습니다. 제가 초를 갖다드리겠어요."

"이게 웬일이오? 거기 있는 게 에어 선생이오?" 그가 물었다. "도대체 내게 무슨 짓을 한 거요? 마녀 할멈인가 마녀 요술산가? 선생 말고 방 안에 또 누가 있는 거요? 나를 익사시키려고 음모라도 꾸몄소?"

"주인님, 촛불을 가져다드리겠어요. 제발 좀 일어나세요. 누군가가 음모를 꾸민 것 같아요. 누가 무슨 음모를 꾸몄는지 한시바삐 알아내셔야 해요."

"자…… 이제 난 일어났소. 그러나 아무리 위험해도 촛불은 선생이 가서 가져와요. 잠깐, 내가 마른 옷으로 갈아입을 때까지 2분만 기다려요. 마른 옷이 있나 모르겠군. 아, 여기 잠옷 위에 걸치는 실내복이 있군. 이제 빨리 갔다 와요!"

나는 뛰어나갔다. 그러고는 복도에 남아 있던 초를 가져왔다. 그는 내 손에서 초를 건네받은 뒤, 그걸 높이 들고는 온통 시커멓게 그을린 침대를 살펴보았다. 침대보는 흠뻑 젖어 있었고 주변 카펫도 물속에서 헤엄치고 있었다.

"이게 어찌 된 일이오? 누가 이렇게 했지요?" 그가 물었다.

나는 일어난 일을 그에게 간략하게 설명했다. 복도에서 들려온 이상한 우유소리, 3층으로 올라간 발소리, 연기와 그의 방으로 나를 오게 한 타는 냄새, 방 안에 들어섰을 때 목격한 상황, 그리고 손에 닿는 모든 물을 그에게 어떻게 쏟아부었는가를 설명했다.

그는 매우 심각하게 내 설명을 경청했다. 내가 이야기를 계속하는 동안 그의 얼굴 표정은 놀라움보다는 우려를 더 나타내고 있었다. 내가 이야기를 마쳤을 때 그는 당장은 말이 없었다.

"페어팩스 부인을 불러올까요?" 내가 물었다.

"페어팩스 부인? 그러지 말아요. 대체 그 부인을 왜 불러온다는 거요? 그 부인이 무슨 일을 할 수 있겠소? 그냥 평온하게 자도록 놔둡시다."

"그러면 레아를 데려오든지 존 부부를 깨우지 않겠습니까?"

"그럴 필요가 전혀 없소. 그냥 가만히 있어요. 숄은 걸치고 있군. 만일 추우면 저기 있는 내 외투를 가져와요. 그걸로 몸을 싸고 저 안락의자에 앉아요. 그곳 말이오……. 내가 입혀주겠소. 자, 이제 물에 젖지 않게 발을 그 걸상 위에 얹어요. 나는 선생을 잠깐 여기 놔두고 나갔다 와야겠소. 내가 돌아올 때까지 쥐 죽은 듯 그곳에 조용히 앉아 있어요. 3층에 올라가봐야 할 것 같소. 움직이지 말아요. 명심해요. 누구도 부르지 말아요."

그는 나갔다. 나는 촛불이 멀어져가는 것을 지켜보았다. 그는 아주 조용히 복도를 걸어가서 소리를 내지 않고 최대한 조심하며 계단 문을 연 뒤 안으로 들어가 다시 문을 닫았다. 불빛이 사라졌다. 나는 다시 한번 칠흑 같은 어둠 속에 혼자 남겨졌다. 혹시 무슨 소리라도 들리지 않나 해서 귀를 기울였지만 아무 소리도 들리지 않았다. 매우 긴 시간이 흘렀다. 나는 지루했다. 외투를 입었는데도

추웠다. 그러자 집안사람들을 깨울 것도 아닌데 그냥 앉아 있는 게 무슨 소용이 있나 하는 생각이 들었다. 따라서 로체스터 씨의 불쾌감을 일으킬 위험을 무릅쓰고라도 그의 지시를 어기겠다고 마음먹고 있을 때, 바로 그때 복도 벽 위로 다시 희미한 불빛이 어른거렸다. 그러더니 누군가가 맨발로 복도 매트 위를 걸어오는 소리가 들렸다. '로체스터 씨겠지' 하고 나는 생각했다. '더 나쁜 일이 일어난 건 아니겠지.'

그가 다시 들어왔다. 창백하고 몹시 침울해 보였다. "모든 걸 알아냈소." 촛불을 세면대 위로 내려놓으며 그가 말했다. "역시 생각했던 대로였소."

"무슨 일입니까, 주인님?"

그는 대답이 없었다. 그냥 팔짱을 끼고 서서 바닥만 바라보았다. 몇 분이 지난 후 그가 묘한 어조로 물었다.

"선생이 선생 방문을 열었을 때 뭔가를 보았다고 말했나 안 했나 깜빡 잊었소."

"주인님, 아무것도 보지 못했습니다. 다만 복도 바닥에 놓인 초 한 자루만 보았습니다."

"그러나 기괴한 웃음소리는 들었지요? 내 생각엔 전에도 그 웃음소리나 그 비슷한 소리를 듣지 않았나 싶은데?"

"들었습니다, 주인님. 여기서 바느질을 하는 여자라더군요…… 그레이스 풀이라고 하던데요. 그 여자가 그렇게 웃어요. 이상한 여자예요."

"바로 그렇소. 그레이스 풀이었소. 선생 짐작이 옳았소. 선생 말대로 그 여자는 이상한 여자요. 아주 기이한 사람이란 말이오. 여하튼 오늘 밤 이 사건의 자세한 내용을 아는 사람은 나 말고 선생밖에 없다는 것은 다행한 일이오. 선생은 바보 같은 수다쟁이는 아니니까. 오늘 일에 대해서는 아무 말도 하지 말아요. 여기가 이렇게 된 것은 (그는 침대를 가리키며) 내가 다 설명하겠소. 그러니 이제 선생 방으로 돌아가시오. 나는 날이 샐 때까지 서재의 소파 위에서 남은 밤 시간을 잘 보낼 수 있을 거요. 4시가 다 됐소. 두 시간만 있으면 하인들이 일어날 거요."

"그러면 안녕히 주무세요, 주인님." 자리에서 일어서며 내가 말했다.

그는 깜짝 놀라는 것 같았다. 방금 나더러 가라고 말했기 때문에 그 놀라는 표정은 퍽 모순되는 것이었다.

"뭐라고!" 그가 소리쳤다. "벌써 나를 두고 간단 말이오? 그것도 이런 식으로?"

"주인님, 저더러 가도 좋다고 말씀하셨어요."

"하지만 작별 인사도 없이 갈 수 없소. 온정 어린 감사 인사 한두 마디도 못했는데 갈 순 없소. 요컨대, 이런 식으로 간단하게, 무미건조하게 작별할 순 없소. 사실 선생은 내 생명을 구한 거요! 끔찍하고 고통스러운 죽음에서 나를 가까스로 구해낸 거요! 그런 선생이 서로 모르는 사람들처럼 그냥 스쳐 가버리다니! 적어도 악수라도 나눕시다."

그가 손을 내밀었다. 나도 손을 그에게 내밀었다. 그는 처음엔 한 손으로 내 손을 잡았다. 그러더니 아예 두 손으로 잡았다.

"선생은 내 목숨을 구해주었소. 선생에게 그렇게 엄청난 빚을 지게 되어 기쁘군요. 더 이상 말을 할 수가 없소. 선생이 아닌 생명을 지닌 다른 존재가 그런 빚에 대한 채권자 자격을 지녔다면 견딜 수 없는 일이었을 것이오. 하지만 그 채권자가 선생이니 사정이 다르오. 제인, 당신의 은덕을 부담으로 느끼지 않는다는 소리요."

그는 말을 멈추고 나를 응시했다. 눈에 보일 정도의 단어들이 그의 입술 위에서 떨고 있었다. 그러나 목소리는 억제된 상태였다.

"주인님, 다시 인사드립니다. 안녕히 주무세요. 이번 일엔 빚, 은혜, 짐, 채무 같은 것은 없습니다."

"알고 있었소." 그가 계속했다. "때가 되면 선생이란 사람은 어떤 식으로든 내게 도움을 줄 거라는 것을 알고 있었소. 선생을 처음 봤을 때 선생 눈에서 그런 사실을 읽었소. 그 눈빛과 미소가……(다시 말을 멈췄다)…… 그렇게…… (급히 말을 이었다.)…… 그렇게 내 마음 깊숙한 곳에다 기쁨을 주었던 것은 아무 이유가 없었던 것이 아니었소. 사람들은 타고날 때부터의 공감대에 대해 이야기하고 있소. 나는 착한 수호요정에 대해서도 들은 적이 있었소……. 그러고 보니 지독한 내용이 담긴 우화에도 진리의 낱알이 들어 있는 모양이오. 내가 소중히 여기는 내 수호자 선생, 안녕히 주무시오!"

그의 목소리에는 이상한 힘이 담겨 있었다. 그의 표정에는 이상한 불길이 타고 있었다.

"우연히 잠을 자지 않고 깨어 있던 것이 잘된 일입니다." 내가 말했다. 그러고는 방을 나오려고 했다.

"아니! 정말 가는 거요?"

"춥습니다, 주인님."

"춥다고? 그렇군…… 물구덩이에 서 있었으니! 그럼, 가요. 제인, 가요!" 그러나 그는 여전히 내 손을 잡고 있었다. 나는 손을 뺄

수가 없었다. 나는 편법을 한 가지 생각해냈다.

"주인님, 페어팩스 부인이 움직이는 소리가 들린 것 같습니다."
내가 말했다.

"그러면 떠나요." 그는 손가락의 힘을 풀었다. 나는 방을 나왔다.

나는 내 침대로 돌아왔다. 그러나 잘 생각은 전혀 없었다. 새벽
동이 틀 때까지 나는 기쁨이란 큰 물결 밑에서 커다란 파도들이 어
지럽게 출렁이고 있는, 부력을 행사하면서도 잔잔해질 줄 모르는
바다 위에 내던져진 상태였다. 이따금 그 사나운 파도 너머로 천국
의 가장자리에 위치한 뷸라라고 칭하는 지역의 산들처럼 아름다운
해변이 보인다는 생각이 들었다. 그리고 이따금 희망이 깨워놓은
신선한 바람이 불어와 의기양양해진 내 기분을 그 경계선까지 데려
다주는 것이었다. 그러나 상상 속에서조차 나는 그곳에 닿을 수가
없었다. 육지에서 역풍이 불어와 계속 나를 바다 쪽으로 밀어내는
것이었다. 정신이 깨어 있었다면 이런 환각 상태를 물리쳤을 것이
다. 판단력이 있었다면 이런 격정에 경고를 보냈을 것이다. 정신적
열병이 너무 심해서 잠을 잘 수가 없었다. 그래서 동이 트자마자 자
리에서 일어났다.

제16장

뜬눈으로 밤을 지새고 난 다음 날, 나는 로체스터 씨를 보고 싶었지만 한편으로 보는 것이 두려웠다. 나는 그의 목소리를 다시 듣고 싶었다. 그러나 그의 눈과 마주치는 게 무서웠다. 이른 아침 시간이 지나가는 동안 나는 순간적으로나마 그가 찾아올 것을 기대했다. 그는 공부방을 그다지 자주 찾는 편은 아니었다. 그러나 가끔 그는 잠시 그곳에 들렀다. 그런데 왠지 그날은 그가 틀림없이 찾아올 거라는 기분이 들었다.

하지만 그날 아침은 여느 때와 똑같이 지나갔다. 아델의 조용한 수업 시간을 방해하는 일은 아무것도 일어나지 않았다. 그저 아침을 먹고 난 직후 로체스터 씨 방 근처에서 나는 좀 부산한 소리를 들었다. 페어팩스 부인의 목소리, 레아의 목소리, 존의 아내인 요리사의 목소리, 심지어 존의 거친 목소리가 들렸다. 놀라서 외쳐대는 이런저런 소리도 들렸다. "주인님께서 침대에서 주무시다 불에 타 돌아가시지 않은 게 얼마나 다행이야!" "밤에 촛불을 켜놓는 것은 늘 위험하다니까." "주인님께서 정신을 잃지 않으시고 물 주전자를 생각해내신 게 얼마나 다행한 일이냐고!" "왜 아무도 깨우지 않으셨는지 참 이상해!" "서재 소파 위에서 주무셨으니 감기에 걸리지 않으셨으면 좋겠어." 등등의 대화였다.

이런 허물없이 떠드는 이야기가 들리더니 뭔가를 북북 문지르는 소리와 정돈하는 소리가 이어졌다. 점심을 먹으러 아래층으로 내려가는 길에 그의 방 앞을 지나치면서 열려진 문틈을 통해 안을 들여다보았다. 모든 것이 완전히 제자리에 정리되어 있었다. 다만 침대 커튼만 모두 떼어낸 상태였다. 레아가 창턱 위에 올라서서 연기로 그을린 창유리를 닦고 있었다. 나는 그녀에게 말을 걸어 전날의 사건에 대해 어떤 해명을 들었는가를 알아보고 싶었다. 그러나 앞으로 나아가는 순간 그 방 안에 다른 사람이 한 명 더 있는 것을 보았다. 침대 곁 의자에 어떤 부인이 앉아서 새 커튼에 고리를 꿰매어 달고 있었다. 그 부인은 바로 그레이스 풀이었다.

바로 그곳에 그녀가 늘 그렇듯이 침착하고 과묵하게 앉아 있었다. 갈색 실내복과 체크무늬 앞치마에 흰색 수건과 모자를 쓴 모습이었다. 그녀는 자기 일에 열중하고 있었다. 그녀의 모든 생각은 하는 일에 집중되어 있는 것 같았다. 그녀의 단단한 이마와 평범한 얼굴 구석구석에는, 전날 밤 살인을 시도했고 목표로 삼았던 그 희생자가 은신처까지 찾아가 (내가 믿기로는) 저지르려고 했던 범죄를 추궁했을 텐데, 그런 추궁을 당한 여자의 얼굴에 뚜렷이 나타나 있으리라고 기대했던 창백한 모습이나 자포자기한 모습이 전혀 없었다. 나는 놀랐다…… 어리벙벙했다. 내가 그녀를 응시하고 있을 때 그녀는 고개를 들었다. 놀라는 기색도 없었고, 안색이 붉어지거나 창백해지는 것을 통해 감정이나 죄의식이나 발각에 대한 우려 같은 것을 전혀 나타내지 않았다. 그녀는 평상시처럼 무뚝뚝하고 간단히 "굿 모닝, 선생님." 하고 인사하고는 더 많은 고리들과 더 많은 테이프를 집어 들고 바느질을 계속했다.

'한번 저 여자를 떠봐야지.' 나는 생각했다. '저렇게 완전히 무감각할 수 있다니 이해할 수 없는걸.'

"그레이스, 굿 모닝." 내가 말했다. "이곳에 무슨 일이 있었나요? 조금 전 하인들이 모두 모여서 수군거리는 소리를 들은 것 같아서요."

"별일 아니에요. 주인님께서 간밤에 침대에서 책을 읽으셨는데, 촛불을 켜놓고 주무셨답니다. 그런데 커튼에 불이 붙었대요. 하지만 다행히 침대보나 침대의 목재에 불붙기 전에 잠이 깨셨고 물 주전자의 물로 용케도 불을 끄셨답니다."

"이상한 일이군!" 나는 낮은 목소리로 말했다. 그러고는 그녀를 뚫어지게 바라보며 다시 물었다. "로체스터 씨는 아무도 깨우시지 않았나요? 그분이 불을 끄는 소리를 아무도 못 들었고요?"

그녀는 눈길을 다시 내 쪽으로 돌렸다. 그 눈의 표정에는 이번엔 무언가를 의식한 것 같은 표정이 감돌았다. 그녀는 나를 경계하듯 자세히 살피는 것 같았다. 그러더니 그녀가 대답했다.

"선생님도 아시다시피, 하인들은 너무 멀리 떨어진 곳에서 자고 있어서 아무 소리도 듣지 못했을 거예요. 페어팩스 부인과 선생님 방이 이 방에서 제일 가깝지요. 그런데 부인은 아무 소리도 듣지 못했다고 했어요. 나이가 들면 사람은 종종 잠에 푹 빠지지요." 그녀가 말을 멈추었다. 그리고 나서 좀 무관심을 가장하면서, 그러면서도 뚜렷하고 의미가 담긴 어조로 덧붙여 말했다. "선생님은 아직 젊어요. 선잠을 자는 나이라고나 할까요. 혹시 선생님은 무슨 소리를 듣지 않으셨나요?"

"들었어요." 내가 말했다. 아직 창유리를 닦고 있는 레아에게 들리지 않도록 목소리를 낮춰서 말했다. "처음엔 파일럿이라고 생각했어요. 그러나 파일럿은 웃을 수 없잖아요. 내가 들은 것은 웃음소리가 확실해요. 이상한 웃음소리였어요."

그녀는 바늘 한 땀에 필요한 만큼의 실을 꺼내 조심스럽게 왁스칠을 한 후 침착한 손동작으로 그것을 바늘에 끼웠다. 그러고는 이를 데 없이 침착한 태도로 말했다.

"그렇게 위험한 상황에 빠지셨던 주인님께서 웃으셨을 리는 만무해요, 선생님. 선생님께서는 꿈을 꾸고 계셨던 게 틀림없군요."

"꿈을 꾼 게 아니에요." 내가 좀 열을 내며 말했다. 그녀의 뻔뻔스러운 침착성에 화가 치밀었기 때문이다. 그녀가 다시 나를 쳐다보았다. 분명히 무언가를 읽어내려는 의식적인 눈빛이었다.

"웃음소리를 들었다고 주인님께 말씀드렸나요?" 그녀가 물었다.

"오늘 아침엔 주인님과 이야기할 기회가 없었어요."

"문을 열고 복도 쪽을 내다볼 생각은 안 했나요?" 그녀가 다시 물었다.

은근슬쩍 내게서 뭔가를 캐내려고 하면서 마치 나를 심문하는 것 같았다. 내가 자기의 죄를 알거나 자기를 의심하고 있다는 사실을 알게 되면 그녀는 악의적인 장난을 하게 될지도 모른다는 생각이 들었다. 몸조심하는 게 좋겠다고 나는 생각했다.

"천만에요." 내가 말했다. "난 문을 잠갔어요."

"그럼, 선생님은 매일 밤 잠자리에 들기 전에 문을 잠그는 습관이 없단 말씀이세요?"

'아마 같으니! 내 습관까지 알아내려고 하고 있군! 그것에 따라 계략을 꾸밀려고!' 다시 분노가 내 분별력을 압도하고 있었다. 나는 날카롭게 대답했다. "지금까진 빗장 잠그는 걸 종종 잊었었죠. 그럴 필요가 없다고 생각했었어요. 손필드 저택에서 위험한 일이나 골치 아픈 일을 걱정하게 될 줄은 몰랐어요. 하지만 이제부터는(나는 특히 이 말에 힘을 주었다.) 잠자리에 들기 전에 모든 게 안전한지 조심을 단단히 해야겠군요."

"그러시는 게 현명할 거예요." 그녀의 대답이었다. "이 주변 지방은 제가 아는 어느 지방 못지않게 조용한 곳이지요. 이 집에 사람이 살기 시작한 이래 강도가 침입하려 했다는 이야기는 들어본 적이 없어요. 잘 알려진 대로 수백 파운드짜리 금은제 식기들이 그릇장에 그득한데도 말입니다. 그런데 선생님도 아시다시피 이렇게 저택이 큰 데 비해 여기에는 하인들이 별로 없는 실정입니다. 주인님이 여기에서 지내는 날이 얼마 되지 않기 때문입니다. 그리고 주인님이 오시더라도 독신이시라 시중들 게 별로 없지요. 그러나 안전에 대해서는 실수가 없도록 하는 것이 최선이라는 생각이 듭니다. 문도 일찌감치 잠가버립니다. 혹시 일어날지 모르는 피해와 자신 사이에 빗장을 걸어 잠그는 일은 잘하는 일이지요. 선생님, 많은 사람들은 모든 일을 하느님의 가호에 맡기기를 좋아합니다. 그러나 하느님의 가호도 안전 조치가 없어도 된다는 건 아닐 겁니다. 물론 그런 조치를 신중하게 사용하면 하느님의 가호가 종종 나타나기도 하지요." 여기서 그녀는 장광설을 마쳤다. 그녀로서는 꽤 긴 발언이었다. 또한 퀘이커 여교도 같은 차분함을 발휘한 발언이었다.

나는 그녀의 기적적인 냉정함과 수수께끼 같은 위선으로 보이는 거동에 말문이 막혀 조용히 서 있었다. 그때 요리사가 들어왔다.

"풀 아줌마," 그녀가 그레이스에게 말했다. "하인들 식사가 곧 준비될 거예요. 내려오겠어요?"

"내가 마시는 흑맥주와 푸딩 조각을 쟁반에 담아놓으세요. 내가 위층으로 가져갈게요."

"고기 좀 드실 거죠?"

"그저 한 입 거리만 주고 치즈 조금이면 돼요."

"녹말 빵은요?"

"지금은 됐어요. 차 마시는 시간 전에 내려올 거예요. 그건 내가 만들어 먹을게요."

그러자 요리사는 나를 향하더니 페어팩스 부인이 나를 기다리고 있다고 전했다. 그래서 나는 그 방을 떠났다.

식사를 하는 동안, 커튼에 불이 붙었다는 페어팩스 부인의 이야기는 내 귀에 거의 들어오지 않았다. 머릿속이 온통 수수께끼 같은 그레이스 풀의 성격을 풀어내는 일에 몰두하고 있었다. 왜 그녀가 그날 아침에 구금되지 않았으며, 적어도 주인님의 방 정리 작업에서 왜 제외당하지 않았는지를 생각하는 데 몰두해 있었다. 지난밤 로체스터 씨는 그녀의 범행을 확신한다고 선언한 것이나 마찬가지였다. 그런데 그랬던 그가 무슨 신비한 이유로 그 죄의 추궁을 그만두었을까? 이상한 일이었다. 대담하고 복수심 강하고 오만한 신사가 어쩐 일인지 하인 중에서도 가장 비천한 하녀 한 명의 손아귀에 잡혀 휘둘리고 있는 것 같았다. 그것도 너무나 꽉 잡힌 나머지 그녀가 자신의 생명을 공격해왔는데도 공개적으로 죄를 추궁하지도 않을뿐더러 벌을 내리지도 않은 상태였다.

만일 그레이스가 젊고 예뻤다면 나는 분명히 로체스터 씨에게 신중성이나 공포심보다 부드러운 여러 가지 감정이 더 영향을 미쳐서 그만 그녀의 편을 들게 한 것이라고 생각했을 것이다. 하지만 그녀가 호감도 가지 않는 부인이었기 때문에 그런 생각은 인정될 수 없었다. 나는 생각을 다시 시작했다. '그러나 그녀도 한때는 젊었었어. 그녀의 청춘기와 주인의 청춘기가 아마 같은 시기였을 거야. 그녀가 여기에 산 지도 여러 해 되었다고 페어팩스 부인이 말했지. 그녀가 예뻤던 적이 있다고는 생각하지 않아. 하지만 아마(잘은 모르지만) 그런 외모의 결점을 벌충해주는 색다른 면이나 성격상의 장점을 지니고 있는 건지도 몰라. 로체스터 씨는 단호한 성격이나 괴상한 성격을 가진 사람을 좋아하는 취향을 가진 사람이지. 그런데 그레이스는 적어도 괴상한 성격의 여자지. 로체스터 씨처럼 갑자기 충동적으로 움직이고 고집이 센 성품의 인간에게 흔히 있는 일시적 기분이 변덕이라는 것인데, 그의 옛날 변덕이 그를 그녀의 손아귀에 잡히도록 만들었다고 하면 그게 어디가 어떻다는 거지? 또한 지금 그레이스가 그의 행동에 은밀한 영향력을 행사하고 있다고 해서 그게 어쨌다는 거지? 그건 다 그 자신이 무분별해서 생긴 결과이기 때문에 떨쳐버릴 수도 없고 감히 무시하지도 못할 거야.' 그러나 내 추측이 이 지점에 이르자 그레이스 풀의 떡 벌어진 체구와 못생긴 몸매와, 못나고 무미건조하고 심지어 천하기까지 한 얼굴이 내 마음의 눈에 어찌나 똑똑히 떠오르던지 나는 다시 이런 생각이 들었다. '아니지, 절대로 불가능한 일이야. 내 추측이 맞을 리 없어.' 그때 우리들 마음속에서 말을 걸어오는 은밀한 목소리가 넌지시 제의하는 것이 있었다. '그러나 너 역시 예쁘지 않아. 그런데 아마 로체스터 씨는 너를 그냥 봐주고 있을 거야. 여하튼 너도 로체스터 씨가 느끼는 것처럼 느낀 적이 많을 거야. 지난밤 그가 했던 말을 기억해봐. 그의 표정을 기억해봐. 그의 목소리를 기억해보라구!'

모든 것이 똑똑히 기억되었다. 그의 말과 눈빛과 어조가 그 순간 생생히 되살아나는 것 같았다. 나는 공부방으로 갔다. 아델이 그림을 그리고 있었다. 나는 몸을 숙여 그녀에게 연필 쓰는 법을 가르쳤다. 아델은 좀 놀라면서 나를 올려다보았다.

"선생님, 무슨 일이 있으세요?" 그녀가 프랑스어로 말했다. "선생님 손가락이 나뭇잎처럼 떨리고 있고 뺨도 빨개요. 버찌처럼 빨개요!"

"아델, 몸을 굽히고 있어서 더운 거야!" 아델은 스케치를 계속했고 나는 생각을 계속했다.

나는 그레이스 풀에게 품어왔던 증오의 감정을 마음속에서 서둘러 쫓아냈다. 그건 지긋지긋한 감정이었다. 나는 나 자신과 그녀를 비교해보았다. 우리는 다르다는 것을 알았다. 나더러 정말 숙녀가 되었다고 베시 레븐이 말하지 않았던가. 베시는 사실을 말한 것이다. 나는 숙녀였다. 또한 나는 베시가 그런 말을 했을 때보다 훨씬 나은 숙녀가 되어 있었다. 혈색도 좋아지고 살도 더 오르고 더 활기차고 발랄했다. 희망도 더 밝았고 즐거움도 더 짜릿했기 때문이다.

"해가 저무는군." 창문 쪽을 바라보며 나는 혼잣말을 했다. "오늘은 집에서 로체스터 씨의 목소리나 발소리를 듣지 못했어. 그렇지만 밤이 되기 전에 분명히 그를 보게 되겠지. 아침에는 그를 만날까 봐 두려웠어. 지금은 정말 만나고 싶어. 기대가 너무 오래 어긋나서 초조하구나."

막상 땅거미가 지고 아델도 소피와 놀기 위해 아기방으로 가버리자 그를 만나고 싶은 욕망이 더없이 강렬해졌다. 나는 아래층에서 벨이 울리나 해서 귀를 곤두세웠다. 레아가 무슨 소식을 전하러 오지 않나 해서 귀를 기울였다. 때로는 로체스터 씨의 발소리가 들린다고 상상했고, 문을 열고 그가 들어오기를 기대하면서 문 쪽을 바라보기도 했다. 문은 닫힌 채로 있었다. 다만 어둠이 창문을 통해 들어왔다. 하지만 아직 늦지 않았다. 그는 종종 나를 7시나 8시에 불렀기 때문이다. 그런데 아직 6시밖에 되지 않았다. 그에게 할 말이 얼마나 많은 오늘 밤인데, 틀림없이 나는 절대로 실망을 맛보지 않을 것이다! 나는 다시 그레이스 풀을 화제에 올리고 싶었고 그가 뭐라고 답하는지 듣고 싶었다. 지난밤의 끔찍한 시도를 감행한 사람이 정말 그 여자라고 믿느냐고 분명히 묻고 싶었다. 만약 그렇다고 믿는다면 왜 그녀의 범행을 비밀로 하는 건지 묻고 싶었다. 내 이러한 호기심이 그를 화나게 해도 상관없었다. 그를 화나게 하고 달래는 일을 번갈아 하는 데서 오는 즐거움을 나는 알고 있었다. 그것은 내가 주로 즐기는 일이었다. 동시에 어떤 확실한 직감이 지나치는 것은 늘 막아주었다. 분노로 들어가는 경계선을 감히 넘어간 적은 결코 없었다. 아슬아슬한 그 경계선에서 나는 내 기술을 시험해보는 것을 매우 좋아했다. 자질구레한 온갖 존경을 표하는 형식, 내 지위에 맞는 모든 예절을 지키면서 나는 두려움이나 불편한 제약 없이 그와 논쟁을 벌일 수 있었다. 이런 논쟁은 그와 나 모두의 적성에 맞았다.

마침내 계단에서 삐걱거리는 발소리가 들렸다. 레아가 모습을 드러냈다. 그러나 페어팩스 부인 방에 차가 준비돼 있다고 알리러

온 것뿐이었다. 적어도 아래층으로 가게 된 것을 기뻐하며 그 방으로 갔다. 이제 로체스터 씨가 있는 곳으로 더 가까이 왔다고 나는 상상했다.

"차를 마시고 싶으시죠?" 방에 들어가자 착한 부인이 말했다. "저녁 식사를 거의 안 드셨어요." 하고 그녀는 이어서 말했다. "혹시 몸이 불편하신지 걱정되네요. 안색도 붉고 열도 있는 것 같군요."

"아닙니다. 괜찮습니다. 이보다 더 좋은 적은 없는걸요."

"그럼, 식욕이 좋다는 걸 증명하셔야 합니다. 이 바늘에서 실매듭을 끊어내는 동안 찻주전자에 물 좀 채워주시겠어요?" 하던 일을 마치자 부인은 그때까지 걷어올렸던 창문 차일을 끌어내렸다. 이제 땅거미는 지고 어둠이 짙어지면서 주위가 완전히 캄캄해졌지만 남은 황혼을 최대로 활용하는 방편이라고 나는 생각했다.

"참 좋은 밤이군요." 창유리를 통해 밖을 내다보면서 부인이 말했다. "별빛은 밝지 않지만요. 로체스터 주인님이 길을 떠나시기에는 대체로 날씨가 좋은 편이군요."

"길을 떠나셨다고요!…… 로체스터 씨가 어디 가셨나요? 그분이 외출하신 걸 저는 몰랐어요."

"저런, 아침 식사를 마치자마자 바로 떠나셨습니다! 리스란 곳에 가셨어요. 밀코트 시 반대편으로 10마일 떨어진 곳에 있는 에시턴 씨 저택에 가셨어요. 그곳에 대단한 분들이 모였을 겁니다. 잉그램 경, 조지 린 경, 덴트 대령, 그리고 그밖에 다른 분들도 모였을 겁니다."

"오늘 밤 돌아오실 거라고 예상하세요?"

"아뇨…… 내일도 돌아오지 않으실 거예요. 제 생각에 한 주 또는 그 이상 머물다 오실 것 같네요. 그처럼 멋진 상류사회 분들이 모이시면 우아한 격조와 화기애애한 분위기에 휩싸이지요. 즐거움과 재미를 줄 수 있는 모든 것이 충분히 제공되기 때문에 그분들은 서둘러 헤어지지 않아요. 그런 행사에서는 특히 신사분들이 필요한 존재지요. 게다가 로체스터 씨는 사교 모임에서 재능이 많고 활기찬 분이어서 제 생각에는 그분을 모든 사람들이 좋아할 겁니다. 숙녀분들이 그분을 몹시 좋아해요. 선생님은 로체스터 씨가 숙녀분들의 눈에 호감을 주는 외모를 갖추지 못했다고 생각하실지도 모르지만요. 하지만 저는 그분의 교양과 능력, 그리고 어쩌면 그분의 재산과 훌륭한 가문이 그분의 사소한 외모상의 약점을 메워줄 겁니다."

"리스의 모임에는 숙녀분들도 참석하나요?"

"에시턴 부인과 세 따님이 참석하지요. 참으로 우아한 아가씨들이죠. 그리고 고결한 블랑시 잉그램 양과 메리 잉그램 양이 참석하지요. 정말 아름다운 여인들이라는 생각이 들어요. 6년인가 7년 전에, 블랑시 양이 열여덟 살일 때 저는 실제로 본 적이 있답니다. 로체스터 씨가 연 크리스마스 무도회 파티에 참석하기 위해 이곳에 왔었지요. 그날의 식당을 선생님도 보셨어야 하는데……. 장식이 얼마나 호화로웠던지, 조명은 얼마나 화려했던지! 아마 신사 숙녀 50분은 참석했을 겁니다. 모두 이곳에서 제일가는 집안분들이지요. 그런데 그중에서 잉그램 양이 그날 저녁의 최고 미인으로 꼽혔어요."

"직접 잉그램 양을 보셨다고 하셨지요, 페어팩스 부인? 어떻게 생겼던가요?"

"그래요. 제가 봤어요. 식당 문들이 활짝 열려 있었으니까요. 또한 때가 크리스마스 때이니만큼 하인들도 홀에 모여 숙녀들이 노래하고 연주하는 것을 들어도 좋다는 허락이 떨어졌던 거예요. 로체스터 씨는 저를 방 안으로 들어오게 했어요. 그래서 구석에 조용히 앉아서 그분들을 구경할 수 있었죠. 숙녀분들은 고상하면서 화려하게 옷을 입고 있었어요. 대부분, 적어도 나이 어린 숙녀분들 대부분은 예뻤어요. 하지만 그중에서도 잉그램 양이 확실히 여왕이었어요."

"어떻게 생겼는데요?"

"키가 크고 가슴이 예뻤고 어깨선은 부드럽게 경사져 내려왔고 목은 길고 우아했고, 올리브 같은 얼굴은 가무잡잡하고 깨끗했으며, 이목구비는 고상했고, 눈은 로체스터 씨의 눈처럼 크고 까맸고, 자신이 찬 보석처럼 영롱하게 빛나더군요. 그리고 머릿결도 너무나 아름다웠어요. 검은 머리를 정말 어울리게 정돈했더군요. 게다가 왕관처럼 굵게 땋은 머리 다발들이 뒤로 넘겨져 있었어요. 앞머리는 제가 본 중에서 제일 길고 윤이 흐르는 곱슬머리였어요. 순백색 드레스를 입고 있었는데, 어깨 위와 가슴을 가로질러 호박색 스카프를 두르고 옆구리에서 매듭으로 묶었어요. 또한 술 장식이 달린 긴 스카프 끝자락이 무릎 아래까지 내려와 있었어요. 머리에는 호박색 꽃 한 송이도 꽂고 있었는데 그 꽃이 흑옥처럼 까만 머릿결과 멋진 대조를 이루고 있었어요."

"물론 모든 사람들이 감탄했겠군요?"

"정말 그랬어요. 아름다움뿐 아니라 그녀의 교양 때문이었죠. 그녀는 그날 노래를 부른 숙녀 중 하나였어요. 어떤 신사분이 피아노 반주를 해주었어요. 그녀와 로체스터 씨가 이중창을 했죠."

"로체스터 씨가요? 그분이 노래를 부를 줄 아신다는 것을 전 몰랐어요."

"오! 멋진 베이스 목소리를 가지고 계셔요. 그리고 음악에 대해 탁월한 취미를 가지고 계셔요."

"잉그램 양은요? 그녀의 목소리는 어땠나요?"

"매우 성량이 좋고 힘 있는 목소리였어요. 노래도 즐겁게 불렀어요. 그 노래를 듣는 것은 큰 기쁨이었어요. 나중에는 연주도 했어요. 저는 음악을 평할 수 없어요. 하지만 로체스터 씨는 전문가시죠. 그분이 그녀 연주가 놀랄 정도로 훌륭했다고 말씀하시는 것을 들었어요."

"아름답고 교양 있다는 그 숙녀는 아직 미혼이신가요?"

"그런 것 같아요. 그녀도 그녀의 여동생도 그다지 재산은 많지 않은 것 같아요. 연로하신 잉그램 경의 재산은 상속인을 한정하여 상속되었기 때문에 그 장남이 거의 모든 재산을 물려받았답니다."

"그렇지만 부유한 귀족이나 신사분이 그녀에게 끌리지 않았다는 게 이상하네요. 예를 들자면 로체스터 씨 같은 분 말예요. 그분은 부자시잖아요, 안 그래요?"

"오! 물론이죠. 하지만 선생님도 아시다시피 나이 차이가 너무 나요. 로체스터 씨는 사십에 가까운데 잉그램 양은 스물다섯밖에 되지 않았으니까요."

"나이가 무슨 문제지요? 그보다 더 차이가 나는 결혼이 매일 이루어지고 있는데."

"맞아요. 하지만 로체스터 씨가 그런 생각을 하실 거라고는 상상을 못하겠네요. 그건 그렇고 선생님은 지금 아무것도 안 드시는군요. 차를 마시기 시작한 후 거의 아무것도 안 드셨어요."

"그랬어요. 너무 갈증이 나서 먹을 수가 없군요. 차나 한 잔 더 마실 수 있을까요?"

로체스터 씨와 아름다운 블랑시 양의 결합 가능성에 대한 이야기로 돌아가려는 순간 아델이 들어왔다. 그래서 대화는 다른 방향으로 바뀌었다.

다시 혼자가 되자 나는 그간 얻은 정보를 다시 검토했다. 내 마음속을 들여다보고 거기에 담긴 생각과 감정을 자세히 검토해보았다. 그리고 경계도 길도 없는 상상의 황무지를 길을 잃고 돌아다니는 그러한 생각과 감정을 엄한 손길로 다스려 상식이라는 안전한 우리 속으로 다시 몰아넣으려고 노력했다.

내가 스스로 연 법정에 소환된 내 기억은 지난밤부터 내가 품어왔던 회망과 소망과 감정과, 지난 보름 동안 내가 탐닉했던 심리 상태 전반을 증언해주고 있었다. 그러자 이성이 앞으로 나서며 그 특유의 조용한 태도로 명백하고 꾸밈없는 이야기를 하며, 내가 어떤 식으로 현실을 배격하고 게걸스럽게 이상을 탐식했는지를 보여주었다. 나는 다음과 같은 취지의 판결을 내렸다.

제인 에어보다 더 지독한 바보는 살아 숨 쉰 적이 없었다. 그녀보다 더 헛된 몽상에 빠져 달콤한 거짓을 만끽하며 독을 감로주처럼 삼킨 백치는 없었다.

"네가," 나는 말했다. "네가 로체스터 씨가 좋아하는 여자라고? 네가 그를 즐겁게 해줄 능력을 타고났다고? 네가 어떤 식으로든 그에게 중요한 사람이라고? 꺼져! 네 바보짓은 구역질 나. 그리고 훌륭한 가문에 세상을 많이 아는 신사분이 너처럼 없혀사는 풋내기에게 가끔 좀 좋아하는 신호, 그것도 무한한 신호를 보냈다고 해서 너는 기뻐하고 있었던 거야. 어찌 감히 그런 생각을 하지? 이 어리석은 불쌍한 멍충아! 이기심조차도 너를 더 현명하게 만들 수 없는 거야? 오늘 아침 너는 지난밤에 있었던 짤막한 장면을 반복해서 눈에 그려보았지? 얼굴을 가리고 창피한 줄 알아! 그가 네 눈을 칭찬하는 말을 조금 했지? 눈먼 강아지 같으니! 네 침침해진 눈꺼풀을 뜨고 너의 저주받은 어리석음을 보란 말야! 도저히 결혼할 의사를 가질 수 없는 우월한 위치에 있는 남자가 우쭐하게끔 아첨의 말을 했다고 해도 그런 것은 여자에게는 아무 소용이 없는 거야. 자신 안에 은밀한 사랑의 불길을 태우는 여자는 누구나 미친 짓을 하고 있는 거야. 그 사랑에 보답이 없거나 알아주지 않으면 그런 사랑은 그 사랑을 키우는 당사자의 생명을 집어삼킬 것이고, 설사 알려지고 호응을 받는다 하더라도 그런 사랑은 도깨비불처럼 도저히 빠져나올 길 없는 진창투성이의 황무지로 이끌 거야.

그러니까 제인 에어, 이제부터 내리는 판결을 잘 들어. 내일 아침 네 앞에 거울을 갖다 대봐. 그리고 네 자신의 초상화를 색연필로 그려봐. 결점을 은폐하지 말고 있는 그대로 그려봐. 거친 얼굴선을 생략하지 말고 마음에 안 드는 불균형을 개칠해서 없애지 말고. 그러고는 그 밑에 '친척 하나 없고 가난하고 못난 어느 가정교사의 초상'이라고 적어봐.

그런 후 매끈한 아이보리색 도화지를 꺼내. 네 화구 상자 안에 한 장이 준비되어 있을 거야. 팔레트를 꺼내고 가장 밝고 화사하고 맑은 색을 섞어. 낙타털로 만든 가장 섬세한 붓들을 골라서 네가 상상할 수 있는 가장 아름다운 얼굴을 조심스럽게 묘사해봐. 그리고 그 안에다 페어팩스 부인이 블랑시 잉그램 양에 대해 했던 설명을 떠올리며 가장 부드러운 명암과 가장 예쁜 색조로 그 얼굴을 칠해 봐. 새까만 고수머리와 동양적인 눈을 잊지 마. 뭐라고! 모델로 로체스터 씨를 생각하며 그리라고! 진정해! 코를 훌쩍이지 말고! 감상적인 자세는 금물이야…… 후회도 안 돼! 오직 분별심과 결의만을 참아줄 거야. 위엄이 있으면서 조화로운 얼굴 윤곽과 그리스풍의 목과 가슴도 잊지 마. 통통하고 빛이 나는 팔도 보이게 하고 섬세한 손도 그려. 다이아몬드 반지와 금팔찌도 빼놓지 마. 의상도 충실히 그리라구. 하늘거리는 레이스와 번쩍이는 공단, 우아한 스카프, 황금빛 장미도 빼놓지 마. 거기에다 '교양 있는 상류 가문 숙녀, 블랑시 양 초상화'라고 제목을 붙여.

앞으로 혹시 우연히 로체스터 씨가 너를 좋게 생각하고 있다는 생각이 들 때마다 이 두 그림을 꺼내서 비교해봐. 그리고 이렇게 말해. '로체스터 씨는 얻고자 노력하면 저 고귀한 숙녀의 사랑을 얻을 수 있을 거다. 그가 가난하고 보잘것없는 서민에게 진지한 생각을 낭비할 리가 있을까?'"

"반드시 그렇게 할 테다." 나는 결심했다. 이런 결심을 하자 마음이 차분해져서 잠에 빠져들었다.

나는 약속을 지켰다. 크레용으로 내 초상화를 그리는 데는 한두 시간이면 족했다. 그리고 보름이 채 지나지 않아 나는 아이보리색 도화지 위에 가상의 블랑시 잉그램 양 초상화, 축소판 초상화를 완성했다. 그린 그 초상화의 얼굴은 충분히 아름다워 보였다. 색연필로 그린 내 얼굴 그림과 비교해보니 내 자제력이 원했던 것만큼의 큰 차이가 두 그림 사이에 있었다. 나는 이 작업을 하면서 이득도

언었다. 우선 ㄱ림을 ㄱ리ㄴ라 머리와 손이 바빴다. ㄱ리ㄱ 내 가슴 속에 지워지지 않도록 단단히 찍어놓고 싶었던 새로운 다짐들이 더 힘을 얻고 강고해졌다.

오래지 않아 이처럼 내 감정을 강제로 굴복시킨 그 건전한 자제력을 발휘한 것에 대해 나는 스스로 축하할 만했다. 사실 그러한 자제심 덕으로 나는 그 후 벌어진 여러 가지 일들을 품위 있고 침착하게 대처할 수 있었다. 전혀 준비가 안 된 상태에서 그런 일들이 일어났다면 나는 아마도 감당할 수 없었을 것이다. 겉으로 보기에도 그랬을 것이다.

제17장

일주일이 지났다. 로체스터 씨는 아무런 소식이 없었다. 열흘이 지나도 여전히 그는 돌아오지 않았다. 페어팩스 부인은 말하기를 설사 그가 그길로 리스에서 런던으로 직행하고 다시 거기서 유럽 대륙으로 가서 1년 동안 손필드 저택에는 얼굴도 비치지 않더라도 놀라지 않을 거라는 것이었다. 그가 그런 식으로 느닷없이 예기치 않게 집을 떠나 있는 것은 어쩌다 있는 일이 아니라는 것이었다. 이런 말을 들었을 때 나는 가슴이 서늘해지고 철렁 내려앉는 것 같은 이상한 기분이 들기 시작했다. 나는 실로 속이 메슥메슥하는 실망감을 체험하는 지경에 이르렀다. 그러나 나는 나의 기지를 모으고 원칙을 상기하면서 즉시 감정을 제자리에 돌려놓도록 조치했다. 그러자 이런 일시적인 감정의 동요를 내가 극복한 것이 놀라웠다. 로체스터 씨가 어디로 가고 무슨 일을 하는 것을 나의 중요한 관심사로 여길 만한 일이라고 생각했던 오류를 어쩌면 그렇게 말끔히 씻어낼 수 있었는지, 놀라운 일이었다. 비굴한 열등감으로 내 스스로를 격하시켰다는 뜻이 아니다. 오히려 그와는 달리 나는 이렇게 말했다.

"너와 손필드 저택의 주인과는 아무런 관계도 없는 거야. 그가 후견하는 아이를 가르치고 대가를 받는다는 것, 그리고 네 임무를 다했을 때 네가 네 주인에게 기대할 수 있는 존경심이 담긴 친절한 대우를 받게 되고, 그것에 감사하는 것, 그 정도 이상은 아무것도 없는 거야. 그 정도의 관계가 너와 그 사이에서 그가 진지하게 인정하는 유일한 유대관계라는 것을 명심해. 그러니까 그를 네 섬세한 감정과 황홀한 기쁨과 고뇌 같은 것의 대상으로 삼지 마. 그는 너와 급이 달라. 네가 속한 계급의 분수를 지켜. 그리고 자존심 좀 가져서 네 온 정성과 영혼과 힘을 쏟는 사랑을 함부로 써버리지 마. 그런 선물은 원하지도 않고 경멸이나 할 대상에게 말야."

나는 조용히 하루의 일과를 계속 수행했다. 그러나 가끔 이제 손필드 저택을 떠나야 할 이유를 일깨우는 막연한 제의가 내 뇌리에서 방황하곤 했다. 그러면 나는 의지와는 무관하게 계속해서 구직광고 문안을 작성해보기도 하고 새로운 일자리에 대한 여러 가지 추측을 골똘히 음미하기도 했다. 나는 이러한 생각들을 자제할 필요는 없다고 생각했다. 이런 생각들은 까딱하면 씨를 발아시켜 열매를 맺을지도 모를 일이었다.

로체스터 씨가 집을 비운 지 보름 이상이 지났을 때 우편배달부가 페어팩스 부인에게 편지 한 통을 가지고 왔다.

"주인님한테서 온 거네요." 수취인 주소를 보고 그녀가 말했다. "이제야 주인님이 돌아오시는 건지 아닌지를 예상해도 되겠네요."

부인이 봉인을 뜯고 내용을 정독하는 동안 나는 연신 커피만 마셨다. (우리는 아침 식사 중이었다.) 커피는 뜨거웠다. 갑자기 얼굴이 빨갛게 달아올랐는데 나는 그걸 뜨거운 커피 탓으로 돌렸다. 손이 왜 떨렸는지, 왜 나도 모르게 잔에 담긴 내용물을 반이나 접시에 엎질렀는지 구태여 생각해보지 않았다.

"사실 전 우리가 너무 조용히 살고 있다는 생각이 들어요. 하지만 이제 아주 바쁘게 살 일이 생겼네요. 적어도 잠시 동안이긴 하지만요." 여전히 편지를 안경 앞에 든 채 페어팩스 부인이 말했다.

그게 무슨 말인지 설명해달라고 요청할 생각도 하기 전에 나는 때마침 풀어져 있던 아델의 앞치마 끈을 묶어주었다. 또한 아이에게는 빵 하나를 더 먹게 하고 머그잔에다 우유를 더 채워주고 난 뒤에야 나는 대수롭지 않다는 말투로 물었다.

"로체스터 씨가 곧 돌아오실 것 같지 않나요?"

"웬걸요. 돌아오셔요. 사흘 후라고 말씀하시는군요. 그러니까 이번 목요일이 되겠네요. 게다가 혼자 오시는 게 아니랍니다. 리스에서 모였던 멋진 분들 중에서 얼마나 여러 분들이 같이 오실지 모르겠군요. 주인님께선 저택에서 제일 좋은 방들을 준비해놓으라고 지시하셨어요. 그리고 서재와 응접실도 깨끗이 청소해놓으라고 하셨어요. 저는 밀코트의 조지 여관이든 어디든 가서 부엌일을 도와줄 일손을 구해 와야겠어요. 게다가 숙녀분들은 몸종 하녀를 데리고 올 것이고 신사분들도 몸종들을 데리고 오실 거예요. 그러니 온 집 안이 사람으로 넘쳐나겠어요." 페어팩스 부인은 허겁지겁 아침을 먹고 작업에 착수하기 위해 급히 방을 떠났다.

페어팩스 부인이 예언한 대로 그 후 사흘간은 꽤나 바빴다. 나는 그때까지 손필드 저택의 모든 방들은 이미 아름답게 청소되고 잘 정리되어 있다고 생각하고 있었다. 그러나 그런 생각은 잘못된 것 같았다. 세 명의 여자가 일을 돕기 위해 도착했다. 북북 문지르고 털고 닦고 칠을 씻어내고 카펫을 두드려 털고, 그림을 뗐다 다시 걸고, 거울과 샹들리에를 광내고, 침실에 불을 피우고, 침대보와 깃털 요들을 난로 주위에 널어 환기시켰다. 그런 요란한 장면은 그 전에 도 그 이후에도 단 한 번도 본 적이 없었다. 그런 와중에도 아델은 온통 신이 나서 마구 뛰어다녔다. 손님을 맞을 준비와 그들을 맞을 기대감으로 좋아서 어쩔 줄을 몰랐다. 아델은 소피에게 제가 드레 스라고 부르는 '아동복'을 죄다 꺼내어 살펴보고, 유행이 지난 옷들 은 모두 손질하고, 새 옷들은 잘 환기시켜 정리해달라고 부탁했다. 저는 아무 일도 하지 않고 그저 저택 전면의 방들을 신 나게 돌아다 니거나, 침대 틀 위에 뛰어 올라갔다 내려오거나, 굴뚝 속에서 요란 한 소리를 내며 타오르는 난롯불 앞 매트 위에 눕거나, 덧베개와 베 개를 쌓아 올리는 일만 했다. 학과 공부는 면제받은 상태였다. 페어 팩스 부인이 나한테까지 도와달라고 강압하다시피 했기 때문에 나 는 종일 식료품 저장실에 가서 그녀와 요리사를 돕고(방해했는지도 모른다), 커스터드와 치즈 케이크, 프랑스 과자를 만들고, 요리용 새 날개와 다리를 꼬챙이로 몸통에 고정시키고 디저트 장식법을 배 워야 했다.

　손님 일행은 목요일 오후 6시 만찬시간에 맞춰 도착할 예정이었 다. 그때까지 나는 잡념에 빠질 시간이 전혀 없었다. 그때 나는 아 델을 빼면 누구보다 더 쾌활하고 명랑했다는 생각이 든다. 그러나 이따금 나는 그런 명랑한 태도에 찬물을 끼얹었다. 그러고는 나도 모르게 의심과 불길한 전조와 어두운 추측이라는 영역으로 되돌아 가는 것이었다. 최근에는 늘 닫혀 있었던 3층 계단 문이 슬며시 열 리는 것을 우연히 보게 된 때 특히 그러했다. 왜냐하면 그 열린 문 을 통해 깔끔한 두건과 흰 앞치마와 목수건을 걸친 그레이스 풀이 거기서 나왔기 때문이다. 그녀가 부드러운 직물 슬리퍼를 신고 발소리를 죽이고 복도를 미끄러지듯 걸어가는 모습을 보았을 때, 또는 뒤죽박죽 분주하게 돌아가는 방 안을 들여다보며 그곳에서 일하는 도우미 아낙네들에게 난로 쇠창살 닦는 법과 벽난로 장식 청소하는 법과, 벽지를 바른 벽의 얼룩을 제거하는 법에 대해 한마디 하고 가는 모습을 보았을 때도 마찬가지였다. 그녀는 그런 식으로 하루에 한 번씩 부엌에 내려와 식사를 했고, 난롯가에 앉아 순한 파이프 담배를 피운 뒤 위층 음산한 자기 방에서 혼자 즐기기 위해 큰 흑맥주잔을 들고 돌아가곤 했다. 그녀는 하루 24시간 중 오직 한 시간만 아래층 하인들과 어울렸고 나머지 시간은 떡갈나무 목재로 된 천장 낮은 3층 방 어딘가에서 보냈다. 아마 그 방에 혼자 앉아 바느질을 하거나 혼자 음울하게 웃거나 뭐 그러고 있을 것이다. 동료 하나 없이 지하 토굴 감옥에 갇힌 죄수와 같았다.

무엇보다 가장 이상한 일은 나를 빼놓고 집 안의 누구도 그녀의 그런 습성에 신경을 쓰지 않았고 놀라워하지도 않는 것 같다는 점이었다. 누구도 그녀의 지위나 하는 일에 대해 토론을 주고받는 일이 없었고, 그녀의 외로움이나 동떨어진 생활에 대해 동정하지 않았다. 사실 나는 그레이스에 대해 레아와 도우미 한 명 사이에 오갔던 대화의 조각을 잠깐 엿들은 적이 있었다. 내가 미처 포착하지 못한 무슨 말을 레아가 하자 그 도우미는 이렇게 말했다.

"그 여자, 급료는 많이 받지요?"

"그럼요." 레아가 말했다. "나도 그만큼 받으면 좋겠어요. 내 급료에 대해 불평하는 건 아니에요. 손필드 저택은 인색한 곳이 아니에요. 하지만 제 급료는 그레이스 풀이 받는 것의 5분의 1도 안 되거든요. 그런데 그녀는 저축도 하고 있어요. 1년에 네 번 꼬박꼬박 밀코트의 은행에 가요. 아마 그녀가 이곳을 떠나고 싶어지면 혼자 독립해서 살 만큼 넉넉히 저축해놓았다고 해도 놀랄 일이 아니에요. 하지만 그녀는 이곳에 익숙해진 것 같아요. 게다가 아직 나이 사십도 안 됐고 무슨 일이든 감당할 건강과 능력을 갖추고 있어요. 그런 그녀가 일을 그만둔다는 건 너무 일러요."

"아마 일은 잘 하겠죠." 도우미가 말했다.

"물론이죠! 자기가 할 일을 잘 알죠. 누구도 그녀보다 잘하진 못해요." 레아가 의미가 담긴 말로 응답했다. "그리고 누구도 그녀를 대신할 수 없어요. 그녀가 받는 돈을 다 준다 해도 못 하죠."

"누구도 못하고말고요!" 도우미가 말했다. "혹시 이곳 주인께서……."

그녀가 말을 계속하려는 순간 레아가 몸을 돌려 내가 있는 것을 알아챘다. 레아는 즉시 상대방을 쿡 찌르는 것이었다.

"저 여자는 모르나요?" 그 여자가 속삭이는 소리를 나는 들었다.

레아가 고개를 저었다. 물론 대화는 끝났다. 이 두 사람의 대화에서 내가 추측할 수 있는 전부는, 손필드 저택에는 뭔가 수수께끼가 있다는 것이고, 그것에 참여하는 것에 나는 의도적으로 따돌림을 당하고 있다는 정도였다.

목요일이 찾아왔다. 그 전날 저녁 모든 일이 이미 끝나 있었다. 카펫이 깔리고, 침대 커튼 꽃줄 장식이 드리워지고, 눈부시게 하얀 침대보가 펼쳐지고, 화장용 탁자들이 정돈되고, 가구들은 깨끗이 문질러진 상태였고 꽃은 꽃병들을 채우고 있었다. 침실들과 응접실들은 사람 손이 해낼 수 있는 한 신선하고 밝았다. 현관홀 역시 깨끗이 닦여 있었다. 계단과 난간뿐만 아니라 거대한 조각이 새겨진 시계까지도 마치 거울처럼 반짝반짝 윤이 흘렀다. 식당의 식기 진열장은 금은제 식기들로 가득 차 화려한 빛을 발했다. 응접실과 부인용 내실에는 어느 편을 막론하고 이국적인 꽃들이 만발했다.

오후가 되었다. 페어팩스 부인은 그녀의 가장 좋은 검은 공단 드레스를 차려입고 장갑을 끼고 금시계까지 차고 있었다. 손님들을 맞이하고 숙녀들을 각자의 방까지 안내하는 것이 그녀의 역할이었다. 아델 역시 드레스로 차려입기를 원했다. 물론 나는 적어도 그날은 아델이 손님들에게 소개될 가능성은 별로 없을 거라고 생각했다. 그러나 아델을 즐겁게 해주기 위해 모슬린 천으로 만든 짧은 아동용 드레스를 소피에게 입히라고 말했다. 내 경우를 말하면, 난 전혀 옷을 갈아입을 필요가 없었다. 성역과도 같은 공부방에서 내가 불려 나올 일은 전혀 없을 것이기 때문이었다. 공부방은 그때 내게는 성역 같은 곳 — "고난 시기의 쾌적한 피신처"*였다.

그날은 온화하고 청명한 봄날이었다. 3월 말이나 4월 초에 벌써 여름의 전령처럼 대지 위를 눈부시게 비추며 우뚝 일어서는 그런 날 중 하나였다. 이제 그런 날이 저물어가고 있었다. 그러나 저녁 시간도 여전히 따뜻했다. 나는 창문을 열어놓은 채 바느질감을 들고 공부방에 앉아 있었다.

"늦어지네요." 페어팩스 부인이 옷에서 바스락거리는 소리를 내며 들어와 말했다. "로체스터 씨가 지시한 시간보다 한 시간 늦게 식사 준비를 시킨 게 참 다행이네요. 벌써 6시가 지났거든요. 한길

---

* 시편 46장 1절, "하느님은 우리의 힘, 우리의 피난처……"에서 인용.

에 뭐가 보이나 보고 오라고 존을 마을 입구로 보냈어요. 거기 가면 밀코트 쪽으로 먼 데까지 볼 수 있거든요." 그녀는 창문으로 갔다. "저기 존이 오는군!" 그녀가 몸을 밖으로 기울이며 말했다. "그래, 존, 무슨 소식이라도 있어?"

"손님들이 오십니다, 부인." 존이 대답했다. "10분 후면 도착하실 겁니다."

아델이 쏜살같이 창가로 달려갔다. 나도 그 뒤를 따라갔지만 조심스럽게 한쪽에 비켜섰다. 그들 눈에 띄지 않고 손님들을 보기 위해서였다.

존이 말한 10분이 꽤 긴 시간으로 느껴졌다. 그러나 마침내 바퀴 소리가 들렸다. 네 명이 말을 타고 길을 따라 달려오고 있었고 그 뒤에 두 대의 무개마차가 따라오고 있었다. 펄럭이는 베일과 물결치는 깃털들이 마차를 가득 메우고 있었다. 말 탄 사람 중 두 사람은 젊고 위세 당당한 신사들이었다. 세 번째 사람은 로체스터 씨였는데, 자신의 검정색 애마 메스루를 타고 있었고 파일럿이 그 말 앞에서 힘차게 달려오고 있었다. 그의 옆에는 한 숙녀가 말을 타고 나란히 오고 있었는데, 그와 그 숙녀가 일행의 선두였다. 그녀의 자줏빛 승마복이 땅바닥을 스칠 정도였으며 머리에 두른 베일이 미풍을 타고 길게 흐르는 것 같았다. 까맣고 풍성한 고수머리가 투명한 베일의 주름과 섞이면서 그 베일 주름을 통해 빛났다.

"잉그램 양이에요!" 페어팩스 부인은 외치더니 아래층에서 해야 할 자신의 역할을 위해 서둘러 내려갔다.

굽은 길을 따라오던 대열이 곧바로 저택 모퉁이로 돌았다. 그러자 그들은 내 시야에서 사라졌다. 아델은 아래층으로 내려가게 해달라고 거의 애원하다시피 했다. 그러나 나는 아이를 무릎에 앉힌 후, 확실히 부름을 받기 전에는 지금이건 어느 때건 어떤 이유로도 숙녀분들 앞에 감히 모습을 드러낼 생각은 하지 말 것과, 그렇지 않으면 로체스터 씨가 화낼 것이라는 점을 이해시켰다. 내 말에 아델은 "자연스럽게 흐르는 눈물 몇 방울을 떨구었다."* 그러나 내가 매우 엄격한 표정을 짓고 있었기 때문에 아델은 마침내 순순히 눈물을 닦았다.

이제 아래층 홀에서 즐거운 왁자지껄하는 소리가 들려왔다. 신사들의 굵은 목소리와 숙녀들의 은처럼 맑은 목소리가 조화롭게 어우러지고 있었다. 또한 그다지 큰 목소리는 아니었지만, 자신의 집을 찾아준 아름다운 숙녀분들과 의젓한 신사분들을 환영하는 손필드 저택의 주인 목소리, 그 낭랑한 목소리가 그 어느 목소리보다 확연히 구별되었다. 이어서 계단을 올라오는 가벼운 발소리들이 들렸고 복도를 따라 경쾌하게 걷는 소리도 들렸다. 그리고 부드럽고 명랑한 웃음소리와 문을 여닫는 소리들이 들렸고 한동안 정적이 흘렀다.

"옷들을 갈아입고 있는 모양이에요." 주의 깊게 귀를 기울이며 손님들의 모든 움직임을 뒤쫓던 아델이 프랑스어로 말했다. 그러더니 한숨을 내쉬었다.

"엄마 집에서는," 아델이 말했다. "손님들이 오시면 나는 응접실부터 침실에까지 그들을 어디든 따라다녔어요. 종종 나는 하녀들이 숙녀분들의 머리를 매만져주고 옷을 입혀주는 걸 봤어요. 그건

---

* 《실낙원》 xii. 645, 에덴동산을 떠나는 아담과 이브를 묘사하는 부분에서 가져온 표현이다.

정말 재미났어요, 거기서 뭔가 배우고요."

"아델, 배 안 고프냐?"

"배고프고말고요, 선생님. 음식을 먹은 지 벌써 대여섯 시간이 지났어요."

"그래, 지금 숙녀분들이 방에 들어간 사이에 내가 내려가서 먹을 걸 좀 갖다줄게."

조심하며 내 은신처에서 나와서 곧바로 부엌으로 통하는 뒤편 계단을 찾았다. 부엌은 온통 불과 소동 그 자체였다. 수프와 생선은 내놓기 전 마지막 단계에 와 있었다. 요리사가 끓고 있는 도가니 위에 몸을 굽히고 있는 모습은 마치 자기도 동시에 연소되어버리겠다는 마음과 몸가짐이었다. 하인들 방에는 마부 두 명과 남자 종복 세 명이 난롯가에 서 있거나 앉아 있었다. 몸종 하녀들은 아마 주인들과 함께 위층에 올라간 것 같았다. 밀코트에서 임시로 온 새 도우미들도 여기저기에서 부산을 떨고 있었다. 이러한 혼돈 속을 요리조리 빠져나온 나는 마침내 식료품 저장실에 도달했고, 그곳에서 차가운 닭고기와 롤빵 한 개, 약간의 파이, 접시 한두 개와 나이프와 포크를 집었다. 이 전리품들을 가지고 나는 급히 후퇴했다. 다시 복도로 돌아와 뒷문을 막 닫으려는 순간이었다. 웅성거리는 소리가 점점 크게 들리면서 숙녀들이 각 방에서 나오려고 하고 있다는 것을 경고하고 있었다. 공부방으로 돌아가려면 그 방들 앞을 지나치지 않을 수 없었다. 하는 수 없이 나는 내가 있던 쪽 끝에 그냥 가만히 서 있었다. 그곳은 창문이 없어 어두웠다. 해는 지고 땅거미가 짙어지고 있었기 때문에 이제 상당히 어두웠다.

이윽고 방들은 아름다운 방주인들을 하나하나 뱉어냈다. 모두 어둠 속에서도 번쩍번쩍 빛을 발하는 옷을 입고 명랑하고 가벼운 발걸음으로 나왔다. 그들은 잠시 복도 반대편 끝에 한데 모여 서서 아름답고 나지막하면서도 생동감이 넘치는 어조로 대화를 나누었다. 그러고 나서 그들은 마치 밝은 안개가 언덕을 뭉실뭉실 내려오듯 소리 없이 계단을 내려갔다. 그들의 이러한 집단적 출현은 고귀한 신분으로 태어난 존재의 우아함이 어떤 것인가를 보여주는 깊은 인상을 내게 안겨주었다. 이제까지 한 번도 받아본 적이 없는 인상이었다.

나는 아델이 공부방 문을 살짝 빠끔히 열고 그 틈새로 숙녀들의 모습을 몰래 훔쳐보는 것을 발견했다. "정말 멋진 숙녀분들이네요!" 아델이 영어로 외쳤다. "정말로 저분들에게로 가고 싶어요! 만찬이 끝나면 곧 우리를 부를 거라고 생각하세요?"

"아냐. 절대. 난 그렇게 생각하지 않는다. 로체스터 씨는 다른 생각할 일이 많으시단다. 오늘 밤엔 숙녀분들한테 신경 쓰지 마라. 아마 내일은 보게 될 거다. 여기 저녁을 가져왔다."

아델은 정말 배가 고팠다. 닭고기와 파이가 잠시 아델의 관심을 돌리는 데 일조했다. 이 음식을 가져온 게 잘한 일이었다. 하마터면 아델과 나와 소피는 모두 저녁을 굶을 뻔했다. 나는 우리 몫의 음식도 챙겨왔었다. 아래층의 모든 사람들은 너무 바빠서 우리를 생각할 겨를이 없었다. 9시가 지난 후까지도 아직 후식을 내놓지 않은 상태였고 10시가 됐는데도 여전히 정복을 입은 하인들이 쟁반과 커피 잔들을 들고 이리저리 뛰어다니고 있었다. 나는 여느 때보다 늦게까지 아델이 잠자리에 들지 않고 앉아 있는 것을 그냥 내버려두었다. 아델은 아래층의 문들이 계속 여닫히고 사람들이 이처럼 북

새통을 치는데 어떻게 잠을 잘 수 있느냐고 제 주장을 말했다. 게다가 덧붙여서 자려고 옷을 다 벗었는데 로체스터 씨가 부르면 어떻게 하느냐는 것이었다. "그러면 얼마나 속상한 일이겠어요!"

나는 아델이 듣고 싶어 하는 한 오랫동안 여러 가지 이야기를 들려주었다. 그런 다음 기분전환을 시키기 위해 아델을 복도로 데리고 나왔다. 현관홀의 램프에 불이 환히 켜져 있었다. 아델은 하인들이 이리저리 오가는 모습을 난간 너머로 지켜보며 즐거워했다. 밤이 꽤 깊어졌을 때, 피아노를 미리 옮겨다 놓았던 응접실 쪽에서 음악 소리가 흘러나왔다. 아델과 나는 계단 맨 위 칸에 앉아 음악을 경청했다. 이윽고 피아노의 풍부한 음과 어우러져 한 음성이 들렸다. 노래하는 것은 한 숙녀였고 그 노래 소리는 매우 감미로웠다. 독창이 끝나자 이중창이 이어졌고 다시 무반주 합창이 있었다. 그리고 즐겁게 담소하는 웅얼거림이 잠시 공백을 메웠다. 나는 오래도록 귀를 기울였다. 갑자기 나는 내 귀가 그 뒤섞인 말소리들을 분석하는 데 완전히 몰두해 있다가, 그 뒤죽박죽 뒤섞인 그 소리 속에서 로체스터 씨의 목소리를 식별해내려고 노력하고 있다는 사실을 자각했다. 결국 나는 곧 그 목소리를 구별해냈다. 그러자 내 귀는 나아가서 거리가 멀어 불분명하게 들리는 그의 말소리를 단어 속에 담아보려는 작업을 하고 있었다.

시계가 11시를 쳤다. 내 어깨에 머리를 기대고 있는 아델을 바라보았더니 눈꺼풀이 무겁게 내려와 있었다. 나는 아델을 안아서 침대로 데려갔다. 1시가 돼서야 신사 숙녀들은 자신들의 침실을 찾아갔다.

다음 날도 전날처럼 화창했다. 그날 손님 일행은 인근의 어떤 지

316

역으로 소풍을 가는 데 하루를 보냈다. 그들은 아침 일찍 몇 명은 말을 타고 나머지는 마차를 타고 집을 나섰다. 나는 그들의 출발과 귀가를 목격했다. 전처럼 잉그램 양은 여자 중에서 말을 타고 가는 유일한 숙녀였다. 또한 전처럼 로체스터 씨가 그녀의 옆에서 말을 타고 가는 것이었다. 두 남녀는 다른 일행과는 다소 떨어져 가고 있었다. 나는 마침 내 옆 창가에 서 있던 페어팩스 부인에게 이 정황을 지적했다.

"저 두 사람이 결혼을 생각할 가능성이 없다고 말씀하셨지요?" 내가 말했다. "하지만 지금 보시듯이 분명 로체스터 씨는 다른 숙녀들보다 잉그램 양을 더 좋아하는 것 같아요."

"그래요. 아마 그럴 거예요. 그녀를 좋게 생각하는 건 틀림없네요."

"그리고 잉그램 양도 그분을 좋게 생각하고요." 내가 덧붙였다. "저기 보세요. 무슨 비밀 이야기라도 하는 것처럼 그녀의 머리가 로체스터 씨 쪽으로 기울어져 있잖아요! 그녀의 얼굴을 보았으면 좋겠네요. 아직은 얼핏 본 적도 없으니까요."

"오늘 저녁에 보게 될 겁니다." 페어팩스 부인이 대답했다. "이건 우연이었지만 제가 로체스터 씨한테 아델이 숙녀분들에게 소개되기를 몹시 바라고 있다고 말씀드렸어요. 그러자 이렇게 말씀하시더군요. '오! 그럼, 저녁 만찬이 끝난 후 아이를 응접실로 데려오세요. 에어 선생에게 아이를 데려오라고 하시오.'"

"그래요…… 그건 예의상 그렇게 말씀하셨겠죠. 나까지 갈 필요는 없을 거예요. 틀림없어요." 내가 대답했다.

"글쎄요…… 저도 주인님께 선생님이 손님들 앞에 나서는 그런 일에는 익숙하지 않으며, 아마 그렇게 화려하고 낯설기까지 한 분들 앞에 나서는 일을 좋아하지 않을 거라 생각한다고 말했어요. 그랬더니 대뜸 이렇게 말했어요. '말도 안 돼! 만약 안 오겠다고 하면 이건 내가 특별히 부탁하는 거라고 말하시오. 그리고 만약 끝까지 거부하면 그건 소환 불응에 해당하니까 내가 직접 가서 데려오겠다고 전하시오.'"

"그분에게 그런 수고까지 끼칠 생각은 없어요." 내가 대답했다. "더 좋은 수가 없으면 가겠어요. 하지만 마음이 내키진 않네요. 페어팩스 부인, 부인께서도 거기에 계실 거지요?"

"아뇨. 저는 빼달라고 간청했어요. 그래서 그 간청은 수락되었어요. 여하튼 이런 상황에서 가장 불편한 일이라 할 수 있는 공식 소개라는 당황스러운 처지를 피할 수 있는 방법을 가르쳐드리겠어요. 숙녀분들이 만찬 식탁을 떠나기 전, 그러니까 응접실이 비어 있을 때 미리 가 있으세요. 그러고는 마음에 드는 후미진 구석 자리에 자리를 잡고 앉아 있으세요. 그리고 신사분들이 들어오고 나서는, 마음이 내키지 않으면 오래 그곳에 계속 머무를 필요가 없어요. 그저 로체스터 씨에게 선생님이 그곳에 왔었다는 것을 확인만 시키면 돼요. 그다음에는 슬며시 빠져나오세요. 누구도 주목하지 않을 거예요."

"손님들이 오래 머물다 가실 거라고 생각하세요?"

"아마 2주 내지 3주 머무르실 거예요. 부활절 휴식 기간이 끝나면 최근에 밀코트 시 의원으로 선출된 조지 린 경께서 시내로 돌아가 의회에 출석하게 되어 있거든요. 로체스터 씨도 그분을 따라가실 거예요. 주인님께서 그렇게 긴 시간 동안 손필드 저택에 머무르신 것만으로도 내겐 놀라운 일이에요."

내가 맡은 아이를 데리고 응접실로 가기로 한 시간이 다가오는 것을 느끼자 나는 좀 마음이 떨렸다. 저녁에 숙녀들에게 소개될 예정이라는 말을 듣자 아델은 하루 종일 들떠서 황홀경에 빠져 있었다. 소피가 옷을 차려입히기 시작하고서야 비로소 아이의 마음은 다소 가라앉았다. 그리고 옷을 차려입는 과정이 얼마나 중요한 것인지를 깨닫고 아델은 재빨리 침착해졌다. 고수머리를 잘 빗어 동글동글하게 늘어뜨리고, 분홍색 공단 드레스를 입고, 긴 띠를 묶고, 레이스가 달린 장갑까지 끼고 나자 아델은 어느 법관 못지않게 근엄해 보였다. 옷매무새를 흐트러뜨리지 말라고 조심시킬 필요도 없었다. 옷을 다 차려입고 나자 아델은 조그만 자기 의자에 얌전히 앉아 있었다. 옷에 주름이 갈까 봐 공단 드레스 자락을 조심스럽게 들어 올리고 있었다. 그러면서 아델은 내가 준비를 마칠 때까지 그곳에 꼼짝도 않고 앉아 있겠다고 했다. 나는 서둘러 준비를 마쳤다. 나는 내가 가진 중에서 제일 예쁜 옷을 차려입었다. 템플 선생님 결혼식 때 사 입었던 은회색 드레스인데, 그 이후로는 한 번도 입은 적이 없는 옷이었다. 머리도 신속히 매만지고, 내 유일한 장식물인 진주 브로치도 달았다. 마침내 우리는 아래로 내려갔다.

다행히 손님들이 앉아 식사하고 있는 식당 문 말고 응접실로 가는 또 다른 문이 있었다. 응접실은 텅 비어 있었다. 난로에서는 커다란 불길이 조용히 타오르고 있었고 테이블을 장식하고 있는 더없이 아름다운 꽃들 사이에서 밀랍 양초 하나가 밝게 타고 있었다. 아치문 앞에는 진홍색 커튼이 드리워져 있었다. 그 커튼이 바로 옆방에서 식사를 하고 있는 손님들과 우리들을 간신히 구분해주고 있었지만, 그들이 하도 낮은 목소리로 말하고 있었기 때문에 그 소리들이 마음을 진정시키는 웅얼거림으로 들릴 뿐이지 내용은 하나도 알아들을 수 없었다.

매우 장엄한 인상에 눌려 잠자코 있는 것 같았던 아델은 내가 가리킨 발판 달린 걸상에 가서 앉았다. 나는 창턱 의자로 물러났다. 그리고 근처 탁자에 놓인 책 한 권을 집어 읽으려고 노력했다. 아델이 내 발치로 제 걸상을 끌고 와서 얼마쯤 있더니 내 무릎을 건드렸다.

"아델, 왜 그래?"

"저기 멋진 꽃송이 중에서 하나 가져와도 될까요, 선생님? 제 '옷차림'을 완벽하게 하려고요."

"넌 '옷차림'에 신경을 너무 쓰는구나, 아델. 그럼, 하나만 따서 달아라." 그렇게 말하고 나는 꽃병에서 장미 한 송이를 집어내어 아이의 장식띠에 달아주었다. 그러자 아이는 행복의 잔이 가득 찬 것처럼 말할 수 없이 만족하다는 한숨을 내뱉었다. 나는 억누를 수 없는 미소를 감추기 위해 얼굴을 돌렸다. 옷에 관한 한 이 꼬마 파리지엔의 열렬한, 그 타고난 애착에는 쓴웃음을 자아내는 면도 있었지만 우스운 면이 있었다.

마침내 손님들이 식탁에서 일어나는 소리가 들려왔다. 아치문에 걸렸던 커튼이 뒤로 젖혀졌다. 그러자 열린 틈을 통해 식당의 모습이 눈에 들어왔다. 휘황찬란한 불빛이 긴 식탁을 덮고 있는 은제 식기들과 화려한 후식용 유리그릇들 위로 쏟아지고 있었다. 숙녀들 일행이 통로에 서 있다가 응접실 안으로 들어왔다. 커튼이 그들 뒤로 드리워졌다.

숙녀들은 8명뿐이었다. 그러나 그들이 몰려 들어올 때 어쩐지 더 많은 수라는 느낌을 주고 있었다. 그들 중 몇 명은 키가 굉장히 컸고 대대수가 하얀색 옷을 입고 있었다. 모두가 바닥에 끌릴 정도로 큰 옷을 입고 있어서, 마치 안개가 달을 크게 보이게 하듯, 그들의 몸이 확대되어 보였다. 나는 일어나서 그들에게 한쪽 무릎을 굽혀 인사했다. 한두 명이 고개를 숙여 답례했다. 그러나 나머지들은 그저 나를 빤히 쳐다보는 것이었다.

그들은 방 이곳저곳으로 흩어졌다. 가볍고 둥둥 떠다니는 것 같은 그들의 움직임이 깃털 달린 흰 새 무리를 연상시켰다. 몇 명은 반쯤 누운 자세로 소파나 긴 의자에 몸을 던졌다. 몇 명은 탁자 위로 몸을 기울이며 꽃과 책들을 살펴보았다. 나머지는 난롯가에 모여 있었다. 그들은 낮지만 명료한 어조로 이야기를 하고 있었는데, 그런 어조는 그들의 습성인 것 같았다. 나는 후에 그들의 이름을 알게 되었다. 그래서 그 이름들을 지금 언급하는 편이 낫겠다.

먼저 에시턴 부인과 두 딸이 있었다. 부인은 젊었을 때 분명히 미인이었을 것이다. 아직 그 미모를 잘 간직하고 있었다. 딸들 중에 맏딸인 에이미는 키가 좀 작고 얼굴과 태도가 어린애 같았다. 그런데 몸매는 관심을 끌고 있었다. 그녀의 흰 모슬린 드레스와 파란색 장식 띠가 그녀에게 잘 어울렸다. 둘째인 루이자는 언니보다 키가 컸고 외모도 더 우아했다. 얼굴도 아주 예뻤는데 프랑스어로 '미누아 쉬포네'〔이목구비의 부조화에서 오는 매력〕라고 부르는 미모였다. 두 자매 모두 백합처럼 아름다웠다.

린 숙녀는 마흔가량 된 몸집이 크고 건장한 여인이었다. 자세가 곧고 매우 오만해 보였으며 시시각각 빛깔이 변해 보이는 현란한 공단 옷을 부티가 나게 입고 있었다. 검은 머릿결은 푸른색 깃털 차양 모자 밑과 보석 띠를 붙인 머리 고리 장식 안에서 반짝이고 있었다.

덴트 대령 부인은 그다지 두드러지는 여자가 아니었다. 그러나 더 숙녀다운 여자라는 생각이 들었다. 그녀는 작은 몸매와 창백하면서 온화한 얼굴과 금발을 하고 있었다. 그녀의 검은색 공단 드레스와 화려한 외제 레이스 스카프와 진주 장식은 린 숙녀의 무지개 빛깔의 광채보다 더 내 마음에 들었다.

그러나 일행 중에서, 아마 키가 제일 컸다는 이유도 있겠지만, 가장 눈에 띈 세 여성은 다우저 잉그램 부인과 그녀의 두 딸 블랑시 잉그램과 메리 잉그램이었다. 세 사람 모두는 여자치고 키가 아주 큰 축에 속했다. 잉그램 부인은 마흔에서 쉰 사이였는데 몸매가 여전히 아름다웠고 머리도 여전히 검었다. 적어도 촛불에 비친 모습은 그랬다. 치아 역시 외관상으로는 아직 온전했다. 대부분의 사람들은 그녀를 보고 나이에 비해 눈부시게 아름다운 부인이라고 불렀을 것이다. 그녀의 몸만 보고 말한다면 의심할 여지없이 그랬다. 그러나 그녀의 태도나 얼굴에는 참을 수 없이 거만한 표정이 배어 있었다. 그녀는 로마인 같은 이목구비와 이중 턱을 가지고 있었는데, 그 턱은 마치 기둥처럼 목 속으로 모습을 감추는 것이었다. 이런 이목구비는 내가 보기엔 부풀려지고 그늘져 있었을 뿐 아니라 심지어 오만함으로 골이 져 있었다. 또한 턱도 거의 초자연적일 정도로 곧게 차려 자세를 취하고 있었고 오만이라는 원칙이 떠받치고 있었다. 눈매 또한 사납고 매서웠다. 말할 때면 단어를 큰 소리로 과시하듯 말했다. 목소리는 굵었고 억양에는 거드름이 묻어났으며 매우 독단적인 면이 있었다. 간단히 말해 정말 참고 듣고 있을 수 없는 목소리였다. 진홍색 벨벳 의상과 금을 약간 넣어 직조한 인도산 숄

터번이 정말 당당하고 위엄 있게 그녀의 몸을 감싸고 있었다. 그녀 자신도 그렇게 생각하는 것 같았다.

블랑시와 메리는 키가 같았다…… 포플러나무처럼 곧고 컸다. 메리는 키에 비해 너무 호리호리했다. 그러나 블랑시는 사냥의 여신 다이애나처럼 주조된 체형이었다. 물론 나는 특별한 관심을 가지고 그녀를 바라보았다. 첫째로 그녀의 외모가 페어팩스 부인이 설명했던 것과 일치하는지 알고 싶었다. 둘째로 그녀의 외모가 내 상상으로 그린 그 축소형 초상화와 조금이라도 닮았는지 알고 싶었다. 셋째로…… 이건 앞으로 밝혀질 것이다!…… 그 외모가 로체스터의 취향에 맞을 가능성이 있다고 내가 상상했던 그런 모습인지 알고 싶었다.

생김새에 관한 한 그녀의 모습은 내가 그린 그림이나 페어팩스 부인이 설명한 모습과 꼭 들어맞았다. 고상한 가슴, 부드럽게 경사진 어깨, 우아한 목선, 검은 눈과 까만 고수머리, 모든 것이 그곳에 있었다……. 그러나 얼굴은?…… 얼굴은 자기 어머니의 얼굴을 닮았다. 주름만 없다 뿐이지 어머니의 젊은 시절 얼굴을 빼다 박은 형상이었다. 똑같이 좁은 이마, 똑같이 솟아오른 이목구비, 똑같은 거만함이 거기 있었다. 그러나 그 오만함은 어머니의 음울한 오만함이 아니었다. 그녀는 시종 웃고 있었다. 그 웃음은 냉소적인 웃음이었다. 오만해 보이는 아치 모양의 입술이 습관적으로 지어 보이는 표정에도 냉소가 어려 있었다.

천재는 자의식이 강하다는 말이 있다. 잉그램 양이 천재였는지는 나는 모른다. 그러나 그녀는 자의식이 강했다…… 정말 눈에 띄게 강했다. 마침 그녀가 점잖은 덴트 부인과 식물학에 대한 이야기를 시자하고 있었다. 덴트 부인은 그 학문에 관해 공부한 적이 없는 것 같았다. 그러나 그 부인은 꽃들, '특히 야생의 꽃들'을 좋아한다고 말했다. 그런데 잉그램 양은 식물학을 공부한 적이 있었기 때문에 거만을 떨며 식물학 용어를 나열하는 것이었다. 나는 얼마 가지 않아 그녀가 (사투리를 쓰자면) 덴트 부인을 질질 끌고 다니는 것, 다시 말해 가지고 노는 것을 감지했다. 그렇게 끌고 다니는 것은 영리한 일인지는 몰라도 확실히 착한 성품은 아니었다. 그녀는 연주도 했는데 그 솜씨가 뛰어났다. 노래도 불렀다. 목소리도 훌륭했다. 자기 어머니에게 따로 이야기할 때는 프랑스어로 했는데 유창하면서 훌륭한 억양을 구사하며 썩 잘하는 것이었다.

메리는 블랑시보다 더 유순하고 보다 솔직한 표정의 얼굴을 하고 있었다. 이목구비도 훨씬 더 부드러웠고 피부는 좀 더 하얗다. (잉그램 양은 스페인 사람처럼 가무잡잡했다.) 그러나 메리에겐 활기가 부족했다. 얼굴에 표정이 없었고 눈에는 광채가 없었다. 말이 없었고 일단 자리에 앉으면 벽감 속 조각상처럼 꼼짝 않고 앉아 있었다. 두 자매는 다 같이 새하얀 복장을 하고 있었다.

그러면 그때 내가 잉그램 양이 로체스터 씨가 선택할 가능성이 있는 여자라고 생각했을까? 알 수 없었다……. 나는 여성의 아름다움에 대한 그의 취향을 몰랐기 때문이다. 만약 그가 당당한 미를 좋아한다면 잉그램 양이 바로 그런 유형이었다. 게다가 그녀는 교양도 있고 발랄했기 때문이다. 대부분의 신사들이 그녀를 흠모하리라고 나는 생각했다. 나는 로체스터 씨 역시 그녀를 흠모한다는 증거를 이미 확보했다는 생각이 들었다. 마지막 석연치 않은 그림자를 지워버리기 위해서는 이제 두 사람이 함께 있는 것을 볼 일만 남아 있었다.

독자 여러분은 이 시간 내내 아델이 내 옆 걸상에 꼼짝도 하지 않고 얌전히 앉아만 있었다고 생각하면 안 된다. 그건 어림도 없는 이야기다. 숙녀들이 들어오자마자 아델은 벌떡 일어나 달려가 그들을 맞았다. 그러고는 당당히 인사를 한 후 말했다.

"안녕하세요, 여러분!" 프랑스어로 말했다.

그러자 잉그램 양이 비웃는 태도로 아델을 내려다보며 소리쳤다.

"원 세상에! 이렇게 작은 꼭두각시 인형이 다 있네!"

린 부인이 말했다. "로체스터 씨가 돌봐주는 피보호자인 모양이군요……. 그분이 말씀하시던 프랑스 애로군요."

덴트 부인은 친절히 아이의 손을 잡더니 거기다 키스해주었다. 에이미와 루이자도 동시에 소리쳤다.

"정말 귀여운 아이야!"

이어서 그 자매들은 아델을 소파로 불렀다. 이제 아델은 두 자매 사이에 편안히 앉아 프랑스어와 엉터리 영어를 번갈아 써가며 조잘댔다. 따라서 그런 모습은 젊은 숙녀들의 관심을 끌었을 뿐 아니라 에시턴 부인과 린 부인의 관심까지 끌었고 아델은 마음껏 응석받이 노릇을 했다.

마침내 커피가 들어온다. 그래서 신사들을 불러들인다. 나는 그늘 속에 앉아 있다—휘황찬란하게 불이 밝혀진 그 방에 그런 그늘이 있다면 말이다. 창문 커튼이 나를 반쯤 가려주고 있다. 다시 아치문이 하품한다. 신사들이 들어온다. 그들의 집단적 출현도 숙녀들이 그랬던 것처럼 매우 위풍당당하다. 그들 모두는 검정색 옷을 입고 있다. 그들 대부분은 키가 크다. 몇 명은 젊다. 헨리와 프레더릭 린 형제는 매우 활기가 넘친다. 덴트 대령은 멋진 군인다운 남자다. 그 지역 행정 판사인 에시턴 씨는 신사답다. 머리는 꽤 희지만 눈썹과 구레나룻은 아직 검어서 '연극무대의 가부장' 같은 인상을 풍긴다. 잉그램 경은 누이들처럼 키가 매우 크다. 또한 누이들처럼 잘생겼다. 그러나 그는 무감각하고 맥 빠진 메리의 외모를 공유하고 있다. 그는 발랄한 신체적 활력이나 두뇌의 탁월함보다는 팔다리의 길이를 더 풍부하게 타고난 것 같다.

그런데 로체스터 씨는 어디 있는 것일까?

마침내 그가 나타난다. 나는 아치문 쪽을 보고 있지 않지만 그가 들어오는 것은 보인다. 나는 만들고 있는 지갑의 실 뭉치 위 뜨개질 바늘들에 주의를 집중하려고 노력한다. 나는 내 손에 들고 있는 일감만 생각하고 내 무릎 위에 놓인 은색 방울들과 은색 실만 보기를 원한다. 그런데도 그의 모습이 똑똑하게 보인다. 나는 어쩔 수 없이 그의 모습을 마지막으로 보았던 순간을 떠올린다. 그것은 절실히 필요로 하는 도움이라고 그가 생각하는 그런 도움을 내가 그에게 준 직후였다. 그때 그는 내 손을 잡고 내 얼굴을 내려다보며 너무 벅찬 나머지 터지기 직전의 자기 가슴속을 보여주는 눈빛으로 나를 내려다보았었다. 나도 그의 그런 감정을 함께했었다. 그 순간 그에게 얼마나 가까이 다가갔던가! 그 이후 무슨 일이 일어났기에 그와 나의 상대적 위치가 바뀌게 되었을까? 또한 지금 우리들 사이가 얼마나 멀어지고 얼마나 소원해졌는가! 너무 소원해져 그가 내게 와서 말을 걸 것을 기대조차 못하지 않는가. 나는 그걸 이상한 일이라고 생각하지 않았다. 왜냐하면 그는 나를 보지 않고 방 다른 쪽 한 자리에 앉더니 몇몇 숙녀들과 대화를 시작했기 때문이다.

그의 관심이 숙녀들에게 집중되고 이제 내가 들킬 염려 없이 그를 바라봐도 된다는 것을 깨닫자마자 내 눈길은 내 의지와는 무관하게 그의 얼굴로 끌려갔다. 나는 내 눈꺼풀을 통제할 수 없었다. 눈꺼풀은 위로 올라갔고 눈알의 홍채가 그에게 고정되었다. 나는 바라보았다……. 바라보는 그 자체에서 짜릿한 기쁨을 느꼈다. 소중하면서도 독성이 있는 기쁨이었다. 고뇌라는 쇠 성분이 섞인 순금 같은 기쁨이었다. 갈증으로 죽어가는 사람이 기어서 샘물에 도달했지만 물에 독이 퍼져 있는 것을 알면서도 어쩔 수 없이 몸을 숙여 그 성스러운 물을 몇 모금 마실 때 느낄 수도 있는 그런 기쁨이었다.

"아름다움이란 바라보는 이의 눈 속에 있다"는 말은 그야말로 진리이다. 내 주인의 핏기 없는 올리브색 얼굴, 네모진 넓은 이마, 폭이 넓고 새까만 눈썹, 푹 팬 눈, 강해 보이는 이목구비, 단단하고 냉혹한 입술…… 온통 정력과 결단력과 의지의 뭉치…… 이것들은 통상적 관례에 따르면 아름답지 않았지만 나에게는 아름다움 이상의 아름다움이었다. 그것들은 어떤 관심거리, 즉 나를 완전히 지배하고, 내 감정을 내 제어 능력에서 빼앗아 자기 능력의 족쇄를 채워 버리는 그런 영향력으로 가득 차 있었다. 나는 그를 사랑할 의도를 품어본 적이 없었다. 내 영혼 안에서 탐지된 사랑의 싹을 제거하려고 내가 얼마나 열심히 노력했는가는 독자 여러분도 알 것이다. 그러나 지금 그를 다시 보게 되자 그 사랑의 싹은 자발적으로 푸르고 힘차게 되살아났다. 그는 나를 쳐다보지도 않으면서 나로 하여금 자기를 사랑하게 만든 것이다.

나는 그를 손님들과 비교해보았다. 타고난 박력과 순수한 활력을 지닌 그의 모습과 비교할 때 정중하고 우아함을 지닌 린 형제들의 모습이나 나른한 우아함을 지닌 잉그램 경의 모습이나 심지어 군인의 특징을 발휘하는 덴트 대령의 모습은 아무것도 아니었다. 다른 손님들의 외모나 표정에는 내 호감을 끄는 것이 전혀 없었다. 그러나 대부분의 다른 관찰자들은 그네들을 매력적이고 잘생기고 당당하다고 말했을 것이라고 나는 상상할 수 있었다.

반면 로체스터 씨에 대해서는 무섭게 생기고 침울해 보인다고 공언했을 것이라고 상상할 수 있었다. 손님들이 미소하고 웃는 것을 보았다…… 그건 아무것도 아니었다. 촛불도 그 자체 안에 저들의 미소만큼의 혼백을 지니고 있었다. 이번에는 로체스터 씨가 미소 짓는 것을 보았다…… 엄해 보이던 그의 이목구비가 부드러워졌고 눈매도 밝으면서 온화했고 눈빛은 날카로우면서 동시에 아름다웠다.

마침 그때 그는 루이자와 에이미 에시턴 자매와 이야기를 나누고 있었다. 상대방을 관통할 것같이 내게는 느껴지는 그런 그의 눈길을 그 자매들이 차분하게 받아들이는 것을 보고 나는 의아한 느낌마저 들었다. 나는 그 눈길을 마주하여 두 자매가 눈을 아래로 떨구고 얼굴을 붉히리라 예상했었다. 그러나 그들에게 아무런 감정의 동요가 없는 것을 보자 나는 기뻤다. '내가 느끼는 그의 의미를 저들은 느끼지 않는군.' 하고 나는 생각했다. '그는 저들에게 맞는 타입이 아니군. 그는 내 타입이라고 나는 믿어. 틀림없어. 나는 동질감을 느껴. 나는 그의 얼굴과 동작이 말하는 언어를 이해해. 계급과 재산이 우리를 갈라놓고 있지만, 내 머리와 가슴, 내 혈관과 신경 속에는 정신적으로 나를 그에게 동질화시키는 무언가가 있어. 그러나 불과 며칠 전 나 스스로에게 그와 나는 급료를 주고받는 것 외엔 아무런 관계도 없다고 말하지 않았던가? 나 스스로에게 그를 급료를 지급하는 주인이지 다른 관점에서 생각하는 걸 삼가라고 하지 않았던가? 그건 자연의 순리에 대한 불경스러운 일인 거다! 내 모든 선량하고 진실되고 활기찬 감정이 충동적으로 그의 주위에 모두 모이고 있군. 내 감정을 숨겨야 한다는 걸 나도 알아. 희망을 질식시켜 없애야 해. 그는 내게 많은 신경을 쓸 수 없는 처지라는 걸 명심해야 해. 내가 그에게 맞는 타입이라고 내가 말은 했지만, 그렇다고 내가 그처럼 큰 영향력을 행사할 그가 가진 힘과 사람을 끄는 그의 마력까지 가지고 있다는 뜻은 아니야. 내 말은 나의 어떤 취향과 감정이 그와 같다는 뜻이었어. 그러니까 우리 두 사람은 영원히 분리되어 있다는 사실을 계속 반복해야 돼. 그렇지만 내가 숨 쉬고 생각하는 동안은 난 그를 사랑해야 해.'

커피가 건네진다. 신사들이 들어오고 나서부터 숙녀들은 종달새처럼 활기를 띤다. 대화가 점점 활기를 띠고 즐거워진다. 덴트 대령과 에시턴 씨가 정치에 대해 논쟁을 벌인다. 그들의 아내들이 듣고 있다. 거만한 두 미망인, 다우전 린 부인과 잉그램 부인이 함께 담소를 나눈다. 몸집이 크고 매우 발랄해 보이는 시골 신사 조지 경(깜빡 잊고 소개를 빠뜨렸던 사람이다.)이 커피 잔을 들고 두 부인 사이에 서 있다가 가끔씩 한마디 끼어든다. 프레더릭 린 씨가 메리 잉그램 옆에 자리 잡고 앉아 어떤 화려한 책 속 판화 그림들을 보여준다. 그걸 보고 그녀가 이따금 미소를 짓지만 별로 말은 하지 않는 것 같다. 키가 크고 무기력한 잉그램 경이 팔짱을 낀 채 활달하고 자그마한 에이미 에시턴의 의자 등받이에 기대어 서 있는데, 그녀는 그를 힐끗 올려다보며 굴뚝새처럼 재잘댄다. 그녀는 로체스터 씨보다 그를 더 좋아한다. 헨리 린은 루이자의 발치에 놓인 긴 의자를 차지하고 있다. 아델이 그 의자에 함께 앉아 있다. 그가 아델에게 프랑스어로 말하려고 애쓰고 있다. 그러자 루이자는 그가 실수하는 것을 듣고 웃는다. 블랑시 잉그램은 누구와 함께 짝이 되기를 원하는 것일까? 그녀는 탁자 옆에 혼자 서서 앨범 위로 우아하게 몸을 굽혀 내려다보고 있다. 누군가 자기를 찾아주기를 기다리고 있는 것 같다. 하지만 그녀는 그리 오래 기다리지 않는다. 자신이 스스로 짝을 고른다.

에시턴 자매를 떠난 로체스터 씨는 탁자 곁에 서 있는 그녀만큼이나 외로운 모습으로 난롯가에 홀로 서 있다. 그녀가 다가와 벽난로 장식 반대편에 자리를 잡으며 그를 마주 보고 선다.

"로체스터 씨, 아이들을 좋아하지 않으신다고 생각했는데요?"

"좋아하지 않아요."

"그런데 저 애처럼 작은 인형은 어떡해 맡게 되셨나요?" 그녀가 아델을 가리키며 말했다. "어디서 주워 오셨지요?"

"주워 온 게 아닙니다. 그냥 내 손에 맡겨진 겁니다."

"학교에 보냈어야 하지 않나요?"

"그럴 여유가 없었습니다. 학비가 워낙 비싸서."

"무슨 말씀을. 가정교사를 두고 있는 것 같던데요. 방금 전 아이와 함께 있는 사람을 보았거든요……. 방에서 나갔나? 아, 아니군. 아직 저 창문 커튼 뒤에 있군요. 물론 저 여자에게 급료를 지급하시겠지요. 그 비용이 학비만큼 비쌀 텐데요. 아마 더 들지도 모르죠. 학비 외에 두 사람 생활비까지 들 테니까요."

나는 겁이 났다. 아니면 희망이 생겼다고 말해야 하나? 그녀가 나를 언급하는 바람에 로체스터 씨가 내 쪽으로 시선을 돌릴지도 모르기 때문이었다. 나는 의지와는 무관하게 그늘 안으로 더 깊이 몸을 움츠렸다. 그러나 그는 시선을 결코 돌리지 않았다.

"그런 점은 생각해보지 않았습니다." 그는 앞쪽을 똑바로 바라보며 대수롭지 않게 대답했다.

"그렇군요……. 남자들은 경제나 상식에 대해서는 좀처럼 생각을 하지 않아요. 여자 가정교사에 관한 자세한 내용은 우리 엄마 말을 들어보셔야겠군요. 제 기억으로는 어린 시절에 메리와 나는 적어도 열두 명쯤 되는 가정교사들을 겪었거든요. 그중 반은 혐오스러웠고 나머지들은 우스웠어요. 모두가 꿈속의 마귀들이래요……. 엄마, 안 그래요?"

"우리 딸, 뭐라고?"

그 미망인의 각별한 소유물로 호칭된 그 젊은 숙녀는 상황을 설명하며 질문을 되풀이했다.

"이 귀여운 것아, 가정교사 이야기는 입도 뻥끗 마라. 그 말만 들어도 골치가 아프다. 그 무능력과 변덕 때문에 수난을 겪은 것 같애. 이젠 그 사람들과 끝냈으니 하늘에 감사하지 뭐니."

덴트 부인이 이때 그 하늘에 감사까지 하는 경건한 부인에게 몸을 기울이며 귓속말로 속삭였다. 그에 대한 응답으로 미루어 볼 때, 아마 그 방 안에는 저주받은 종족 중 한 명이 들어와 있다는 사실을 상기시켜주는 귀띔이었던 것 같다.

"땅 피!"〔너무 안됐군!〕 그 부인이 말했다. "내가 한 말이 약이 되었으면 좋겠네요!" 그러고 나서 그녀는 좀 더 낮은 목소리이면서도 여전히 내가 충분히 들을 수 있는 목소리로 이렇게 말했다. "아까 저 여자를 봤어요. 내가 관상을 좀 볼 줄 아는데, 그녀 얼굴엔 자기 족속의 결점을 다 가지고 있더군요."

"부인, 그게 뭐지요?" 로체스터 씨가 큰 소리로 말했다.

"나중에 따로 말씀드리겠어요." 뭔가 중요한 의미가 들어 있는 것처럼 터번을 세 번 흔들며 그녀가 말했다.

"하지만 제 호기심은 입맛을 잃고 난 뒤일 겁니다. 지금 당장 음식을 갈구하고 있습니다."

"블랑시에게 물어보세요. 그 애가 나보다 댁과 더 가까이 있으니까요."

"오, 엄마, 그분을 제게 떠맡기지 마세요! 전 가정교사라는 족속에 대해서는 한마디밖에 할 게 없어요. 그들은 골치 아픈 존재지요. 나는 그들 때문에 많은 고통을 겪었다는 뜻은 아녜요. 저는 조심스럽게 그들에게 역공을 펼쳤어요. 시어도어하고 저는 짓궂은 장난을 많이 쳤어요. 처녀 선생 윌슨 선생, 그레이스 선생, 그리고 마담 주베르 선생한테 꽤 장난쳤지요! 메리는 늘 졸기 바빠서 우리 음모에 적극 가담을 하지 않았어요. 제일 재미났던 건 주베르 선생이었죠. 윌슨 선생은 불쌍하고 몸이 약했어요. 눈물만 짜고 침울했어요. 간단히 말해서 그 여자는 이겨먹을 가치도 없었어요. 그레이스 선생은 천하고 무신경이었어요. 아무리 타격을 가해도 아무 효과가 없었고요. 하지만 가엾은 주베르 선생! 우리가 극한상황까지 몰아가면 미친 듯이 화를 내던 모습이 지금도 눈에 선해요. 우리들의 차를 엎지르고 빵과 버터를 으깨버리고 천장으로 책들을 집어던지며, 자와 책상, 난로 울, 난로용 철물들을 이용해 장단을 맞추며 소란을 피우는 '샤리바리'* 놀이를 했던 일들이 생각나요. 시어도어, 즐거웠던 그 시절이 기억나지?"

"응, 나고말고." 잉그램 경이 느린 어조로 말했다. "그 불쌍한 늙은 막대기는 '세상에 고약한 녀석들!'이라고 말하며 울음을 터뜨렸지. 그러면 우리를 그렇게 무식한 주제에 우리처럼 똑똑한 칼날들을 가르치려는 게 얼마나 주제넘은 일인지 설교를 했었지."

"그랬었어. 시오, 또 남자 가정교사, 그 얼굴이 창백한 바이닝 선생을 기소할 때,(박해할 때라고 할까) 내가 도왔었지. 우리는 그를 '병든 목사'라고 부르곤 했었어. 그 선생하고 윌슨 선생이 뻔뻔스럽게도 사랑에 빠졌었잖아. 적어도 시오하고 나는 그렇게 생각했어요. 우리는 '라 벨 파시옹'〔연애 감정〕의 표시라고 해석될 수 있는, 그 둘 사이에 오간 온갖 부드러운 눈길과 탄식을 즉각 그 자리에서 간파했던 겁니다. 장담하지만 우리가 발견한 그 사실 때문에 사람들이 혜택을 입었을 겁니다. 그 사실을 알게 된 것을 지렛대로 이용하여 그 무거운 짐 덩어리들을 집어 높이 들어 올려 처리해버렸거든요. 여기 계신 어머니께서 그 사건을 눈치채자 지체 없이 그걸 아주 부도덕한 성향과 관련된 일이라고 생각하셨던 거죠. 안 그래요, 점잖으신 어머님?"

"그랬지. 예쁜 딸아. 그런데 내 처사는 아주 옳았어. 그건 확실해. 제대로 된 양갓집이라면 남녀 가정교사 사이의 밀통 관계를 절대 용납 말아야 할 이유가 천 가지는 될 게다. 첫째……."

"에이구, 어머니! 그 종목 나열은 안 해주셔도 됩니다! 게다가

---

* 인기 없는 성원을 야유하면서 소란하게 장단을 맞추는 행위.

우리가 다 아는 종목이니까요. 순진무구한 아이들에게 나쁜 본보기가 될 위험성이 있고요. 맡긴 아이의 주의가 산만해지고, 그에 따라 학생의 의무를 게을리하게 되지요. 선생님과 학생 상호 간의 협력과 의존을 저버리게 될 위험도 있고요. 거기서 생기는 신뢰감도 그렇고요……. 오만함이 동반되고…… 반항심과 전반적 파산이 따라오는 것이지요. 잉그램 파그 저택의 남작 부인님, 제 말이 옳지요?"

"백합 같은 우리 딸아, 늘 그렇듯 옳고말고."

"그럼, 더 이상 말할 필요가 없네. 화제를 바꿔요."

이 말을 듣지 못했던지 아니면 그저 무시해버렸던지 에이미 에시턴은 아이 같은 부드러운 목소리로 끼어들어 말했다. "루이자와 저도 우리 가정교사에게 짓궂은 장난을 치곤 했어요. 그러나 우리 선생님은 너무 착하셔서 뭐든 참아주셨어요. 성가시게 생각하질 않으셨어요. 한 번도 우리에게 화내신 적이 없어요. 안 그래, 루이자?"

"그래, 한 번도 없었다. 우리가 하고 싶은 일은 무엇이든 할 수 있었어. 선생님 책상을 뒤지고, 일지를 뒤지고, 서랍에 든 것 모두를 쏟아내곤 했지. 그런데도 워낙 착한 성품을 가진 분이어서 우리가 원하는 건 모두 다 주시려고 했어."

"자, 제 생각은," 하고 잉그램 양이 입술을 냉소적으로 비틀며 말했다. "현존하는 모든 가정교사들의 회고록 축약본이 나오겠군요. 그런 일이 생기는 것을 피하기 위해서도 저는 새로운 화제의 도입을 다시금 동의하는 바입니다. 로체스터 씨, 제 동의에 재청하시지요?"

"물론입니다, 잉그램 양. 다른 안건에서와 마찬가지로 이 안건에 대해서도 지지합니다."

"그러면 새 화제를 꺼내는 임무는 제가 지겠습니다. 에드워드 경, 오늘 밤 노래를 부르시겠습니까?"

"비앙카 폐하, 명령만 내리신다면 기꺼이 부르겠습니다."

"그럼, 에드워드 경, 폐와 발성기관을 가다듬고 있으라고 과인이 준엄한 명령을 내리겠소. 과인을 위한 봉사에 쓰이게 될 테니 말이오."

"그토록 성스러운 메리 여왕 폐하의 리지오*가 되는 것을 마다할 사람이 누가 있겠습니까?"

"리지오 이야기는 그만!" 그녀가 고수머리 다발을 출렁이며 피아노로 다가가며 외쳤다. "그 악사 출신 리지오는 틀림없이 재미없는 사람이었을 거라는 게 제 의견입니다. 저는 가무잡잡했던 보스웰 백작이 훨씬 더 마음에 들어요. 제 생각으로는 남자라면 심성에 악마의 기미가 있어야지 그렇지 않으면 남자도 아니에요. 제임스 헵번에게 무슨 일이 일어났는지 역사가 말해줄 거예요. 어쨌든 저는 그 사람이 바로 제가 말한 그런 종류의 남자, 즉 거칠고 사납고 산적 두목 같은 남자라고 생각해요. 그리고 그런 남자에게라면 결혼 약속이라는 선물을 바칠 수 있을 거예요."

"신사 여러분, 들으셨지요! 우리 중에서 과연 누가 가장 보스웰을 닮았을까요?" 로체스터 씨가 큰 소리로 외쳤다.

"그런 특혜는 바로 로체스터 씨 당신에게 돌아가는 것 같소." 덴

---

* 이 부분은 이탈리아어를 흉내 내며 오페라 식으로 이야기하고 있다. 스코틀랜드의 메리 여왕이 연정을 품었던 이탈리아의 가수 출신 비서 데이비드 리지오를 말한다.

드 대령이 대답했디.

"제 명예를 걸고 말씀드리는데, 정말 감사합니다." 그가 대답했다.

눈처럼 새하얀 드레스 자락을 여왕처럼 풍성하게 펼치며 오만한 우아함을 과시하며 피아노 앞에 자리를 잡은 잉그램 양이 화려한 전주곡을 연주하기 시작했다. 그러는 동안에도 이야기를 계속하고 있었다. 그녀는 오늘 밤 뽐내기로 작심한 것 같았다. 그녀가 하는 말과 태도는 모두 그녀의 말을 듣는 사람들의 탄성뿐만 아니라 경탄도 불러일으키기 위해 의도된 것 같았다. 그녀는 분명히 자신의 말과 태도를 통해 기발하고 정말로 대담하구나 하는 인상을 심어주려고 전념하고 있었다.

"아, 저는 요즘 젊은이들한테서는 신물이 나요!" 그녀는 악기를 빨리 두드리며 큰 소리로 말했다. "아빠의 정원 문밖으로 단 한 걸음도 나갈 힘도 없는 불쌍하고 허약한 것들…… 엄마의 허락과 보호가 없으면 문밖에조차 못 나가는 것들! 예쁘장한 얼굴과 흰 손과 작은 발 치장에만 몰두하고 있는 인간들이라니. 마치 남자와 미모 사이엔 무슨 관계가 있는 것처럼 말예요! 마치 사랑스런 외모가 여성의 특권이 아닌 것처럼 굴어요…… 여성의 합법적인 속성이며 유산이 아닌 것처럼 굴어요! 추한 여자란 창조라는 아름다운 천 표면을 더럽히는 오점이라는 걸 인정합니다. 그러나 남자들의 경우는 어떤가 하면, 그들더러는 다만 힘과 용기만 가질 것을 소망하라고 하세요. 남자들의 좌우명은 이래야 합니다. 사냥하고 총을 쏘고 싸워라입니다. 나머지는 아무 쓸모도 없는 일입니다. 제가 남자라면 그게 제 좌우명이 될 겁니다."

"제가 만약 결혼한다면," 하고 그녀는 잠시 말을 쉬었다가 다시 계속했다. 누구도 그녀의 말에 끼어들지 않았다. "저는 남편이 내 경쟁자가 되는 게 아니라 나를 돋보이게 만드는 걸 장식으로 쓰겠다고 단단히 결심했습니다. 내 옥좌 근처에 어떤 경쟁자도 허용하지 않겠어요. 남편에게서 분산되지 않은 충성을 끌어낼 거예요. 그의 헌신적인 마음이 저와 거울에 비친 남편 자신과 공유하지 못하게 할 거예요. 로체스터 씨, 이제 노래하세요. 제가 반주해드리죠."

"그저 분부대로 하겠습니다." 그가 응답했다.

"그럼, 여기 해적의 노래 한 곡을 반주하겠어요. 내가 그 노래에 흠뻑 빠져 있다는 것을 알아두세요. 그런 이유에서 '활기차게' 불러주세요."

"잉그램 양의 입술에서 나온 명령이라면 물을 탄 우유가 담긴 머그잔이라도 독한 위스키 맛이 날 것입니다."

"그러면 조심하세요. 제 마음에 들지 않으면 그런 혼합 음료수는 어떻게 만들어지는지 본때를 보여드려 창피를 주겠어요."

"무능함에 대해서 특별상을 주신다는 말이군요. 난 이제 잘하지 못하려고 노력하겠습니다."

"조심하세요!(여기는 프랑스어였다.) 만약 일부러 실수하시면 그에 상응하는 벌을 강구할 테니까요."

"잉그램 양께서는 관대하셔야 합니다. 인간으로서는 도저히 견뎌낼 수 없는 벌을 내릴 능력이 그녀에게는 있기 때문입니다."

"뭐라고요! 그게 무슨 뜻인지 설명하세요!" 그 숙녀가 명령했다.

"잉그램 양, 용서하십시오. 설명할 필요가 없습니다. 당신의 훌륭한 분별력은 당신이 한 번만 찡그려도 그것이 사형선고를 충분히 대체한다는 것을 본인에게 알릴 것이기 때문입니다."

"노래하세요!" 그녀는 말하고 다시 피아노에 손을 올리더니 경쾌한 템포로 반주를 시작했다.

'바로 지금이 살짝 빠져나갈 기회로군.' 하고 나는 생각했다. 그러나 그 순간 허공을 가르는 목소리가 나를 묶어두는 것이었다. 전에 페어팩스 부인이 로체스터 씨는 훌륭한 목소리를 가지고 있다고 말한 적이 있었다. 과연 그랬다. 감미롭고 힘찬 저음의 베이스였다. 게다가 그는 그 목소리에다 자신의 감정과 힘을 싣고 있었다. 그 목소리는 듣는 사람의 귀를 지나 심장에 이르러 그곳에서 이상한 감흥을 일깨우고 있었다. 나는 깊고 그윽한 그의 음성의 마지막 진동이 완전히 사라질 때까지……. 그리고 잠시 끊어졌던 대화의 물결이 다시 흐르기 시작할 때까지 거기 기다리고 있었다. 그런 다음 나는 은신해 있던 구석을 떠나 마침 바로 근처에 있는 옆문으로 나왔다. 그곳에 난 좁은 복도가 현관홀로 이어져 있었다. 좁은 복도를 질러가다 나는 샌들 끈이 풀어져 있는 것을 발견했다. 그걸 다시 묶기 위해 계단 밑 매트 위에서 무릎을 굽히고 있었다. 식당 문이 열리더니 신사 한 분이 밖으로 나오는 소리가 들렸다. 급히 일어서다가 나는 그와 얼굴을 마주 보게 되었다. 그건 로체스터 씨였다.

"잘 지냈소?" 그가 물었다.

"잘 지냈습니다, 주인님."

"왜 내 방으로 와서 나한테 말도 걸지 않았소?"

나는 그 질문을 한 그에게 바로 그 질문을 던질 수도 있었을 텐데 하는 생각이 들었다. 그러나 그런 무례는 범하고 싶지 않았다. 그래서 그냥 대답했다.

"너무 바쁘신 것 같아서 방해하고 싶지 않았습니다."

"나 없는 동안 뭘 하며 지냈소?"

"별로 특별히 한 것이 없습니다. 평상시처럼 아델을 가르쳤습니다."

"그런데 전보다 안색이 훨씬 더 창백하군요. 첫눈에 알 수 있소. 무슨 일이 있었소?"

"전혀 없었습니다, 주인님."

"나를 물에 흠뻑 젖게 만들었던 그날 감기라도 걸린 것 아니오?"

"전혀 그렇지 않습니다."

"응접실로 다시 돌아가요. 너무 빨리 도망하는 것 아니오?"

"피곤해서요, 주인님."

그는 잠시 나를 바라보았다.

"좀 우울해 보이기도 하는군." 그가 말했다. "무슨 일 있소? 말해봐요."

"아무 일도 없습니다. 정말입니다, 주인님. 우울하지 않습니다."

"그러나 난 장담해요. 지금 우울해요. 너무 우울해서 몇 마디 더하다간 선생 눈에 눈물이 맺힐 것 같아요. 아니, 벌써 눈물이 맺힌 것 아니오. 이미 눈물방울이 반짝이고 눈가가 젖어 있군그래. 구슬한 개가 속눈썹에서 미끄러져 내려와 바닥에 떨어졌는걸. 시간만 있으면, 또 저 융통성도 없이 떠벌리기나 하는 하인 녀석이 지나갈 염려가 전혀 없다면 대체 선생이 왜 그러는지 듣고 싶군. 자, 그럼, 오늘 밤은 그냥 보내겠소. 그러나 손님들이 이곳에 머무는 동안 매일 저녁 나는 선생이 응접실에 나타나기를 기대할 거라는 걸 명심하시오. 그건 내 소망이니 무시하지 말아요. 자, 가도 좋소. 아델은

소피에게 데려가라고 일러요. 안녕히 주무시오, 나의……," 그는
말을 멈추고 입술을 깨물었다. 그러고는 갑자기 나를 떠났다.

제18장

    손필드 저택의 이즈음의 날들은 즐거운 나날들이었다. 또한 바쁜 나날이기도 했다. 내가 여기 와서 그 지붕 밑에서 보냈던 적막과 단조로움과 고독이 전부였던 그 석 달과 얼마나 다른 날들이었던가! 이제 모든 슬픈 감정은 이 집에서 추방되고 모든 우울한 생각도 잊힌 것 같았다. 하루 종일 어디를 보나 생기가 있었고 움직임이 있었다. 그렇게도 조용했던 복도를 가로질러 가거나 주인을 맞이해본 적이 없는 저택 전면의 방들로 들어가기만 하면 반드시 단정한 몸종 하녀들이나 말쑥한 남자 종복들과 마주쳤다.

    부엌, 집사의 식료품 저장실, 하인들의 방, 현관홀도 다 같이 활기로 넘쳤다. 온화한 봄 날씨의 푸른 하늘과 화창한 햇살이 객실의 주인들을 옥외로 불러낼 때에만 응접실들이 텅 비고 정적을 유지할 뿐이었다. 그런 화창한 날씨가 중단되고 며칠 동안 비가 끊이지 않고 내려도 눅눅한 습기가 즐거운 오락을 뒤덮지는 못하는 것 같았다. 야외 오락을 중지시킨 결과, 오히려 실내 오락이 더 활기차고 다양한 것이 되었다.

    오락의 종류를 바꾸자는 제의가 있었던 첫날 저녁 그들이 어떤 오락을 할지 나는 퍽 궁금했다. 그들은 '셔레이드 게임'*에 대해 말하는 것이었다. 그러나 나는 무식해서 그 어휘를 이해하지 못했다.
하인들이 소집되고 식당의 바퀴 달린 탁자들이 치워지고 등불들도
달리 배치되었다. 아치 맞은편에는 반원 모양으로 의자들이 배치되
었다. 로체스터 씨와 다른 신사들이 이런 집기 배치를 지시하는 동
안 숙녀들은 계단을 오르내리고 벨을 울려 몸종 하녀들을 부르느라
법석을 떨었다. 페어팩스 부인도 불려 와서 집 안에 있는 숄과 의
상, 온갖 종류의 옷감과 천의 현황을 보고했다. 3층에 있는 옷장을
샅샅이 뒤져 그 안의 내용물들, 이를테면 무늬와 테두리가 들어간
속치마, 검정 실크 가운, 공단으로 만든 헐렁한 웃옷, 모자의 레이
스 장식, 기타 온갖 소재들을 하녀들이 한 아름씩 안고 내려왔다.
그 후 선별 작업이 진행되었고 거기서 선택된 옷과 소재들이 응접
실에 달린 내실로 운반되었다.

　그러는 동안 로체스터 씨는 숙녀들을 불러 모은 뒤 같은 편을 고
르고 있었다. "잉그램 양은 물론 나와 같은 편입니다." 그가 말했
다. 그리고 그는 에시턴 자매와 덴트 부인도 같은 편으로 지명했다.
그가 나를 바라보았다. 나는 풀어진 덴트 부인의 팔찌 걸쇠를 채워
주느라고 로체스터 씨와 가까운 곳에 있었다.

　"선생도 참가하겠소?" 그가 묻는 것이었다. 나는 고개를 저었
다. 그가 참가할 것을 고집할까 봐 겁이 났지만, 그는 그러지 않았
다. 내가 있던 자리로 돌아가는 것을 그냥 허용했다.

　그와 같은 편 사람들이 커튼 뒤로 물러갔다. 덴트 대령이 주장을
맡은 상대편 팀은 초승달 모양으로 배치된 의자들 위에 앉았다. 신

---

* 　제스처로 말하는 게임.

사 중 한 명인 에시턴 씨가 나를 자기들 팀에 끼우자고 제안하는 것 같았다. 그러나 잉그램 부인이 즉시 그 제안에 반대했다.

"안 돼요." 그녀가 말하는 것이 들렸다. "저 여자는 이런 게임을 하기에는 너무 바보 같아요."

얼마 안 있어 종이 울리고 커튼이 올라갔다. 아치문 안쪽에는 로체스터 씨가 자기 편으로 선택한 육중한 덩치의 조지 린 경이 하얀 시트로 몸을 감싼 채 서 있는 것이 보였다. 그의 앞 탁자 위에는 커다란 책 한 권이 펼쳐져 있었고 그 옆으로 에이미 에시턴이 로체스터 씨의 망토를 걸치고 책 한 권을 손에 들고 서 있었다. 밖에서는 보이지 않는 어떤 사람이 즐거운 듯이 종을 쳤다. 그러자 로체스터 씨 편이 되겠다고 졸라댔던 아델이 앞으로 튀어나와 팔에 든 꽃바구니의 내용물들을 여기저기에다 뿌렸다. 다음으로 흰옷을 차려입고 머리에 긴 베일을 쓰고 이마에 장미꽃 화환을 두른 잉그램 양의 으리으리한 모습이 등장했다. 그녀 옆으로 로체스터 씨가 걸어 나왔다. 두 사람은 탁자 가까이 접근했다. 그들은 무릎을 꿇었다. 한편 역시 흰옷으로 차려입은 덴트 부인과 루이자 에시턴이 그들 뒤에 자리를 잡는 것이었다. 무언극 형식으로 어떤 의식이 뒤따랐다. 그것이 결혼식 팬터마임이라는 것을 알아차리기란 떡먹기였다. 이 의식이 끝나자 덴트 대령과 그의 팀원들은 2분 동안 속삭이며 상의했다. 그러고 나서 대령이 큰 소리로 외쳤다.

"신부!" 그러자 로체스터 씨가 상체를 굽혀 인사하고 커튼이 내려왔다.

막이 다시 오르기까지는 꽤나 시간이 걸렸다. 두 번째 커튼이 오르자 앞 장면보다 훨씬 정교하게 꾸며진 장면이 제시되었다. 전에도 내가 언급했던 것처럼 응접실은 식당보다 높이가 두 계단 위에 있었다. 그런데 그 위쪽 계단 방 안쪽 1야드쯤 되는 곳에 커다란 대리석 물받이 수족관 같은 게 놓여 있는 게 보였다. 나는 그것이 온실에 있던 장식물이라는 것을 금세 알아차렸다. 평상시에 외래종 화초들로 둘러싸여 있었고 붕어가 살던 온실 수족관이다. 그러니 크기나 무게로 봤을 때 이곳까지 운반하느라 엄청나게 힘들었을 건 분명했다.

이 수족관 옆 카펫 위에 로체스터 씨가 숄을 두르고 머리에는 터번을 얹고 앉아 있는 것이 보였다. 그의 검은 눈과 가무잡잡한 피부와 이교도 같은 이목구비가 그 의상과 딱 들어맞았다. 그는 천생 동방의 어떤 수장처럼 보였다. 아니, 교수형의 집행자나 희생자처럼 보였다. 곧이어 잉그램 양이 그 장면으로 나타났다. 그녀 역시 동양식 의상을 걸치고 있었다. 허리에 띠처럼 진홍색 스카프를 두르고 있었고 관자놀이 주변에는 자수를 놓은 손수건을 묶어놓고 있었다. 아름답게 뻗은 두 팔은 맨살을 드러내고 있었다. 그 한쪽 팔은 물병을 받쳐 든 자세로 머리 위로 우아하게 들어 올린 상태였다. 몸매와 얼굴 생김새, 피부 색깔과 전체적인 자태는 가부장제 시절 이스라엘 공주라는 인상을 풍겼다. 바로 그런 것이 그녀가 나타내려는 배역임이 틀림없었다.

그녀는 수족관 가까이로 와서 물병에 물을 채우려는 것처럼 몸을 숙였다가 다시 그 물병을 머리 위로 들어 올렸다. 이때 샘물가에 있던 인물이 그녀에게 말을 걸며 무언가를 요청하는 것 같았다……. '그녀는 서둘러 물병을 내려 그가 물을 마시도록 했다.' 그러자 그 남자는 옷가슴에서 작은 함을 꺼내더니 그걸 열고 화려한 팔찌와 귀고리들을 보여주었다. 잉그램 양은 놀라며 경탄하는 연기를 해냈다. 그는 무릎을 꿇고 앉아 그녀의 발치에 보물을 내려놓았다. 그녀의 얼굴과 몸짓은 믿을 수 없다는 기쁨의 표정을 표현했다. 그 낯선 남자는 그녀의 두 팔에 팔찌를 채워주고 두 귀에는 귀고리를 달아주었다. 이것은 구약에 나오는 엘리에젤과 리브가였다. 그 장면에서 낙타가 빠졌을 뿐이다.

답을 추측해야 하는 상대팀이 다시 머리를 맞댔다. 분명 그들은 이번 장면이 동작으로 나타낸 단어나 유절이 무엇이냐를 놓고 의견 일치를 보지 못하는 것 같았다. 그의 대변인 격인 덴트 대령이 '전체 장면'을 보여달라고 요구했다. 그러자 막이 다시 내려갔다.

세 번째로 커튼이 오르자 응접실의 일부분만 드러났다. 방의 나머지 부분은 검고 조잡한 장막이 쳐진 칸막이로 가려져 있었다. 대리석 수족관은 치워지고 그 자리에 카드 게임용 탁자 하나와 부엌 의자 하나가 놓여 있었다. 이들 소품들도 뿔로 만든 등에서 나오는 희미한 불빛 때문에 간신히 보일 뿐이었다. 밀랍 촛불들은 모두 꺼져 있었다.

이 지저분한 장면 한가운데에는 한 남자가 꽉 쥔 양손을 무릎 위에 올려놓고 눈은 바닥으로 향한 채 홀로 앉아 있었다. 나는 로체스터 씨라는 것을 알아차렸다. 그 더럽혀진 얼굴, 구겨지고 흐트러진 옷(그의 외투가 마치 격투에서 등부터 다 찢어진 것처럼 한쪽 팔에 느슨하게 매달려 있었다), 절망적이고 잔뜩 찌푸린 얼굴, 헝클어지고 삐쭉삐쭉 일어선 머리 등 당연한 그의 변장이었을 것이다. 그가 움직이자 쇠사슬이 딸그락 소리를 냈다. 손목에도 족쇄가 채워져 있었다.

"감옥이다!"* 덴트 대령이 소리쳤다. 이렇게 해서 셔레이드 게임의 답이 풀렸다.

출연자들이 그들의 평상복으로 갈아입기 위한 충분한 시간이 지난 후, 그들은 식당으로 다시 들어왔다. 로체스터 씨가 잉그램 양을 안내하며 들어왔고 그녀는 그의 연기를 칭찬하고 있었다.

"아시나요?" 그녀가 말했다. "로체스터 씨께서 맡았던 세 역할 중에서 마지막에 하신 역할을 제가 제일 좋아한다는 것 말예요. 오, 만약 몇 년만 더 일찍 태어나셨더라면 대단히 용감한 신사 노상강도가 되셨을 텐데!"

"얼굴에 칠한 그 그을음은 지워졌습니까?" 그가 그녀에게 얼굴을 돌리며 물었다.

"아, 참! 지워졌네요. 아직 묻어 있으면 어떡해요! 아까 그 악당의 루즈보다 당신 얼굴에 더 잘 어울리는 건 없을 거예요."

"그러고 보니 잉그램 양은 노상강도를 좋아하시나 보군요?"

"영국의 노상강도는 이탈리아의 산적 다음으로 좋지요. 또 그를 능가할 자는 레반트의 해적**밖에 없을 거예요."

"자, 내가 무엇이건, 당신은 내 아내라는 것을 기억하세요. 우리는 한 시간 전에 여기 모인 증인들 앞에서 결혼식을 올렸으니까요." 그녀는 낄낄거리며 웃었다. 또한 그녀의 얼굴은 붉어졌다.

"자, 덴트 대령," 로체스터 씨가 말을 이었다. "이번엔 그쪽 팀 차례요." 그러자 상대방 팀이 물러가자 이번엔 그와 그의 편 사람들

---

* 원문은 'bridewell'. 즉 '신부(bride)+샘(well)'의 합성어다. 여자 잘못 만나면 감옥이나 마찬가지라는 암시가 든 재미있는 단어다.

** 레반트의 해적 : 바이런의 시에 나오는 낭만적인 해적.

이 빈자리에 앉았다.

잉그램 양은 자기 편 주장 로체스터 씨 오른편에 앉았다. 다른 팀원들은 각각 그와 그녀의 양편 의자에 나뉘어 앉았다. 나는 이번에는 상대편 연기자들을 보지 않았다. 더 이상 관심을 가지고 커튼이 올라가기를 기다리지도 않았다. 나의 주의는 관람하는 쪽에 완전히 쏠려 있었다. 내 시선은 아치문 쪽으로 고정되기에 앞서 이미 어떤 저항할 수 없는 힘에 이끌려 초승달 모양으로 놓인 의자들 쪽으로 향했다. 덴트 대령과 그의 팀이 어떤 셔레이드 게임을 연출했는지, 그들이 어떤 단어를 선택했는지, 그들이 어떤 동작을 했는지 거의 기억도 할 수 없다. 그러나 각 장면이 끝날 때마다 그에 이어진 관객 팀의 의논 장면은 아직도 눈에 선하다. 로체스터 씨가 잉그램 양을 향해 있고 잉그램 양이 그를 향해 몸을 돌렸던 모습, 흑단같이 까만 그 물결치는 그녀의 고수머리 다발이 그의 어깨와 뺨에 닿을 정도로 그녀가 그에게 가까이 다가가던 모습이 눈에 선하다. 두 사람이 서로에게 속삭이던 소리가 아직도 귀에 울리고 서로 눈길을 주고받던 모습도 기억난다. 심지어 그런 광경을 지켜보고 있는 동안 내 속에 치밀었던 감정이 지금 이 순간까지도 기억 속에서 생생히 되살아나고 있다.

나는 이미 로체스터 씨를 사랑하게 되었다는 것을 독자인 당신에게 말한 바 있다. 그래서 이제 그가 나를 더 이상 주목하지 않는다는 걸 알았다는 단순한 이유로, 또 내가 그의 앞에서 몇 시간을 보내고 있는데도 그가 단 한 번도 눈길을 주지 않는다는 이유로 그를 사랑하지 않을 수는 없는 노릇이었다. 더욱이 그의 관심 전부를 그처럼 대단한 숙녀가 독점하고 있다는 이유로도 마찬가지였다. 그녀는 내 옆을 지나다가 자기 옷의 단이 혹시 내 몸에 닿으면 경멸하고, 그 까맣고 오만한 눈이 우연히 나를 바라보는 일이라도 생기면 쳐다볼 가치도 없는 천한 물체라도 본 듯 즉시 눈길을 거둬버릴 그런 여자였다. 로체스터 씨가 그런 숙녀와 곧 결혼하게 될 거라고 확신한다고 해서, 그녀가 자신을 대하는 로체스터 씨의 의도에 대해 오만하게 안도감을 품고 있는 모습을 내가 매일 간파하고 있다고 해서, 그리고 그가 사랑을 직접 나서서 추구하기보다 무심히 사랑받기를 원하는 듯한 구애 행태를 보이고 있지만 사실은 그런 행태가 그 무심함 때문에 오히려 더 매력적이고 그 오만함 때문에 오히려 더 거역할 수 없는 것이라는 걸 알고 있다고 해서, 그를 사랑하지 않을 수는 없었다.

이런 상황에서 사랑을 냉각시키거나 몰아낼 수 있는 것은 아무것도 없었다. 오히려 절망감을 불러일으키는 것은 많았다. 독자시여, 당신은 질투심을 일으킬 것은 너무나 많다고 생각할 것이다. 나 같은 위치에 있는 여자가 잉그램 양 같은 신분의 숙녀에게 감히 질투를 느낄 수 있다면 하는 말이다. 그러나 나는 질투하진 않았다. 했더라도 거의 하지 않는 거나 같았다. 내가 겪은 고통의 본질은 질투라는 단어로는 설명될 수 없었다. 잉그램 양은 질투의 표적이 될 수 없는 여자였다. 질투의 감정을 불러일으키기에는 너무 모자랐다. 이런 독설처럼 보이는 말을 하는 것을 용서하기 바란다. 그러나 내 말은 진심이다. 그녀는 과시하기를 좋아하는 여자이지 순수한 여자가 아니었다. 그녀는 아름다운 몸매와 여러 가지 훌륭한 지식을 가지고 있었지만, 그녀는 천성적으로 마음이 빈약하고 가슴은 불모지였다. 그런 토양에서는 어떤 꽃도 자연스럽게 피지 못했고,

강요받지 않고 자연히 맺히는 어떤 과일도 그 신선함으로 기쁨을 가져오지 못했다. 그녀는 착하지 않았고 독창성이 없었다. 그녀는 책에 나오는 그럴듯한 구절을 반복하곤 했다. 자신의 의견을 제시한 적이 없었고 가진 적도 없었다. 그녀는 큰 소리로 감정을 발표했지만 동정과 연민의 감정은 알지도 못했다. 다정함이나 진심이 그녀의 내면에는 없었다. 그녀는 어린 아델에게 품어왔던 짓궂은 반감을 부당하게 표출함으로써 그런 나쁜 심성을 드러내는 경우가 너무나 많았다. 아델이 우연히 가까이 다가가기라도 하면 오만불손한 욕을 하면서 밀어냈고, 어떤 때는 방에서 나가라고 명령했다. 그녀는 늘 차갑고 독살스럽게 아델을 다뤘다. 내 눈 말고 다른 사람의 눈이 그녀의 이런 성격의 징후를 지켜보고 있었다…… 면밀하게, 날카롭게, 예민하게 지켜보고 있었다. 그렇다. 장차 그녀의 신랑감인 로체스터 씨 자신이 의중에 두고 있던 이 미래의 약혼자를 끊임없이 감시하고 있었던 것이다. 그의 이러한 명민함과 용의주도, 자신이 선택한 여성의 결점에 대한 완벽하고 명확한 인식, 그녀를 향한 그의 감정에 사랑의 열정이 분명 결여되어 있다는 사실 등으로 끊임없이 나를 고문하는 고통이 살아났다.

나는 그가 가문을 위해서, 그리고 정치적인 이유에서 그녀와 결혼하려 한다는 것을 알았다. 그녀의 신분과 인척 관계가 그에게 적합하기 때문이기도 했다. 나는 그가 그녀에게 자기의 사랑을 주지 않는다고 느꼈고 그녀의 자질이 그 보물을 얻기에는 너무 모자란다고 느꼈다. 이것이 문제였다…… 이것이 바로 내 신경을 건드리고 괴롭히는 문제였다…… 이것 때문에 내 열정이 지속되고 키워지는 것이었다. 그녀는 그를 매혹할 수 없는 여자였다.

마일 잉그램 양이 단번에 승리를 쟁취했다면, 그래서 그가 항복을 하고 진심으로 그녀의 발치에 그의 심장을 내려놓았더라면, 틀림없이 나는 얼굴을 감싸고 벽으로 몸을 돌려 — 비유적으로 말한다면 — 그 두 사람에 대해 무감각해졌을 것이다. 만일 잉그램 양이 능력과 열정과 친절함과 분별력을 타고난 착하고 고결한 여성이었다면, 나는 두 마리의 호랑이, 즉 질투와 절망과 사생결단의 결투를 한 차례 치렀을 것이다. 그러고는 심장이 찢기고 잡아먹힌 채 그녀를 찬미했을 것이다…… 그녀의 뛰어남을 인정하고 내 여생을 조용히 보냈을 것이다. 그녀의 우월성이 더욱 절대적일수록 나의 찬탄은 더욱 깊어졌을 것이다…… 내 마음의 평정도 진정으로 더 고요함을 찾았을 것이다. 그러나 실제 상황은 그게 아니었다. 로체스터 씨를 매혹하려는 잉그램 양의 시도를 지켜보는 것, 그런 시도가 반복해서 실패하는 모습을 목격하는 것, 그녀 자신은 시도가 실패했다는 것을 알지도 못하는 것, 그녀가 화살을 날릴 때마다 그것이 과녁에 명중했다고 헛되이 상상하며 무엇에 홀린 듯 성공을 과시하는 모습을 목격하는 것, 실은 그럴 때마다 그녀의 그런 자만심과 자기만족이 매혹하려 했던 상대방을 오히려 점점 더 멀어지게 하고 있는 것, 이런 모든 광경을 지켜보는 것은 끝없는 자극을 받는 것이며 동시에 무자비한 감금을 당하는 일이었다.

　　왜냐하면 그녀가 실패했을 때 나는 어떻게 하면 그녀가 성공했을 것이라는 것을 알고 있었다. 로체스터 씨의 가슴을 계속 맞히지 못하고 빗나가 그의 발밑에 떨어진 화살들이 만일 보다 확실한 솜씨로 발사되었더라면 그의 거만한 가슴에 박혀 날카롭게 떨렸을 것이고…… 나아가서 그의 엄한 눈에는 사랑을 불러일으키고 그의 냉소적인 얼굴에는 온화함을 불러일으켰을 것이다. 더 좋은 것은 무기도 사용하지 않고 조용한 정복이 쟁취되었을 것이다.

'그와 그렇게 가까이 할 수 있는 특권이 있는데도 왜 그녀는 그에게 더 큰 영향력을 행사하지 못하고 있을까?' 나는 자문했다. '분명 그녀는 그를 진정으로 좋아하지 않는 거야. 진정한 애정으로 좋아하고 있는 게 아니야! 진심으로 좋아한다면 그렇게 헤프게 미소를 만들어서 보일 필요가 없지. 그렇게 끊임없이 추파의 눈길을 번쩍일 필요가 없는 거지. 그렇게 정성을 들여 몸가짐을 억지로 만들 필요도 없고 그렇게 무수한 애교를 떨 필요가 없지. 내 보기엔 그저 그의 옆에 아무 말도 하지 않고 앉아서 보다 적게 말하고 보다 적게 바라보기만 해도 그의 가슴에 더 가까이 접근할 수 있을 거야. 저렇게 활기차게 수다를 떠는데도 그의 표정은 오히려 딱딱하게 굳어가고 있잖아. 나는 저 사람 얼굴에서 저것과는 완전히 다른 표정을 보았어. 그러나 그때 표정은 자연스럽게 생겨난 표정이었어. 그럴싸한 기교나 계산된 책략이 끌어낸 표정이 아니었어. 그냥 받아주기만 하면 되는 표정이었어. 묻는 질문에 대답하고, 가식 없이 대답하고, 필요할 때는 얼굴을 찡그리지 않고 그에게 말하면 되는 것 아니겠어. 그러면 그의 표정은 더 풍부해지고 더 친절해지고 더 온화해지고, 애정을 주는 햇살처럼 상대방을 훈훈하게 하는 표정이 되었어. 저 두 사람이 결혼하면 대체 저 여자가 어떻게 그를 즐겁게 해줄 수 있지? 저 여자가 그런 일을 해낼 것 같지 않은데. 하지만 그럭저럭 해낼 수도 있겠지. 그의 아내가 되는 사람은 해가 비치는 세상에서 가장 행복한 사람이 될 거라고 나는 진정으로 믿어.'

로체스터 씨가 이해관계와 인척 관계를 보고 결혼 계획을 세우는 것에 대해 나는 이제껏 비난하는 말은 하지 않았다. 그의 의도가 그런 것이라는 사실을 처음 발견했을 때 나는 놀랐다. 그는 신부를 선택할 때 그런 통속적인 동기에 큰 영향을 받을 사람으로 나는 생각하지 않았다. 그러나 두 사람의 신분과 교육, 기타 사항을 더 고려할수록 그나 잉그램 양을 비판하고 비난하는 것은 정당하지 않다는 생각이 들었다. 왜냐하면 어린 시절부터 그들에게 주입되어온 사고방식과 원칙에 따라 행동한다고 해서 비판하는 것이 될 것이기 때문이었다. 그들 계층의 모든 사람이 이런 원칙을 가지고 있었다. 그래서 나는 나로서는 이해할 수 없는 이유가 그들에게 있을 거라고 생각했다. 내가 그와 같은 신분의 신사라면 사랑할 수 있는 그런 부인만을 가슴에 받아들일 텐데 하고 생각했다. 그러나 사랑만으로 이루어지는 이런 결혼 계획이 남편의 행복에 이익이 될 것이라는 너무나 분명한 사실에도 불구하고 사람들이 그런 계획을 택하지 않는 데는 틀림없이 내가 모르는 논리적 근거가 있을 거라는 확신이 들었다. 그렇지 않다면 온 세상 사람들은 내가 원하는 방식으로 행동할 것이라고 나는 확신했다.

그러나 이런 점에서와 마찬가지로 다른 점에서도 나는 내 주인에게 매우 관대해지고 있었다. 나는 전에 예리한 눈으로 찾아냈던 그의 모든 결점을 잊어가고 있었다. 이전의 나는 그의 성격의 모든 면을 자세히 살피고 나쁜 점과 좋은 점을 끌어내어 양쪽을 공정히 평가하여 공평한 판단을 내리려고 노력했었다. 이제 내 눈에는 나쁜 점이 보이지 않았다. 혐오감을 주던 냉소와 한때 나를 놀라게 했던 잔혹한 인상이 지금은 그저 최고급 요리에 들어간 쏘는 양념에 불과했다. 그것들이 있으면 톡 쏘는 맛이 나지만 그것이 없으면 비교적 무미건조할 것이다. 그리고 그 뭐랄까 막연한 것에 대한 이야기인데…… 그걸 불길한 표정이라 할까 아니면 슬픈 표정이라고 해야 할까? 아니면 뭔가를 꾸미고 있는 표정이랄까 낙심한 표정이라 할까? 여하튼 그의 눈에 깃든 묘한 표정이 그를 주의 깊게 지켜보는 관찰자 앞에 가끔 모습을 드러내곤 했다. 그러다가 그 일부만 드러나는 그 이상하고 깊은 표정은 관찰자가 파악하기도 전에 다시 사라지곤 했다. 그 표정은 마치 화산처럼 보이는 산들 사이를 헤매다가 갑자기 땅이 요동치는 것을 느끼고 갈라지는 것을 볼 때처럼 나를 겁을 주며 움츠리게 만들었다. 그런데 그런 묘한 표정을 나는 이따금 목격했다. 지금은 가슴이 고통스럽긴 하지만 신경이 마비되는 것을 느끼지는 않는다. 지금에 와서는 그 표정을 피하고 싶은 대신 그 표정의 의미가 무엇인지 과감하게 알고 싶은 마음뿐이다. 잉그램 양이라면 언젠가 한가한 때를 틈타 심연과도 같은 그의 표정을 들여다보며 그 비밀을 탐색하고 그 본질을 분석할 수 있게 될 테니 참 행복하겠다는 생각이 들었다.

내가 이렇게 다만 내 주인과 그의 신붓감만 생각하고 그 두 사람만 바라보고 그들의 대화만 듣고 그들의 거동만 중요하게 생각하고 있는 동안, 나머지 손님들도 각기 재미나고 즐거운 일에 매달려 있었다. 린 부인과 잉그램 부인은 근엄하게 대화를 나누며 계속 어울리고 있었다. 두 부인 다 상대방을 향해 터번을 쓴 머리를 끄덕였고, 이야기 화제에 따라 서로 보란 듯 양손을 들어 놀라움이나 신비함이나 경악을 표현하는 동작을 맞교환하고 있었다. 그 모습은 천생 확대된 꼭두각시 인형들 같았다. 온화한 덴트 부인은 마음씨가 착한 에시턴 부인과 이야기를 나누고 있었다. 두 사람은 가끔 내게도 친절한 말 한마디나 미소를 선물했다. 조지 린 경과 덴트 대령, 그리고 에시턴 씨는 정치나 지역 현안이나 치안 문제를 토론했다. 잉그램 경은 에이미 에시턴과 시시덕거리고 있었고 루이자는 린 자매 중 한 명과 연주를 하거나 노래를 부르고 있었다. 메리 잉그램은 또 하나의 린 자매가 하는 당당한 연설을 무료하게 듣고 있었다. 가끔 모든 성원들은 단번에 만장일치로 의견의 일치를 보기라도 한 듯 각자의 엑스트라 역을 멈추고 파티의 주연들이 하는 연기를 지켜보며 그 대사를 듣곤 했다. 결국 로체스터 씨와…… 그와 밀접한 관계가 있다는 이유로…… 잉그램 양이 파티의 주역이었다. 그래서 로체스터 씨가 한 시간만 방을 비워도 은연중에 눈에 띌 정도로 손님들에게 지루한 기색이 감도는 것 같았다. 그러다가 그가 다시 돌아오면 확실히 활기찬 대화에 필요한 신선한 자극이 가해지는 것 같았다.

그의 이러한 활력소가 필요하다는 사실은 어느 날 그가 사업차 밀코트로 소환되었던 날 특히 절실히 감지되었다. 그날 그는 늦은 시간까지 돌아올 것 같지 않았다. 오후에는 비가 왔다. 따라서 헤이 마을 너머 공유지에 최근 세워진 집시들의 캠프를 구경 가자고 일행이 제안했던 산책은 연기되었다. 신사들 몇 명은 마구간으로 갔고, 젊은 신사 숙녀들은 함께 당구대가 설치된 방으로 가서 당구를 쳤다. 잉그램 부인과 린 부인은 조용히 카드놀이를 하며 위안을 찾았다. 블랑시 잉그램은 덴트 부인과 에시턴 부인이 함께 이야기하자고 애써 권유했지만 아무 말 없이 거만한 태도로 거절했다. 그녀는 먼저 피아노로 감상적인 선율과 곡조를 연주하며 혼자 중얼중얼하는 소리를 냈다. 그런 뒤 그녀는 서재에서 소설 한 권을 집어 들

고 아 소파 위에 오만하고 나른한 자세로 털퍼덕 앉고는 별로 할 일이 없는 지루한 시간을 소설의 매력에 빠져 즐겁게 보낼 준비를 하고 있었다. 응접실과 집 안 전체가 조용했다. 당구를 치는 사람들이 내는 즐거운 소리가 이따금 위층에서 들려올 뿐이었다.

날이 어두워지기 시작했고 시계가 이미 저녁 식사를 위해 옷을 갈아입을 시간임을 알렸다. 바로 그때 응접실 창가 내 옆자리에 무릎을 꿇고 앉아 있던 아델이 외치는 것이었다.

"저기 봐요, 로체스터 씨가 돌아오세요!"

나는 몸을 돌렸다. 잉그램 양도 소파에서 달려왔다. 다른 사람들도 각기 하던 일을 멈추고 고개를 들었다. 아델의 외침과 동시에 덜컹대는 마차 바퀴 소리와 젖은 자갈 위로 물을 튀기며 달려오는 말발굽 소리가 들려왔기 때문이다. 사륜 역마차 한 대가 다가오고 있었다.

"무슨 바람이 불어 저런 모양으로 돌아오는 걸까요?" 잉그램 양이 말했다. "집을 떠날 때 검정색 애마 메스루를 타고 가시지 않았나요? 파일럿도 함께요……. 같이 간 짐승들은 어떻게 한거야?"

이렇게 말하면서 그녀는 큰 키의 몸통과 거대한 옷자락을 창문 가까이로 접근시켰다. 그래서 나는 거의 등뼈가 부러질 정도로 몸을 뒤로 젖혀야 했다. 열심히 창밖을 내다보느라고 그녀는 처음에는 나를 보지 못했다. 그러나 나에게 눈이 닿았을 때 그녀는 입술을 삐죽 말아 올리더니 다른 창틀로 자리를 옮겼다. 역마차가 멈춰 서고 마차꾼이 벨을 울렸다. 그러더니 여행복 차림의 한 신사가 마차에서 내렸다. 그는 로체스터 씨가 아니었다. 키가 크고 상류 계층 사람처럼 보이는 낯선 사람이었다.

"짜증 나!" 잉그램 양이 소리쳤다. "이 귀찮은 것 같으니!" 아델을 지칭하는 말이었다. "대체 누가 널 이 창가에 앉혔니? 거짓말이나 하라고 말야." 그녀는 마치 내게 잘못이 있는 것처럼 화난 눈길을 내게 던졌다.

홀에서 두런두런하는 말소리가 들리더니 곧이어 방금 도착한 낯선 남자가 방으로 들어왔다. 그는 잉그램 부인이 거기 있는 사람 중에서 제일 연장자라 여기고 그녀에게 상체를 굽혀 인사했다.

"제가 시간을 잘못 맞춰 온 것 같군요, 부인." 그가 말했다. "제 친구 로체스터 씨가 출타 중이군요. 하지만 매우 먼 여행을 했기 때문에, 그와 제가 오래된 절친한 사이니까 그가 돌아올 때까지 여기 좀 앉아 있어도 될 것 같군요."

그의 태도는 공손했다. 말할 때 그의 억양은 다소 특이하다는 인상을 주었다. 정확하게 외국인 같은 억양은 아니었지만 그렇다고 전적으로 영국식 억양도 아니었다. 나이는 서른에서 마흔 사이로 로체스터 씨와 비슷한 또래였다. 안색은 유난히 누르스름했다. 그렇지만 않았다면 꽤 잘생긴 사람이었다. 특히 첫인상이 그랬다. 그러나 좀 더 자세히 보니 그의 얼굴에는 무언가 불쾌한 데가 있었다. 다시 말해서 사람을 기분 좋게 만들지 못하는 무엇이 있었다. 이목구비는 정상이었다. 그러나 좀 느슨해 보였다. 눈이 크고 모양도 좋았지만 그 눈에서 비쳐 나오는 생기는 허약하고 공허한 것이었다……. 적어도 나는 그렇게 생각했다.

옷을 갈아입을 시간을 알리는 벨 소리가 나자 사람들은 흩어졌다. 내가 그를 다시 본 것은 저녁 식사가 끝나고 나서였다. 그때 그는 꽤 편안해 보였다. 그러나 그의 인상은 아까보다 더 마음에 들지 않았다. 동시에 그 인상은 불안하면서 생기가 없어 보였다. 그의 눈은 방황하고 있었는데, 그 방황하는 눈에는 아무 의미가 담겨 있지 않았다. 그래서 그때까지 내가 본 기억이 없는 야릇한 표정이 되어 있었다. 잘생기고 무뚝뚝하지도 않은데도 나는 그가 지독히 싫다는 감정을 버릴 수 없었다. 피부가 매끈한 그 완벽한 타원형 얼굴에는 전혀 박력이 없었고, 매부리코와 작고 빨간 입에도 과단성이 전혀 엿보이지 않았다. 좁고 평평한 이마에는 생각하는 인간이라는 표시가 없었고, 멍한 갈색 눈에는 초점이 없었다.

나는 늘 앉는 구석 자리에 앉아 벽난로 위에 놓인, 나뭇가지 모양의 촛대에서 타는 촛불의 불빛이 그를 환히 감싸고 있어서 그를 찬찬히 뜯어보았다. 그는 난로 가까이로 끌어당겨진 안락의자에 앉아 있었지만 그래도 추운 것처럼 더욱 불 쪽으로 몸을 웅크리고 있었다. 나는 그를 로체스터 씨와 비교해보았다. 매끄러운 털을 가진 수거위와 사나운 매 사이의 차이, 혹은 온순한 양들과 그걸 지키는 거친 털이 나고 예리한 눈을 가진 개 사이의 차이도 두 사람의 차이보다 더 심하지는 못할 것이라고 나는 생각했다. (이건 그분들을 존중해서 하는 말이다.)

그는 로체스터 씨가 자기의 옛 친구라고 말했다. 그렇다면 묘한 친구 관계였을 것이다. 정말이지 "양극단은 서로 통한다"라는 옛날 속담에 들어맞는 실례였다.

그 사람 가까이에 두세 명의 신사들이 앉아 있었다. 나는 방 저편에서 들려오는 그들의 대화 내용의 부스러기를 주워들었다. 처음에는 들은 내용이 무슨 소리인지 알 수 없었다. 내 가까이에 있는 루이자 에시턴과 메리 잉그램의 이야기 소리에 그나마 이따금 들려오는 토막 문장들이 더 헷갈렸기 때문이었다 두 여자는 그 낯선 손님을 화제로 이야기하고 있었다. 둘 다 그 사람을 "잘생긴 남자"라고 말했다. 루이자는 그가 "사랑스런 남자"이라고 말하면서 "흠모한다"고 말하는 것이었다. 메리는 "그의 작고 예쁜 입과 멋진 코"를 예를 들며 자신이 생각하는 이상적인 매력이라고 말했다.

"저 착하게 생긴 이마 좀 봐!" 루이자가 감탄했다……. "너무 부드러워……. 내가 싫어하는 들쑥날쑥한 주름이 하나도 없어. 눈과 미소가 얼마나 평온해 보여!"

그때 천만다행히도 헨리 린 씨가 연기되었던 헤이 마을 공터로 가는 산책에 대해 상의하자고 그들을 방 건너편으로 불렀다.

이제 나는 난롯가에 있는 사람들에게 내 모든 주의를 집중시킬 수 있었고 곧이어 이 새 사람의 이름이 메이슨 씨라는 것을 알아냈다. 다음으로 그가 이제 막 영국에 도착했으며, 어떤 더운 나라에서 왔다는 것을 알았다. 분명 그런 이유로 그의 얼굴색이 그렇게 누렇다는 것, 난롯가에 바짝 다가앉으려고 했던 것, 집 안에서도 꼭 끼는 외투를 입고 있는 것을 이해할 수 있었다. 곧이어 자메이카, 킹스턴, 스패니시타운 같은 단어들이 나와 그가 서인도제도에 살고 있다는 사실을 알려주었다. 조금 후에 가서 그가 그곳에서 로체스터 씨를 처음 알게 되었다는 사실을 알게 되었는데, 그건 그다지 놀랄 일은 아니었다. 그는 자기 친구가 그곳의 찌는 듯한 더위와 허리케인과 우기를 싫어했다고 말했다. 나는 로체스터 씨가 여행가라는 것은 벌써 알고 있었다. 그건 페어팩스 부인이 말한 적이 있었다. 그러나 나는 그가 돌아다닌 지역이 유럽에만 국한되어 있었다고 생각했었다. 그가 그보다 더 먼 나라들을 방문했다는 암시를 지금껏 들어본 적이 없었다.

이런 일들을 골똘히 생각하고 있을 때 어떤 사건이 벌어졌다. 그것도 뜻하지 않았던 사건이어서 내 생각의 실마리는 끊어지고 말았다. 메이슨 씨는 누군가가 우연히 열어놓은 문 때문에 몸을 떨며 난로에 석탄을 좀 더 넣어달라고 부탁하는 것이었다. 타다 남은 석탄덩어리가 아직도 뜨겁고 벌건 상태였지만 불길은 이미 사그라지고 있었다. 석탄을 가져온 하인 남자가 방을 나가다가 에시턴 씨 의자 옆에 멈춰서 낮은 목소리로 그에게 뭔가를 말하는 것이었다. 그 말 중에서 나는 겨우 '노파' …… '정말 골치 아픈'이란 단어들을 들었을 뿐이다.

"당장 나가지 않으면 족쇄를 채워 가두겠다고 말해라." 그 치안판사가 말했다.

"안 돼…… 멈춰!" 덴트 대령이 끼어들었다. "에시턴, 노파를 쫓아내지 마시오. 이 일을 이용할 수도 있을 것 같아요. 숙녀분들과 의논하는 게 좋을 것 같습니다." 그러고는 큰 소리로 말을 이었다. "숙녀 여러분, 집시 캠프를 구경하러 헤이 마을로 가자고 하셨지요. 샘, 이리 와서 지금 하인들 방에 와 있는 한 늙은 '마더 번치'*에 대해 말해보아라. 이 노파는 '지체 높은 분들'께 운명을 점쳐주겠다고 고집부리고 있다고 말야. 여러분, 그 노파를 보시겠습니까?"

"저, 대령님." 잉그램 부인이 소리쳤다. "그런 천한 사기꾼을 격려하시는 건 아니겠지요? 어떤 수단을 써서라도 노파를 당장 내쫓으세요!"

---

* 과장된 이야기나 전래 민담 등을 전해주는 시골 아낙네나 엉터리 점쟁이를 일컫는다.

"하지만, 부인. 아무리 타일러도 내보낼 수가 없습니다." 그 하인 남자가 말했다. "어떤 하인도 내보내지 못하고 있습니다. 페어팩스 부인이 지금 노파와 같이 있으면서 제발 나가달라고 애원하고 계셔요. 그런데 노파는 막무가내로 굴뚝 옆 구석에 의자를 갖다 놓고 앉아서 이곳에 들어오게 해줄 때까지 무슨 일이 있어도 꼼짝 않겠다고 말하고 있습니다."

"원하는 게 뭐래?" 에시턴 부인이 말했다.

"'상류계급 사람들에게 운명을 점쳐주겠다'고 했어요. 엄마, 꼭 그래야 하고 그렇게 하게 될 거라고 말하더군요."

"생김새는 어때?" 에시턴 자매가 합창하듯 물었다.

"지독히 못생긴 노파입니다, 아가씨. 숯 검댕과 거의 맞먹게 까맣고요."

"그럼, 진짜 여자 마술사가 보네!" 프레더릭 린이 큰 소리로 말했다. "당연히 이리 들어오게 합시다."

"옳은 말이야." 그의 형이 가세했다. "그처럼 재미난 기회를 놓친다면 정말 후회할 거야."

"얘들아, 대체 무슨 생각을 하는 거냐?" 린 부인이 소리쳤다.

"나는 그런 말도 안 되는 일에 도저히 동의할 수 없네요." 잉그램 귀부인도 동조했다.

"정말이지, 엄마. 엄마는 동의할 수 있어요…… 동의하게 될 거예요." 블랑시 잉그램 양이 피아노 걸상을 돌리면서 도도한 목소리로 말했다. 그때까지 그녀는 겉으로 보기에 조용히 앉아서 여러 악보들을 살펴보고 있었다. "제 운명을 뭐라고 예언할지 들어보고 싶은 호기심이 발동하는걸요. 그러니 샘, 가서 노파를 오라고 해."

"내 사랑하는 블랑시야! 명심할 것은……"

"명심하고 있어요. 엄마가 제안하실 수 있는 모든 것을 명심해요. 그러니 내 뜻대로 하겠어요……. 자, 샘, 빨리!"

"맞아…… 맞아…… 어서 데려와." 남자건 여자건 방 안의 모든 젊은이들이 소리쳤다. "이리 오게 합시다. 정말 기가 막힌 놀이가 되겠네요!"

하인은 아직도 머뭇거렸다. "아주 막돼먹은 노파 같습니다." 하인이 말했다.

"빨리 가!" 잉그램 양이 버럭 소리를 질렀다. 그러자 하인이 나갔다.

순간적으로 흥분이 모든 사람들을 사로잡았다. 계속 재담과 농담이 오가는 와중에 샘이 다시 돌아왔다.

"지금은 오지 않겠답니다." 그가 말했다. "'속된 무리'(노파가 한 말입니다만) 앞에 자기 모습을 드러내는 건 자기 사명이 아니라는군요. 그러니 노파를 먼저 다른 방으로 안내해서 혼자 있도록 해야 할 것 같습니다. 그런 후에 점을 보시고 싶은 분들은 한 분씩 가서 만나야 할 것 같습니다."

"자, 이제 알겠지, 내 여왕 같은 블랑시," 잉그램 부인이 시작했다. "노파가 시간만 빼앗는다. 내 천사 같은 딸아, 내 충고를 듣고……."

"그렇다면 물론 노파를 서재로 안내해." 그 '천사 같은 딸'이 말했다. "속된 무리 앞에서 노파의 말을 듣는 것 또한 내 사명이 아니지요. 나 혼자서 노파를 독점하겠어요. 서재에 난롯불 피워놨나?"

"네, 아가씨. 하지만 노파는 불량한 걸인 같아요."

"멍청이 같으니, 그런 잡소리 집어치워! 내 지시대로만 해."

다시 한번 샘이 나갔다. 그러자 신비감과 활기와 기대감이 다시 최고조에 달했다.

"이제 준비가 되었답니다." 다시 나타난 샘이 말했다. "누가 먼저 오시는지 알고 싶대요."

"숙녀분들에 앞서 제가 먼저 가보는 게 좋을 것 같습니다." 덴트 대령이 말했다. "샘, 가서 신사 한 분이 오신다고 말해라."

샘이 나갔다가 다시 돌아왔다.

"나리, 신사분은 안 받겠대요. 신사분들은 수고스럽게 자기 근처에 올 필요가 없답니다." 또한 킥킥 터져 나오는 웃음을 애써 참으며 말했다. "부인들도 마찬가지래요. 미혼의 젊은 처녀들만 봐준대요."

"햐! 취향을 따지는 노파군!" 헨리 린이 외쳤다.

잉그램 양이 근엄하게 일어섰다. "제가 먼저 가지요." 그녀가 부하들 선봉에 서서 성벽을 기어오르겠다는 외로운 희망을 품은 인솔자에게 걸맞은 어조로 말했다.

"오, 더 없이 훌륭한 우리 딸아! 오, 사랑하는 딸아! 멈춰 서서…… 생각해봐라!" 엄마의 외침이었다. 그러나 딸은 말없이 당당하게 엄마를 지나쳐서 덴트 대령이 열어준 문을 통해 밖으로 나갔다. 그녀가 서재로 들어가는 소리가 들렸다.

비교적 침묵이 뒤따랐다. 잉그램 부인은 손을 꽉 쥐고 고정시키고 있는 것이 적절하겠다고 생각했다. 따라서 그런 자세를 취하고 있었다. 메리 잉그램 양은 자기는 감히 그런 모험을 못할 것 같다고 말했다. 에이미와 루이자 에시턴은 거의 목소리를 죽이고 웃으며 좀 겁을 먹은 표정을 짓고 있었다.

몇 분이라는 시간이 몹시 더디게 흘렀다. 15분 정도가 지나자 서재 문이 다시 열렸다. 잉그램 양은 아치문을 통해 돌아왔다.

그녀가 웃을까? 그녀가 이 일을 장난으로 받아들일까? 모든 사람들의 눈은 호기심에 불타며 그녀에게 쏠렸다. 그녀는 거부와 냉정의 눈길로 자기에게 집중된 눈길을 맞았다. 그녀는 실망하는 표정도 아니고 그렇다고 즐거운 표정도 아니었다. 그녀는 뻣뻣한 자세로 자기 자리로 돌아가 조용히 앉았다.

"그래, 블랑시, 어떻게 됐니?" 잉그램 경이 물었다.

"언니, 그 노파가 뭐래?" 메리도 물었다.

"어떻게 생각했나요? 지금 기분이 어때요? 노파가 정말 점쟁이였나요?" 에시턴 자매가 물었다.

"자, 자, 착하신 여러분." 잉그램 양이 대답했다. "그렇게 다그치지 마십시오. 정말이지 경탄하고 귀가 얇어서 속아 넘어가는 여러분의 신체 기관은 너무 쉽사리 작동되는군요. 우리 어머니를 포함해서 여러분 모두가 이 일에 큰 비중을 두는 것을 보니, 악마와 가까운 인척 관계가 있는 진짜 마녀 점쟁이가 지금 이 집에 와 있다고 철석같이 믿고 계신 것 같습니다. 제가 본 건 그저 떠돌이 집시 노파였습니다. 노파는 케케묵은 방식으로 손금을 보면서 그런 사람들이 늘 이야기하는 그렇고 그런 말을 했어요. 제 변덕은 충족되었어요. 그러니 이제 제 생각은 에시턴 씨가 아까 위협적으로 말씀하신 대로 내일 아침 당장 노파에게 족쇄를 채우는 게 좋겠습니다."

잉그램 양은 책 한 권을 집어 들고 의자에 몸을 기대며, 그럼으로써 더 이상의 대화를 거절했다. 나는 거의 반 시간 동안 그녀를

364

지켜보았다. 그동안 내내 그녀는 단 한 페이지도 넘기지 않고 있었다. 그녀의 얼굴은 그 순간 더욱 어두워지고 더욱 불만이 감돌았고 더욱 역력히 실망감을 표출하고 있었다. 노파에게서 자신에게 유리한 이야기를 전혀 듣지 못한 게 분명했다. 또한 그런 침울한 모습과 침묵이 계속되는 것으로 미루어 겉으로는 태연한 척했지만 노파가 그녀에게 해준 모든 예언에 대해 그녀가 과도한 의미를 부여하고 있구나 하는 생각이 들었다.

그러는 동안 메리 잉그램과 에이미, 루이자 에시턴 자매는 노파에게 혼자서 갈 용기가 나지 않는다고 말했다. 하지만 모두는 가고 싶어 하는 것 같았다. 그리하여 중개를 맡은 대사 격인 샘을 통해 협상이 시작되었다. 한참 왔다 갔다 뛰어다닌 샘의 장딴지가 과도한 운동으로 분명 쑤시겠다는 생각이 들 때야 비로소, 어렵사리 그 엄한 시빌*에게서 세 명이 동시에 찾아와도 좋다는 허락이 마침내 떨어졌다.

그들의 방문은 잉그램 양의 경우와는 달리 조용히 진행되지 않았다. 서재에서 터져 나오는 히스테리 같은 낄낄거리는 웃음소리와 나지막한 비명이 들려왔다. 20여 분이 지났을 때 그들은 문을 활짝 열고 나와 복도를 가로질러 달려왔다. 그들은 겁을 잔뜩 먹고 제정신이 아닌 것 같았다.

"노파는 보통 사람이 아닌 게 분명해!" 그들은 하나같이 외쳤다. "아니면 어떻게 그런 말을 하지! 우리에 대해 모든 걸 다 알고 있어!" 그들은 남자들이 급히 가져온 여러 가지 의자에 앉으며 숨을

---

* 고대의 여자 점쟁이. 뛰어난 예언자로 통했다.

헐떠였다.

설명을 좀 더 자세히 하라는 독촉을 받자 그들은 말하는 것이었다. 노파는 그들이 어렸을 때 이런 말을 했고 저런 행동을 했다고 죄다 말했다는 것이었다. 자기들 집 내실에 간직하고 있는 책과 장식품, 친척들이 그들에게 선물한 기념품까지 설명했다는 것이었다. 심지어 그들의 생각까지 노파가 알아맞혔고 각자의 귀에 그들이 세상에서 제일 좋아하는 사람의 이름까지 속삭였고 나아가서 그들이 제일 소망하는 일까지 말하더라는 것이었다.

이때 신사들이 끼어들어 마지막 두 가지 내용이 뭔지 자세히 좀 밝히라고 열심히 요청했다. 하지만 그들은 그 끈질긴 요청에 대한 응답 대신 얼굴을 붉히고 고함을 지르고 몸을 떨고 킥킥대는 웃음만을 돌려주는 것이었다. 그러는 동안 나이 든 부인들은 세 여자에게 정신 나게 하는 냄새 맡는 약통을 갖다주고 부채질도 해주었다. 그러면서 처음에 자기들이 보냈던 경고가 제때 받아들여지지 않은 것을 유감으로 생각하고 있었다. 나이 든 신사들은 웃음을 터뜨렸고 젊은 신사들은 흥분해 있는 숙녀들에게 무얼 도울 게 있으면 돕겠다고 나섰다.

이 난리통에 내 눈과 귀가 완전히 내 앞에 전개되는 장면에 쏠려 있는 판인데, 누군가가 내 곁으로 다가와 헛기침 소리를 내는 것이었다. 돌아다보았더니 샘이었다.

"선생님, 제 말씀 좀 들어주시겠습니까? 집시 할머니가 아직 자기한테 오지 않은 미혼 아가씨가 방에 한 명 더 있다고 하면서 한 명도 빠짐없이 다 볼 때까지는 가지 않겠다고 버티고 있네요. 그 한 명이 틀림없이 선생님인 것 같아요. 다른 분은 안 계시잖아요. 할머니한테 뭐라고 할까요?"

"아, 그래? 무슨 일이 있어도 간다고 말해." 내가 대답했다. 나는 잔뜩 동해 있던 내 호기심을 충족시킬 뜻하지 않은 기회가 온 것을 기쁘게 생각했다. 나는 누구의 눈에도 띄지 않게 몰래 방을 빠져나와 조용히 문을 닫았다……. 방에 있는 사람들은 막 돌아와 여전히 몸을 떨고 있는 세 아가씨들을 둘러싼 채 한데 모여 있었다.

"선생님, 원하시면," 하고 샘이 말했다. "제가 복도에서 기다리고 있겠습니다. 할머니가 겁을 주면 저를 부르세요. 바로 들어가겠습니다."

"샘, 아냐. 부엌으로 돌아가. 나는 조금도 무섭지 않아." 정말 무섭지 않았다. 그렇지만 내 관심과 흥분은 대단히 컸다.

제19장

서재에 들어갔을 때 그곳은 아주 평온해 보였다. 시빌은…… 저 노파가 진짜 시빌이면…… 아늑한 구석 자리에 놓인 안락의자에 편안히 앉아 있었다. 그녀는 붉은색 외투를 걸치고 보닛을 쓰고 있었다. 아니, 보닛이라기보다 챙이 넓은 집시 모자였을 것이다. 줄무늬가 있는 손수건에 매여 턱 밑에 묶은 모자였다. 탁자 위에는 꺼진 초 한 자루가 서 있었다. 그녀는 난롯불 위로 몸을 구부리고 있었고 그 불빛으로 기도서 같은 작은 검은색 책을 읽고 있는 것 같았다. 그녀는 책을 읽으면서 대부분의 할머니들이 그러듯 혼자서 거기 나오는 단어들을 중얼거리고 있었다. 그녀는 내가 가자 당장 읽던 일을 그만두지 않았다. 읽던 문단을 끝내고 싶은 모양이었다. 나는 깔개 위에 서서 손을 녹였다. 응접실 난로에서 멀리 떨어진 곳에 앉아 있었기 때문에 손이 좀 시렸다. 나는 그때 내 평생 어느 때보다 마음이 편안한 걸 느꼈다. 실로 그 집시 노파의 외모에는 남의 마음의 평정을 교란시킬 만한 데가 하나도 없었다. 마침내 노파는 책을 덮고 천천히 시선을 들어올렸다. 모자챙이 부분적으로 그녀의 얼굴을 그늘지게 만들긴 했지만 얼굴을 들어 올리자 아주 이상하게 생긴 얼굴이라는 걸 알 수 있었다. 그녀의 얼굴은 진한 흑갈색이었고 턱

밑까지 감싼 하얀 밴드 밑으로 머리카락들이 삐죽삐죽 나와 있었다. 그 머리카락들은 뺨의 절반 정도까지 혹은 턱까지 덮고 있었다. 그녀는 대담하고 곧장 앞을 향한 눈매로 나를 맞았다.

"그래, 아가씨도 점을 보고 싶나?" 그녀가 눈초리만큼이나 결단력이 있으면서 용모만큼이나 거친 목소리로 말했다.

"할머니, 저는 점에는 관심이 없어요. 할머니 마음 내키는 대로 하세요. 하지만 알려드리는데, 전 점 같은 건 믿지 않아요."

"그렇게 말하다니, 말하는 것도 건방지군. 그건 예상했던 거야. 문지방을 넘어올 때 그 발소리만으로도 건방진 줄 알았어."

"그래요? 귀가 밝으시군요."

"밝고말고. 눈도 밝아. 머리도 밝지."

"할머니 직업에 다 필요한 것들이네요."

"필요하지. 특히 아가씨 같은 손님을 다룰 때 그렇지. 왜 떨지 않는 거야?"

"춥지 않아요."

"왜 얼굴이 창백해지지 않지?"

"아프지 않아요."

"내 점 솜씨는 왜 안 보겠다는 거지?"

"전 바보가 아니에요."

늙은 할머니는 보닛과 붕대 밑에다 그 웃음을 감춰두었던 것처럼 숨을 죽이며 낄낄 웃었다. 그러고 나서 그녀는 짧은 검은 파이프를 꺼내더니 거기에 불을 붙인 뒤 담배를 피우기 시작했다. 이 담배라는 진정제에 잠시 몰입하더니 굽은 몸을 일으켜 세우고 파이프를 입술에서 뗐다. 잠시 말없이 난롯불을 들여다본 후 그녀는 매우 신중하게 말했다.

"아가씨는 추워하고 있고 아프고 게다가 바보야."

"입증해보세요." 내가 끼어들었다.

"몇 마디 말로 입증하겠어. 아가씨가 춥다는 건 아가씨가 외롭기 때문이야. 아가씨 속에 있는 불을 붙여갈 아무 접촉이 없기 때문이야. 아가씨가 아프다는 건 사람에게 주어진 가장 훌륭하고 가장 숭고하고 가장 달콤한 감정이 아가씨에게서 멀리 떨어져 있기 때문이다. 아가씨가 바보라는 건 그렇게 고통을 겪으면서도 그런 감정이 자신에게 가까이 오도록 손짓으로 부르지 않기 때문이야. 그런 감정이 자기를 기다리고 있는 곳에서 그 감정을 맞아들이려고 한 발짝도 움직이려 하지 않기 때문이야."

그녀는 다시 짤막한 검정색 파이프를 입술로 가져가서 힘차게 연기를 빨았다.

"이런 큰 저택에서 외롭게 얹혀살고 있다는 걸 알아챈 사람이라면 그 사람이 누구건 그렇게 말하실 겁니다."

"거의 누구에게나 그런 말을 할 수 있을 거야. 그러나 거의 모두에게 그 말이 통할까?"

"저의 처지에 있으면 그렇겠지요."

"그래, 바로 그거야. 아가씨의 처지에 놓인 사람에게는 그렇지. 하지만 아가씨와 똑같은 처지에 놓인 사람이 또 있으면 어디 데려와봐."

"할머니 같은 사람 수천 명을 찾는 게 쉬울 겁니다."

"나 같은 점쟁이는 한 명도 찾지 못할걸. 아가씨가 알고 있는지 모르지만 아가씨는 아주 특이한 상황에 놓여 있어. 행복에 아주 가까운 곳에 있는 거야. 그래, 손에 잡힐 만큼 가까이 있는 거지. 재료는 모두 준비되어 있어. 그 재료를 섞는 동작만 필요할 뿐이야. 우연이라는 것 때문에 그 재료들이 흩어져 있어. 그것들은 일단 가깝게 접근하도록 하기만 하면 축복이 따를 거야."

"저는 그런 수수께끼는 이해하지 못해요. 내 평생 수수께끼는 맞힐 수 없었어요."

"좀 더 명확하게 내가 말하기를 바라면 손바닥 좀 보여줘."

"그러면 물론 은전으로 성호를 그어야 되겠네요."

"말하면 잔소리지."

나는 노파에게 1실링짜리 은화를 주었다. 그녀는 주머니에서 꺼낸 스타킹 자락에다 그걸 넣고 둘둘 말은 뒤 다시 집어넣었다. 그녀는 나더러 손을 내밀고 펴보라는 것이었다. 나는 시키는 대로 했다. 그녀는 내 손바닥에 얼굴을 바싹 갖다 댔다. 그러고는 만지지는 않고 한참 동안 그 안을 들여다보았다.

"손이 너무 예쁘군." 그녀가 말했다. "이런 손은 전혀 읽을 수가 없어. 손금이 없다시피 한 손인걸. 게다가 손바닥에 뭐라도 있어야지? 운명이 적혀 있질 않아."

"그 말씀 옳아요." 내가 말했다.

"아냐!" 그녀가 말을 계속했다. "운명은 아가씨 얼굴에 적혀 있어. 이마에, 눈가에, 눈 속 자체에, 입의 윤곽이 그리는 선 속에 적혀 있어. 무릎을 꿇고 앉아 머리 좀 들어봐."

"아하! 이제야 현실 세계로 돌아오셨군요." 지시를 따르며 내가 말했다. "이젠 어느 정도 할머니를 믿을 것 같네요."

나는 그녀에게서 반 야드 떨어져 무릎을 꿇었다. 그녀는 난롯불을 뒤적였다. 그러자 자리가 바뀐 석탄 덩어리에서 빛이 자물결처럼 터져 나왔다. 그러나 그 불빛은 그녀가 자리에 앉을 때 그녀의 얼굴을 더 깊은 그림자 속으로 처박고 내 얼굴만 환하게 조명했다.

"대체 무슨 마음을 먹고 아가씨가 오늘 밤 내게 왔는지 궁금하군." 나를 잠시 살피고는 그녀가 말했다. "그 응접실에 앉아 있던 시간 내내 대체 아가씨 가슴속에서 무슨 생각이 분주히 맴돌았는지도 궁금해. 함께 있는 그 훌륭한 숙녀들이 요지경 환등기 속 형상들처럼 아가씨 앞을 휙휙 지나치고 있는 데서 말이야. 사실 그들은 인간의 형상을 한 그림자들에 불과하고 실체를 지닌 존재가 아닌 것처럼, 아가씨와 그들 사이에는 공감을 일으키는 교감도 전혀 이루어지지 않았었지."

"저는 자주 피곤하다고 느끼고 가끔 졸립다고 생각하지만 슬픈 적은 거의 없어요."

"그러면 아가씨의 기분을 북돋아주고 미래에 대한 속삭임으로 아가씨를 즐겁게 해주는 어떤 은밀한 희망은 있는 모양이지?"

"그런 건 없어요. 제가 기껏 희망하는 것은 제가 버는 돈에서 충분히 저축하여 언젠가 때가 되면 자력으로 세를 얻어 작은 학교를 세우는 거예요."

"영혼을 먹여 살리기엔 양분이 턱없이 모자라겠군. 저 창턱 자리에 앉아서(내가 아가씨 습관을 알고 있지)……."

"하인들에게 들어서 알았군요."

"아, 아가씨는 스스로 자신이 똑똑하다고 생각하겠어. 아마 그럴 거야. 사실을 말하자면 이 댁 하인들 중 한 명을 알고 있어……. 풀 부인이라고……."

나는 그 이름을 듣고 깜짝 놀라며 일어섰다.

'풀 부인을 아신다고요? 할머니가 정말?' 나는 생각했다. '그러니까 결국 이 장사에도 악마적인 요술이 있군.'

"놀라지 마." 이 이상한 노파가 말을 이었다. "그녀는 안전한 일꾼이야. 풀 부인 말야. 빈틈없고 조용한 사람이지. 누구도 그녀를 신뢰할 수 있어. 어쨌든 하던 말이나 계속하지. 창문가에 앉아서 아가씨는 그저 그 미래의 학교만 생각하는 거야? 아가씨 앞 소파와 의자에 앉아 있는 사람들 중에 당장 관심이 가는 사람이 없단 말야? 자세히 살피고 싶은 얼굴이 하나도 없어? 적어도 호기심을 가지고 그 사람이 하는 행동을 추적해보고 싶은 사람이 하나도 없단 말야?"

"전 모든 사람의 얼굴과 모습을 관찰하고 싶어요."

"하지만 그중에서 특별히 하나를 골라낸 적이 없단 말야? 아니면 두 명이라도?"

"그건 자주 있지요. 어떤 한 쌍의 동작이나 표정이 이야기를 들려주는 것처럼 느껴질 때 그렇게 합니다. 그들을 지켜보는 것은 재미나요."

"어떤 이야기를 듣는 게 제일 좋지?"

"아, 종류는 그다지 가리지 않아요! 그들은 대개 같은 주제를 다루니까요…… 청혼 말예요. 그리고 같은 종말로 끝내자는 약속이 주제지요. 결혼 말예요."

"그래 그 지루한 주제가 마음에 들어?"

"저는 절대로 그런 주제에는 신경 안 써요. 저와는 전혀 무관한 일이니까요."

"무관하다고? 젊은 데다 활력과 건강이 넘쳐흐르고 아름답고 매력 있고, 신분과 재산이라는 선물이 주어진 젊은 숙녀 하나가 신사의 눈앞에 앉아서 미소를 짓고 있는데, 아가씨는……."

"제가 뭘요?"

"알잖아……. 아마 좋게 생각할 거요."

"저는 여기 온 신사들을 몰라요. 그분들 중 누구와도 말 한마디 교환한 적이 없어요. 그분들을 좋게 생각하느냐는 문제는…… 전 어떤 분을 존경스럽고 당당하다고 생각하고 중년이나 젊은 사람들은 박력 있고 잘생기고 활기찬 분들이라고 생각해요. 그러나 그 신사들 모두는 기분이 좋아서 어떤 숙녀의 미소든 헤프게 받아들이고 있더군요. 그런 헤픈 처사가 자신에게 어떤 중요성을 갖는지 고려하고 싶은 감정은 조금도 없으면서 말예요."

"여기 온 신사분들을 모른다고? 누구하고도 한마디 나누어본 적이 없다고? 그 말은 이 댁 주인분에게도 해당되는 말인가?"

"그분은 지금 집에 안 계십니다."

"의미심장한 말이군! 말을 교묘하게 피해가는군! 그는 오늘 아침 밀코트에 가셔서 오늘 밤이나 내일 돌아오시겠지. 그렇다고 해서 아가씨는 아는 사람 목록에서 그 사람을 빼버려야 하나? 말하자면 존재하지 않는 사람처럼 그를 지워버려야 하나?'

"아뇨. 하지만 저는 로체스터 씨가 할머니가 꺼낸 이 이야기 주제와 무슨 상관이 있는지 잘 모르겠어요."

"신사들 눈앞에서 미소를 짓는 숙녀들에 대해 이야기하고 있었지. 그런데 최근엔 너무 많은 미소가 로체스터 씨의 눈으로 흘러들어가서 그분 눈이 마치 가장자리까지 차 넘치는 컵처럼 미소로 철

천 넘치고 있지. 그걸 눈여겨보지 않았나?"

"로체스터 씨는 손님들과 즐겁게 어울릴 권리가 있는 거예요."

"그의 그런 권리에 대해서는 의문의 여지가 없겠지. 하지만 이 곳에서 오가는 모든 결혼 이야기 중에서 로체스터 씨가 가장 활발하고 지속적으로 호감의 대상이 되고 있다는 사실을 한 번도 관찰한 적이 없단 말야?"

"듣는 사람 쪽에서 열심히 들어주니까 말하는 사람의 혀에 가속이 붙는 거겠지요." 이 말은 집시에게보다는 나 자신에게 말하고 있었다. 노파의 이상한 이야기와 목소리와 태도가 이때쯤 되어서는 나를 일종의 꿈처럼 휘감아버렸다. 예상하지 못했던 한 문장이 노파의 입술에서 나오면 그것에 이어 다른 예상치 못했던 문장이 뒤따랐다. 마침내 나는 어떤 속임수의 거미줄에 걸려든 것 같았다. 그리고 어떤 유령이 내 가슴 옆에 몇 주일을 앉아서 가슴의 작동을 지켜보며 그 박동 하나하나를 기록해온 것이 아닌가 하는 의문이 생겼다.

"듣는 사람 쪽에서 열심히 들었다!" 그녀가 내 말을 반복했다. "그랬지. 로체스터 씨는 매시간 앉아서, 자기에게 이야기를 하는 일에서 큰 기쁨을 느끼는 그 매력적인 입술들에 귀를 기울이고 있었지. 로체스터 씨는 자기에게 주어지는 그 심심풀이 오락을 매우 기꺼이 받아들였고 또 그것에 대해 매우 감사하게 생각했지. 그런 모습은 발견하지 못했나?"

"감사하고 있었다고요? 그의 얼굴에서 감사하는 것을 탐지한 기억이 없는데요."

"탐지! 그러면 분석을 했다는 말이군. 그때 감사가 아니면 무엇을 뭘 탐지했지?"

나는 아무 말도 하지 않았다.

"사랑을 보았겠지, 안 그래? 그리고 앞날을 내다보면서 그가 결혼한 모습을 떠올리고 그의 신부가 행복해하는 것을 눈에 그렸겠지."

"쳇, 그렇지 않아요. 마술 할머니의 점치는 기술도 때로는 실수를 하는군요."

"그럼, 대체 무얼 봤다는 거야?"

"상관 말아요. 저는 여기 질문하러 온 거지 고백하러 온 게 아니에요. 로체스터 씨가 결혼하게 될 거라는 것은 알려졌나요?"

"그럼. 그 아름다운 잉그램 양과."

"곧 합니까?"

"돌아가는 형편으로 보아서는 그런 결론은 확실한 결론이야. 그리고 의심의 여지없이(물론 아가씨는 비난받아 마땅할 정도로 무엄하게 의심하는 것 같긴 한데) 두 사람이 이 세상에서 가장 행복한 한 쌍이 될 거고, 그런 분이라면 마땅히 그렇게 예쁘고 고상하고 위트가 있고 교양도 풍부한 숙녀와 결혼을 해야지. 아마 그녀도 그를 사랑할 거야. 아니, 그의 외모를 사랑하는 건 아니지만 적어도 그의 지갑을 사랑할 거야. 그녀가 로체스터 씨의 재산을 최고의 결혼 조건으로 생각하고 있다는 건 나도 알아. (이런 이야기를 하는 것을 하느님께서 용서해주길 바랄 뿐이야!) 물론 한 시간 전쯤에 나는 이 점에 대해 그녀에게 뭔가를 이야기해주었어. 그랬더니 깜짝 놀라며 얼굴이 심각해지더군. 입술 주변이 반 인치는 일그러졌어. 그녀에게 내가 구혼자를 찾는 마법을 권해주려고 했었지. 이를테면 보다 더 길고 명료한 소작이 장부를 가진 남자가 나타나면 그를 어떻게 정복하느냐 하면……."

"그만하세요, 할머니. 저는 로체스터 씨의 운명을 들으려고 여기 온 게 아니에요. 제 운명이 어떤지 들으려고 온 거예요. 그런데 그런 이야기는 하나도 하지 않으셨어요."

"아가씨 운명은 아직 분명하지 않아. 아가씨의 얼굴을 자세히 보자니까 한 가지 얼굴 특징이 다른 특징과 서로 모순되고 있어. 운명의 여신이 아가씨에게 어느 정도의 행복은 배당했어. 그건 알겠군. 오늘 저녁 여기 오기 전부터 난 그걸 알고 있었어. 여신은 아가씨 한쪽 편에 그것을 조심스럽게 내려놓은 거지. 여신이 그러는 걸 나는 봤어. 손을 뻗어 그걸 잡는 일은 아가씨 자신에게 달린 거지. 하지만 아가씨가 그렇게 할지 어쩔지는 나도 잘 모르는 문제야. 저 깔개 위에 다시 무릎을 꿇고 앉아봐."

"이런 자세로 오래 있진 못하겠어요. 난롯불 때문에 몸에 불이 붙겠어요."

나는 무릎을 꿇었다. 노파는 내게로 몸은 굽히지 않고 그저 자기 의자에 등을 대고 기대고 앉아 나를 응시할 뿐이었다. 그러더니 중얼대기 시작했다.

"눈에서 불꽃이 나불거리고 있군. 눈이 이슬처럼 빛나고 부드럽고 감정으로 넘치고 있군. 내가 하는 횡설수설에 미소도 짓는군. 눈이 아주 민감하군. 인상이 그 맑은 눈동자 전역을 통해 줄을 이어가는군. 미소가 멎으면 애감이 들어서는군. 자신도 의식 못하는 나른함이 눈꺼풀을 누르는군. 그것은 외로움에서 기인한 우울증을 의미하지. 내게서 눈을 돌리는군. 더 이상의 검사는 받지 않겠다 이거지. 경멸하는 눈길은 내가 이미 발견한 사실이 진실임을 부정하는 것 같군……. 민감하고 애조를 띠고 있다는 내 말을 인정하지 않는 다는 것이군. 그 눈에 나타난 자부심과 자제력이 내 의견이 정당하 다는 것을 확인시키는군. 그 눈은 호감이 가는군.

입은 어떤가 하면, 때로 웃음을 띠며 즐거워하는군. 머리가 담고 있는 모든 것을 전달하고 싶어 하는군. 그러나 아마도 가슴이 경험 한 많은 것에 대해서는 침묵을 하겠다는 입이야. 기동성이 있고 유 연하기 때문에 그 입은 영원히 침묵하는 고독 속에 눌려 벌릴 의사 가 없는 그런 입은 아니야. 말을 많이 하고 미소도 많이 짓고, 대화 상대자에 향해 인간적 애정을 표현해야 하는 입이야. 입 모양 역시 호감을 주고 있군.

사주팔자는 어떤가 하면 나쁜 데가 없어. 다만 이마가 문제야. 그 이마가 이렇게 공언하고 있어. '자존심과 여건이 나더러 혼자 살 아가기를 요구하면 난 그럴 수 있어. 행복을 사기 위해 영혼을 팔 필요는 없어. 내게는 타고난 내면의 보물이 있어. 모든 외적인 즐거 움이 내게 오기를 거부하거나 온다 해도 내가 감당할 수 없는 값을 요구하면, 그 보물이 나를 살아가게 해줄 거야.' 또 그 앞이마는 선 언하고 있어. '이 안에는 이성이 굳건히 자리 잡고 앉아 고삐를 쥐 고 감정이 분출하여 험한 틈새로 향해 급히 내닫는 것을 막아주고 있어. 열정이 이교도들처럼 무섭게 기승을 부릴지 모르지. 원래 열 정은 이교도들이니까. 욕망이 온갖 헛된 일들을 상상할지 모르지. 그러나 판단력이 모든 논쟁에서 마지막 발언을 할 것이고, 모든 결 정을 내릴 때 결정권을 행사할 거야. 강한 바람과 지진의 충격파와 불길은 지나갈지도 몰라. 그러나 나는 양심의 명령을 설명해주는

주용하고 작은 목소리가 인두하는 길을 따라갈 거야.'

앞이마야, 너 얘기 한번 잘했다. 네 그 선언은 존중될 거다. 나는 내 계획을 이미 세웠다. 올바른 계획이라고 생각된다……. 그런 계획을 세우면서 나는 양심의 주장과 이성의 조언을 존중했어. 내게 내민 행복의 컵 안에 단 한 조각의 수치나 한 조각의 후회만 탐지된다 하더라도 청춘이 얼마나 빨리 시들고 꽃이 소멸되는가를 나는 알고 있어. 나는 희생, 슬픔, 소멸은 원하지 않는다……. 그런 것들은 내 취향이 아니야. 나는 키우고 싶지 말라죽게 하고 싶지 않아. 감사하는 마음을 얻고 싶지 피눈물을 쥐어짜고 싶지 않아. 그래. 짜디짠 눈물 같은 거 원하지 않아. 나의 수확은 미소와 애정과 꿀의 모습을 띤 것이야 해…… 그거면 족해. 내가 지금 어떤 미묘한 정신착란에 빠져 지껄이고 있다는 생각이 드네. 이 순간을 지금 영원히 끌고 가고 싶지만 감히 그러지는 못해. 이제까지 나는 내 자신을 철저히 통제해왔어. 마음속으로 그러겠다고 맹세한 대로 처신해왔어. 그러나 이젠 내 능력의 한계를 넘어선 일까지 시도하게 될지도 몰라. 에어 선생, 일어나 여길 나가시오. '이제 연극은 끝났다.'*"

대체 내가 어디에 와 있었을까? 내가 눈을 뜨고 있었나, 아니면 잠을 자고 있었나? 꿈을 꾸고 있었나? 아직도 꿈을 꾸고 있는 걸까? 늙은 노파의 음성은 변해 있었다. 그녀의 억양, 그녀의 몸짓, 그 밖에 모든 것이 거울 속에 비친 내 얼굴처럼 친숙한 것이었다. 내 혀에서 나오는 말처럼 친숙했다. 나는 일어섰다. 그러나 가지 않았다. 나는 바라보았다. 나는 불을 뒤적이고 다시 바라보았다. 그러

---

* 셰익스피어의 〈헨리 4세〉 2막 4장에 나오는 대사이다.

나 노파는 모자를 더욱 깊숙이 눌러쓰고 얼굴에 매어진 붕대를 더욱 바싹 조였다. 그러고는 내게 방에서 나가라고 손짓했다. 난로 불빛이 앞으로 길게 뻗은 그녀의 손을 환히 비춰주었다. 마침 몽롱한 상태에서 깨어났고 눈에 무엇이 걸려드나 해서 잔뜩 긴장하고 있었기 때문에 나는 즉시 그 손을 알아보았다. 그 손은 내 손과 마찬가지로 늙은이의 쭈글쭈글한 손이 아니었다. 대칭적으로 서로를 향해 있는 매끈한 손가락이 달린 둥글고 유연한 손이었다. 작은 손가락 위에서는 폭이 넓은 반지가 빛을 발하고 있었다. 나는 몸을 앞으로 굽히며 그 반지를 보았다. 그러자 전에 내가 백 번을 보았던 보석이 박혀 있었다. 나는 다시 노파의 얼굴을 보았다. 그 얼굴은 더 이상 내 쪽으로 향해 있지 않았다……. 그와는 반대로 모자를 벗고 붕대를 풀고 머리는 앞으로 내밀고 있었다.

"이봐요, 제인. 나를 알아보겠소?" 그 친숙한 음성이 말하는 것이었다.

"붉은 외투만 벗으시면, 주인님. 그러면……."

"그런데 외투 끈의 매듭이 풀리지 않아서…… 날 도와줘요."

"끊어버리세요, 주인님."

"그럼, 자…… '꺼져라, 너 빌려 입은 옷들아!'" 로체스터 씨는 변장한 옷을 벗고 걸어 나왔다.

"세상에, 원. 주인님. 이상한 발상을 하셨네요!"

"하지만 잘해냈지 않았나? 안 그래요? 그렇게 생각하지 않아요?"

"다른 숙녀분들 앞에서는 연기를 잘하신 게 틀림없어요."

"선생 앞에선 그렇지 못했소?"

"제게는 집시 역할을 제대로 못하셨어요."

"그럼, 내가 어떤 인물 역할을 연기했단 말이요? 로체스터 역을 했나?"

"아니에요. 설명할 수 없는 어떤 인물 역할을 하셨어요. 간단히 말해서, 주인님은 저를 끌어내려고…… 아니, 끌어들이려 하셨다고 전 믿어요. 제 입에서 말도 되지 않는 말을 나오게 하기 위해 주인님은 말도 안 되는 말을 하셨어요. 이건 공평하지 못해요, 주인님."

"용서해주겠소, 제인?"

"좀 깊이 생각하고 난 뒤에야 말씀드릴 수 있겠네요. 생각해봐서 제가 큰 바보짓을 저지르지 않았다는 생각이 들면 용서해드리겠어요. 하지만 이번 처사는 옳지 않았어요."

"아, 선생은 매우 정확했고…… 매우 주의력이 강하고 지극히 분별력이 있었소."

나는 돌이켜보았다. 그러자 대체로 내가 그랬었다는 생각이 들었다. 그건 위로가 되었다. 그러나 실은 나는 대면하던 첫 순간부터 경계하고 있었던 것이다. 누군가가 가면을 쓰고 위장한 것이라고 의심을 했었다. 나는 집시나 점쟁이들은 이 노파로 보이는 여성이 하는 식으로 자신을 표현하지 않는다는 것을 알고 있었다. 게다가 노파는 목소리를 위장하고 자기 모습을 감추려고 애쓰는구나 하는 것도 눈치채고 있었다. 그러나 내 마음은 그레이스 풀을 의심하고 있었다……. 그녀는 살아 있는 수수께끼이며 신비 중의 신비라고 나는 생각하고 있었기 때문이다. 나는 노파가 로체스터 씨라고는 생각하지 못했었다.

"그래, 무슨 생각을 그렇게 하는 거요? 그 심각한 미소는 무슨

382

의미요?" 그가 말했다.

"경탄과 자축을 하고 있습니다, 주인님. 이제 가도 된다는 허락을 하시는 거죠?"

"아니. 잠시만 더 있어줘요. 응접실에서 사람들이 뭘 하고 있는지 말해주시오."

"아마 집시 노파에 대해 이야기하고 있겠죠."

"앉아요, 앉으라니까! 그들이 나에 대해 뭐라고 말했는지 들어봅시다."

"주인님, 너무 오래 있지 않는 게 좋을 것 같습니다. 11시 가까이 되었을 거예요. 아, 참! 주인님, 아침에 집을 나가신 후 낯선 손님이 이곳을 찾아오신 걸 아십니까?"

"낯선 손님! 모르는데. 도대체 누굴까? 올 사람이 없는데. 그래, 그 사람은 갔소?"

"아닙니다. 주인님을 오래전부터 알고 있었으니까, 주인님이 돌아오실 때까지 실례를 무릅쓰고 여기 눌러 있겠다고 말씀하시더군요."

"도대체 그게 무슨 소리야! 자기 이름을 대던가요?"

"메이슨이라고 했습니다, 주인님. 그분은 서인도제도에서 왔다고 했어요. 제 생각엔 자메이카의 스패니시타운에서 온 것 같아요."

이때 로체스터 씨는 내 곁에서 나를 의자로 데려가려는 듯 내 손을 잡고 있었다. 내가 말하고 있을 때 그는 경련을 일으키듯 내 손목을 꽉 잡았다. 그의 입술 위에 있었던 미소도 얼어붙었다. 무슨 정신적 충격으로 호흡이 곤란한 것 같았다.

"메이슨! ―서인도제도!" 말하는 로봇이 같은 단어를 반복할 때 상상할 수 있는 그런 말투로 그는 말했다. "메이슨! — 서인도제도!" 그는 반복했다. 그는 이 음절들을 세 번이나 되풀이했다. 그리고 그 음절을 발음하는 동안 그의 얼굴은 잿빛보다 더 창백해지고 있었다. 그는 자신이 무엇을 하고 있는지조차 의식하지 못하고 있는 것 같았다.

"주인님, 어디 편찮으세요?" 내가 물었다.

"제인, 이건 충격이야…… 이건 충격이야, 제인!"

그는 비틀거렸다.

"오! 제게 기대세요, 주인님."

"제인, 전에 한번 내게 어깨를 내민 적이 있었지. 지금 그걸 이용하게 해줘봐요."

"물론입니다. 주인님. 그렇게 하세요. 제 팔도요."

그는 자리에 앉았다. 그러고는 나를 곁에 앉도록 했다. 양손으로 내 손을 잡더니 비비듯 주물렀다. 그러면서도 동시에 극히 고통스럽고 우울한 시선으로 나를 응시했다.

"내 어린 친구야!" 그가 말했다. "제인하고 둘이서만 조용한 섬에 가서 살았으면 좋겠소. 그러면 고통과 위험과 끔찍한 기억들이 내게서 사라질 텐데……."

"제가 도와드릴 수 있을까요, 주인님? 생명을 바쳐서라도 주인님을 돕겠어요."

"제인, 만약 도움이 필요하면 난 그걸 제인의 손에서 찾겠소. 약속하겠어, 제인."

"고맙습니다, 주인님. 제가 지금 무엇을 해야 할지 말씀해주세요. 적어도 그 일이라도 해보겠습니다."

"식당에 가서 와인 한 잔 갖다주어요. 아마 손님들은 저녁 식사를 하고 있을 거요. 그리고 메이슨이 그들과 함께 있는지, 뭘 하고 있는지 알려줘요."

나는 응접실로 갔다. 로체스터 씨가 말한 대로 모든 손님들은 식당에서 저녁을 먹고 있었다. 그들은 식탁에 앉아 있지 않았다. 저녁 음식은 찬장 선반 위에 길게 나열되어 있었다. 각자는 자기가 고른 음식을 집어 들고 여기저기 무리를 지어 서 있었다. 손에는 다들 쟁반과 잔이 들려 있었다. 모두가 즐거운 표정이었다. 웃음과 대화가 방 안 전체를 메우며 활기에 차 있었다. 메이슨 씨는 덴트 대령 부부와 이야기하며 난롯가에 서 있었는데 누구 못지않게 즐거워 보였다. 나는 포도주 잔을 채웠다. 잔을 채우는 내 모습을 잉그램 양이 상을 찡그리며 쳐다보는 게 느껴졌다. 아마 내가 함부로 행동한다고 그녀는 느꼈을 것이다. 나는 서재로 돌아왔다.

극도로 창백했던 안색이 로체스터 씨의 얼굴에서 사라져 있었다. 그는 다시 단호하고 엄격한 표정을 짓고 있었다. 그는 내 손에서 잔을 받아 들었다.

"자, 봉사의 요정, 그대에게 건배!" 그가 말했다. 그는 잔에 담긴 것을 훌쩍 들이켜고는 잔을 내게 돌려주었다. "그래, 사람들은 뭘 하고 있었소, 제인?"

"웃고 이야기하고 있었습니다, 주인님."

"뭔가 이상한 말을 들은 사람들처럼 심각하거나 고개를 갸우뚱하지는 않았소?"

"전혀 그렇지 않았습니다……. 다들 익살을 주고받으며 퍽 즐거워하고 있습니다."

"그런, 메이슨은?"

"그분 역시 웃고 있었습니다."

"만일 그 사람들이 한꺼번에 몰려와 내게 침을 뱉는다면, 제인은 어떻게 하겠소?"

"주인님, 제가 할 수만 있으면 그들을 방에서 몰아내겠습니다."

그는 엷은 미소를 지었다. "그러나 내가 그들에게 갔을 때 그들이 내게 차가운 눈길을 던지고 자기들끼리 경멸하면서 소곤거리다가 급기야 하나하나 나를 떨치고 떠나버리면, 그땐 어떻게 하겠소? 선생도 그들과 함께 갈 거요?"

"전 갈 것 같지 않습니다, 주인님. 저는 주인님과 함께 머무는 일에서 더 큰 기쁨을 느낄 겁니다."

"나를 위로해주기 위해서?"

"네, 주인님. 할 수 있는 한 위로해드리기 위해서입니다."

"만일 그들이 나와 붙어 있지 못하게 금하면?"

"저는 그런 금지가 있는 건지도 잘 모를 겁니다. 알아도 상관 안하겠습니다."

"그러면 나를 위해 비난도 감수하겠다, 이거요?"

"저는 옆에 붙어 있어줄 가치가 있는 친구를 위해서라면 기꺼이 비난 같은 건 감수할 수 있습니다."

"이제 그 방으로 돌아가서 조용히 메이슨에게 다가가, 그의 귀에다 로체스터 씨가 돌아왔고 지금 만나고 싶어 한다고 말해요. 그를 이리로 안내한 다음 선생 방으로 가도 좋아요."

"알겠습니다, 주인님."

나는 그의 지시대로 했다. 손님들 사이를 곧장 헤쳐 지나가자 그들은 깜짝 놀라 나를 쳐다보았다. 나는 메이슨 씨를 찾아 전달할 말을 전했다. 그러고는 그의 앞에 서서 방을 나왔다. 나는 그를 서재로 안내했다. 그러고는 나는 2층으로 올라갔다.

내가 잠자리에 든 후 어느 정도 시간이 지난 늦은 시간이 돼서야 손님들은 각자의 방으로 들어가는 소리가 들렸다. 나는 로체스터 씨의 목소리를 식별했다. 그가 말하는 게 들렸다. "이쪽이야, 메이슨. 이게 자네 방이네."

그는 명랑하게 말하고 있었다. 그 명랑한 어조가 내 마음을 편하게 해주었다. 나는 곧 잠이 들었다.

제20장

 늘 내가 하던 대로 커튼을 내리고 차일도 내리는 일을 나는 깜박 잊었던 것이었다. 그 결과, 마침 그날 밤은 날씨까지 쾌청해서 일그러진 데가 하나도 없는 밝은 달이 하늘의 그 공간, 바로 내 창문틀 맞은쪽 공간으로 진로를 잡고 와서는 차일이 없는 유리창을 통해 나를 들여다보게 되자, 그 찬란한 달의 눈빛이 나를 잠에서 깨우고 말았다. 한밤중에 잠을 깬 나는 그 접시 모양을 한 달을 향해 눈을 떴다. 은백색에다 수정처럼 맑은 달이었다. 아름다웠지만 너무 근엄했다. 나는 몸을 반쯤 일으켜 팔을 뻗어 커튼을 잡아 끌어내리려던 참이었다.

 어머나! 이 무슨 비명일까!

 밤…… 그 정적…… 그 휴식은 손필드 저택의 이쪽 끝에서 저쪽 끝까지 울려 퍼진 야만스럽고 날카로운 비명에 둘로 찢어지는 것 같았다.

 내 맥박이 멈췄다. 심장도 조용히 정지했다. 내밀었던 팔에 마비가 왔다. 비명은 멎었고 다시 살아나지는 않았다. 사실이지 그런 무서운 비명을 내질러야 했던 것이 무엇이든, 그것은 곧 다시 그 소리를 반복할 수는 없었다. 안데스 산맥에 사는 가장 큰 날개를 가진 콘도르도 제 둥지를 에워싼 구름 속에서 그런 끔찍한 비명을 연속해서 내지르지는 못할 것이다. 그런 소리를 내지른 당사자는 그런 노력을 반복할 수 있기에 앞서 쉬어야만 했을 것이다.

비명은 3층에서 들렸다. 내 바로 머리 위에서 난 것이었다. 바로 머리 위였다. 그렇다. 내 방 천장 바로 윗방에서 난 것이다. 그런데 이번에는 엎치락뒤치락하는 소리가 들렸다. 그 소리로 보아 지독한 몸싸움인 것 같았다. 그러더니 반쯤 질식된 음성이 외쳤다.

"사람 살려! 사람 살려! 사람 살려!" 급히 연속되는 세 번의 고함 소리였다.

"아무도 안 오는 거야?" 그 목소리가 외쳤다. 다음에는 비틀거리는 소리와 발을 구르는 소리가 거칠게 계속되는 동안 널빤지와 회벽을 통해 내 귀가 식별할 수 있는 소리가 들렸다.

"로체스터! 로체스터! 제발 와!"

어떤 방의 문이 열리고 누군가가 달려갔다. 아니, 복도를 통해 돌진했다. 또 다른 발소리가 위층 바닥에서 쿵쿵 소리를 내더니 무언가가 넘어졌다. 그러고는 다시 정적으로 돌아갔다.

나는 무서워서 사지가 다 떨렸지만 옷가지를 걸쳐 입었다. 그러고는 내 방에서 나왔다. 잠들었던 사람들은 모두 깨어 있었다. 모든 방에서 놀라서 지르는 외침 소리와 겁에 질린 수군덕거림이 들려왔다. 문이 하나하나 열리고 사람들이 하나씩 이어지며 방 밖을 내다보았다. 복도는 가득 찼다. 신사들과 숙녀들은 다 같이 모두 침대를 빠져나와 있었다. "오, 무슨 일이야?"…… "누가 다쳤나?"…… "무슨 일이 일어난 거야?"…… "등불을 가져와!"…… "불이 난 거야?"…… "강도들이 들어왔나?"…… "어디로 도망가야 돼?" 이런 질문이 여기저기서 터져 나왔다 달빛만 아니었다면 그들은 칠흑 같은 어둠 속에 갇혀 있었을 것이다. 그들은 우왕좌왕하거나 함께 모여 있기도 했다. 어떤 사람은 흐느껴 울고 어떤 사람은 비틀거렸다. 혼란은 해결할 길이 없었다.

"도대체 로체스터 씨는 어디 있는 거야?" 덴트 대령이 외쳤다. "침대에도 없더군."

"여기 있어요! 여기!" 하는 응답이 왔다. "모두 침착하게 계십시오. 여기 곧 갑니다."

그러자 복도 끝에 있는 문이 열리고 로체스터 씨가 촛불을 들고 나타났다. 그는 막 위층에서 내려왔던 것이다. 숙녀들 중 한 명이 그에게 곧장 달려가서 그의 팔을 잡았다. 잉그램 양이었다.

"무슨 끔찍한 일이 벌어진 거예요?" 그녀가 말했다. "아무리 최악의 상황이라도 당장 알아야겠어요!"

"하지만 나를 끌어 넘어뜨리지 말아요. 아니면 질식하겠어요." 그가 대답했다. 에시턴 자매까지 그에게 매달려 있었고, 게다가 엄청나게 큰 흰색 실내복을 걸친 미망인들이 가세해서, 마치 돛을 완전히 펼친 배들처럼 그에게 덤벼들고 있었다.

"이제 됐습니다……. 아무 일 없습니다!" 그가 큰 소리로 말했다. "그냥 셰익스피어의 〈헛소동〉*이란 연극을 연습한 것에 불과합니다. 숙녀 여러분, 물러서주십시오. 그렇지 않으면 제가 점점 험악해질 겁니다."

그는 정말 험악해 보였다. 검은 눈에서는 이글거리는 광채가 번

---

* 5막으로 이루어진 셰익스피어의 희극.

뜩이고 있었다. 가까스로 자신을 진정시키고 나서 로체스터 씨가 말했다.

"하녀 하나가 악몽을 꾸었답니다. 그게 전부입니다. 흥분을 잘하고 신경이 예민한 하녀입니다. 틀림없이 그녀는 꿈에서 본 것을 유령이나 그와 비슷한 것으로 생각했을 겁니다. 그래서 무서워서 발작을 일으킨 것입니다. 그러니 자, 이제 모두들 각자의 방으로 돌아가십시오. 집안이 조용해지기 전에는 그녀를 돌볼 수 없으니까요. 신사분들, 아량을 베푸셔서 숙녀들에게 모범을 보여주십시오. 잉그램 양, 당신은 이런 쓸데없는 공포심을 억누를 수 있는 능력이 있다는 것을 입증하실 겁니다. 에이미와 루이자 양, 늘 그렇듯 비둘기 한 쌍처럼 둥지로 돌아가십시오. 부인들께서도 (미망인들에게 말했다.) 돌아가십시오. 이렇게 쌀쌀한 복도에 더 머무르시면 틀림없이 감기에 걸리실 겁니다." 이렇게 달래고 명령하기를 번갈아 함으로써 그는 겨우 모든 사람들이 다시 각자의 방으로 돌아가게 만들었다. 나는 다시 내 방으로 돌아가라는 지시를 들을 때까지 기다리지 않았다. 방을 나갈 때도 그랬던 것처럼 누구의 눈에도 안 띄게 내 방으로 돌아왔다.

그러나 나는 잠자리에 들지 않았다. 그와는 반대로 나는 조심스럽게 옷을 차려입기 시작했다. 비명이 난 후 내가 들은 소리와 누군가가 내뱉은 말들은 아마 나만 들었을 것 같았다. 그런 소리들은 내 방 바로 위에서 들려왔기 때문이다. 어쨌든 그 소리들이 내게 확언해주는 것은, 온 집 안을 온통 공포에 몰아넣었던 소리가 단순히 하녀의 꿈 때문은 아니라는 사실과, 로체스터 씨의 해명도 손님들을 진정시키기 위해 꾸며낸 거짓말이라는 사실이었다. 그래서 나는 비삼사태에 대비하기 위해 옷을 차려입었다. 차려입고 나서 나는 오랫동안 창가에 앉아 조용한 정원과 은빛 들판을 바라보며 무언지 모르는 막연한 것을 기다리고 있었다. 그처럼 기이한 비명 소리와 엎치락뒤치락하는 소리, 도움을 요청하는 소리가 있은지라 반드시 뒤이어 무슨 사건이 일어날 것이라는 게 내 생각이었다.

아무 일도 없었다. 적막이 돌아왔다. 두런거리는 소리와 뭐가 움직이는 소리가 차츰 잦아들고, 한 시간도 안 되어 손필드 저택은 다시 사막처럼 숨을 죽였다. 잠과 밤이 다시 자신의 제국을 되찾은 것 같았다. 그러는 동안 달은 기울어 이제 막 넘어가려고 하고 있었다. 추위와 어둠 속에 앉아 있고 싶지 않아서 나는 그냥 옷을 입은 채 내 침대 위에 누우면 좋겠다고 생각했다. 나는 창가를 떠나 거의 소리를 내지 않고 카펫을 가로질러 움직였다. 신발을 벗기 위해 몸을 굽히려는 순간 누군가가 조심스러운 손길로 조용히 내 방문을 두드렸다.

"저를 부르시는 겁니까?" 내가 물었다.

"일어나 있었소?" 내가 들을 것을 예상했던 목소리, 주인님의 목소리가 물었다.

"네, 주인님."

"옷은 입고 있소?"

"네."

"그러면 조용히 나와요."

나는 그 말에 따랐다. 로체스터 씨는 촛불을 들고 복도에 서 있었다.

"선생이 필요해요." 그가 말했다. "이리 따라와요. 천천히. 소리

내지 말고."

내 슬리퍼는 얇았다. 나는 매트가 깔린 바닥을 고양이처럼 살금살금 걸을 수 있었다. 그는 소리 없이 복도를 지나 계단을 올라가더니 어둡고 낮고 불길한 3층 복도에서 걸음을 멈췄다. 뒤를 따르던 나도 그의 옆에 섰다.

"혹시 선생 방에 해면 있소?" 그가 속삭이는 소리로 물었다.

"네, 주인님."

"약용 소금이 있소? 휘발성 염제 말이오, 냄새 맡는……."

"있습니다."

"돌아가서 두 가지를 가져와요."

나는 방으로 돌아와 세면대 위에 있던 해면과 서랍 안에 있던 소금을 찾아내어 되돌아갔다. 그는 나를 조용히 기다리고 있었고 손에 열쇠를 쥐고 있었다. 작고 검은 문 하나에 다가서자 그는 자물쇠에 열쇠를 꽂았다. 잠시 뜸을 들인 뒤 그가 내게 다시 말했다.

"피를 보게 되어도 속이 뒤집히진 않겠지?"

"안 뒤집힐 겁니다. 아직 한 번도 체험한 적은 없어요."

그의 질문에 대답하는 동안 좀 떨렸다. 그러나 오싹하는 기분이나 현기증은 느끼지 않았다.

"손을 이리 줘봐요." 그가 말했다. "기절하면 아무 도움이 안 되니까."

나는 내 손가락들을 그의 손가락에 끼웠다. "따뜻하고 안정되어 있군." 그가 말했다. 그는 열쇠를 돌려 문을 열었다.

전에 페어팩스 부인이 집 전체를 구경시켜주었을 때 본 기억이 나는 하나의 방이 내 눈앞에 나타났다. 방에는 태피스트리 장식이 걸려 있었다. 그러나 지금은 그 장식의 한쪽 부분을 고리에 묶어 올려놓았다. 그리고 그곳에 분명히 문이 나 있었다. 방을 구경할 때는 숨겨져 있었던 문이다. 문을 열자 그곳의 내실에서 불빛이 흘러나왔다. 그곳에서 누군가가 싸우는 개처럼 으르렁거리며 무엇을 잡아채는 소리가 들려왔다. 로체스터 씨가 촛불을 내려놓으며 "잠시 기다려요."라고 말했다. 그러고는 그는 내실 안으로 들어갔다. 그가 들어가자 낄낄거리며 그를 맞이하는 웃음소리가 들렸다. 그 웃음소리는 처음에 시끄럽게만 들렸지만 끝에 가서는 그레이스 풀이 내던 "하!하!" 하는 귀신 웃음소리로 끝나는 것이었다. 그렇다면 바로 그녀가 그곳에 있다는 소리였다. 그는 말은 하지 않았지만 그곳에서 무언가를 정리하고 있었다. 물론 나는 누군가가 아주 낮은 목소리로 그에게 말하는 소리를 들었다. 마침내 그가 내실에서 나온 후 문을 닫았다.

"제인, 이쪽으로 와요!" 그가 말했다. 나는 대형 침대를 돌아 건너편으로 갔다. 커튼으로 가려져 있던 그곳에는 상당히 넓은 공간이 숨겨져 있었다. 침대머리에 안락의자가 하나 놓여 있었고 그곳에 외투를 벗은 셔츠 차림의 남자가 꼼짝도 않고 앉아 있었다. 머리는 뒤로 젖혀져 있었고 눈은 감고 있었다. 로체스터 씨가 그의 몸 위로 촛불을 들었다. 생기가 전혀 없는 창백한 그 얼굴에서 나는 낯선 손님, 바로 메이슨 씨를 발견했다. 그의 셔츠 한쪽과 팔이 피로 흠뻑 젖어 있었다.

"촛불을 들고 있어봐요." 로체스터 씨가 말해서 나는 촛불을 받았다. 그는 세면대에서 대야에 물을 담아 가져왔다. "대야 좀 잡고 있어요." 그가 말했다. 나는 시키는 대로 했다. 그는 해면을 들어

대야의 물에 담갔다가 그것으로 시체처럼 창백한 그 남자의 얼굴을 적셔주었다. 그리고 그는 내게 약용 염제 병을 달라고 하더니 그것을 남자의 콧구멍에 갖다 댔다. 메이슨 씨는 곧 눈을 떴다. 그는 신음 소리를 냈다. 로체스터 씨는 부상당한 남자의 셔츠를 벗겼다. 남자의 팔과 어깨에 붕대가 감겨 있었다. 그는 뚝뚝 떨어지는 피를 해면으로 닦았다.

"당장 위험한 지경인가?" 메이슨 씨가 중얼거렸다.

"푸우! 아냐…… 좀 긁혔을 뿐이야. 그렇게 약한 마음 갖지 말게, 이 사람아. 참아! 내가 지금 가서 의사를 불러오겠네. 아침이 밝을 무렵이면 자넨 이 집에서 나갈 수 있을 걸세. 난 그러길 바라네. 제인……." 그가 계속했다.

"네?"

"한 시간 아니면 어쩌면 두 시간만 이 신사를 선생에게 맡기겠소. 피가 다시 나오면 내가 했던 대로 해면으로 닦아줘요. 의식이 가물가물해지는 것 같으면 저 세면대 위의 물 잔을 그의 입술에 대주고 염제 병을 코에 갖다 대줘요. 어떤 구실로도 말을 걸어서는 안 돼요……. 그리고 리처드, 만약 이 선생에게 말을 걸면 자네 목숨이 위험해질 걸세. 입을 열었다가 흥분하게 되면…… 나도 그 결과는 책임지지 않겠네."

그 불쌍하게 된 남자는 다시 신음했다. 그는 감히 움직일 수도 없는 것 같았다. 죽음에 대한 공포인지 어떤 다른 것에 대한 공포인지 확실치 않지만 공포가 그의 몸을 거의 마비시키고 있는 것 같았다. 로체스터 씨는 이미 피에 젖어 있는 해면을 내 손에 쥐어주었고 나는 그가 했던 대로 그걸 사용하기 시작했다. 그는 잠시 나를 지켜보더니 "명심해요! 대화는 금물이오."라고 말하더니 방을 나갔다. 열쇠가 자물쇠 속에서 찰칵하는 소리를 내고 이어서 멀어져가는 그의 발소리가 들리지 않게 되자 나는 이상한 기분을 경험했다.

그리하여 나는 3층 방에 있게 되었고 그 수수께끼 같은 작은 방에 꼼짝 못하도록 묶인 것이었다. 밤이 나를 포위하고 있었고 내 눈과 손 밑에는 창백하고 피투성이가 된 광경이 있었고, 문 하나로는 절대 차단될 것 같지 않은 여자 살인자가 옆방에 있었다. 그렇다…… 그게 소름 끼치는 일이었다……. 나머지는 견딜 수 있었다. 그러나 그레이스 풀이 불시에 나를 덮칠지도 모른다는 생각을 하니 몸서리가 쳐졌다.

그러나 나는 내 자리를 지켜야만 한다. 나는 이 송장처럼 창백한 얼굴을 지켜봐야 한다……. 벌리는 게 금지된 이 새파랗고 고요한 입술을…… 감았다, 떴다, 방을 방황하다 내게 고정되었다가 침울한 공포로 인해 빛을 잃어가는 그 눈을 지켜봐야 한다. 피와 물이 범벅이 된 대야 안에다 반복해서 손을 담그고 상처 부위에서 뚝뚝 떨어지는 피를 닦아내야 한다. 아직 완전히 심지가 타지 않은 초가 발하는 빛이 내 작업 위에서 서서히 시드는 모습을 봐야 한다. 내 주위에 있는 고풍스러운 자수 태피스트리 위에서 점점 어두워지는 그림자들, 낡은 거대한 침대 커튼 밑에서도 더욱 어두워지는 그림자들, 또한 맞은편 거대한 장식장 문들 위에서 기이하게 흔들리는 그림자들을 지켜봐야 했다. 그 열두 개의 패널로 나누어져 있는 장식장 전면에는 그리스도의 열두 사도의 머리 형상이 으스스한 도안으로 그려져 있다. 액자 속에 들어가 있듯 각각의 패널 안에는 한 명의 사도 형상이 그려져 있었다. 그리고 그 위 장식장 꼭대기에는 검은색 십자가와 죽어가는 그리스도의 형상이 솟아 있었다.

어둠이 자리바꿈질하고 촛불도 흔들리며 여기를 비췄다가 저곳에 정지했다 함에 따라 어떤 때는 이마를 숙인 수염 난 의사 누가의 얼굴이 눈에 들어오고 어떤 때는 성 요한의 굽슬굽슬한 긴 머리가 눈에 들어왔다. 그리고 이제 유다의 악마 같은 얼굴이 패널에서 불거져 나와 점점 선명해지면서 대반역자 사탄 자신의 모습을 드러내려는 것 같았다……. 그것도 사람이라는 하수인의 모습으로 자신을 드러내려고 하고 있었다.

이런 와중에서 나는 눈을 뜨고 감시하는 것은 물론 귀를 곤두세우고 있어야 했다. 건너편 굴 속에 도사리고 있는 사나운 야수랄까 그 악마의 움직임을 포착하기 위해 귀를 기울여야 했다. 그러나 로체스터 씨가 다녀간 이후로는 그것은 마법에 걸려 있는 모양이었다. 밤새도록 나는 세 번의 긴 간격을 두고 삐걱거리는 소리, 잠시 재개된 으르렁거리는 개 울부짖음, 그리고 굵고 낮은 인간의 신음소리, 이렇게 세 번의 소리를 들었을 뿐이다.

다음으로 내 자신의 잡념도 나를 괴롭혔다. 이런 외딴 대저택에서 구체화된 형상을 가지고 살아가고 있는데, 그 저택의 주인이 추방하거나 제압하지 못하는 이 범죄의 정체는 대체 무엇일까? 고요하기 이를 데 없는 한밤중에 한번은 화재의 형태로, 또 한번은 유혈사건의 형태로 모습을 드러낸 이 수수께끼 같은 사건의 정체가 대체 무엇일까? 평범한 아낙네의 얼굴과 형상으로 가장하고 있으면서 한번은 악마 같은 소리를 내질렀고 바로 뒤이어 썩은 고기를 찾는 맹금류의 목소리를 내고 있는 저 인간의 정체는 대체 뭘까?

지금 내가 몸을 굽히고 들여다보고 있는 남자…… 평범하고 조유한 낯선 사람…… 이 사람은 대체 어떻게 해서 이런 끔찍한 공포의 거미줄에 걸려든 것일까? 또한 왜 저 복수의 여신처럼 표독한 여자가 그에게 덤벼든 것일까? 그는 왜 침대에서 편히 잠이나 자야 할 이런 엉뚱한 시간에 저택의 이 구역을 찾은 것일까? 나는 로체스터 씨가 그에게 아래층 방을 정해주는 소리를 똑똑히 들었었다. 도대체 무슨 바람이 불어 그는 이곳까지 왔을까? 그리고 지금 자신에게 폭력이나 배신행위가 가해졌는데도 그는 왜 이토록 고분고분한 태도를 보이고 있는 것일까? 로체스터 씨가 숨어 있으라고 강요했다고 해서 그는 왜 그냥 그 강요에 굴복하는 것일까? 또 왜 로체스터 씨는 이렇게 숨어 있도록 강요하는 것일까? 자기 손님이 폭행을 당한 것이며, 저번에는 자신의 생명도 섬뜩한 음모의 목표물이었다. 그런데도 그는 두 사건 모두를 비밀 속에 덮어버리고 망각 속에 묻어버리려고 하고 있지 않은가! 마지막으로 나는 메이슨 씨가 로체스터 씨의 말에 고분고분 순종하는 것을 보았다. 로체스터 씨의 맹렬한 의지가 메이슨 씨의 무기력한 의지를 완전히 지배하고 있는 것을 보았다. 두 사람이 주고받는 몇 마디 말들이 이 사실을 확실히 확인시켰다. 두 사람의 옛 친교 관계에서 소극적인 한쪽의 심성이 적극적인 다른 쪽의 심성에 의해 습관적으로 영향을 받은 것이 분명했다. 그렇다면 메이슨 씨가 찾아왔다는 말을 처음 들었을 때 로체스터 씨가 혼비백산 놀라며 당황하던 사실은 어떻게 설명해야 옳은가? 왜 저항할 힘조차 없이 유약한 사람…… 한마디 말로도 어린애 다루듯 충분히 장악할 수 있는 그런 사람의 이름만을 거명한 것이 몇 시간 전에 그에게 어떤 반응을 일으켰던가? 마치 그건 참나무에 벼락이 떨어졌을 때를 연상시켰던 것이다.

"제인, 나는 한 대 맞았어……. 제인, 나는 한 방 얻어맞았어."
하고 속삭였을 때의 그의 표정과 창백함을 나는 잊을 수가 없었다.
그가 내 어깨에 기댔을 때 그의 팔이 얼마나 떨리고 있었는지 난 잊
을 수가 없었다. 페어팩스 로체스터의 단호한 기백을 그처럼 꺾어
버리고 힘찬 몸을 그렇게 떨게 만들 수 있는 것은 절대로 가벼운 일
이 아니었다.

"그는 언제 오는 거야? 언제 오는 거야?" 피를 흘리는 환자는
축 늘어져 신음을 내고 괴로워하는데 밤은 꾸물대기만 하고 지나가
지 않고 있을 때 나는 속으로 외쳤다. 새벽도 도착하지 않았고 도움
도 오지 않았다. 나는 계속 되풀이해서 메이슨의 하얀 입술에 물을
갖다 댔다. 또한 되풀이해서 그의 의식을 자극하는 염제 약병을 그
의 코에 대주었다. 그러나 내 노력은 별 효과가 없어 보였다. 신체
적 고통 때문인지 정신적 고통 때문인지, 또는 피를 흘린 때문인지,
아니면 세 가지가 합쳐진 이유에서인지 그의 기력이 급속히 약해지
고 있었다. 그는 신음했고 너무나 허약하고 황폐되고 넋이 나간 표
정을 짓고 있었기 때문에 나는 그가 죽어가고 있는 것이 아닌가 겁
이 났다. 그런데도 나는 그에게 말조차 붙이면 안 되는 처지였다!

마침내 초가 다 닳아서 꺼졌다. 촛불이 꺼지고 나서야 나는 창문
의 커튼 가장자리로 잿빛 빛줄기들이 어른거리고 있는 것을 알아차
렸다. 바로 그때 동이 트려고 하고 있었다. 뒤이어 아래쪽 마당 먼
곳에 있는 개집 안에서 파일럿이 짖어대는 소리가 들렸다. 희망이
되살아났다. 그 희망은 보장도 없는 희망이 아니었다. 5분이 지나
자 열쇠가 딸그락하는 소리와 자물쇠의 순응하는 소리가 나며, 내
불침번이 끝났다는 것을 알렸다. 불침번을 선 것이 두 시간이 넘지

는 않았을 것이다. 그러니 여러 주일이라는 시간도 그것에 비하면 짧아 보였다.

로체스터 씨가 들어왔다. 그와 함께 그가 데리러 갔던 의사도 들어왔다.

"자, 카터, 정신 바짝 차려." 그가 의사에게 말했다. "딱 30분 시간을 줄 테니 상처를 치료하고 붕대를 감고 환자를 아래층으로 데려가는 일 모두를 처리해줘."

"그런데, 나리, 움직여도 괜찮을까요?"

"그건 의심할 필요 없어. 전혀 심각하지 않아. 신경이 너무 예민해져 있을 뿐이야. 용기만 잃지 않게 해야 해. 자, 시작하게."

로체스터 씨는 두텁게 쳐져 있는 커튼을 걷고 네덜란드산 차일을 걷어 올려 환한 빛을 최대한 들어오게 했다. 나는 동이 벌써 훤히 튼 것을 보고 깜짝 놀랐지만 기운이 솟았다. 동쪽 하늘을 밝히기 시작한 것은 얼마나 멋진 장밋빛 빛줄기인가! 로체스터는 메이슨에게 다가갔다. 이미 의사는 그를 치료하기 시작한 후였다.

"이 친구야, 이제 좀 어떤가?" 그가 물었다.

"그녀가 날 끝장낸 것 같아. 무서워." 메이슨의 힘없는 대답이었다.

"당치 않은 소리! 용기를 내! 이 주 후 오늘이 되어봐. 지금보다 조금도 나빠지지 않을 테니. 자넨 피를 조금 흘렸을 뿐이야. 그게 다야. 카터, 이 사람에게 전혀 위험하지 않다는 걸 확신시켜줘."

"그렇다고 장담할 수 있습니다. 양심적으로 말씀드립니다." 감겨 있던 붕대를 이제 다 풀고 나서 카터가 말했다. "다만 제가 좀 더 빨리 왔더라면 좋았을 거라는 생각이 듭니다. 그랬더라면 피를 이렇게 많이 흘리지 않았을 테니까요. 그런데 이건 어떻게 된 거지요? 어깨 위의 살이 잘리기도 하고 찢겨졌군요. 이 상처는 칼로 생긴 게 아닙니다. 이곳에 이빨 자국이 있군요."

"그녀가 날 물었어." 그가 중얼거렸다. "로체스터가 칼을 빼앗자 그녀가 나를 암호랑이처럼 물어뜯었어."

"그렇게 당하고 있지 말아야 했네. 즉각 맞붙어 싸워야 했다고." 로체스터 씨가 말했다.

"하지만 그 상황에서 무슨 일을 할 수 있었겠나?" 메이슨이 대답했다. "아휴, 정말 무서웠다고!" 그가 몸서리치며 덧붙였다. "그런 일은 꿈에도 상상 못했어. 처음에 그녀는 아주 얌전히 있었어."

"자네에게 경고하지 않았던가." 그의 친구의 대답이었다. "내가 말했잖아…… 그녀 가까이 갈 때는 조심하라고. 내일까지 기다렸다가 나와 같이 갔어야 했어. 그녀와 오늘 밤, 그것도 혼자서 만나려고 시도한 게 어리석었어."

"그녀에게 도움을 줄 수 있을 거라고 생각했었네."

"생각했다고! 생각 좋아하네! 자네 이야기는 듣기만 해도 화가 나네. 하지만 어쨌든 내 충고를 듣지 않아서 자네가 당장 고통을 겪고 있고, 앞으로도 실컷 고통을 겪게 생겼으니 이제 이 얘긴 그만하겠네. 카터, 서둘러! 서두르라고! 곧 해가 뜰 거야. 그러니 빨리 이 사람을 보내야 해."

"곧 끝납니다, 나리. 막 어깨를 붕대로 감았습니다. 이제 팔에 난 다른 상처를 살펴봐야 합니다. 이곳도 이빨로 물어뜯은 것 같습니다."

"그녀가 피를 빨아 먹겠다고 말했어. 내 심장의 피를 죄다 마셔버리겠다고 하면서" 메이슨이 말했다.

나는 로체스터 씨가 몸서리치는 걸 보았다. 혐오, 공포, 증오가 섞인 독특한 표정이 그의 얼굴이 뒤틀릴 정도로 일그러뜨렸다. 그러나 그는 다만 이렇게 말했다.

"자, 리처드, 조용히 해. 그녀가 한 그런 허튼소리 같은 거 신경 쓰지 마. 되풀이하지도 말고."

"나도 잊을 수 있었으면 좋겠어." 메이슨의 대답이었다.

"이 나라를 떠나면 잊게 될 거야. 스패니시타운으로 돌아가면 그녀를 죽어서 땅에 묻힌 사람으로 생각하게 될 거야……. 아니면 전혀 생각할 필요도 없게 되든지."

"오늘 밤 일은 도저히 못 잊을 거야!"

"그렇지 않아. 이 사람아, 힘을 내게. 두 시간 전만 해도 자넨 자신이 다 죽은 사람이라고 생각했네. 하지만 지금은 완전히 살아서 말하고 있어. 이봐! 카터가 자네를 완전히 치료했어. 아니면 거의 다 치료했어. 자네를 당장 의젓한 신사로 만들어주겠네. 제인."(그는 방에 들어온 후 처음으로 나를 향해 말했다.) "이 열쇠를 가지고 내 침실로 가서 곧장 내 옷 방으로 들어가요. 옷장 맨 위 서랍을 열고 깨끗한 셔츠와 목도리를 꺼내서 이곳으로 갖다줘요. 신속히 갖다줘요."

나는 그리로 가서 그가 말한 서랍을 뒤져 그가 말한 물품들을 찾아내서 가지고 돌아왔다.

"자, 이제 내가 이 친구 옷 입는 걸 도와주는 동안 침대 건너편으로 가 있어요." 그가 말했다. "하지만 방을 떠나진 말아요. 선생이 다시 필요할지 모르니."

나는 지시대로 물러섰다.

"아래에 내려갔을 때 누가 일어나 거동했었소, 제인?" 로체스터 씨가 그때 물었다.

"없었습니다, 주인님. 사방이 모두 조용했습니다."

"딕, 우리가 빈틈없이 자네가 이곳을 떠날 수 있게 해주겠네. 그게 자네를 위해서나 저 방에 있는 그 불쌍한 인간을 위해서나 더 좋겠어. 나는 그녀의 정체가 노출되지 않게 하려고 오랫동안 노력했네. 결국 노출되고 마는 것이 싫단 말이야. 자, 카터, 이리 와서 이 사람 조끼 입는 걸 도와주게. 모피 망토는 어디다 두었나? 그걸 입지 않고는 1마일도 갈 수 없네. 이렇게 호되게 추운 날씨에는 그래. 자네 방에 있나? 제인, 메이슨 씨 방으로 빨리 뛰어갔다 와요. 내 방 바로 옆방이오. 거기 가면 있을 테니 가서 망토를 가져다 줘요."

나는 다시 뛰어가서 안팎에 모피가 달린 거대한 망토를 들고 돌아왔다.

"심부름해줄 게 하나 더 있소." 지칠 줄 모르는 주인이 말했다. "내 방에 다시 갔다 와야겠소. 제인이 벨벳 신발을 신고 있어서 얼마나 다행인지 모르겠군. 제인, 이런 상황에선 투박한 농부 신발을 신고 뛰어다니는 심부름꾼은 전혀 쓸모가 없었을 거요. 내 화장대 중간 서랍을 열고 거기 보이는 조그만 약병과 작은 유리잔을 가져오시오. 빨리 서둘러요!"

나는 그곳으로 날다시피 달려가 그가 원하는 것들을 가지고 돌아왔다.

"고맙소! 자, 의사 양반, 주제넘지만 내가 약을 좀 조제하겠네. 책임은 내가 지고. 로마에서 어떤 돌팔이 의사에게서 이 약을 얻었어, 카터 자네 같으면 발로 차버릴 돌팔이였지, 이거 무분별하게 함부로 사용할 약은 아니야. 그러나 경우에 따라선 효과가 있어. 예를 들면 지금 같은 경우 말야. 제인, 물 좀 가져와요."

그는 작은 유리잔을 내밀었다. 나는 세면대 위에 있던 물병에서 물을 반쯤 따랐다.

"그 정도면 됐소. 자, 이제 물병 주둥이 부분을 물로 적셔봐요."

나는 하라는 대로 했다. 그는 주홍색 액체를 열두 방울가량 계량해서 덜어낸 다음 잔에 부은 뒤 바로 메이슨에게 주었다.

"마시게, 리처드. 이건 한 시간, 또는 그보다 오래 자네에게 부족한 원기를 제공할 걸세."

"하지만 몸에 해롭지 않을까? 염증을 유발하는 건 아니고?"

"마셔! 마셔! 마셔!"

메이슨 씨는 말을 들었다. 저항해봤자 아무 소용이 없다는 것을 알았기 때문이다. 그는 이제 옷을 다 차려입고 있었다. 여전히 안색은 창백했다. 그러나 더 이상 피를 흘리거나 피범벅은 아니었다. 로체스터 씨는 그가 물약을 삼키자 3분가량 앉아 있게 했다. 그러고 나서 그의 팔을 잡았다.

"이제 자네가 일어나 설 수 있을 거라는 확신이 드는군." 그가 말했다. "한번 시도해보게."

환자가 일어났다.

"카터, 이 친구의 한쪽 어깨를 부축해주게. 힘내, 리처드. 앞으로 한 걸음 내디뎌봐. 그래, 바로 그거야!"

"정말 몸이 훨씬 나아졌는걸." 메이슨 씨가 말했다.

"그럴 거라고 확신한다니까. 자, 제인, 우리보다 먼저 뒤편 계단

쪽으로 가서 건물 측면 통로 문의 빗장을 열고 나가시오. 그러면 마당에 대기하고 있는 역마차 마부를 보게 될 거요. 아냐, 그자에게 자갈길 위로 마차를 몰아 덜커덕거리는 소리를 내지 말라고 일었으니 집 밖에 있을지 모르겠군. 여하튼 그자에게 우리가 곧 나오니까 준비하고 있으라고 전해줘요. 그리고 제인, 혹시 주변에 사람이 있으면 계단 밑으로 와서 어험 하고 헛기침을 하시오."

시간은 5시 반을 지나고 있었다. 해가 막 떠오르려 하고 있었다. 그러나 부엌 쪽은 아직 컴컴하고 조용했다. 옆문은 잠겨 있었다. 나는 가능한 한 소리를 내지 않고 문을 열었다. 마당 전체는 조용했다. 그러나 대문은 활짝 열려 있었다. 바깥에는 이미 마구를 채운 말들과 역마차 한 대가 대기하고 있었고 마부석에는 마부가 앉아 있었다. 나는 그에게 다가가서 손님들이 나오신다고 말했다. 그는 고개를 끄덕였다. 나는 조심스럽게 주위를 돌아보며 귀를 기울였다. 이른 새벽의 정적이 사방에 흐르고 있었다. 하인 방 창문엔 아직 커튼이 드리워져 있었다. 꽃이라고는 하나도 없는 과수원 나무들 사이에서 작은 새들이 지저귀고 있었다. 정원 마당 한편을 에워싼 담 위로 그 과수들의 가지들이 하얀 화관처럼 늘어져 있었다. 마차용 말들이 밀폐된 마구간 안에서 이따금 발을 구르고 있었다. 그밖에 모든 것은 고요했다.

그때 신사들이 나타났다. 로체스터 씨와 의사의 부축을 받은 메이슨은 꽤 쉽게 걷는 것 같았다. 그들은 메이슨을 도와 마차에 태웠다. 카터가 뒤따라 마차에 올랐다.

"그 사람을 잘 돌보게." 로체스터 씨가 의사에게 말했다. "그리고 완쾌될 때까지 자네 집에 머무르게 하게. 하루나 이틀 뒤 그의 상태가 어떤지 보러 가겠네. 리처드, 몸은 좀 어떤가?"

"신선한 공기를 마셔서 기운이 나네, 페어팩스."

"저 친구가 앉아 있는 쪽 창을 열어놓게, 카터. 바람이 안 부니. 잘 가게, 딕."

"페어팩스……."

"왜? 뭔데?"

"그녀를 잘 돌봐주게. 가능한 한 따뜻하게 보살펴주고…… 그녀를……." 여기서 말을 멈추고 그는 울음을 터뜨렸다.

"최선을 다하고 있어. 지금까지도 그랬고 앞으로도 그럴 거야." 로체스터 씨가 대답했다. 그가 마차 문을 닫자 마차는 출발했다.

"그러나 이 모든 일이 끝나기를 하느님께 빌고 싶군!" 육중한 정원 문을 닫고 빗장을 올리면서 로체스터 씨가 말을 더했다. 이러고 나서 그는 느린 발걸음과 멍한 태도로 과수원과 경계한 담에 난 문으로 향했다. 이제 내게 시킬 일이 없을 것으로 생각하고 나는 집으로 돌아가려던 참이었다. 하지만 그가 "제인!" 하고 부르는 소리가 들렸다. 그는 과수원 문을 열고 거기에 서서 나를 기다리고 있었다.

"잠깐 신선한 공기가 있는 곳으로 좀 와요." 그가 말했다. "저 집은 지하 감옥에 불과하오. 그렇게 느껴지지 않소?"

"제겐 멋진 저택으로 보입니다, 주인님."

"무경험이라는 마력이 선생 눈을 덮고 있군." 그가 대답했다. "제인은 마법에 걸린 매개체를 통해 저택을 보고 있군요. 저 금박이 진흙에 지나지 않으며 실크 천들도 거미줄에 지나지 않으며 대리석은 때 묻은 석탄이며 윤이 나도록 문지른 목재가 쓰레기 토막과 비늘 같은 나무껍질에 지나지 않는다는 것을 모르고 있는 것이오. 이제 이곳은…… (그는 우리가 들어간 나무잎이 우거진 곁내를 가리켰다.) 모든 게 진짜고 달콤하며 순수해요."

그는 회양목이 가장자리를 장식하는 통로를 터덜터덜 걸어갔다. 길 한편에는 사과나무, 배나무, 벚나무들이 서 있었고, 다른 쪽 길 가장자리를 따라 온갖 종류의 구식 꽃들이 가득했다. 비단향꽃무, 왕수염패랭이, 앵초, 팬지들이 개사철쭉, 찔레꽃, 다양한 향기를 내뿜는 허브들과 섞여 있었다. 꽃들은 이어진 4월의 소나기와 햇살에 뒤이어 찾아온 아름다운 봄날 아침이 만들어낼 수 있는 그러한 싱그러움을 자랑하고 있었다. 아침 해가 얼룩진 동녘으로 들어오고 있었고, 그 햇살이 화환으로 장식되고 이슬이 맺힌 과수원 나무들을 비춰주며 그들 밑에 난 조용한 산책로를 환하게 비추고 있었다.

"제인, 꽃을 갖겠소?"

그는 관목 속에서 제일 먼저 반쯤 꽃잎을 피운 장미꽃 하나를 따서 내게 내밀었다.

"고맙습니다, 주인님."

"제인, 해돋이를 좋아하나요? 해가 떠올라 기온이 올라가면 분명히 녹아 없어지고 말 저 높고 엷은 구름 낀 아침 하늘은 어떻소? 이렇게 평화롭고 향기 좋은 공기는 어떻소?"

"아주 많이 좋아합니다."

"이상한 밤을 보냈지요, 제인?"

"네, 주인님."

"그래서 얼굴이 창백하군요. 메이슨과 단 둘이 있게 남겨두고 내가 떠나버렸을 때 무서웠소?"

"누군가가 내실 안에서 나올까 봐 무서웠습니다."

"하지만 난 문을 잠그고 잤었소. 내 주머니에 열쇠가 있었고, 양한 마리를…… 내가 귀여워하는 양을 전혀 지켜주지도 않고 늑대소굴 가까이에 방치하고 갔다면 나는 무책임한 목동이 되었을 거요. 선생은 안전했었소."

"그레이스 풀을 계속 여기에서 살게 하실 건가요, 주인님?"

"아, 물론이오! 그녀 때문에 골치 아파할 필요는 없소. 그녀를 생각에서 지워버려요."

"하지만 그녀가 머무르는 한 주인님 생명이 결코 안전치 못할 것 같아요."

"결코 걱정하지 말아요. 내 몸은 내가 지키겠소."

"주인님, 지난밤 걱정하시던 위험은 이제 사라졌나요?"

"메이슨이 영국을 벗어날 때까진 장담할 수 없소. 그 후에도 그렇고. 제인, 내게 있어 삶이란 언젠가 폭발하여 불을 내뿜을 수도 있는 화산 분화구 주변에 서 있는 것, 바로 그런 것이오."

"하지만 메이슨 씨는 주인님이 쉽게 인도할 수 있는 분 같더군요. 주인님의 영향력이 그분을 분명히 지배하고 있었습니다. 그분은 결코 주인님께 반항하지 않을 겁니다. 악의적으로 주인님을 해칠 분도 아니더군요."

"물론 그래요! 메이슨은 내게 대들 사람이 아니오. 그리고 알면서 나를 해칠 사람이 아니오. 그러나 자신도 모르는 한순간에 한마디 부주의한 말을 내뱉어서 내게서 영원히 행복을 (생명까지는 아니지만) 앗아갈 수도 있는 사람이오."

"그분에게 조심하라고 일러두면 되잖아요. 주인님이 무엇을 두려워하시는지 알려주고 그 위험을 피하는 방법을 알려주면 되잖아요."

그는 냉소를 터뜨리며 급히 내 손을 잡았다가 급히 손을 놓았다.

"바보 같은 소리. 그렇게 할 수 있다면 대체 위험이 어디 있겠소? 단번에 위험이 없어지고 말지. 내가 메이슨을 알게 된 이후 줄곧 나는 그에게 '그걸 해'라고 말하기만 하면 되었고 그러면 그 일은 이행되었었소. 그러나 이번 일은 그에게 명령할 수가 없는 것이오. '내게 해를 끼치지 않도록 조심해, 리처드.'라는 말을 할 수가 없단 말이오. 내게 해를 끼칠 수 있다는 사실을 아예 그가 모르도록 하는 게 아주 중요하기 때문이오. 내가 무슨 소리하는지 당황하는군. 더 당황하게 하겠소. 선생은 내 어린 친구요, 안 그렇소?"

"주인님께 도움이 되고 싶어요. 옳은 일이면 무엇이나 다 시키는 대로 하겠습니다."

"바로 그것이오. 선생이 그렇다는 걸 나는 알고 있소. 선생이 나를 도와주고 즐겁게 할 때, 그리고 나와 함께 있을 때, 선생의 발걸음과 태도, 눈과 얼굴에 진정한 만족이 어려 있는 것을 알고 있어요. 제인이 자기 개성을 나타내듯 '옳은 일이면 무슨 일'이라고 표현한 바로 그 일이라면 말이오. 그러나 제인은 옳지 않다고 생각하는 일을 내가 시킨다면, 제인은 가벼운 발걸음으로 달리지도 않고 민첩하게 움직이지도 않고 활기찬 시선이나 생기 넘치는 안색도 보이지 않을 거요. 그러면서 제인은 친구로서 침착하고 창백한 모습으로 내게 다가와 이렇게 말할 것이오. '안 됩니다, 주인님. 그건 불가능합니다. 그건 옳지 않은 일이니까 저는 그 일을 할 수 없습니다.' 그러고는 붙박이별처럼 꼼짝도 하지 않을 거요. 그래요, 제인 역시 내게 영향을 미치고 있어요. 그리고 내게 해를 입힐지도 몰라요. 그러나 내 약점이 어딘지는 알려주지 않겠소. 충실하고 친절한 친구지만 제인이 단번에 나를 꼼짝 못하게 바늘로 눌러놓을까 봐 그래요."

"저를 두려워하지 않는 것만큼 메이슨 씨를 두려워하지 않으시면 주인님은 아주 안전하신 겁니다."

"제발 그렇게 되도록 하느님께 빌어야지! 제인, 여기 그늘 정자가 있소. 좀 앉아요."

정자는 담장 가운데 아치 모양으로 만들어져 있었다. 담쟁이덩굴이 줄지어 올라가 있었고 투박한 걸상이 있었다. 로체스터 씨가 거기에 앉았다. 그리고 내게도 자리를 남겨주었다. 그러나 나는 그의 앞에 서 있었다.

"앉아요." 그가 말했다. "벤치는 둘이 앉아도 될 정도로 길군. 내 옆에 앉는 걸 주저하는 거요? 제인, 이것도 옳지 않은 일이오?"

나는 자리에 앉는 것으로 대답을 대신했다. 그런 것을 거절하는 것은 현명하지 못한 처사라는 생각이 들었다.

"자, 어린 친구. 햇살이 이슬을 마시는 동안…… 이 오래된 정원의 모든 꽃들이 잠에서 깨어 기지개를 켜고 새들이 손필드 저택을 나가 새끼들의 아침거리를 가져오고 일찍 일어난 벌들이 첫 작업을 하는 동안, 선생에게 어떤 경우를 설명하겠소. 선생은 그 경우가 선생 자신의 경우인 것처럼 상상하며 들어줘야 하오. 그러나 우선 나를 보아요. 그리고 마음이 편안한지 말해요. 이렇게 선생을 잡고 있는 것이 잘못됐다거나, 선생이 이렇게 여기 머물고 있는 게 잘못된 것이라고 걱정하고 있는 것은 아닌지 말해줘요."

"아닙니다, 주인님. 저는 만족하고 있습니다."

"좋소. 그러면 제인, 상상력에게 도움을 청하시오. 자신을 교육

잘 받고 단련된 소녀라고 생각하지 말고 어릴 때부터 버릇없는 응석받이로 자란 소년이라고 상상해요. 제인이 머나먼 외국에 나가 있다고 생각해봐요. 그곳에서 치명적인 과오를 범했다고 상상해봐요. 과오의 성격이나 동기는 상관 말아요. 하지만 그 결과가 제인의 평생을 따라다니고 제인의 모든 삶을 더럽히게 되는 그런 과오라고 생각해봐요. 물론 범죄를 말하는 건 아니오. 피를 흘리는 일이나 법의 제재를 받게 되는 범행을 말하는 게 아니라는 소리요. 내가 말한 단어는 과오요. 선생이 저지른 일의 결과가 조만간 선생에게 극도로 견딜 수 없는 것이 되어버리는 과오요. 그런 과오를 저지르게 되면 선생은 그 부담을 덜기 위해 여러 가지 수단을 강구하게 되는 것이오. 유별한 수단이긴 하지만 불법이나 범죄가 되는 수단은 아니오. 그러나 그런데도 선생은 여전히 비참한 불행에 빠져 있는 형편이오. 왜냐하면 선생의 제한된 삶의 영역으로부터는 이미 희망이 떠나갔기 때문이오. 선생의 태양은 한낮인데도 일식을 맞아 캄캄하오.[*] 그리고 선생은 해가 질 때까지도 그 일식이 끝나지 않을 거라고 생각하게 되오. 쓰면서도 비열한 잡념들이 선생의 기억을 먹여 살리는 유일한 양식이오. 선생은 떠돌이 생활에서 안식을 찾고 쾌락에서 행복을 추구하며 이곳저곳을 방랑하게 되지요. 그 쾌락은 지성을 무디게 하고 감성을 메마르게 하는, 열정은 하나도 담겨 있지 않은 감각적인 쾌락이오. 결국 선생은 지친 가슴과 지친 영혼을 끌고 스스로 자초한 여러 해에 걸친 유형 생활을 접고 집으로 돌아오게 돼요. 그러고는 새로운 사람을 알게 되지요. 어떻게 어디서 만

---

[*] 밀턴의 〈투사 삼손〉에서 삼손이 눈이 멀게 되는 상황을 연상시킨다.

낧느지는 중요하지 않아요. 선생은 이 낯선 사람에게서 선생이 20년 동안 찾아 헤매고 다녔어도 한 번도 만난 적이 없는 너무나 착하고 밝은 심성을 발견하게 되오. 그런데 그 심성은 때나 얼룩이 하나도 묻지 않은 지극히 신선하고 건강한 심성이오. 그 사람과의 만남이 선생에게 새로운 생명을 주고 선생을 부활시키게 되지요. 그리고 선생은 보다 좋았던 시절, 보다 고상한 소망과 보다 순수한 감정을 가졌던 시절이 선생에게 되돌아 온 것으로 느끼게 되지요. 선생은 생을 다시 시작하고 싶다는 욕망, 남은 여생의 나날들을 불멸의 존재에 어울리는 방식으로 보내고 싶다는 욕망을 갖게 되지요. 이런 욕망을 성취하기 위해서는 관습적인 장애물 하나쯤은 무시해도 정당화되지 않겠소? 선생의 양심도 인정하지 않고 선생의 판단력도 옳다고 판단하지 않는 그런 관습적 장애물 말이오."

그는 내 대답을 듣기 위해 잠시 말을 멈췄다. 그런데 내가 뭐라고 말해야 한단 말인가? 아, 내게 현명하고 만족스러운 답변을 암시해주는 착한 요정이라도 있었으면 좋으련만! 헛된 열망! 서풍이 주변의 담쟁이덩굴 속에서 속삭이고 있었다. 그러나 그 어떤 인자한 아리엘 요정도 서풍의 입김을 빌려 말의 수단으로 쓸 수는 없었다. 나무 위에서 새들이 노래하고 있었다. 그러나 그 노래가 아무리 아름다워도 그 가사를 알아들을 수 없었다.

로체스터 씨가 다시 질문을 던졌다.

"방랑하며 죄를 지었지만 이제 안식을 찾고 있는 회개한 남자가 예의 바르고 공손하고 상냥한 낯선 한 여인을 사모하기 위해, 그럼으로써 자기의 마음의 평화와 갱생을 얻기 위해, 감히 세상 여론에 도전한다는 것이 과연 정당화될 수 있겠소?"

"주인님," 내가 말했다. "방랑자의 안식이든 죄인의 개심이든 그건 결코 동료 인간에게 달려 있는 것이 아닙니다. 남자든 여자든 모두 죽습니다. 철학자들도 지혜라는 점에서는 말을 더듬고, 기독교인들도 선이라는 문제에 있어서는 말을 더듬습니다. 주인님이 아시는 어느 분이 고통을 겪고 과오를 범했다면, 그것을 고칠 힘과 치유할 위안을 얻기 위해서는 자신과 같은 인간이 아니라 인간보다 훨씬 높은 곳에 계시는 분을 바라보라고 하세요."

"그러나 그 도구…… 그 도구! 이런 일을 주관하시는 하느님은 도구를 명하셨소. 이제 비유를 쓰지 않고 직설적으로 말하겠소. 바로 내가 속되고 방탕하고 안정을 잃은 사람이오. 그런데 이제 나를 고쳐줄 그 도구를 발견한 것 같소. 그 사람이 바로……."

그는 말을 멈췄다. 새들이 계속 지저귀고 있었고 나뭇잎들도 경쾌히 살랑이고 있었다. 나는 그의 중단된 고백을 다시 듣기 위해서라도 새들과 나뭇잎들이 노래와 살랑임을 중지하지 않는 게 거의 놀라웠다. 그러나 그들은 한참 기다려야만 했을 것이다……. 그만큼 그의 침묵은 오래 계속되었다. 마침내 나는 시선을 들어 지루하게 말을 미루고 있는 그를 바라보았다. 그는 간절한 눈으로 나를 바라보고 있었다.

"어린 친구야," 그는 아까보다 꽤 변한 어조로 말했다. 그의 얼굴도 변해 있었다. 온화하고 진지했던 표정이 싹 가시고 무섭고 냉소적인 표정이 되어 있었다. "내가 잉그램 양에게 보인 다정한 호감을 지켜보았지요? 만약 내가 그녀와 결혼한다면 그녀는 나를 철저히 갱생시켜줄 거라고 생각하지 않소?"

그는 곧바로 일어나 산책로 저편 끝까지 걸어갔다. 다시 돌아왔을 때 그는 노래 한 곡을 콧노래로 부르고 있었다.

"제인, 제인," 그는 내 앞에 서며 말했다. "밤샘하느라 창백해졌군. 잠을 방해했다고 나를 욕하지는 않겠지요?"

"주인님을 욕한다고요? 아닙니다, 주인님."

"그 말을 확인하는 악수를 합시다. 손이 왜 이리 찬 거요! 어젯밤 그 수수께끼 같은 방 문 앞에서 만졌을 때는 따뜻했었는데. 제인, 언제 다시 나와 밤샘을 해주겠소?"

"제가 도움이 될 수 있는 때면 언제고 그러겠습니다, 주인님."

"예컨대 내 결혼식 전날 밤이겠군! 분명히 그날 밤은 난 잠들지 못할 거요. 그날 밤은 나와 자지 않고 앉아 말동무가 되겠다고 약속하겠소? 제인에게라면 내가 사랑하는 사람 이야기를 할 수 있을 것 같은데. 이제 제인도 그녀를 보았으니 그녀를 알 거요."

"그러겠습니다, 주인님."

"보기 드문 여자지. 안 그렇소, 제인?"

"그렇습니다, 주인님."

"크고 건장한 여자요. 정말 건장하지, 제인. 크고 피부는 갈색에다 몸은 풍만하고 분명히 카르타고의 여인네들 같은 머리를 하고 있지……. 저런! 마구간에 덴트와 린이 나와 있네! 쪽문을 지나 관목 숲으로 해서 돌아가요."

내가 한쪽 방향을 택하자 그는 다른 쪽을 택했다. 그가 마당에서 명랑하게 말하는 것이 들렸다.

"오늘 아침은 여러분 모두보다 메이슨이 더 일렀습니다. 그 친구는 해 뜨기 전에 떠났습니다. 난 4시에 일어나서 배웅했습니다."

제21장

　예감이란 이상한 것이다. 공감도 그렇다. 또한 징조라는 것도 마찬가지다. 이 세 가지가 결합되면 인간이 아직 판독하는 열쇠를 찾지 못한 불가사의를 만들어낸다. 나는 내 평생 단 한 번도 예감을 웃어넘긴 적이 없다. 나 자신이 이상한 예감을 경험했기 때문이다. 내가 믿는 공감이란 것도 존재한다. (예컨대 멀리 떨어져 살거나 오랫동안 서로 보지 않고 남처럼 사는 친척들 사이의 공감이 바로 그것이다. 그럼에도 불구하고 그들은 그들 각자의 원천을 추적하면 일치점을 만난다고 주장한다.) 이러한 공감의 작용은 우리 인간들로서는 이해가 불가능하다. 또한 우리가 알고 있는 한 징조란 자연과 인간 사이의 공감에 불과한 것인지도 모른다.

　여섯 살밖에 안 된 어린 소녀였을 때 나는 어느 날 밤 베시 레븐이 마사 애벗에게 하는 말을 들은 적이 있다. 그때 베시가 한 말의 내용은 자기는 어린아이를 계속 꿈에서 보는데, 이 꿈은 분명 자신이든 가족 친척이든 그 누구에게 좋지 않은 일이 일어날 징조라는 것이었다. 다음 날 바로 일어난 일이 아니었다면 난 내 기억에서 그 이야기를 희미하게 잊고 말았을 것이다. 그 일로 인해 그 이야기는 내 기억 속에 지워지지 않고 남아 있게 되었던 것이다. 다음 날 어린 여동생이 죽었다는 소식에 베시는 자기 집으로 갔던 것이다.

최근에 나는 베시의 그 이야기와 그 일을 자주 상기하고 있었다. 지난 한 주일 동안 어린 아기 꿈을 꾸지 않고 편히 잔 적이 하루도 없었다. 어떤 때는 꿈속에서 아기를 품에 안고 울음을 그치게 했고 어떤 때는 무릎에 얹고 얼렀다. 어떤 때는 아이가 잔디밭에서 데이지꽃을 가지고 노는 모습을 보았고 어떤 때는 그 애가 흐르는 물에 손을 담그고 물장난하는 모습을 보기도 했다. 어느 날 밤은 그 아기가 울고 있었고 다음 날 밤은 웃고 있었다. 어떤 때는 내 옆으로 파고들기도 했고 어떤 때는 내게서 도망치기도 했다. 그러나 그 아기의 환영이 어떤 감정을 불러일으켰던 간에, 또 어떤 모습을 그 아기가 하고 있었던 간에 나는 일주일 동안 밤마다 연속해서 잠의 나라에 발을 들여놓는 순간 여지없이 그 아기를 만났다.

나는 이렇게 한 가지 꿈이 반복되는 것이 싫었다……. 이렇게 이상한 한 형상이 나타나는 것이 싫었다. 그래서 잘 시간이 가까워지고 꿈을 꾸게 되는 시간이 가까워질수록 나는 불안해졌다. 달빛이 환한 어느 날 밤 나는 아기 환영을 벗 삼아 잠을 자다가 아기 울음을 듣고 벌떡 일어났다. 그런데 다음 날 오후였다. 나는 누군가가 페어팩스 부인 방에서 나를 기다리고 있다는 전갈을 받고 아래층으로 불려 갔다. 양갓집 하인처럼 보이는 남자가 나를 기다리고 있었다. 그는 상복을 입고 있었고 손에 들고 있는 모자에도 상을 당한 것을 나타내는 검은 띠가 둘려 있었다.

"아가씨, 아마 저를 잘 기억하지 못하실 겁니다." 내가 들어가자 그가 일어서며 말했다. "저는 레븐입니다. 팔구 년 전쯤 아가씨가 게이츠헤드에 사셨을 때 제가 리드 부인의 마차를 끌었죠. 지금도 아직 거기에 살고 있습니다."

"오, 로버트! 잘 있었어? 기억나고말고. 가끔 조지아나의 밤색 조랑말에 나를 태워주곤 했잖아. 베시는 잘 있어? 베시랑 결혼했다며?"

"네, 아가씨. 집사람은 아주 잘 지내고 있습니다, 감사합니다. 두 달 전에 제게 아이 하나를 또 낳아주었습니다. 이제 애가 셋이지요. 아기와 엄마는 다 건강합니다."

"게이츠헤드의 가족들 다 잘 지내겠지?"

"그분들에 대해 좋은 소식을 드리지 못해 죄송합니다, 아가씨. 현재 사정이 퍽 좋지 않습니다……. 큰 불운에 빠져 있습니다."

"누가 죽은 건 아니기를 바라네." 나는 그의 검은 상복을 힐끔 바라보며 말했다. 그 역시 모자의 검은 천을 바라보며 말했다.

"존 도련님이 최근에 돌아가셨습니다. 일주일 전 런던의 하숙집에서요."

"존 도련님이라고?"

"네."

"그러면 그 어머니는 그걸 어떻게 견디고 계시지?"

"글쎄 말입니다, 에어 아가씨. 그게 평범한 불상사가 아닙니다. 도련님의 삶이 너무 험악했습니다. 최근 3년간 이상한 길로 빠져들었었죠. 그리고 도련님의 죽음도 충격적이었습니다."

"베시에게서 그가 올바르게 살지 않는다는 말을 들었어."

"올바른 게 뭡니까! 그 이상 불량할 수 없을 정도였습니다. 최악의 남녀들 사이에 끼어 건강과 재산을 다 망쳤습니다. 빚에 허덕이다 감옥에도 갔죠. 도련님 어머님께서 두 번이나 꺼내주었지만 감옥에서 풀려나기가 무섭게 곧바로 다시 옛 친구들과의 악습으로 돌아갔던 것이죠. 머리도 온전하지 못했어요. 같이 어울렸던 불한당 놈들이 그를 가지고 놀았지요. 이제껏 제가 들어본 것 이상으로 속였던 거지요. 도련님은 3주 전쯤 게이츠헤드에 오셔서 마님에게 전 재산을 자기에게 주기를 원했어요. 마님께선 거절했습니다. 이미 마님 재산은 도련님이 흥청망청 낭비하는 바람에 많이 줄어든 상태였습니다. 그래서 도련님은 발길을 돌렸습니다. 다음 소식은 그가 죽었다는 것이었습니다. 어떻게 돌아가셨는지는 아무도 모르지요! 자살했다는 말이 돌더군요."

나는 입을 열지 못했다. 무서운 소식이었다. 로버트 레븐은 다시 말을 이었다.

"마님께선 얼마 동안 건강이 좋지 않았습니다. 본래 아주 튼튼한 분이셨는데 아드님 일을 버텨낼 만큼 강인하진 못하셨던 거지요. 게다가 축난 재산과 가난에 대한 두려움이 건강을 더욱 악화시킨 거지요. 도련님이 돌아가셨다는 소식, 그것도 자살한 것 같다는 소식도 너무 갑작스러운 것이었습니다. 그래서 마님께 뇌졸중이 발병했습니다. 마님께선 사흘 동안이나 의식이 없으셨어요. 하지만 지난 화요일에 조금 호전되었습니다. 그런데 뭔가 하실 말씀이 있으신지 계속 제 집사람에게 손짓을 하시며 뭔가를 중얼거리셨어요. 그러다가 어제 아침에서야 비로소 베시가 그게 무슨 말인지 겨우 알아들었어요. 마님께선 계속 아가씨 이름을 발음하고 계셨던 거였습니다. 마침내 마님께서 제대로 발음을 하셨습니다. '제인을 데려와라. 가서 제인을 데려와라. 그 애에게 할 말이 있다.'라고 하셨어요. 베시는 마님의 정신이 온전한지 그리고 하시는 말씀에 무슨 의미가 있는지 확신할 수가 없었어요. 하지만 리드 아가씨와 조지아나 아가씨에게 아가씨를 불러오는 게 좋을 것 같다고 말했어요. 처음에 두 아가씨는 그 제의를 거절했어요. 하지만 마님께서 극도로 불안해하시면서 계속 '제인, 제인' 외쳐대시니 결국 동의할 수밖에 없었습니다. 그래서 어제 제가 게이츠헤드를 떠나 이리 왔습니다. 준비가 되시면, 아가씨, 내일 아침 일찍 아가씨를 모시고 갔으면 좋겠습니다."

"그래, 로버트, 준비할게. 내 생각에도 꼭 가봐야 할 것 같아."

"저도 그렇게 생각합니다, 아가씨. 베시도 아가씨께서 거절하지 않으실 거라 믿는다고 하더군요. 하지만 떠나시기 전에 허락을 받아야 되는 게 아닌지요?"

"그래, 당장 허락을 받아 올게." 나는 그를 하인방으로 데려가서 존의 아내에게 잘 보살펴달라고 부탁하고, 존에게도 잘 챙겨주라고 부탁했다. 그런 다음 로체스터 씨를 찾으러 나섰다.

그는 아래층 어느 방에도 없었다. 마당에도 없었고 마구간에도 없었고 정원에도 없었다. 나는 페어팩스 부인에게 주인을 보았느냐고 물었다. 보았는데, 잉그램 양과 당구를 치고 있을 것으로 믿는다는 것이었다. 나는 당구장으로 서둘러 갔다. 당구공 부딪치는 소리와 사람들이 와글거리는 소리가 그곳에서 들려왔다. 로체스터 씨, 잉그램 양, 에시턴 자매, 그리고 다른 흠모자들이 모두 게임에 푹 빠져 있었다. 그렇게 재미나게 노는 무리들을 방해하는 데는 상당한 용기가 필요했다. 그러나 내 볼일이 지체할 수 있는 것이 아니어서 나는 잉그램 양 옆에 있는 주인님에게 접근했다. 내가 다가가자 그녀가 나를 오만하게 바라보았다. 그녀의 눈길은 마치 "도대체 너

같이 버러지 같은 것이 여기 뭣하러 온 거야?"라고 말하는 것 같았다. 내가 낮은 목소리로 "로체스터 씨"라고 말하자 그녀는 나더러 물러가라고 명령하고 싶어 하는 몸짓을 해 보였다. 그날 그녀의 복장은 지금도 생각난다…… . 매우 우아하고 매우 눈을 자극하는 복장이었다. 그녀는 하늘색 비단천으로 된 아침 의상을 걸치고 있었고 머리엔 얇게 비치는 담청색 스카프를 두르고 있었다. 게다가 그녀는 당구 경기에 푹 빠져 생기가 철철 넘치고 있었다. 그러나 발동한 오만함은 그녀의 거만한 표정을 전혀 누그러뜨리지 않고 있었다.

"저 사람이 당신을 보자고 하는 것 아녜요?" 그녀가 로체스터 씨에게 묻자 로체스터 씨는 그 '사람'이 누군지 보기 위해 몸을 돌렸다. 그는 묘하게 얼굴을 찡그렸다…… . 무슨 감정을 표현하는지 알 수 없는 기이한 표정이었다…… . 그는 큐를 던져놓고 나를 따라 그 방을 나왔다.

"제인, 무슨 일 있소?" 그는 공부방 문을 닫고 거기 기댄 다음 내게 물었다.

"주인님, 괜찮으시다면 1주나 2주 정도 휴가를 떠나고 싶습니다."

"무엇하러? 어디로 간다는 거요?"

"저를 불러오라고 사람을 보내신, 병석에 누운 어떤 부인을 뵈러 갑니다."

"병석에 누운 부인이라니? 어디 사는 분이오?"

"게이츠헤드에 사십니다. ○○○주지요."

"○○○주? 그곳은 여기서 100마일이나 떨어진 곳인데! 그렇게 먼 곳을 자기를 보러 오라고 부른 그 부인이 대체 누구지요?"

"부인의 이름은 리드입니다, 주인님. 리드 부인입니다."

"게이츠헤드의 리드 부인이라? 게이츠헤드에서 치안판사로 있었던 리드 씨란 분이 계셨었는데."

"바로 그분의 미망인이십니다."

"그렇다면 선생이 그분과 무슨 관계지요? 어떻게 아는 사이지요?"

"리드 씨가 제 외삼촌이십니다. 어머니의 오빠세요."

"아니, 그분이 선생의 외삼촌이라니! 그런 얘긴 전혀 한 적이 없지 않소. 늘 친척이 한 명도 없다고 하지 않았소?"

"저를 친척으로 인정해주는 사람이 하나도 없다는 소리였습니다, 주인님. 리드 외삼촌이 돌아가신 후 그 부인이 저를 버렸습니다."

"왜?"

"제가 가난했고 짐이 되고 게다가 미웠기 때문입니다."

"그러나 리드 씨에게 자식들이 있었을 텐데? 사촌 형제들이 있을 것 아니오? 어제 조지 린 경이 게이츠헤드의 리드 군에 대해 얘기했었소. 그분 말씀이 그 리드 군이 런던에서 가장 악명 높은 개망나니 중 하나라고 했소. 그리고 한두 해 전쯤 런던에서 잉그램 양이 그 집안의 조지아나 리드 양이 빼어난 미모로 인해 여러 사람들의 감탄의 대상이라고 하는 말도 들었소."

"존 리드 역시 세상을 떠났습니다, 주인님. 스스로를 파멸시키고 자기 집까지 패가망신시켜놓고요. 자살을 한 것으로 추정되고 있습니다. 그 소식이 너무 충격적이어서 어머니까지 뇌졸중을 일으킨 것입니다."

"그런데 선생이 그 부인에게 무슨 도움이 될 수 있겠소? 이건 말도 안 돼, 제인! 나 같으면 아마 도착도 하기 전에 세상을 떠날지도 모르는 늙은 부인을 보러 100마일을 달려가는 일은 생각도 해보지 않겠소. 게다가 그 부인은 선생을 버렸다면서."

"그렇습니다, 주인님. 하지만 그건 이미 오래전 일입니다. 부인의 처지가 판이하게 달라진 지금 그분의 소원을 무시하기란 쉬운 일이 아닙니다."

"얼마나 오래 있을 거요?"

"가능한 짧은 기간만 있다 오겠습니다, 주인님."

"일주일만 머물다 오겠다고 약속해요."

"그런 약속은 안 하는 게 좋겠습니다. 부득이 지키지 못할 가능성이 많으니까요."

"무슨 일이 있어도 반드시 돌아오겠지요? 무슨 구실을 붙여서 그곳에 영원히 눌러살라고 권유해도 넘어가지 않겠지요?"

"정말입니다. 절대 아닙니다. 모든 일이 잘 되면 반드시 돌아올 겁니다."

"그럼, 누가 같이 가지? 100마일을 혼자 가진 않을 테고."

"혼자 가는 게 아닙니다, 주인님. 부인이 자기 마차를 모는 마부를 보냈습니다."

"믿을 만한 사람이오?"

"물론입니다, 주인님. 그곳 가족과 10년을 같이 산 사람입니다."

로체스터 씨는 곰곰이 생각했다. "언제 떠날 예정이오?"

"내일 아침 일찍 떠날 겁니다, 주인님."

"좋아. 분명히 돈이 필요할 거요. 돈 없이는 여행을 할 수 없을 테니. 그런데 선생은 그다지 돈이 많지 않겠는데. 내가 아직 한 번도 급료를 준 적이 없으니까. 제인, 도대체 돈은 얼마나 가지고 있소?" 그가 미소를 지으며 물었다.

나는 지갑을 꺼냈다. 초라한 액수의 돈이 들어 있었다. "5실링입니다, 주인님."

그는 내 지갑을 받아서 그 안에 든 돈을 자기 손바닥에 쏟아부으며, 그 적은 액수가 자기를 즐겁게 하는 것처럼 그 돈을 내려다보며 껄껄 웃었다. 곧이어 그는 자기 지갑을 꺼냈다. "자, 이걸 받아요." 그는 지폐 한 장을 건네며 말했다. 50파운드짜리였다. 그가 내게 줄 돈은 15파운드뿐이었다. 나는 거스름돈이 없다고 그에게 말했다.

"거스름돈은 필요 없소. 제인도 알고 있지 않소. 급료로 받아요."

나는 받아야 될 액수 이상은 받기를 거절했다. 그는 처음에는 얼굴을 찌푸렸다. 그러더니 무언가 생각난 듯 이렇게 말했다.

"맞아, 맞아! 지금 당장 선생에게 주지 않는 게 좋겠소. 아마 50파운드를 다 가져가면 앞으로 석 달 동안은 안 돌아올지 모르지. 여기 10파운드짜리가 있소. 그 정도면 충분하지 않겠소?"

"충분합니다, 주인님. 하지만 제게 5파운드 빚지신 겁니다."

"그럼, 돈을 받기 위해서라도 돌아와요. 나를 40파운드 맡겨놓은 은행가로 생각해요."

"로체스터 주인님, 마침 기회가 생겼으니 다른 용건을 말씀드리는 게 좋겠습니다."

"용건이라니? 뭔지 듣고 싶군."

"일전에 곧 결혼하신다고 말씀하신 거나 마찬가지인 말씀을 하셨어요, 그렇죠?"

"그래요. 그래서 뭐가?"

"그렇게 된다면, 주인님, 아델을 학교에 보내셔야 합니다. 주인님께서도 그럴 필요가 있다는 건 잘 알고 계실 거라고 확신합니다."

"내 신부 앞에서 애를 치워라 이거군. 안 그러면 신부가 애를 너무 모질게 다룰지도 모른다는 소리군. 그 제안에는 일리가 있군. 의심할 여지가 없군. 선생 말대로 아델은 학교로 가야겠지. 그러나 그렇게 되면 선생은 곧바로, 글쎄, 아무 데로나 떠나겠지?"

"그렇게 되지 않기를 바랍니다, 주인님. 하지만 다른 일자리를 찾아봐야겠지요."

"물론 그래야겠지!" 그가 다소 환상적이면서 동시에 우스꽝스럽게 표정을 일그러뜨리며 콧소리를 섞어 외쳤다.

"그리고 일자리를 찾기 위해 늙은 리드 부인이나 아니면 그녀의 두 딸들에게 간청해야겠지."

"아닙니다, 주인님. 저는 그 사람들과 부탁을 해도 괜찮은 그런 관계가 아닙니다. 광고를 낼 겁니다."

"이집트의 피라미드를 걸어 올라가겠다는 말과 같군!" 그가 투덜댔다. "위험을 무릅쓰고 광고를 내겠다는 말이군! 선생에게 10파운드 대신 1파운드 금화 한 닢만 줄 걸 그랬군. 9파운드를 도로 내놓아요, 제인. 내 쓸데가 있으니."

"저도 쓸데가 있습니다, 주인님." 양손과 지갑을 등 뒤로 숨기며 내가 대답했다. "무슨 일이 있어도 그 돈을 돌려드릴 수 없습니다."

"꼬마 구두쇠 같으니!" 그가 말했다. "돈을 다시 내놓으라는 요구를 거절하다니! 그럼, 5파운드라도 내놓아요, 제인."

"5실링도 안 됩니다, 주인님. 5페니도요."

"돈 구경이나 합시다."

"안 됩니다, 주인님. 믿을 수 없으니까요."

"제인!"

"네, 주인님."

"한 가지만 약속해요."

"지킬 수 있는 거라고 생각하면 뭐든 약속하겠습니다, 주인님."

"광고는 내지 말아요. 그리고 일자리 찾는 일은 내게 맡겨요. 때가 되면 내가 찾아주겠소."

"주인님께서 아내 되실 분이 여기 들어오시기 전에 저와 아델을 안전하게 내보내겠다고 약속하시면 저도 기쁜 마음으로 그리하겠습니다."

"좋소! 좋았어! 분명히 약속하겠소. 그럼, 내일 떠나요?"

"네, 주인님. 일찍 떠납니다."

"저녁 식사 후 응접실로 내려오겠소?"

"아닙니다, 주인님. 여행 준비를 해야 합니다."

"그러면 우리는 잠깐 동안의 이별을 위해 지금 작별해야 한다고?"

"그래야 될 것 같습니다, 주인님."

"제인, 작별 의식은 어떻게 치르는 거지요? 가르쳐줘요. 그런 일은 전혀 해보지 않아서."

"안녕이라고 하면 돼요. 더 좋은 인사말을 좋아하는 사람도 있고요."

"그러면 그렇게 말해봐요."

"당분간 안녕히 계세요, 로체스터 주인님."

"나는 뭐라고 말해야 되지?"

"괜찮으시면 똑같이 말씀하세요, 주인님."

"당분간 안녕, 에어 선생. 이게 다요?"

"네."

"내 생각엔 너무 인색한 인사 같군. 너무 메마르고 정도 없고. 뭔가 다른 인사가 좋겠는걸. 이 작별 의식에 좀 추가하는 것 없나? 예를 들면 악수를 한다든가. 그러나 그것도 아니야. 그것도 나를 만족시키지 못할 거야. 제인, 그러니 안녕이란 말이 전부요?"

"그것이면 충분합니다, 주인님. 많은 말보다 진심이 담긴 한마디 말에 더 많은 것이 전달될지도 모릅니다."

"그럴 것도 같군. 그러나 '안녕'이란 한 단어는 허전하고 차가운 걸."

'대체 언제까지 저 문에 등을 기대고 서 있을라나?' 나는 속으로 자문했다. '난 짐을 싸기 시작하고 싶은데.' 마침 식사 시간을 알리는 벨이 울렸다. 그는 갑자기 한마디 하지도 않고 급히 그 자리를 떴다. 그날 나는 그를 더 이상 보지 못했다. 그리고 다음 날 아침 나는 그가 일어나기 전에 출발했다.

나는 5월 1일 오후 5시쯤 게이츠헤드의 문간채에 도착했다. 저택으로 올라가기 전에 먼저 그곳에 들렀다. 집은 무척 깨끗하고 깔끔했다. 장식이 되어 있는 창에는 작고 흰 커튼이 매달려 있었다. 바닥에는 얼룩진 곳 하나 없었다. 난로 쇠살대와 난로용 철물들은 빛이 나도록 닦여 있었다. 난롯불이 활활 타고 있었다. 베시는 난롯가에 앉아 갓난아기를 돌보고 있었고 로버트와 여동생은 구석에서 조용히 놀고 있었다.

"세상에나! 오실 줄 알았어요!" 내가 들어서자 레븐 부인이 된 그녀가 외쳤다.

"그래, 나야, 베시!" 그녀에게 키스하고 내가 말했다. "내가 늦은 건 아니겠지. 리드 부인은 상태가 어때?…… 아직 살아 계셨으면 좋겠군."

"네, 살아 계세요. 그리고 전보다 더 의식이 또렷하고 안정을 보였어요. 의사 선생 말로는 아직 한두 주는 더 버티실 것 같대요. 하지만 제대로 회복되리라고는 생각하지 않더군요."

"부인이 최근에도 내 말을 했어?"

"오늘 아침에도 말씀하셨어요. 또한 아가씨가 오시기를 바라셨어요. 그런데 지금은 주무시고 계세요. 적어도 아까 십 분 전 제가 올라가 뵈었을 땐 그랬어요. 마님께선 대개 오후 시간엔 내내 죽은 듯 잠에 빠지세요. 그러다 6시나 7시쯤 일어나셔요. 이곳에서 한 시간만 쉬었다 가시겠어요, 아가씨? 그러고 나서 나와 같이 올라가시겠어요?"

그때 그녀의 남편 로버트가 들어왔다. 베시는 잠든 아기를 유아용 요람에 내려놓고 그를 맞았다. 그런 뒤 그녀는 내게 보닛을 벗고 차를 좀 들라고 우겼다. 내 얼굴이 창백하고 피곤해 보인다는 것이었다. 나는 기쁜 마음으로 그녀의 환대를 받아들였다. 그리고 어렸을 때 옷을 벗기도록 몸을 맡겼던 것처럼 수동적으로 내 여행복을 벗기도록 몸을 맡겼다.

베시가 차 쟁반과 자기 집에서 제일 좋은 찻잔을 꺼내고 빵과 버터를 자르고, 차와 함께 먹는 쿠키를 굽고, 그러면서 옛날 내게 했던 것과 똑같이 어린 아들 로버트와 딸 제인을 가볍게 때리거나 밀치면서 무산을 떠는 모습을 지켜보고 있자니 지난 추억이 물밀듯 밀려왔다. 베시는 가벼운 발걸음과 아름다운 외모뿐만 아니라 조급한 성미까지 옛날 모습 그대로 간직하고 있었다.

차가 준비되자 나는 탁자로 가려고 했다. 그러나 베시는 옛날처럼 단호한 어조로 내게 그냥 자리에 앉아 있으라고 했다. 난롯가로 자기가 차를 갖다주겠다는 것이었다. 그녀는 찻잔과 토스트 접시가 담긴 작고 둥근 찻상을 내 앞에 갖다놓았다. 그 또한 옛날에 그녀가 몰래 훔쳐온 맛난 음식을 들고 와서 아이들 방 의자 위에 올려놓고 먹으라고 하던 모습 그대로였다. 나는 미소를 지으며 옛날에 그랬던 것처럼 그녀의 말을 따랐다.

베시는 손필드 저택에서의 내 생활이 행복한지, 안주인은 어떤 사람인지 알고 싶어 했다. 내가 남자 주인밖에 없다고 하자, 이번에는 그가 훌륭한 신사인지, 내가 그 남자를 좋아하는지 알고 싶어 했다. 주인은 다소 못생긴 편이지만 아주 점잖은 신사분이며 내게 친절하게 대해주기 때문에 나는 만족한다고 말했다. 그리고 나는 그녀에게 최근 손필드 저택에 머무르고 있는 상류층 손님들에 대해 설명하기 시작했다. 그들에 대한 상세한 이야기들을 베시는 몹시 흥미롭게 경청했다. 이런 이야기들은 베시가 재미있어하는 바로 그런 이야깃거리였다.

그런 이야기를 하다 보니 한 시간이 금방 지나갔다. 베시가 다시 보닛을 씌워주고 옷을 입혀주었다. 나는 저택 본채로 가기 위해 그녀를 대동하고 문간채를 나섰다. 9년 전쯤 지금 걸어 올라가고 있는 길을 걸어 내려올 때에도 베시가 내 동행자였다. 캄캄하고 안개가 끼어 있었고 으스스한 1월 어느 아침, 나는 절망과 비통한 심정으로…… 추방당한 심정과 거의 벌을 받고 유형에 처해진 심정으로…… 로우드 학교라는 떨리는 피난처를 찾아 저 적개심으로 가득 찬 지붕 밑을 떠났었다. 멀고 먼 미답의 목적지 로우드 학교를 찾아갔었다. 바로 그 적개심이 감도는 저택 지붕이 다시 내 눈앞에 솟아 있었다. 그때처럼 내 앞날은 여전히 불투명했다. 내 마음 또한 아직 여전히 아팠다. 나는 아직도 이 지구 표면을 배회하는 방랑자라고 느껴졌다. 그러나 나는 내 자신과 능력에 대한 보다 확고한 신뢰를 체험했고 압제 앞에 두려워 위축되는 그러한 체질은 많이 개선된 상태였다. 부당한 대우를 받아 크게 벌어졌던 상처도 다 아물고, 분노의 불꽃도 사그라져 있었다.

"조찬실부터 들러요." 복도를 따라 앞서 가던 베시가 말했다. "아가씨들이 거기 있을 거예요."

다음 순간 나는 그 방으로 들어갔다. 방 안의 모든 가구들은 내가 브로클허스트 씨에게 처음 소개되던 날 아침과 똑같아 보였다. 난로 앞의 깔개도 바로 그때 그 사람이 밟고 섰던 바로 그 깔개였다. 책장을 언뜻 쳐다보니 여전히 옛날처럼 세 번째 칸을 차지하고 있는 비윅의 《영국 조류사》와 바로 그 위에 꽂혀 있는 《걸리버 여행기》, 《아라비안나이트》를 찾을 수 있을 것 같다는 생각이 들었다. 생명이 없는 물체들은 아무런 변함이 없었다. 그러나 살아 있는 것들은 알아볼 수 없게 변해 있었다.

두 명의 젊은 숙녀가 내 앞에 나타났다. 그중 한 명은 키가 몹시 컸는데, 잉그램 양과 거의 비슷한 키였다. 게다가 아주 호리호리했고 누르스름한 얼굴에 엄격해 보이는 태도를 하고 있었다. 표정에는 금욕적인 데가 있었다. 그런 표정은 극도로 수수하게 차린 데서 더 두드러져 보였다. 스커트 자락이 곧게 늘어선 검은 모직 옷을 입었고 거기에 풀 먹인 면 옷깃이 달려 있었다. 머리는 관자놀이 부위부터 곱게 빗겨져 있었고, 수녀처럼 새까만 구슬과 십자가 장식을 하고 있었다. 나는 길게 늘어지고 핏기 없는 그녀의 얼굴에서 예전 모습과 비슷한 구석은 거의 찾아볼 수 없었지만 이 숙녀가 분명히 일라이자라고 확신했다.

다른 하나는 분명히 조지아나였다. 그러나 내가 기억하고 있는 가냘픈 요정 같은 열한 살배기 소녀 조지아나는 아니었다. 밀랍 인형처럼 아름답게 활짝 피어오른 풍만한 처녀였다. 이목구비가 반듯했고, 눈은 애조가 깃든 파란색이었고, 노란 머리는 곱슬했다. 그녀의 옷 역시 검정색이었다. 그러나 모양새는 언니와 옷과 너무 달랐다. 너무나 화려하고 잘 어울리는 것이 언니의 옷이 청교도적이라면 이건 멋을 잔뜩 부린 차림이었다.

두 자매는 어머니의 특징을 하나씩 가지고 있었다. 오직 한 가지씩 지니고 있었다. 호리호리하고 창백한 큰딸은 어머니의 연수정색 눈을 가지고 있었고, 꽃처럼 화려한 둘째 딸은 어머니의 턱 선을 그대로 빼어 닮고 있었다. 어머니보다 좀 부드러운 모습인지 모르지만 여전히 그 턱 선 모습이 얼굴에다 형언할 수 없이 매정한 특성을 부여하고 있었다. 그것만 아니었어도 그녀의 얼굴은 매우 섹시하고 귀여워 보였을 것이다.

내가 다가가자 두 숙녀는 나를 맞이하기 위해 일어났다. 둘 다 나를 '에어 양'이라고 불렀다. 일라이자는 미소도 짓지 않고 간결하고 퉁명스러운 어조로 인사를 했다. 그러고는 다시 자기 자리에 앉아 눈을 난롯불에 고정시켰다. 벌써 내가 온 것을 잊어버린 것 같았다. 조지아나는 "잘 지내고 있어?" 하고 인사한 뒤 다소 느린 어조로 여행과 날씨에 대한 상투적인 말 몇 마디 질문을 던졌을 뿐이었다. 뒤이어 여러 차례 곁눈질로 내 모습을 머리부터 발끝까지 유심히 관찰했다. 내 단조로운 황갈색 메리노 양털 외투의 주름들을 훑어보기도 하는가 하면 한편으로는 내 보닛의 촌스럽고 수수한 가장자리 장식에 눈길을 주기도 했다. 젊은 그 아가씨들은 직접 말로는 하지 않았지만 상대방을 '웃기는 구닥다리'로 생각하고 있다는 것을 상대방에게 알리는 희한한 요령을 가진 여성들이다. 거만한 표정, 냉담한 태도, 아무렇지도 않다는 말투 같은 것들이 바로 직접적인 말이나 행동을 통해 무례함을 드러내지 않으면서 그 같은 감정을 표현하는 수법이다.

하지만 음성적이든 공개적이든 그런 냉소적인 태도는 이제 더이상 옛날처럼 내게 영향을 미치지 못했다. 사촌들 틈에 앉아 있으면서, 한쪽은 나를 철저히 무시하고 다른 한쪽은 조소에 가까운 관심을 보이고 있는데도 나는 마음이 어찌나 편한지 나도 놀랐다. 나는 일라이자 때문에 굴욕을 느끼지 않았고 조지아나 때문에 화나지도 않았다. 사실 나는 다른 일을 생각해야 했다. 지난 몇 달 동안 내 안에서는 이들 두 숙녀가 불러일으키는 것보다 훨씬 더 강력한 감정이 동요되고 있었다. 그리고 이들 둘이 가하거나 줄 수 있는 것보다 훨씬 더 예리하고 격렬한 고통과 기쁨을 자극받았던 터였다. 그래서 두 사람의 태도는 좋건 나쁘건 내가 신경 쓸 게 되지 못했다.

"리드 부인께서는 좀 어떠세요?" 나는 곧 조지아나를 침착하게 바라보며 물었다. 그녀는 이 예상치 않은 무례처럼 느껴지는 이 직접적인 질문을 꼬투리 잡는 것이 적절하다고 생각한 모양이었다.

"리드 부인? 아, 엄마를 말하는 거군. 아주 형편없으셔. 오늘 밤 네가 뵐 수 있을지 어떨지 모르겠다."

"혹시 언니가 위층에 올라가서 내가 왔다고 말해주면 정말 고맙겠어." 내가 말했다.

조지아나는 움찔할 정도로 깜짝 놀랐다. 그녀는 파란 눈을 크게 떴다. "그분은 나를 특별히 보고 싶어 하신다는 걸 알고 있어." 하고 내가 덧붙였다. "어쩔 수 없는 상황만 아니면 그분 뵙는 일을 더 이상 미루고 싶지 않아."

"엄마는 저녁 시간엔 방해받는 걸 싫어하셔." 일라이자가 말했다. 나는 곧 일어나서, 누가 권하지 않아도 모자와 장갑을 집어 들고, 아마 부엌에 있을 베시에게 가서 리드 부인이 오늘 밤 나를 만나고 싶어 하는지를 확인해 오라고 하겠다고 말했다. 나는 나와서 베시를 찾아 심부름을 보내고는 이제 그 이상의 조치를 취하기 시작했다. 이제까지 나는 오만불손 앞에서는 움츠러드는 습관이 있었다. 1년 전만 해도 오늘 같은 대접을 받았다면 아마 나는 분명히 바로 다음 날 아침 게이츠헤드를 떠나버렸을 것이다. 그러나 지금은 그런 행동이 바보 같은 계획이 될 것이라고 생각했다. 외숙모를 만나기 위해 100마일의 여행을 했는데, 그녀의 상태가 나아질 때까지 혹은 돌아가실 때까지 머물러 있어야 한다? 나는 딸들의 오만한 태도나 어리석음은 한쪽으로 치우고 무시해야 했다. 그런 것으로부터는 독립을 쟁취해야 한다. 그래서 나는 저택의 가정부에게 말해 내가 묵을 방을 안내하라고 부탁했다. 그녀에게 나는 어쩌면 한 주 내지 두 주 손님으로 머무를 테니 내 여행 가방을 그 방까지 들어다달라고 부탁했다. 그리고 그녀를 그 방까지 따라갔다. 나는 층계 끝에서 베시를 만났다.

"마나님 일어나셨어요." 베시가 말했다. "아가씨께서 오셨다고 말씀드렸어요. 같이 가서 마님이 아가씨를 알아보시는지 확인해봐요."

그 친숙한 방까지 가는 데는 안내를 받고 말고 할 필요가 없었다. 그 옛날 혼나거나 벌을 받기 위해 뻔질나게 드나들던 방이었다. 나는 서둘러 베시보다 앞장서서 나아가 조용히 방문을 열었다. 벌써 날이 어두워졌기 때문에 갓을 씌운 등불이 탁자 위에 놓여 있었다. 옛날이나 다름없이 호박색 커튼이 쳐지고 다리가 네 개 달린 거대한 침대가 놓여 있었고, 화장대와 안락의자와 발판 달린 걸상도 보였다. 저지르지도 않은 잘못 때문에 올라가서 무릎을 꿇고 앉아 용서를 빌라는 판결을 받았던 바로 그 걸상이었다. 나는 가까이에 있는 방 한쪽 구석을 들여다보았다. 한때 내가 너무나 두려워하던 회초리의 가는 모습이 혹시 지금도 보이지나 않을까 해서였다. 구석에 숨어 기다리고 있다가 꼬마 악귀처럼 튀어나와 벌벌 떠는 내 손바닥과 움츠린 목을 사정없이 내리치던 회초리였다. 나는 침대로 다가갔다. 침대 커튼을 걷고 여러 층으로 쌓아올린 베개들 위로 몸을 굽혔다.

나는 리드 부인의 얼굴을 잘 기억했다. 그래서 열심히 낯익은 모습을 찾았다. 흐르는 세월이 복수를 하겠다는 열망을 가라앉히고 분노와 혐오의 부추김을 잠재운다는 것은 그야말로 다행스러운 일이다. 그 옛날 나는 쓰라린 증오와 고통에 싸여 이 부인을 떠났었다. 그런데 지금 돌아와보니 이제는 그녀가 겪는 크나큰 고통에 대한 연민 이외에 다른 어떤 감정도 느낄 수 없었다. 또한 그녀가 내게 준 상처 모두를 잊고 용서해야겠다는 강렬한 소망, 그녀와 화해하고 다정히 손을 잡겠다는 소망만 느껴질 뿐이었다.

잘 알려진 얼굴이 거기에 있었다. 이전이나 다를 것 없는 엄격하고 무자비한 얼굴이었다. 무엇으로도 녹일 수 없는 그 특이한 눈이 거기 있었다. 좀 추켜올려 있고 제왕적이며 폭군적인 눈썹은 여전했다. 그 눈이 얼마나 자주 나에게 위협과 증오를 떨구었던가! 그 사나운 눈썹이 그리는 선을 따라가노라면 어린 시절에 느꼈던 두려움과 슬픔에 대한 회상이 얼마나 생생히 살아나는지 몰랐다! 그러나 나는 몸을 숙여 그녀에게 키스했다. 그녀가 나를 바라보았다.

"제인 에어가 왔느냐?" 그녀가 말했다.

"네, 리드 외숙모님. 안녕하세요, 사랑하는 외숙모님?"

전에 나는 다시는 그녀를 외숙모라고 부르지 않겠다고 맹세했었다. 그러나 지금 그 맹세를 잊고 어기는 것이 죄가 되지 않는다고 생각했다. 나는 침대 시트 밖으로 나온 그녀의 손을 잡았다. 그녀가 그 손으로 내 손을 다정하게 잡아주었더라면 그 순간 나는 틀림없이 진정한 기쁨을 경험했을 것이다. 그러나 다정다감과는 담쌓은 성품이란 그렇게 금세 부드러워지는 게 아니며 그 타고난 반감은 쉽사리 근절되는 게 아니다. 리드 부인은 손을 뺐고 내게서 머리를 다른 쪽으로 돌리며 밤 날씨가 후덥지근하다고 말했다. 그녀는 다시 나를 차가운 눈으로 바라보았다. 그 순간 나는 그녀의 나에 대한 생각과 나에 대한 느낌이 전혀 변하지 않았고 변할 수도 없다는 것을 즉시 깨달았다. 돌처럼 차가운 그녀의 눈, 다정함과는 거리가 멀고 눈물이라곤 흘릴 것 같지 않은 그녀의 눈을 보고 나는 그녀가 죽는 순간까지도 나를 나쁘게 생각하기로 결심한 것을 알았다. 왜냐하면 나를 착한 아이로 생각한다는 것은 그녀에게 느긋한 기쁨을 주는 것이 아니라 다만 굴욕감을 안겨주는 행위가 되기 때문이었다.

나는 고통을 느꼈다. 다음으로 분노를 느꼈다. 그 다음으로 나는 그녀의 기를 꺾어버리겠다는 결의를 느꼈다. 그녀의 본성과 의지에도 불구하고 나는 그녀의 여주인이 되기로 결심했다. 어린 시절처럼 눈물이 솟구쳤다. 나는 눈물에 다시 눈물샘으로 돌아가라고 명령했다. 그녀의 침대 머리로 의자를 가져갔다. 그곳에서 그녀의 베개 위로 몸을 숙였다.

"저를 불러오라고 사람까지 보내셨잖아요." 내가 말했다. "그래서 여기 온 거예요. 여기 머무르면서 외숙모 상태가 어떤지 알려는 게 제 생각이에요."

"아, 그야 물론 그렇겠지! 내 딸들은 만났니?"

"네."

"그래, 그럼, 그 애들에게 내가 마음에 간직하고 있는 말을 너와 좀 할 수 있게 될 때까지 네가 여기 묵기를 원한다고 전해도 좋다. 오늘 밤은 너무 늦었다. 그리고 그 할 말을 기억해내기도 힘들고. 어쨌든 네게 하고 싶은 말이 있었는데, 뭐더라……."

배회하는 시선과 변한 발음이 한때 너무나 건강했던 그녀의 몸에 얼마나 큰 손상이 일어났는지를 말해주고 있었다. 불안하게 몸을 틀더니 그녀는 몸을 덮으려고 침대보를 잡아당겼다. 마침 그 한쪽을 누르고 있던 내 팔꿈치 때문에 침대보가 움직이지 않았다. 그녀는 즉시 짜증을 냈다.

"나 좀 일으켜 세워라!" 그녀가 말했다. "그렇게 침대보를 꽉 눌러서 성가시게 하지 말고, 너 제인 에어지?"

"네, 제인 에어예요."

"그 애 때문에 나는 남이 믿지 못할 정도로 괴로움을 겪었었지. 그 애는 내 손에 맡겨진 큰 짐이었어…… 매일 시도 때도 없이 그 알 수 없는 기질과 갑자기 성질을 폭발시키질 않나, 계속 이상하게 사람들의 거동을 유심히 쳐다보질 않나, 여튼 계속 나를 성가시게 했었어! 내 지금 선언하는데, 한 번은 그 아이가 꼭 미친 아이처럼, 아니지, 꼭 악마처럼 소리를 내지른 적이 있어. 세상에 어떤 아이도 그 애처럼 말하고 그 애 같은 표정은 짓지 않았을 거야. 그 애가 우리 집을 떠나게 되었을 때 나는 기뻤어. 로우드 학교는 도대체 그 애에게 무얼 한 거야? 그 학교에 열병이 돌아서 많은 학생들이 죽었어. 그러나 그 앤 죽지 않았어. 하지만 난 그 애가 죽었다고 말했어. 그 애가 죽었기를 바랐었지!"

"이상한 소원도 다 있네요, 리드 외숙모. 왜 그렇게 그 애를 미워하셨죠?"

"난 늘 그 애 엄마가 싫었어. 그 애 엄마는 내 남편이 가장 좋아하는 하나밖에 없는 여동생이었거든. 그는 자기 여동생이 비천한 남자와 결혼했다 해서 집안에서 그녀와 연을 끊겠다고 했었는데도 그 처사에 반대했었어. 그리고 그녀가 죽었다는 소식을 듣고는 바보처럼 울었어. 그는 여동생의 아기를 데려오려고 했어. 하지만 나는 차라리 아기를 보모에게 위탁하고 양육비를 보내주자고 간청했어. 나는 아이를 처음 보았을 때부터 싫었어. 병약하고 칭얼대고 몰골이 파리한 아기였어. 요람에서 밤새도록 울어대는 거야. 다른 아이들처럼 기운차게 울음소리를 내지르는 것도 아니고 그냥 훌쩍훌쩍 끙끙거리기만 했어. 남편 리드는 아기를 불쌍히 여겼어. 마치 자기 친자식처럼 보살피고 들여다보곤 했어. 정말이지 자기 친자식들이 아기 나이였을 때 보살펴주던 것보다 더했어. 그는 우리 아이들더러도 그 거지 아기에게 친절하게 대하라고 일렀어. 하지만 사랑하는 내 아이들은 그 애를 보면 못 견뎌했어. 그러면 내 남편은 우리 아이들이 그 아이에게 혐오감을 나타낼 때마다 화를 냈었어. 마지막 병석에 누웠을 때 그는 그 애를 시종 자기 침대 옆으로 데려오게 했어. 그리고 죽기 한 시간 전에 그 애를 계속 부양하겠다는 맹세를 하게 했어. 나는 차라리 구빈원에서 거지 아이를 데려다 키우는 게 낫겠다고 생각했어. 하지만 남편은 마음이 약했어. 천성적으로 약했어. 존은 제 아버지를 전혀 닮지 않았지. 나는 그게 기뻐. 존은 나를 닮고 내 남자 형제들을 닮았어. 그 앤 전형적인 깁슨 집안 애야. 휴, 제발 그 애가 돈 부쳐달라는 편지로 나를 그만 괴롭혔으면 좋겠는데! 더 이상 부쳐줄 돈도 없고 우리 집은 점점 가난해지고 있어. 하인 절반은 내보내야 해. 집의 방 몇 개도 폐쇄해야 해. 아니면 세를 놓든지. 그건 참을 수 없어. 그러나 무슨 수로 살아간단 말이냐? 수입의 3분의 2가 재산 저당 잡히고 쓴 이자를 갚는 데 나가고 있어. 존 녀석이 무서울 정도로 도박에 빠졌어. 늘 돈을 잃고…… 불쌍한 놈! 그 애는 사기 도박꾼들에게 포위당해 있는 거야. 존은 기가 죽고 절망에 빠졌어. 그 애 표정만 봐도 무서워. 그 애를 보면 창피해."

그녀는 점점 더 흥분하고 있었다. "이제 그만 나가는 게 좋을 것 같아." 나는 침대 맞은편에 서 있던 베시에게 말했다.

"그래야 할 것 같네요, 아가씨. 그런데 마님께선 밤이 될 시간이 먼 종종 이렇게 말을 늘어놓으세요   . 아침이면 잠잠해지시고."

나는 자리에서 일어났다. "거기 서!" 리드 부인이 소리쳤다. "하고 싶은 말이 하나 더 있어. 존이 나를 협박했어. 죽어버리겠다고, 아니, 나를 죽여버리겠다고 계속 협박했어. 가끔 존이 목에 큰 상처를 입고 있든가, 아니면 부풀어 오른 시커먼 얼굴을 한 채 누워 있는 꿈을 꿔. 나는 난처하게 됐어. 고통이 너무 무거워. 어찌해야 되지? 돈은 어떻게 구하고?"

그때 베시는 마님을 설득하여 진정제 한 모금을 마시도록 하려고 노력했다. 베시는 어렵사리 성공했다. 얼마 있자 리드 부인은 많이 진정되고 잠자는 상태로 떨어졌다. 그제야 나는 그곳을 떠났다.

그 후 내가 부인과 다시 대화를 나눌 수 있었던 것은 열흘 이상 시간이 지난 때였다. 그녀는 계속 헛소리를 하거나 깊은 잠에 빠진 무기력 상태를 헤맸다. 의사는 그녀를 고통스럽게 자극할 수 있는 일은 모두 금했다. 그러는 동안 나는 조지아나와 일라이자와 될 수 있는 한 잘 지냈다. 사실 그 두 사람은 처음에는 내게 몹시 냉정했다. 일라이자는 하루의 반을 앉아서 바느질과 독서를 하거나 글을 쓰며 보내면서 나와 동생에게 한마디도 건네지 않았다. 조지아나도 매시간 자기 카나리아에게 쓸데없는 말을 재잘거릴 뿐 나를 거들떠도 보지 않았다. 그러나 나는 일에서건 오락에서건 전혀 무료해 보이지 않기로 작심했다. 이곳에 올 때 화구를 싸가지고 왔는데, 그것이 그 두 가지 모두에 도움이 되었다.

필통과 도화지 몇 장을 가지고 나는 그들과 떨어져 창문 가까이 앉아 끊임없이 변화하는 만화경 같은 내 상상 속에서 순간적으로 형체를 형성해 가는 장면들을 나타내는 공상적 삽화를 부지런히 스케치했다. 두 개의 암초 사이로 언뜻 보이는 바다, 떠오르는 달과 그 달을 가로질러 가는 한 척의 배, 연꽃 화관을 쓰고 갈대숲과 창포꽃 더미에서 솟아오르는 물의 요정 나이아스, 산사나무 화관을 쓰고 참새 둥지에 앉아 있는 요정 등을 그린 삽화였다.

어느 날 아침 나는 얼굴 하나를 그리기 시작했다. 그것이 어떤 얼굴이 될 것인지에 대해서 나는 신경도 쓰지 않고 알지도 못했다. 나는 연한 흑색 연필을 집어 들고 연필심을 뭉뚝하게 깎은 후 열심히 그려 나갔다. 얼마 안 가서 나는 도화지 위에 넓적하게 솟아 오른 이마 윤곽을 그렸다. 그리고 네모진 아래쪽 얼굴 윤곽도 그렸다. 그 얼굴 윤곽이 마음에 들었다. 내 손가락들은 그 윤곽 속에 이목구비를 채워 넣기 위해 활발하게 움직였다. 뚜렷하게 수평선을 그리는 눈썹 두 개를 그 이마 밑에 자리 잡아야 했다. 다음에는 당연히 곧은 콧날과 시원한 콧구멍을 가진 뚜렷한 윤곽의 코를 그렸다. 그러고는 결코 좁거나 작지 않은 유연하게 보이는 입을 그렸다. 또한 그 중간이 확실히 갈라져 보이는 견고한 턱도 그려 넣었다. 검은 구레나룻도 필요한 건 말할 필요도 없었다. 이마 위에서 물결 모양을 보이다가 관자놀이 위에서 더부룩하게 집결된 까만 머리카락도 필요했다. 이번에는 눈을 그릴 차례였다. 눈을 끝까지 남겨놓고 있었다. 가장 조심을 요하는 작업이 필요했기 때문이다. 나는 눈을 크게 그렸다. 모양도 잘 그렸다. 속눈썹은 길고 검게 그렸고 눈동자는 광채를 발하면서 큼직했다. "잘됐어! 하지만 내가 의도한 눈이 아니야." 나는 그 눈이 발휘하는 힘을 살펴며 생각했다. "힘과 기백이 부족해." 나는 파인 눈 그늘을 더 검게 칠했고 빛이 더 밝게 반사되도록 했다. 한두 번 연필로 손질한 것이 아주 성공적이었다. 그 그림 속에 나는 내가 실컷 들여다볼 수 있는 친구의 얼굴이 들어 있었다. 그러니까 저 두 젊은 숙녀 자매가 내게 등을 돌리고 있다 해도 그게 무슨 상관있겠는가? 나는 그림 속 얼굴을 들여다보았다. 말이라도 걸어올 듯 박진감 넘치는 그 초상화는 미소를 짓고 있었다. 나는 그것에 빠져 만족하고 있었다.

"아는 사람 초상화야?" 어느 틈에 곁으로 다가온 일라이자가 묻는 것이었다. 상상 속 인물의 얼굴일 뿐이라고 나는 대답했다. 그러고는 그 그림을 얼른 다른 도화지 밑으로 숨겼다. 물론 그건 거짓말이었다. 사실 그것은 로체스터 씨의 모습을 아주 충실히 묘사한 것이었다. 그러나 그 그림이 그녀나 나를 제외한 다른 사람에게 무슨 의미가 있었겠는가? 조지아나 역시 그림을 보러 왔다. 그녀는 다른 그림들을 무척 좋아했지만 그 그림은 '추남'이라고 부르는 것이었다. 두 자매는 내 그림 솜씨에 놀란 것 같았다. 나는 두 사람의 초상화를 그려주겠다고 제의했다. 그러자 각자는 차례로 연필 스케치를 하도록 모델 노릇을 했다. 그러자 조지아나는 자기 앨범을 가져왔다. 나는 수채화 한 폭을 그려주겠다고 약속했다. 그 약속은 그녀를 즉시 흡족하게 만들었다. 그녀가 정원 산책을 나가자고 제안했다. 산책을 나가고 한 시간도 되지 않아 우리는 사적인 대화까지 깊게 나누게 되었다. 그녀는 2년 전 런던에서 보낸 화려했던 겨울과 그녀가 남자들 사이에 일으킨 그녀에 대한 흠모와…… 그녀가 받은 관심에 대해 이야기하며 내게 호감을 나타냈다. 심지어 나는 그녀가 작위를 가진 귀족 한 사람을 손아귀에 넣었다는 사실까지 넌지시 추측할 수 있었다. 그날 오후와 저녁 시간 동안 그 추측은 점점 확대되었다. 다양한 부드러운 대화가 내게 보고되고 감상적인 장면들이 소개되었다. 요컨대 그날 나를 위해 상류층 생활을 다룬 소설 한 권이 즉흥적으로 창작된 셈이었다. 그런 그녀와의 대화는 매일 새로워졌다. 그러나 대화의 주제는 늘 같았다……. 그녀 자신, 그녀가 한 사랑, 그녀가 받은 비통함 등이었다. 자기 어머니의 병환, 오빠의 죽음, 혹은 가족 앞날에 대한 현재의 암울한 상황에 대해서는 그녀는 한 번도 언급하지 않았다. 그게 참 이상했다. 그녀의 마음은 온통 즐거웠던 옛 추억과 앞으로 있을 재미난 일에 대한 열망으로만 가득 찬 것 같았다. 그녀는 하루에 단 5분가량 어머니의 병실 주변을 어른거렸을 뿐 그 이상은 가까이 가지도 않았다.

일라이자는 말을 거의 하지 않았다. 분명히 대화를 나눌 시간이 없어서 그런 것 같았다. 나는 그녀보다 바빠 보이는 사람은 본 적이 없다. 그러나 그녀가 무슨 일을 하는지는 도무지 알 수 없었다. 아니, 그 부지런함이 무슨 결과를 가져오는지 알기란 어려웠다. 그녀는 아침 일찍 일어나기 위해 알람시계까지 가지고 있었다. 나는 그녀가 아침 식사 전에 무슨 일을 하는지 알지 못한다. 그러나 아침이후의 시간은 균등히 배분되어 사용되고 있었다. 매시간 정해진 일이 있었다. 그녀는 하루에 세 번씩 작은 책 한 권을 정독했다. 나중에 조사해보니 그것은《국교회 일반 기도서》라는 책자였다. 한번은 그 책의 큰 매력이 무어냐고 내가 그녀에게 물었더니, "주서 법규"* 라고 그녀가 대답했다. 또한 그녀는 황금색 실을 사용해서 크기가 카펫만 한 네모난 진홍색 천의 가장자리를 감치느라 시간을 보내고 있었다. 그 물건을 어디에 쓸 거냐고 묻자, 그녀는 최근에 게이츠헤

---

* 국교 예배 의식에 대한 지침서. 대개 붉은 활자로 인쇄된 것이다.

드 근처에 세워진 세 교구 성당의 제단을 덮는 덮개리고 대답히는 것이었다. 그녀는 일기를 쓰느라 두 시간을 할애했고 다시 두 시간은 부엌 텃밭에서 일하는 데 할애했다. 또한 한 시간은 금전출납부를 정리하는 데 썼다. 그녀에게는 친구도 필요 없고 대화도 필요 없는 것 같았다. 그녀는 나름대로 행복했다는 생각이 든다. 이 판에 박힌 일과면 그녀에겐 충분한 것이었다. 시계처럼 규칙적인 일과를 변경하도록 강요하는 일이 일어나는 것보다 그녀를 화나게 하는 일은 없었다고 나는 믿는다.

어느 날 저녁 여느 때보다 이야기가 더 하고 싶어졌는지 일라이자가 내게 말을 걸어왔다. 그녀는 존의 행위와 임박해온 집안의 파멸이 이제까지는 자신의 심각한 고통의 원인이었지만, 이제는 마음의 안정을 찾았으며 결심을 굳혔다는 것이었다. 그녀는 다행히 자기 몫의 재산은 신경을 써서 챙겨놓았다고 했다. 어머니가 돌아가시면…… 어머니가 회복된다든지 오래 연명할 가망은 전혀 없다고 말하면서…… 자기가 오랫동안 마음속에 품어왔던 계획을 실천할 생각이라고 했다. 정확한 시간을 지키며 사는 자기의 습관을 영원히 방해받지 않고 지켜나갈 수 있는 은신처를 찾아, 자신과 경박한 세상 사이에 안전한 장벽을 쳐놓고 살겠다는 것이었다. 나는 조지아나도 함께 가는 거냐고 물었다.

"물론 아니지. 조지아나와 나는 공통점이 전혀 없어. 공통점이 있어본 적이 없어. 어떤 이유로도 그 애를 데리고 가는 부담은 떠맡지 않을 테야. 조지아나는 제 갈 길을 가야 해. 그리고 나 일라이자는 내 갈 길을 갈 거고."

조지아나는 마음에 있는 말을 내게 털어놓지 않을 때면 대부분의 시간을 소파에 누워 보내며 집안의 무료함에 불평을 터뜨리고, 계속 깁슨 이모가 런던으로 그녀를 부르는 초청장을 보내주기를 학수고대하고 있었다. "모든 일이 끝날 때까지 한 달이건 두 달이건 이곳을 떠나 있었으면 훨씬 나을 텐데." 하고 그녀는 말했다. 나는 '모든 일이 끝난다'는 게 무슨 뜻인지 그녀에게 묻지 않았다. 그러나 그것은 자기 어머니의 죽음과 그것에 이어질 우울한 장례 절차를 가리키는 것이라고 나는 생각했다. 일라이자는 동생의 나태와 불평에 대해 더 이상 신경을 쓰지 않았다. 그처럼 계속 투덜대고 빈둥대는 물체가 자기 앞에 없는 경우인 것처럼 행동했다. 그러나 어느 날이었다. 일라이자는 금전출납부를 치우고 자수 바느질감을 펼치면서 느닷없이 조지아나를 몰아쳤다.

"조지아나, 너보다 더 허영되고 어리석은 동물이 있다면 그것에게는 이 지구를 무겁게 기어 다니는 게 허용되지 않았을 거다. 넌 태어날 권리가 없었던 거야. 넌 인생을 이용하지 않으니까. 이성을 가진 존재라면 마땅히 그렇듯, 자신을 위해, 자신 안에서, 자신과 더불어 살지는 않고, 넌 너의 나약함을 어떤 다른 사람의 힘에 붙들어 매놓으려고만 하고 있어. 너처럼 그렇게 살이나 찌고 나약하고 오만하고 쓸모없는 인간을 기꺼이 떠맡겠다는 인간을 찾지 못하면, 넌 푸대접을 받았느니 무시당했느니 비참하다고 소리만 질러. 그러니까 너에게는 인생 역시 끊임없는 변화와 흥분으로 가득한 무대여야 하지. 그렇지 않으면 세상은 지하 감옥이지. 너는 반드시 동경의 대상이어야 하고 구애의 대상이어야 하고, 아첨의 대상이어야 해. 너에게는 반드시 음악과 춤과 사교와 웃음이 있어야 해. 안 그러면 넌 탈진해져서 죽어나가지. 네 자신의 것이 아닌 모든 다른 사람의 누력과 의지로부터 독립할 수 있게 하는 그런 삶의 방식을 고안할 분별력이 네겐 정말 없는 거니? 하루를 떼어내. 그 하루를 여러 조각으로 쪼개봐. 각각에다가 할 일을 할당해. 단 15분, 단 10분, 단 5분이라도 할 일 없이 헤매는 시간을 남겨놓지 마. 모든 시간을 포함시키라고. 그 할당된 시간에 할 일을 체계적으로 엄정하고 규칙적으로 실행해봐. 그러면 하루가 시작되었다는 것을 의식하기도 전에 그 하루가 끝날 거야. 그러면 비어 있는 한 순간을 벗어나도록 너를 도와줄 어떤 사람에게 신세질 필요가 없어. 말동무, 대화, 동정, 관용을 누구한테서도 찾지 않게 될 거야. 요는 독립된 인간이 반드시 살아야 하는 방식대로 살게 될 거야. 제발 내 충고를 받아들여. 이게 처음이자 마지막으로 주는 내 충고야. 그러면 무슨 일이 일어나든 너는 나도 필요 없고 다른 누구도 필요 없을 거야. 이 충고를 무시해봐……. 이제까지처럼 갈망하고 푸념하고 빈둥거리기만 하고 살아보라고. 그러면 그 백치 노릇을 한 결과를 톡톡히 감수하게 될 거야. 아무리 나쁘고 참을 수 없는 결과가 와도 어쩔 수 없어. 자, 이제 내가 분명히 말할 테니 그걸 귀담아들어. 지금 내가 말하려는 것을 반복할 일은 없겠지만 나는 내가 하는 말대로 꾸준히 행동할 거야. 어머니가 돌아가시고 나면 나는 너에게서 완전히 손을 뗄 거야. 게이츠헤드 교구 성당 지하 납골당으로 어머니의 관이 이송된 날부터 나와 너는 전혀 모르는 남처럼 헤어지게 될 거야. 우리가 우연히 같은 부모에게서 태어났다는 이유로 네 유약하기 짝이 없는 주장에 내가 얽매일 거라고 생각할 필요가 없어. 다시 이렇게 말하겠어……. 설령 우리 둘만 남기고 전 인류가 쓸려 없어져 우리만 이 지구 위에 딸랑 서 있게 되더라도 나는 너를 구세계에 남겨놓고 혼자 신세계로 갈 거야."

그녀는 입을 닫았다.

"그렇게 지루한 연설을 하는 수고는 아껴두는 게 좋을 걸 그랬어." 조지아나가 대답했다. "생존하는 인간 중에서 언니야말로 가장 이기적이고 냉혹한 인간이라는 건 누구나 다 알아. 또한 언니가 나에 대해 앙심 깊은 증오심을 품고 있다는 건 내가 알고. 에디윈 베어 경에 대해 언니가 부렸던 속임수가 바로 그 표본적인 예야. 내 신분이 언니보다 올라가서, 언니는 감히 얼굴도 못 내미는 상류 사회가 받아줄 그런 직함을 내가 얻게 되는 것을 참지 못하겠다는 거지. 그래서 스파이 짓과 밀고자 노릇을 해서 내 앞날을 영원히 망가뜨려놓고." 조지아나는 손수건을 꺼내어 그 후 한 시간 동안 코를 풀었다. 일라이자는 차갑게, 무감각하게, 열심히 바느질만 하고 앉아 있었다.

몇몇 인간들은 진실되고 관대한 감정이란 것을 별로 중요하게 생각하지 않는다. 그런 감정이 결여된 탓에 하나는 참을 수 없이 독살스러운 본성을 가지고 있고 또 하나는 경멸이나 받을 만큼 무미건조한 본성을 갖게 된 두 인간이 여기 내 앞에 있었다. 판단력이 없는 감정은 실로 물을 탄 물약이다. 감정이 없는 판단력 또한 사람이 삼키기에는 너무나 쓰고 껄끄러운 음식 조각이다.

비 내리고 바람 부는 오후였다. 조지아나는 소파 위에서 소설을 읽다 잠들어 있었고 일라이자는 새로 생긴 교구 성당의 성도기념일 예배에 참석하기 위해 외출하고 없었다. 종교와 관련된 일에서는 그녀는 엄격한 형식주의자여서 그 어떤 날씨도 그녀가 신앙적 의무라고 생각하는 일을 어김없이 실천하는 것을 막을 수 없었다. 날씨가 좋건 나쁘건 그녀는 매주 일요일 세 차례나 교구 성당에 갔다. 주중에도 기도회가 있을 때마다 성당에 갔다.

나는 위층에 올라가 그곳에 거의 방치되다시피 누워 있는, 죽어 가는 부인이 어떤지 살펴봐야겠다는 생각이 들었다. 하인들만 이따금씩 주의를 쏟고 있을 뿐이었다. 고용된 간병인도 조금만 감시가 소홀하면 기회를 낼 수 있을 때마다 병실을 빠져나가곤 했다. 베시는 충실했다. 그러나 그녀는 신경을 써야 할 가족이 있었기 때문에 저택에는 이따금 올 수 있을 뿐이었다. 예상대로 병실을 지키는 사람이 아무도 없다는 것을 나는 발견했다. 간병인도 없었다. 환자는 조용히 누워 있었고 탈진한 상태인 것 같았다. 납빛이 된 얼굴은 베개에 파묻혀 있었다. 난로 연료받이 쇠살대 위에서는 불이 사그라지고 있었다. 나는 연료를 새로 넣고 침대보를 다시 정리하고, 한참 동안 나를 쳐다볼 힘도 없는 환자를 들여다보았다. 그리고 나는 창가로 옮겨갔다.

빗줄기가 세차게 창유리를 때리고 있었고 바람도 태풍처럼 불고 있었다. '한 사람이 저기 누워 있구나.' 나는 생각했다. '지상의 비바람이 싸우는 이곳을 넘어 곧 떠날 사람이…… 이 물질적 거처를 벗어나려고 지금 발버둥치는 저 영혼이 마침내 풀려나면 어디로 훨훨 날아갈까?'

이 거창한 수수께끼를 곰곰이 생각하며 나는 헬렌 번스를 생각했다. 그리고 그녀가 죽어가면서 했던 말들, 그녀의 신앙심, 육신을 벗어나 영혼들은 평등하다고 했던 그녀의 이론을 상기했다. 아직도 생생히 기억에 남은 그녀의 음성이 내 마음속에서 들려오는 것 같았다. 평온한 임종의 자리에 누워 신성한 아버지 하느님의 품으로

446

되돌아가기를 갈망한다고 속삭이면서 보여주던 창백한 천사 같은 그녀의 모습, 야윈 얼굴, 숭고한 시선이 아직도 생생히 내 눈에 그려졌다. 바로 그때 침대 커튼 뒤에서 미약한 소리가 "거기 누구냐?" 하고 중얼거리는 것이었다.

나는 리드 부인이 며칠 동안 말을 하지 않았다는 것을 알고 있었다. 그녀가 기력을 다시 찾았나? 나는 그녀에게 가까이 갔다.

"저예요, 리드 외숙모."

"누구? 저라니?" 그녀의 대답이었다. "넌 누구냐?" 좀 놀라기는 했지만 기겁까지는 안 하고, 그러면서도 아직 사납지는 않게 "전혀 모르는 사람인데…… 베시는 어디 있느냐?" 하고 말하는 것이었다.

"문간채에 갔어요. 외숙모."

"외숙모라고!" 그녀가 반복했다. "누가 나를 외숙모라고 부르지? 넌 깁슨 집안사람이 아니면서. 하지만 너를 알겠다…… 그 얼굴과 눈과 이마가 퍽 낯익군. 넌 누구와 같으냐 하면…… 맞아, 넌 제인 에어를 닮았어!"

나는 아무 말도 하지 않았다. 내 정체를 밝혔다가 어떤 충격을 유발할까 봐 겁이 났기 때문이었다.

"하지만," 하고 그녀가 말했다. "잘못 본 게 아닌지 모르겠군. 생각이 자꾸 빗나가거든. 제인 에어를 보고 싶었기 때문에 그런 사람이 없는데도 비슷한 사람을 상상한 거야. 게다가 8년이면 그 애도 많이 변했을 거야." 그제야 나는 그녀가 나라고 생각했고 나이기를 바라던 바로 본인이라는 것을 부드러운 목소리로 확인시켰다. 그리고 그녀가 내 말을 알아듣고 정신이 온전한 상태로 돌아왔다는 것을 알고 나서, 베시가 남편을 시켜 손필드 저택에서 나를 이리 데려온 것이라고 설명했다.

"내 몸이 몹시 아픈 것을 난 알아." 그녀가 곧 입을 열었다. "몇 분 전 몸 좀 돌려보려고 했더니 팔다리가 움직이지 않는 걸 알았다. 그러니 죽기 전에 마음의 짐을 더는 게 좋겠네. 건강할 땐 별로 대수롭지 않게 생각했던 일이 이제 이처럼 이런 시간을 맞이하니 정말 부담이 되는구나. 혹시 방에 간병인이 있니? 너 말고 누구 다른 사람 없어?"

나는 우리 둘뿐이라고 그녀를 안심시켰다.

"알았다. 그동안 내가 너한테 두 가지 잘못을 저질렀다. 그걸 지금 후회한단다. 하나는 너를 친자식처럼 키우겠다고 남편과 한 약속을 지키지 못한 거고, 다른 하나는……." 그녀는 잠시 말을 멈췄다. "따지고 보면 별로 중요한 일이 아닌지도 모르지." 그녀가 혼자 중얼거렸다. "그리고 내 몸 상태가 더 나아질지도 모르잖아. 저런 애한테 이렇게 몸을 낮추는 건 고통스러운 일이군." 그녀는 자세를 바꾸려고 노력했지만 실패했다. 그녀의 얼굴이 변했다. 무언가 내적 갈등을 겪는 것 같았다. 어쩌면 최후의 고통이 올 것이라는 전조인지도 몰랐다.

"그래, 극복해야 해. 영원이 내 앞에 있군. 저 애한테 이야기하는 게 낫겠어. 가서 내 화장용 상자를 열어보아라. 그리고 거기서 보이는 편지를 꺼내라." 나는 그 지시에 따랐다. "그 편지를 읽어라." 그녀가 말했다. 편지는 짧았고 이런 내용을 담고 있었다.

부인에게
부디 제 조카 제인 에어의 주소를 보내주시고 그 애가 어떻게 지내는지 말씀해주시면 감사하겠습니다. 곧 그 애에게 편지를 써서 마데이라에 있는 제게 오기를 바란다는 말을 할 작정입니다. 하느님께서 제 노력에 축복을 내리셔서 제가 상당한 재산을 모았습니다. 그런데 저는 결혼도 안 했고 자식도 없습니다. 그래서 제가 살아 있는 동안에 그 애를 양녀로 삼아 제가 죽게 되면 남겨줄 수 있는 것은 뭐든 다 물려주고자 합니다.

마데이라에서 존 에어 올림

3년 전 날짜가 찍힌 편지였다.

"왜 제게 이 편지 이야기를 안 해주셨나요?" 내가 물었다.

"너를 너무나 확고하고 철저히 미워해서 너를 잘살게 만드는 일에 손 하나 빌려주기 싫었기 때문이다. 제인, 난 네가 내게 했던 행동을 잊을 수가 없었다. 네가 전에 한번 내게 퍼부었던 분노와, 나를 세상에서 가장 악독한 인간으로 혐오한다고 선언하던 그 말투와 내 생각만 해도 역겹다고 주장하면서 내가 너를 비참할 정도로 혹독하게 학대했다고 주장하던 어린애답지 않던 네 그 표정과 목소리를 잊을 수가 없다. 네가 갑자기 네 마음에 품었던 원한을 퍼붓기 시작했을 때의 내 감정을 잊을 수 없었다. 나는 그때 무서웠다. 마치 내가 때렸거나 밀쳐버린 어떤 짐승이 사람 눈을 하고 나를 쳐다보고 사람의 목소리로 내게 욕을 퍼붓고 있는 것 같은 느낌이 들었었지. 물을 좀 가져와라! 빨리!"

"리드 외숙모," 나는 그녀가 원하는 물 한 모금을 내밀며 말했다. "이제 그런 모든 일은 더 이상 생각하지 마세요. 마음에서 모두 없애버리세요. 저의 격했던 말을 용서하세요. 그때 저는 어린애였어요. 그때부터 팔구 년이 흘렀어요."

그녀는 내가 한 말에는 전혀 신경을 쓰시 않았다. 그러나 물을 조금 마시고 호흡을 들이마신 뒤 다시 계속했다.

"잊을 수 없다고 하지 않니. 난 복수한 거야. 네가 네 삼촌의 양녀가 되어 편안하고 안락한 생활을 한다는 것은 나로서는 견딜 수 없는 일이기 때문이야. 네 삼촌에게 편지를 썼다. 실망시켜드려 죄송하지만 제인 에어는 죽었다고. 그 애가 로우드 학교에서 발생한 발진티푸스에 걸려 죽었다고 썼지. 이젠 네 마음대로 해라. 편지를 써서 내 주장했던 것이 틀렸다고 말해. 그리고 원하는 것만큼 빨리 내 거짓말을 폭로해. 너라는 애는 나를 괴롭히기 위해 태어난 애라는 생각마저 드는구나. 내 생의 마지막 순간까지 너 아니었으면 그런 짓은 꿈도 꾸지 못했을 잘못을 다시 생각해야 하는 고문을 받게 되다니."

"그 일을 더 이상 생각하지 마시라는 제 말씀을 들으세요, 외숙모. 그리고 친절하게 용서하는 마음으로 저를 바라보시면……."

"넌 정말 나쁜 성질을 가졌어." 그녀가 말했다. "오늘날까지도 나는 이해하는 게 불가능하다고 느끼는 그런 나쁜 성질 말야. 어떻게 9년 동안 함께 살면서 내가 어떤 학대를 해도 꾹 참고 조용히 있다가 10년째 되는 해에 그 모든 분노와 난폭한 언행을 한꺼번에 터뜨릴 수 있는지 이해할 수 없다는 말이야."

"제 성질은 외숙모가 생각하는 것처럼 그렇게 못되지 않았어요. 그냥 격할 뿐이지 앙심을 품는 성질이 아니에요. 어린 시절 외숙모가 허락만 하셨다면 분명히 저는 수없이 기쁜 마음으로 외숙모를 사랑했을 거예요. 그리고 지금도 외숙모와 화해하기를 간절히 바라

450

고 있고요. 제게 키스해주세요, 외숙모."

나는 내 뺨을 그녀의 입술에 갖다 댔다. 그녀는 내 볼을 건드리려 하지도 않았다. 내가 침대에 기대는 통에 자기 몸이 눌린다고 했다. 그러면서 다시 물을 요구했다. 그녀가 물을 마시는 동안 그녀를 일으켜 내 팔로 몸을 받쳐주었다가 다시 침대에 눕히면서 나는 얼음처럼 차갑고 찐득한 그녀의 손을 내 손으로 감싸주었다. 힘이 없는 손가락들이 내 손아귀 안에서 슬며시 움츠러들었다. 앞을 응시하던 눈도 내 시선을 피했다.

"저를 사랑해주세요. 아니, 원하시면 미워하세요." 내가 마지막으로 말했다. "저는 외숙모를 완전히 아낌없이 용서했어요. 그러니이제 하느님에게 용서를 구하세요. 그래서 편안해지세요."

고통을 받고 있는 불쌍한 부인! 그녀가 이제 와서 그 습관적인정신 구조를 바꾸기에는 이미 때는 늦었다. 살아서 늘 나를 미워했었다……. 죽어가면서도 그녀는 여전히 나를 미워하는 게 분명했다.

이때 간병인이 들어왔고 베시가 그 뒤를 따라 들어왔다. 나는 그녀가 내게 친근감을 표하는 것을 보게 되기를 희망하면서 반 시간정도 더 머물렀다. 그러나 그녀는 전혀 그런 표시는 하지 않았다. 그 후 그녀는 급격히 혼수상태로 빠져들었다. 정신도 다시는 돌아오지 않았다. 그날 밤 12시경 그녀는 세상을 떠났다. 나는 임종을지켜보지 않았다. 그녀의 두 딸도 마찬가지였다. 다음 날 아침 모든것이 끝났다는 것을 알리러 사람들이 왔다. 그때쯤에는 시신을 입관할 준비가 되어 있었다. 일라이자와 나는 부인을 보러 갔다. 큰소리로 울던 조지아나는 보러 갈 용기가 나지 않는다고 말했다. 한때 건장하고 활기찬 몸집을 자랑하던 새러 리드의 시신이 뻣뻣해진 모습으로 조용히 누워 있었다. 냉혹했던 그녀의 눈은 차가운 눈꺼풀로 덮여 있었다. 그녀의 이마와 강한 특징들은 아직도 그녀의 냉혹한 영혼의 흔적을 담고 있었다. 나에게는 그 시신이 낯설고 경건한 물체였다. 나는 침울하고 고통을 느끼며 시신을 응시했다. 부드러운 어떤 것, 아름다운 어떤 것, 연민을 자아내는 어떤 것, 또는 희망적인 것이나 압도하는 어떤 것도 그 시신을 불러일으키지 않았다. 그녀의 비운에 대한 불쾌한 고통과…… 나는 전혀 상실감을 느끼지 않았는데…… 그런 형태의 공포스러운 죽음 앞에서 어떤 침울하면서도 눈물 한 방울 나오지 않는 무기력을 느낄 뿐이었다.

일라이자는 어머니의 얼굴을 침착하게 들여다보았다. 몇 분 동안 침묵을 지키다가 그녀가 말했다.

"저런 체질을 가지셨으니 어머니는 아주 연로한 나이까지 사셨어야 했어. 고민을 많이 해서 수명이 단축된 거야." 그러고는 경련이 일어났던지 한순간 입술을 일그러뜨렸다. 경련이 가시자 그녀는 방을 나갔고 나도 방을 나왔다. 우리 두 사람은 다 눈물을 흘리지 않았다.

(2권에 계속)

옮긴이 이덕형

서울대학교 사범대학 영어교육과와 동 대학원을 졸업하고,
이화여고, 동성고등학교, 서울사대 부속고등학교 교사를 역임한 후,
서울대학교 강사와 연세대학교 교수를 지냈다.
편저로《한 권으로 읽는 세계 문학 60선》을 비롯
옮긴 책으로는《가시나무새》(콜린 맥컬로),
《호밀밭의 파수꾼》(J. D. 샐린저),
《페이터의 산문》,《르네상스》(월터 페이터),
《센토》,《돌아온 토끼》(존 업다이크),
《멋진 신세계》(올더스 헉슬리),《프랑스 중위의 여자》(존 파울스),
《20세기 아이의 고백》(토머스 로저스),
《가든 파티》(캐서린 맨스필드),
《천형》(그레엄 그린),《여기는 모스크바》(유리 다니엘),
《밤비》(펠릭스 잘텐),《이솝 우화》(이솝) 외에 다수가 있다.

제인 에어 1

1판 1쇄 발행 2011년 4월 30일
1판 2쇄 발행 2018년 4월 10일

지은이 샬럿 브론테 | 옮긴이 이덕형
펴낸곳 (주)문예출판사 | 펴낸이 전준배
출판등록 1966. 12. 2. 제1-134호
주소 03992 서울시 마포구 월드컵북로 6길 30
전화 393-5681 | 팩스 393-5685
홈페이지 www.moonye.com | 블로그 blog.naver.com/imoonye
페이스북 www.facebook.com/moonyepublishing | 이메일 info@moonye.com

ISBN 978-89-310-0703-9 03840

■ 문예 세계문학선

★ 서울대, 연세대, 고려대 필독 권장도서 ▲ 미국 대학위원회 추천도서
● 《타임》 선정 현대 100대 영문 소설 ▽ 《뉴스위크》 선정 세계 100대 명저

(뒷면 계속)